Derec Llwyd Morgan

Y Brenhinbren

BYWYD A GWAITH

THOMAS PARRY

1904–1985

Gomer

Cyhoeddwyd yn 2013 gan Wasg Gomer,
Llandysul, Ceredigion SA44 4JL.

ISBN 978-1-84851-721-9

Dyluniad mewnol gan Dylan Williams

Cyhoeddwyd gyda chymorth ariannol
Cyngor Llyfrau Cymru.

Argraffwyd a rhwymwyd yng Nghymru gan
Wasg Gomer, Llandysul Ceredigion.

I Geraint a Margaret

Cynnwys

Rhestr o Luniau

Rhagair

BÛM YN DAROFUN ysgrifennu'r llyfr hwn ers rhai blynyddoedd. Yr oeddwn yn awyddus i ailafael mewn gwaith ysgolheigaidd ar ôl ymddeol, ond ar y pryd nid oedd gennyf syniad clir beth y dymunwn ymchwilio iddo nac ysgrifennu amdano. Ond yn ystod y gaeaf olaf yn fy swydd, dyma wahoddiad oddi wrth Bwyllgor Llên Eisteddfod Genedlaethol Cymru i draddodi'r Ddarlith Lenyddol yng Nghasnewydd, a rhywbeth rhwng awgrym a siars y dylwn draethu ar bwnc yn ymwneud â Syr Thomas Parry am ei bod yn ganmlwyddiant ei eni. Yr oedd 2004 yn ganmlwyddiant geni nifer o lenorion Cymraeg blaenllaw eraill, gan gynnwys Euros Bowen, John Gwilym Jones, Caradog Prichard a Waldo Williams. Ond enw Thomas Parry a roddwyd i mi, efallai am ei fod yntau wedi bod yn Brifathro Coleg Aberystwyth, ac am fod rhywun yn nalgylch yr Eisteddfod – yr hybarch Ddafydd Islwyn, mi gredaf – eisiau clywed beth a ddywedwn am y mwyaf llengar ac Eisteddfotgar o'm rhagflaenwyr. Gan fod 2004 hefyd yn drigainmlwyddiant cyhoeddi un o lyfrau pwysicaf Thomas Parry, *Hanes Llenyddiaeth Gymraeg hyd 1900*, ar hwnnw y penderfynais draethu. A chefais y fath flas ar y darllen a'r paratoi fel y penderfynais mai'r gwaith ymchwil yr ymgymerwn ag ef wedi hynny fyddai golwg ar holl gynnyrch Syr Thomas, a olygai, wrth gwrs, edrych ar ei fywyd yn ogystal â'i waith. Yn fy meddwl, dyna fyddai fy mhriod waith ym mlynyddoedd cyntaf fy mhensiwn.

Ond daeth pethau eraill ar fy nhraws. Hyfrydwch hamdden yn un peth. Yna bûm yn cynorthwyo gyda'r gwaith o godi Oriel Kyffin Williams ym Môn. Ar ôl hynny meddyliais yr hoffwn dalu gwrogaeth i'm hen gyfaill y Parchedig John Roberts Llanfwrog ar ganmlwyddiant ei eni yntau. A dweud y gwir yn onest, dim ond pan benderfynodd fy ngwraig yn 2010 fynd ati i ysgrifennu nofel arall y gwelais na allwn i ddim eistedd ar fy nwylo, a dyma benderfynu teithio priffordd Thomas Parry unwaith yn rhagor.

Un o'i lyfrau pwysicaf, meddwn am *Hanes Llenyddiaeth* gynnau. Ychydig wythnosau cyn i Syr Thomas ymddeol, rhoddodd gyfweliad i bapur y myfyrwyr, *Llais y Lli*. Mewn colofn gan Rheinallt Llwyd ar y ddalen gyferbyn â'r ddalen lle printiwyd y cyfweliad hwnnw, telir iddo'r clod hwn, sef y byddai'r rhan fwyaf o Gymry diwylliedig, o gael dewis tri llyfr Cymraeg i fynd gyda hwy i ynys bellennig, yn dewis *Hanes Llenyddiaeth Gymraeg hyd 1900, Gwaith Dafydd ap Gwilym*, a olygwyd gan Thomas Parry ac a gyhoeddwyd yn 1952, a'r *Oxford Book of Welsh Verse*, eto o'i olygiad ef, a gyhoeddwyd ddeng mlynedd yn ddiweddarach. Dyna goron driphlyg o gyhoeddiadau arwyddocaol dros ben. Gan gased gan eu hawdur bob peth ynglŷn â chwaraeon, diau y chwyrnai Thomas Parry hyd yn oed o'i fedd pe clywai fi yn defnyddio i'w ddisgrifio ef a'i lyfrau droad-ymadrodd a gysylltir ers blynyddoedd bellach â rygbi. Yr oedd ganddo goron driphlyg arall yn ogystal, coron driphlyg o swyddi pwysig. Fel y nodwyd, bu'n Brifathro Coleg Aberystwyth. Bu hefyd yn Athro'r Gymraeg yng Ngholeg Bangor ac yn Llyfrgellydd y Llyfrgell Genedlaethol. At hyn, yr oedd Thomas Parry yn un o drindod o gefndryd a gyfrannodd yn enfawr at lenyddiaeth Cymru, y drindod o wyrion y Gwyndy, Carmel, Sir Gaernarfon, a'i cynhwysai ef a Robert Williams Parry a Syr Thomas Parry-Williams.

Fel y ddau gefnder yr oedd Thomas Parry yntau'n barddoni. O leiaf yr oedd yn fardd achlysurol a ddaeth o fewn trwch cerflun i ennill y Gadair yn yr Eisteddfod Genedlaethol. Yr oedd yn ddramodydd pan oedd gofyn drama; yr oedd yn adolygydd ac yn feirniad; ac, hyd at ei ymadawiad â Choleg Bangor, yr oedd yn ddarlledwr cyson: ef, ymhlith pethau eraill gyda'r BBC, oedd cadeirydd cyntaf *Ymryson y Beirdd* ar y radio. Dros y blynyddoedd cyfieithodd Henrik Ibsen a T. S. Eliot a W. B. Yeats, a golygodd Ddaniel Owen. Yn ystod yr Ail Ryfel Byd cydolygodd gylchgrawn, *Cofion Cymru*, a anfonwyd at filoedd ar filoedd o Gymry ifainc a oedd yn gwasanaethu yn y lluoedd arfog dros y ffin a thros y môr. Bu'n Is-Ganghellor Prifysgol Cymru ddwywaith a gwasanaethodd ar Fwrdd ei Gwasg am ddeugain mlynedd dda; bwriodd dymor fel Cadeirydd Cyngor yr Eisteddfod Genedlaethol; yn y chwedegau (o dan nawdd Pwyllgor Grantiau Prifysgolion Prydain) cadeiriodd bwyllgor ar ddyfodol llyfrgelloedd academaidd y Deyrnas Unedig; ac ar ôl ymddeol cadeiriodd Fwrdd Cwmni Theatr Cymru, bu'n Llywydd Llys y Llyfrgell Genedlaethol ac yn Llywydd Anrhydeddus Gymdeithas y Cymmrodorion. Ar dro byddai'n ymaflyd codwm gyda W. J. Gruffydd ac Iorwerth Peate, ef oedd gwas priodas Caradog Prichard, cywirai broflenni i Kate Roberts, sipiai win a blasai farddoniaeth gyda Saunders Lewis, bu'n un o gyfarwyddwyr truenus Teledu Cymru, ac yr oedd yng nghegin Mrs W. Ambrose Bebb focs o fisgedi a elwid yn 'fisgedi Yncl Tom'. Ef hefyd, rhwng 1963 a'i farw, oedd Cadeirydd Panel Llenyddol *Y Beibl Cymraeg Newydd*. Wele, yr oedd Thomas Parry yn un o'r bothau mawr yr oedd cant cwmpasog y diwylliant Cymraeg drwy flynyddoedd canol hir yr ugeinfed ganrif yn troi arno.

Y mae'n hen bryd cael cofiant iddo. Yn ystod yr ugain mlynedd diwethaf ysgrifennwyd mwy na digon o lyfrau i ddweud pethau cymhleth a simplistig am y grefft beryglus o lunio cofiannau. Gwn o'r gorau nad oes modd ail-greu bywyd neb, a gwn mai fy nghofiant *i* i Thomas Parry yw hwn. Mwya'r piti, ychydig iawn o'i gwmni a gefais. Euthum i Goleg Aberystwyth yn ddarlithydd cynorthwyol dros-dro ym mis Hydref 1969, ychydig wythnosau ar ôl iddo ef ymddeol. Ar ôl i ni fel teulu ddychwelyd i Fangor ac i Fôn yn 1975 daeth ef a'i wraig acw i de unwaith, a hynny yn sgil ei gyfaill pennaf, y Dr John Gwilym Jones. Yr oedd John yn dod acw bob diwedd Mehefin a dechrau Gorffennaf i gael cwmni fy ngwraig i wylio'r tennis o Wimbledon ar y teledu. Gofynnodd yn ystod un o'r twrnameintiau hynny a gâi ddod â Tomos ac Enid gydag ef i de. Yr oedd yn fraint i ni eu cael. Wrth y bwrdd un tro dywedodd T. P. rywbeth caredicach na'i gilydd am ryw lyfr yr oeddwn newydd ei gyhoeddi, a gofynnais a fyddai'n barod i fod yn ganolwr imi pan geisiwn am uwchddarlithyddiaeth yn y coleg. 'Ar bob cyfri', fachgen.' Yn fuan fuan wedyn, ar gais y cyn-Archdderwydd Brinley Richards, y deuthum yn gyfeillgar ag ef drwy bwyllgorau'r Eisteddfod Genedlaethol, ysgrifennais ragair byr i gyfrol yr oedd wedi'i hysgrifennu ar ei arwr mawr, Iolo Morganwg, cyfrol a fu'n llafur cariad hanner oes. Pan gyhoeddwyd y gwaith y Nadolig canlynol cefais bwmp o lythyr gan Syr Thomas i'm ceryddu am ei ganmol, ac i'm rhybuddio i beidio â disgwyl y gefnogaeth a addawsai i mi. Yr oedd i Brinli, meddai, ac yntau'n hen gyfreithiwr, draethu ar Iolo, a fu'n destun astudiaeth anferth gan 'yr ysgolhaig Cymraeg mwyaf a fu erioed', sef G. J. Williams, fel petai ef, Thomas, ac yntau'n hen ysgolhaig, yn agor siop gyfreithiwr ym Mangor Uchaf ac yn dechrau cyfreitha. Ofnaf i mi ateb yn chwyrn, a dweud fy mod yn synnu ei fod yn tybied bod fy ysgolheictod oll yn oll mewn pedwar paragraff yn canmol cyfaill o ysgolhaig amatur cwbl ddidwyll. Yna daeth y postman ag ail lythyr oddi wrth Thomas Parry: 'Annwyl Derec, Â'm tafod yn fy moch yr ysgrifennais y llythyr cyntaf.' Pan ddywedais y stori hon mewn print y tro cyntaf, yn rhifyn Gaeaf 2004 o *Taliesin*, dywedais nad oeddwn yn siŵr ai â'i dafod yn ei foch y cymhennodd Thomas Parry fi ai peidio. Erbyn hyn, a minnau wedi byw gydag ef a'i bapurau preifat am gryn amser, gwn hyd sicrwydd mai ysmaldod oedd ei gerydd.

Un enghraifft arall. Yn niwedd y saithdegau, pan oeddwn yn Is-Gadeirydd Cyngor yr Eisteddfod (swydd na chawswn mohoni mor gynnar pe na bai Thomas Parry o lwyfan Eisteddfod Bro Dwyfor 1975 wedi lambastio'r Hen Sanhedrin, chwedl Gwilym Owen, am eu diofalwch o'r hen bafiliwn), arweiniais gyrch i sefydlu swydd Cyfarwyddwr i'r Brifwyl, swydd y buasai sôn amdani ers blynyddoedd. Y noson yr ymddangosodd yr hysbyseb amdani yn y papurau yr oeddwn yng nghyntedd Neuadd Prichard Jones ym Mangor yn barod i fynd i wrando ar ryw gyngerdd neu'i gilydd, a phwy oedd yn brasgamu tuag ataf ond Syr Thomas yng nghwmni Syr Ben Bowen Thomas. Dyma'r cyntaf yn gofyn-ddweud gyda'i lymder nodweddiadol: 'Wedi creu swydd i chi'ch hun ŷch-chi?' Ni allwn ond syllu arno'n gegrwth. Ond yr oedd ei gyfaill yn ei adnabod yn dda: chwerthin yn harti a ddarfu Syr Ben.

Y talsyth mwstashog stŷrn ag ydoedd, y *Prussian general* chwedl Hywel Teifi Edwards, yr oedd gan Thomas Parry hefyd synnwyr digrifwch dwfn ac yr oedd ynddo fawr ddireidi. Ond gan mor sybersych ei wedd, gan mor eryraidd ei drem, ni welai'r diniwed na'r dieithr mo'r pethau hynny'n rhwydd.

Cefais bleser digymysg wrth lunio'r cofiant. Ei ail fan cychwyn oedd galwad deleffon i Einion Wyn Thomas, Archifydd Prifysgol Bangor. 'Oes acw bapurau o eiddo Thomas Parry?' gofynnais. 'Y mae yma focsaid da o lythyron caru,' atebodd yr Archifydd. Ac yr oedd, cannoedd ar gannoedd ohonynt. Ond yn ogystal â bocs o lythyron caru yr oedd yn yr Archifdy dri bocsaid ar hugain arall o bapurau o bob math, a roddwyd yno gan Lady Parry pan symudodd i dŷ llai ar ôl marw'i gŵr, llythyron a drafftiau o lythyron, ambell ddarn o hunangofiant, cyfieithiadau o ddarnau o ddramâu, areithiau, darlithoedd, toriadau papurau newydd, llythyron mewn llaw fer oddi wrth John Bodvan Anwyl at Owen Picton Davies (tad Enid Parry), ffotograffau, &c., &c. Cefais fodd i fyw am aeaf. Cefais ddarn o wanwyn da wedyn yn Archif Prifysgol Aberystwyth, lle cedwir, wrth gwrs, gofnodion pwyllgorau a phapurau eraill, ond lle ceir hefyd yma ac acw mewn ffeiliau diniwed lythyron a nodiadau strae o eiddo'r gwrthrych. Bu Einion Wyn Thomas o gymorth mawr imi, a dymunaf ddiolch iddo ef a'i gyd-weithwyr Ann Hughes, Elen Wyn Simpson a Lynette Williams am eu croeso a'u gwasanaeth. Bu Julie Archer a'r Dr Ian Salmon o gymorth tebyg yn y Coleg ger y Lli. Cefais ofal ardderchog fel arfer yn y Llyfrgell Genedlaethol. Bu Gwasanaethau Archifau Môn a Gwynedd hwythau'n gynorthwygar iawn.

Gŵr o'r un gwaed â Thomas Parry yw fy nghyfaill Dafydd Glyn Jones. Cymerodd Dafydd ddiddordeb bywiol yn y gwaith hwn o'r dechrau: hebryngodd fi i Garmel ac i'r Cilgwyn; cyflwynodd fi i ddwy o breswylwyr y pentref sy'n cofio teulu'r Gwyndy, Gwen Pritchard wybodus ddifyr a'i chwaer Megan Lloyd; rhoddodd imi sgript araith o'i eiddo a chart achau'r teulu o ochr ei fam; a rhannodd â mi rai o feddyliau'r tylwyth am Syr Thomas ac am rai o'i berthnasau, a rhoi benthyg lluniau imi. Eraill o'r un cyff y cefais gymwynasau ganddynt yw merched Gruffudd Parry, brawd ifancaf Thomas, a'i wraig, C. J. (Kit) Parry: diolch i Mrs Parry ac i Siân Wyn Parry a Mai Parry, ac yn arbennig i Enid Parry Evans, a fu am gyfnod fel asiant imi yn Llŷn. Elwais hefyd o ddarllen ac arholi Traethawd MPhil Prifysgol Cymru Bangor Bethan Garbutt (Bethan Parri Evans gynt).

Enwaf hefyd Alun Eirug Davies, un o'm cyd-weithwyr yn Aberystwyth gynt, a fu'n cynaeafu drosof yr ymatebion a fu i waith Thomas Parry ar ddyfodol llyfrgelloedd prifysgolion Prydain. A'r Dr T. Robin Chapman, a fu'n anfon ataf yn rheolaidd gyfeiriadau gwerthfawr at y gwrthrych a'i waith.

Cyn imi ysgrifennu gair o'r llyfr yr oeddwn wedi cael sicrwydd gan Dylan Williams, Pennaeth Golygu Gwasg Gomer ar y pryd, y byddai croeso iddo yn Llandysul. Dylan a ddyluniodd y llyfr, ef a'i golygodd ac a'i hebryngodd drwy'r wasg, ac yr wyf yn ddyledus dros ben iddo am ei waith manwl cydwybodol (a'm harbedodd rhag llawer gwall), am ei awgrymiadau gwerthfawr ac am ei artistri. Diolch i Jonathan Lewis ac Elinor Wyn Reynolds hefyd. Bu a wnelo Dylan Williams arall ryw gymaint â chynhyrchu'r llyfr hefyd, sef fy nghymydog cymwynasgar Dylan Rees Williams, y trown ato bob tro y cawn drafferth gyda'm cyfrifiadur. Gwerthfawrogaf yn arw iawn y Comisiwn Awdur a gefais gan Gyngor Llyfrau Cymru.

Yr wyf yn ddyledus i nifer o bobl eraill am wybodaeth a chymorth: Sioned Bebb, Roy Bohana, Rhydian Davies, Lyn Ebenezer, Beryl Evans, y Dr Geraint ac Eirian Evans, Emlyn Evans, y Parchedig Gerallt Lloyd Evans, y Parchedig Ddr Owen E. Evans, Olwen Farmer, Iona Gilford, Andrew Green, yr Athro R. Geraint a Luned Gruffydd, y Parchedig Aled Gwyn, yr Athro Marged Haycock, Emyr Humphreys, Arwel Jones, Beti a Tegwyn Jones, Ceinwen Jones, Dewi Jones (Stangae), Eleri Jones (Blaenau Ffestiniog), y Dr Ieuan Gwynedd Jones, W. Penri Jones, Wiliam

Roger Jones, William R. Lewis, Megan Lloyd (Llanfairpwllgwyngyll), yr Athro Peredur I. Lynch, Merfyn Morgan, Arwel Ellis Owen, Meinir a Brian Owen (gwrandawyr eiddgar), William Owen (Borth-y-gest), y Dr Angharad Price, Nansi ac Elfyn Pritchard, A. J. Heward Rees, y Parchedig Emlyn Richards, y Dr Alwyn Roberts, Ann ac Alan Wyn Roberts, yr Athro Brynley F. Roberts, y Dr David Roberts (Cofrestrydd Prifysgol Bangor), Nia Rhosier, Jean Smith, yr Athro Meic Stephens, Megan a Gwilym Tudur, yr Athro M. Wynn Thomas, yr Athro Gruffydd Aled Williams, yr Athro J. Gwynn a Beryl Stafford Williams, a John Dilwyn Williams. Diolch o galon iddynt oll. Fel eraill o'i flaen, bu Thomas Parry yn lletya yn ein tŷ ni am rai blynyddoedd, a diolchaf i Jane am roi llety da iddo ac am fod yn gefn mor gariadus ac amyneddgar i mi. Cyflwynaf y llyfr i'm cyfaill mawr cricetgar a'i wreigdda: y mae eleni yn hanner canmlwyddiant ein cyfeillgarwch.

PENNOD 1

Tomos

I. EI DYLWYTH A'I DREF-TAD

YR WYTHNOS olaf o Fawrth 1958, yn dilyn penodiad Thomas Parry yn Brifathro'r Coleg yn Aberystwyth, cafwyd ar dudalennau'r *Cymro* folawd i'w bentref genedigol a oedd bron yn ei godi i'r un gwastad dyrchafedig â'r Mynydd Carmel y trechodd Elias broffwydi Baal arno yn Llyfr Cyntaf y Brenhinoedd. Awgrymodd y gohebydd Dyfed Evans mai'r hyn a wnaeth yr academydd aruchel yr hyn ydoedd – 'gŵr â Chymru a'i phethau yn agos iawn at ei galon' – oedd, yn rhannol, ei fagwraeth ar lethrau'r Cilgwyn chwe chan troedfedd uwchlaw'r môr, o'r lle y gwelai olygfa gyda'r lletaf a harddaf yn y wlad oll, golygfa yr oedd diwylliant megis yn ei llenwi, 'Dinas Dinlle (gwlad Gwydion a Lleu Llaw Gyffes), yr Eifl, trwyn Porthdinllaen, Afon Menai a Môn.' Yn rhannol hefyd awgrymodd fod a wnelo rhyfeddod rhawd Thomas Parry rywfaint â ffyniant y Pethe yng Ngharmel. Ni fanylodd yn union-syth ar y ffyniant hwnnw, ond dywedodd y ceid 'syniad go dda amdano' yn yr un enghraifft hon, sef fod dosbarth o dan nawdd Cymdeithas Addysg y Gweithwyr wedi'i gynnal yno'n ddi-dor 'er deuddeng mlynedd ar hugain.' Adroddodd yn ddiweddarach yn yr erthygl fod yr Anghydffurfwyr, y Methodistiaid Calfinaidd yn enwedig, yn gymharol gryf yng Ngharmel ers canol Oes Victoria, fod yno eisteddfod er 1872, y cynhelid dosbarth sol-ffa yno yn 1886, fod Côr Mynydd y Cilgwyn yn enwog yn ei ddydd, a bod yno ar droad yr ugeinfed ganrif ddosbarth o ddeg ar hugain o ddynion yn astudio'r llyfr trwm *Person Crist* – yn eu plith Richard Edwin Parry, tad Thomas, chwarelwr.

Yn yr un rhifyn o'r *Cymro*, yn hytrach na chlodfori rhamant yr olygfa a'r ddaear ddiferol a roddodd faeth i'w gyfaill Thomas Parry, pwysleisio rhagoriaeth yr aelwyd y maged ef arni a wnaeth John Gwilym Jones. A chondemnio'r ffaith fod cynifer o bapurau newyddion yr wythnos flaenorol wedi dweud 'mai mab i chwarelwr o Garmel ydoedd, gystal â dweud ei fod yn amgenach dyn heddiw na phan aned ef ym Mryn Awel.' Pwynt amlwg John Gwilym yw bod pawb o raid yn fab i rywun, a bod yng Nghymru werinaidd-ddiwydiannol y cyfnod rhwng tua 1875 a chanol yr ugeinfed ganrif fyrdd o chwarelwyr dawnus, a myrdd o lowyr a siopwyr a gweithwyr ffatri dawnus, dynion na chawsant hwy eu hunain gyfleoedd i 'ddod ymlaen yn y byd', ond a lwyddodd i fagu bechgyn a merched a allai ymddyrchafu a gwneud marc ynddo. 'Am fod Richard Parry . . . yn bennaeth o chwarelwr y mae Thomas . . . heddiw yn bennaeth Coleg,' ebe'r gŵr o'r Groeslon. Gan gyfeirio at y lle y maged Thomas ynddo a'r lle y bu yn yr ysgol ynddo a'r lle y codwyd adeiladau newydd y Coleg ger y Lli, ebe ef ymhellach: 'Nid oes raid i Garmel na Phenygroes gowtowio'n ddiolchgar i Aberystwyth. Mae Pen Carmel a Phenfforddelen a Phenygroes yn gymaint o hen bennau bob dydd â Phenyglais.' Yn rhethreg y ddaearyddiaeth berchenogol hon bron na chlywn ni eto O. M. Edwards yn datgan mai 'ar ben Carmel y dylai cofgolofn rhyddid Cymru sefyll.'

Dyna gip ar Garmel, ynteu, 'pentref y talentau' ys galwyd ef yn *Y Cymro* ar achlysur arall. A dyna gip ar y tad Richard Edwin yn diwinydda uwchben *Person Crist*. Beth am y fam, y fam a ddaethai'n wreiddiol o Langwnnadl? Efallai na ddaeth Aberystwyth ddim i feddwl y tad, ebe John Gwilym Jones yn yr un darn ag y dyfynnais ohono gynnau, 'ond synnwn i ddim blewyn nad oedd ei fam wedi ei gweld o bell ar draws bae Ceredigion o'i chartref ym Mhen Llŷn' – hynny yw, o'i chartref ym Mhen Llŷn wedi gweld Aberystwyth mewn gwirionedd ac wedi'i gweld yn ffigurol. Oherwydd un llygadog flaengar oedd Jane Parry, un ac ymennydd siarp ganddi a thafod gyda'r clepiaf yn y sir. Dywedodd Thomas Parry ei hunan fod ei rieni'n 'bur wahanol i'w gilydd', ei dad braidd yn ddistaw a'i fam 'yn siarad fel pistyll'. Dod o bellafoedd hen wlad Llŷn i weini i Dal-y-sarn a wnaeth hi, dal llygad y chwarelwr ifanc o Garmel ryw nos Sadwrn wrth grwydro tua thref o rywle difyrrach na'i gilydd, a phriodi ag ef. Gan mai yn y chwarel yr oedd y ffon fara, nid oedd dewis ond aros a chreu aelwyd yn Arfon. Ym Mrynawel y crëwyd yr aelwyd honno, tŷ sylweddol a gododd Richard Edwin yn 1902 ganllath uwchlaw'r Gwyndy lle'i maged, tŷ ac iddo'n wreiddiol bedair ystafell i lawr a phedair llofft, tŷ a gostiodd £160.

Tad Richard Edwin oedd biau'r Gwyndy, Thomas Parry arall, Thomas Parry a ddaeth yn enwog yn hanes llenyddiaeth Cymru am mai ef hefyd oedd tad tad R. Williams Parry a thad tad T. H. Parry-Williams. (Rhag cymysgu ohonom rhwng gormod o Domosiaid gwell imi ddechrau galw gwrthrych y llyfr hwn yn awr wrth yr enw a ddefnyddiai ei rieni, Tomos.) Ystyrid Thomas Parry, a aned yn 1815 yn fab i Henry Williams, Gwyndy Ceision, yn ddyn cymharol dda'i fyd. Etifeddodd y tŷ a'r tir o'i gwmpas gan ei dad, ac ar ben hynny dywedid yn y pentref iddo gael pres ar ôl ewythr o hen lanc iddo a oedd yn berchen tai yn y Groeslon, ym Mhen-y-groes ac yn nhref Caernarfon. Bu'n briod dair gwaith. Â Chatrin Jones, un o ferched y Garth, Llanwnda, a oedd yn gyfoed ag ef, y priododd y tro cyntaf. Unig blentyn y briodas honno oedd Robert, a aned yn 1847, tad Bardd yr Haf. Ar ôl marw Catrin y flwyddyn olynol, yn 1851 priododd Thomas Parry gyda Mary Jones o'r Dafarn Dywyrch, Llandwrog, a aned yn 1822. Yn ystod y pymtheng mlynedd a gawsant hwy gyda'i gilydd ganed iddynt dri o blant: John (yn 1853), Anne (1855), a Henry (1858), tad y bardd a'r ysgrifwr o Ryd-ddu.

Gyda llaw, yn 1888, cafodd yr Henry hwn, Henry Parry-Williams, gynnig prifathrawiaeth Pennfforddelen, yr ysgol a fynychodd Tomos ugain mlynedd yn ddiweddarach, ond fe'i gwrthododd. Petai wedi derbyn y swydd, ni fuasai sôn am na'r 'Wyddfa a'i chriw' na'r sonedau 'Moelni' a 'Llyn y Gadair' a 'Tŷ'r Ysgol', canys nid bardd ac ysgrifwr Rhyd-ddu a fuasai T. H. Parry-Williams. A chyda llaw eto, dywed Tomos ei fod yn cofio y byddai teulu Rhyd-ddu yn ymweld â'r Gwyndy unwaith y flwyddyn, arfer a gychwynasai (y mae'n debyg) yn fuan ar ôl i Henry briodi. Lluniodd T. H. Parry-Williams ysgrif am un o'r ymweliadau hynny, yn yr hon y disgrifia'r modd y cafodd ei focsio'n 'dynn hollol' yn y cwt ci anghyffredin oedd yno. 'Twll ysgwâr mewn gwal lydan ydoedd,' ebe fe yn *O'r Pedwar Gwynt*, 'a mwy na hanner ffrynt y twll wedi ei orchuddio â llechen dew, a honno wedi ei thragwyddol sowndio.' Y mae'r tipyn cwt – os cwt – yno o hyd, a gall yr ymwelydd llengar o hyd ddychmygu carcharu'r crwt o'r mynyddoedd ynddo, ond rhaid wrth rym dychymyg go gryf.

Ond i ddychwelyd at yr hanes. Yr oedd trydedd wraig Thomas Parry – llysfam Henry a nain Tomos – naw mlynedd ar hugain yn iau nag ef. Mary, merch a aned yn 1844 i Thomas Roberts, brodor o Amlwch a ddaethai i weithio i chwareli Arfon ac a drigai yn un o dai Penffynnon Wen ar ochrau'r Cilgwyn, oedd hi, y dywedodd Tomos amdani tua 1970 ei bod o natur 'ddreng ac anystywallt'. Nid hwyrach ei bod hi'n weddol anhydrin yn ei hieuenctid fel yr oedd yn ei thrigeiniau pan adnabu ef hi gyntaf, ond tecach dweud nad drengdod ac afrywiogrwydd oedd yn ei natur ond penchwibandod amhiwritanaidd – yn enwedig yn ei blynyddoedd cynnar. Yn ugain oed esgorodd ar fab, William, na wyddys pwy oedd ei dad. Am gyfnod bu'n gweini yng Nghrochan Caffo, ffermdy gerllaw'r corsdir a geir yr ochr ogledd-orllewinol i bentref Llangaffo ym Môn, yng nghornelyn eithaf plwyf Llangeinwen. Ni wn a aeth yno cyn i'w mab gael ei eni ai peidio, a chan mor gyffredin yr enwau nid oes modd dweud a oedd perthynas waed rhyngddi hi a'r John Roberts a amaethai'r Crochan, ef mewn gwth o oedran, 86, erbyn Cyfrifiad 1871, a'i wraig s dair blynedd yn hŷn. Dychwelodd Mary o wlad Caffo i Garmel i gadw tŷ i Thomas Parry yn y Gwyndy, ac os tybiwn fod ei hail feichiogrwydd yn arwydd o'r gyfathrach rhyngddynt, gallwn ddweud bod y meistr a'r howscipar yn adnabod ei gilydd yn bur dda cyn iddynt fynd at yr allor yn Eglwys Sant Thomas y 18fed o Ragfyr 1869.

Dri mis yn ddiweddarach daeth Richard Edwin i'r byd. Ganed ail fab iddynt yn 1873, mab y rhoddwyd iddo enw'i dad. Yn Ebrill 1904 aeth y Thomas hwnnw i'r America, lle bu farw o'r diciâu yn 1927, gan adael gweddw a dwy eneth. Yn 1876 ganed trydydd mab, Griffith, hen lanc yr oedd y bachgen Tomos yn hoff dros ben ohono, ac un a gyfarfu â diwedd enbyd pan gafodd ei daflu oddi ar ei feic wrth iddo geisio goddiweddyd *traction* a lorri ger Llidiart y Mynydd ar y ffordd i lawr i'r Groeslon yn Nhachwedd 1911. Erbyn hynny ef oedd perchennog y Gwyndy, ac y mae Tomos mewn darn o hunangofiant yn awgrymu bod Griffith, 'Gong' fel y'i galwai, 'am wneud y Gwyndy i mi'. Ond yn ôl ei ewyllys, i'w fam y gadawodd y lle, yn gyfiawn ddigon, ac ar ei hôl hi gadawodd ef i'w chwaer, Mary Jane, a aned yn 1885, pan oedd Thomas Parry'r hynaf yn ddeg a thrigain mlwydd oed, ond fel rhyw batriarch o'r Hen Destament yn ffrwythlon o hyd.

Nid oedd gan Tomos air da i Mary Jane ddim mwy nag i'w mam. Ymhell cyn ei marw, fel 'un a fu'n gryn boen i ni fel teulu ar hyd y blynyddoedd' y disgrifiodd hi. Siawns nad oes tipyn o or-ddweud yn y feirniadaeth hon, oherwydd nid oedd wrth wraidd y 'gryn boen' honno ddim byd dyfnach na ffrae deuluol ynghylch dodrefnyn neu ddau. Merch na chawsai ei chyfle na'i haeddiant oedd Mary Jane yn ei meddwl ei hun (ac ym meddwl rhai o'i chydnabod), merch y mynnodd ei mam ei chadw gartref fel morwyn yn hytrach na rhoi iddi'r tymhorau ychwanegol o ysgol y dymunai William Ellis, prifathro Ysgol Penfforddelen, iddi eu cael, tymhorau a fyddai wedi'i bodloni yn ymenyddiol ac a fyddai efallai wedi'i symud o'r Gwyndy, merch na chafodd lonydd i ganlyn y bachgen a'i ffansïai, ac a aeddfedodd yn wraig drom drwsgwl yr oedd yr olwg guchiog arni yn ei chanol-oed hwyr a'i henaint yn dychryn plantos.

Wrth gyfeirio at wyth blentyn Thomas Parry o'r tair priodas dywedodd Tomos ei fod 'wedi etifeddu un dros ben'. Os yr ensyniad yn y fan hon yw bod y patriarch wedi cymryd William, y plentyn siawns a gafodd Mary cyn priodi, i'w fagu, rhaid dweud 'Naddo, i'r gwrthwyneb'. Yn ŵyr chwech oed ar aelwyd ei daid Thomas Roberts y ceir y bachgennyn hwnnw yng Nghyfrifiad 1871, ynghyd ag ewythr iddo, Samuel, a dwy fodryb, Jane a Margaret. Y rheini a'i hymgeleddodd. Petai William wedi dod yn un o deulu'r Parrïaid, a bwrw wrth gwrs ei fod wedi byw i'w ganol oed, byddai Tomos wedi cyfeirio ato yn rhywle yn ei nodiadau hunangofiannol. Yng Ngharmel, fel Sam Balat – Sam y Baledwr – yr adwaenid Samuel, brawd Mary Parry. Ymhen blynyddoedd tadogodd ddwy ferch – Ann, a ddaeth yn enwog yn ei man am ei bod yn cynnwys dynion ac yn hael wrthynt, a Kate, Kate ddiniwed. Ganol yr ugeinfed ganrif yr oedd y ddwy fel ei gilydd yn hoffi brolio'u bod yn fodrybedd i 'hogia Brynawel', a phwy welai fai arnynt? Dengys Cyfrifiad 1871 hefyd fod tri phlentyn Thomas Parry o'i ail briodas o hyd yn trigo yn y Gwyndy, a bod yr ieuengaf, Henry, yn dal yn yr ysgol. Wrth reswm, ni ddywed y Cyfrifiad sut berthynas oedd rhwng y plant hynny a'i mam wen ifanc. Dichon eu bod yn ddigon balch o gael gwraig abl iach i gadw tŷ iddynt; dichon eu bod ar yr un pryd yn rhyfeddu bod gwraig mor wisgi yn cywelyfa gyda'r hen ŵr eu tad.

Pam oedd Tomos ganrif yn ddiweddarach mor feirniadol o'r wraig wisgi honno? Efallai am na roesai'r croeso cynnes disgwyliadwy i'w fam pan briododd hi â Richard Edwin a dod i fyw i Garmel. Onid oedd y wraig newydd wedi dwyn ei mab hynaf oddi arni? Ac onid oedd Jane, yn ei thŷ newydd sbon yn y cae uwchlaw'r Gwyndy, yn llythrennol yn edrych i lawr arni? Pan ddywedodd Tomos yn ei ddarn o hunangofiant fod ei ewythr Griffith wedi bod yn garedicach wrth ei fam 'na neb o'i theulu-yng-nghyfraith' y mae'r dweud yn gymaint o anghlod i'r lleill ag ydyw o glod iddo ef. Rhywbeth yn debyg i fam-yng-nghyfraith Jane Gruffydd yn *Traed Mewn Cyffion* Kate Roberts oedd Mary Parry, y mae'n rhaid, un ddrwg-ei-thafod, eiddigeddus, chwerw-flin. Neu efallai – a noder mai gŵr piwritanaidd ei foesau oedd Tomos yn ei lencyndod fel yn ei henaint – efallai ei fod yn feirniadol o'i nain am iddo glywed sŵn a sôn yn ei ieuentid ei bod yn ei gweddwdod cymharol ifanc – bu Thomas Parry'r taid farw yn 1888 – eto yn hoffi dynion ac yn eu denu. Cofiai Mary Jane hyd ei diwedd ei bod yn ei phlentyndod yn gofyn i'w mam 'Pwy yw'r dyn yna sydd o gwmpas o hyd?' Siôn Penceunant, *alias*

John Williams Trallwyn Terrace, oedd hwnnw, ebe rhai o drigolion Carmel. A fu'r Siôn hwnnw'n stwna gyda Mary yn ei lencyndod? Ai cynnau tân ar hen aelwyd yr oedd yn yr 1890au? Ni wyddys, ac ni wiw awgrymu dim na ellir ei brofi. Pa fodd bynnag y bu pethau, er i Mary Parry, fel degau o filoedd o Gymry, gael tröedigaeth yn ystod Diwygiad 1904, barn ei hŵyr enwocaf yw na newidiodd y dröedigaeth ddim oll ar ei natur drigeinmlwydd, ac fel y gwelsom ni hoffai ef y natur honno.

Ar yr un pryd yr oedd yn cydnabod bod ei dad wedi bod yn hynod garedig wrth Mary, ei fam. Mynd i'r môr oedd hanes Richard Edwin yn llanc. Dyna'i ddymuniad, y mae'n rhaid. Y mae Gruffudd, ei fab ifancaf, yn sôn am gyfoedion ei dad yn mynd o Garmel i Fotwnnog i 'ddysgu morwriaeth', a dywed Tomos iddo fynd 'rownd yr Horn hyd San Francisco' ddwy waith mewn llongau hwyliau. Ond pan fu Thomas Parry'r tad farw, am mai ef oedd yr hynaf o'r plant, ffarweliodd Richard Edwin â'r môr, dod tua thref i helpu'i fam gyda'r tyddyn, a mynd i weithio fel chwarelwr yn Nhwll Coch Dorothea, lle bu'r enwog Barchedig John Jones Tal-y-sarn yn gyd-berchennog ac yn oruchwyliwr ddeugain mlynedd ynghynt. Gartref y bu wedyn tan iddo briodi, yn ddyletswyddgar ar fonc ac ar faes, yn mynychu'r moddion y Sul ac yn mynychu oedfeuon yr wythnos (er nad ymaelododd ag eglwys yr Hen Gorff erioed), ac yn cerdded ffeiriau a'r dref ambell nawn Sadwrn.

Yr unig hanesyn manwl am ei dad yn nyddiau ei henlencyndod sydd gan Tomos yw'r hanesyn a adroddodd amdano mewn sgwrs radio ar ôl darganfod 'Rhestr o brydau bwyd &c. a gyflenwyd i Mrs Parry a'r teulu rhwng yr 11eg o fis Gorffennaf a'r 18fed o Awst 1896'. Mewn 'llyfryn nodiadau bach clawr coch' y daeth o hyd iddo yn y Gwyndy y gwelodd y rhestr honno. Nid oedd yn y llyfryn ddim i ddweud ym mha le y caed 'yr holl fwyd yma, ond y mae'n sicr mai mewn rhyw westy'. Gan ei fod yr un mor sicr na fu ei nain 'ar ei gwyliau am dridiau ar ôl ei gilydd . . . heb sôn am bum wythnos', parhaodd y rhestr yn ddirgelwch i Tomos tan iddo weld yn nes ymlaen yn y llyfr gyfeiriadau at brisiau nwyddau eraill: 'Linseed Meal', £1/3/6; gwerth 4d. o rew; pum potel ar hugain o ddŵr

24

soda, 4/2; a brandi, 19/-. 'Pwrpas y "Linseed Meal" yn ddiamau oedd gwneud powltis had llin', meddai, ac yr oedd y rhew yn profi fod gan rywun wres uchel. Ebr ef wedyn: 'Ac yna fe ddaeth rhywbeth yn ôl imi. Mi glywais fy nhad yn dweud, mewn perthynas â rhywbeth neu'i gilydd, "Pan o'n i'n sâl yn yr Egls", h.y. yr Eagles Hotel, ym mhen uchaf Stryd y Llyn yng Nghaernarfon'. Wedi holi hwn ac arall, deallodd Tomos yn y man fod ei dad yn chwech ar hugain oed wedi cael ei daro'n 'sâl efo "infflimesion" (niwmonia i ni heddiw)' ryw brynhawn Sadwrn yn y dref. Gan nad oedd ysbyty yno nac ambiwlans i fynd ag ef adref, yn yr Eagles y bu drwy'i gystudd. £13/0/11 oedd bil terfynol y gwesty, 'cyfwerth â naw wythnos o gyflog fy nhad yn y chwarel'. Carasai Tomos fod wedi gweld bil y meddyg hefyd, 'ond ni welais ddim golwg o hwnnw'.

Wyth mlynedd yn ddiweddarach, yn hydref 1904, pan oedd Tomos, a aned ar y 14eg o Awst, yn dri mis oed, cafodd Richard Edwin anafiadau drwg i'w ben mewn cwymp yn y chwarel. Er na soniodd fawr ddim am y ddamwain honno, yn naturiol ymddiddorai Tomos yn hanes ei deulu, fel yr ymddiddorai yn yr amgylchiadau y maged ei gyd-bentrefwyr a'i berthnasau ac ef ei hun ynddynt. Fwy nag unwaith ceir ganddo, fel yn y paragraff uchod, gyfeiriad diddorus at feddyg ac at ysbyty (neu'n hytrach at ddiffyg ysbyty: nid oedd dim 'ysbytai ac arbenigwyr yn nes na Lerpwl'). Adeg y ffliw drwg yn 1918 yr oedd cytundeb rhwng y chwarelwyr a'r meddygon lleol y talai pob gweithiwr swllt y mis i'r meddyg a chael ei wasanaeth am ddim iddo ef a'i deulu. At hynny, yr oedd yng Ngharmel a'r cylch er y flwyddyn 1843 Gymdeithas Gyfeillgar o'r enw Clwb Pisgah y bu'i daid yn ymddiriedolwr iddo. Bob dydd Iau Dyrchafael, gyda Band Nantlle ar y blaen iddynt, byddai'r aelodau (bob un â'i 'sash piws dros un ysgwydd a than y llall') yn gorymdeithio i lawr i Ben-y-groes, a chriw mawr o bobl a phlant ar Benbryntrallwyn yn eu gwylio. Wrth annerch Clwb Pensiynwyr Carmel yn 1979 y mae Tomos yn dwyn i gof y doctoriaid – doctoriaid Pen-y-groes a doctoriaid Gwyddfor, gan gynnwys y Dr Hughie Jones-Roberts, 'a ddaeth â mi i'r byd' – yn mynd o gwmpas ar gefn ceffylau neu mewn brêc, o raid yn gwbl ddibynnol ar eu dawn a'u gwybodaeth hwy eu hunain i wella'u cleifion, ac yn cymryd prentisiaid yn union fel y cymerai seiri neu deilwriaid brentisiaid.

Wrth gofnodi'r pethau hyn, cydnabod a gwerthfawrogi hunan-gynhaliaeth angenrheidiol y gymdeithas y maged ef ynddi yr oedd Tomos, a chydnabod a gwerthfawrogi'r amrywiaeth dda o foddion ac o grefftwyr a geid ynddi. Yr oedd yng Ngharmel ddechrau'r ugeinfed ganrif, meddai, nifer da o siopau – o faintioli gwahanol, y mae'n wir, ond siopau er hynny – 'dwy ym Minffordd, siop John Hughes, siop John Roberts, siop Elias Jones, J. Owen Jones (London House), y Post, Eryri House', a chrefftwyr lawer, yn seiri maen a seiri coed a gwniadwragedd a theilwriaid a chryddion. Datblygodd ef ei hun yn dipyn o grefftwr, yn saer coed a drodd ei law'n gynnar i wneud cart-geido i'w frawd ifancaf, yn grydd ac yn rhwymwr llyfrau. Drwy'i fywyd ni phallodd ei edmygedd o bobl a gyflawnai eu gwaith yn ddigymorth-gan-eraill. Edmygydd yr annibynnwr gweithgar, dyfeisgar-wrth-raid oedd Tomos, apostol twymias y *work ethic*.

Yr oedd i'r foeseg waith honno dair teml: y capel, y cartref a'r ysgol. Dywedais o'r blaen nad oedd Richard Edwin yn aelod eglwysig. Er hynny, yr oedd yn ffyddlon yn y gwasanaethau, a bu'n athro ysgol Sul am gyfnod. Y mae'n debyg ei fod yn un o'r bobl hynny yn niwedd y bedwaredd ganrif ar bymtheg a ddeallai neu a synhwyrai fod y Gristionogaeth Brotestannaidd a oedd wedi ffynnu yng Nghymru ers canrif a hanner dda ar drai. I rai yr oedd y Gristionogaeth honno'n ffydd ddogfennol, i eraill yr oedd yn ffydd brofiadol; ond erbyn troad yr ugeinfed ganrif diau y barnai Richard Edwin fod yr Ysgrythur wedi colli'i hawdurdod, fod y ddiwinyddiaeth a seiliwyd arni wedi colli'i grym, a bod profiad yn prinhau; ond parchai ddefosiwn Cristionogaeth a glynai wrth ei moeseg. Er mai yn yr Eglwys Wladol y maged Jane ymaelododd gyda'r Methodistiaid yn syth ar ôl priodi. Hi a ofalai fod Tomos, fel ei frodyr iau pan ddaethant hwy i'r byd, yn meistroli'n llwyr ddyletswyddau blynyddol y Llafur Cof at yr ysgol Sul a'r Maes Llafur at y Gymanfa Blant. Hi hefyd a ofalai eu bod yn yr oedfeuon, Sul, gŵyl a gwaith, yn yr oedfeuon lle clywent Air Duw, ie, ond lle clywent hefyd ddynion cyffredin 'oedd yn gallu traethu eu meddyliau yn groyw ac argyhoeddiadol ar goedd'. Hi, meddaf, er y tybiaf nad oedd angen mawr berswâd ar fechgyn a merched deallus teuluoedd parchus ac uchelgeisiol yr oes honno i fynd i gyfarfodydd y capel, nac i wyliau fel y Gymanfa Blant. Yn ogystal â bod yn gyfarfodydd addysgiadol, yr oeddynt yn rhan o ddifyrrwch yr oes, ac yr oeddynt yn achlysuron cymdeithasol, heb sôn am fod yn foddion gras. Mewn dau air, yr oeddynt yn ddifyrrus ac yn dduwiol, er eu bod hefyd yn foddion i fagu mewn rhai plant elfen gystadleuol lem. Dyna fel yr oedd pethau. Nid drwg gan Tomos gystadlu. Yr oedd ei frawd Richard, Dic fel y'i gelwid, a aned yn 1910, yn llai cystadleugar nag ef, eto'n llym iawn ei feddwl, gyda 'mwy yn 'i ben na neb arall sy'n y tŷ 'ma'. Tomos biau'r dweud.

Deuddeg oed oedd Tomos pan aned Griffith (Gruffudd), ac, er i hwnnw ymhen tri-chwarter oes honni'n or-wylaidd nad oedd 'yn yr un cae â Dic a Tomos' yn ymenyddiol, yr oedd dylanwad y capel mor gryf arno fel yr aeth i bregethu'n gynorthwyol pan oedd yn ddyn ifanc. Byddai aelodau capel Carmel 'yn ymffrostio yn nifer y pregethwyr a gododd yr eglwys', ond yn yr oes honno pan oedd bri o hyd ar fynd yn bregethwr y mae'r ffaith nad aeth yr un o fcibion addysgiedig Jane a Richard Parry i'r weinidogaeth yn dweud rhywbeth pwysig am yr aelwyd, sef ei bod yn gweld ymhellach na'r pulpud.

Y Beibl a'r Llyfr Emynau, *Geiriadur Ysgrythurol* William Davies (1857), esboniadau ('rhes o esboniadau mewn cloriau brown,' chwedl Tomos), a'r gyfrol o *Hanes Methodistiaeth Arfon* gan William Hobley y ceir hanes yr Hen Gorff yng Ngharmel ynddi (sef y gyntaf o'r gyfres) yw'r llyfrau y cofia eu gweld yn y tŷ; a deuai *Trysorfa'r Plant* yno'n fisol. Cofia Gruffudd fod yno ddwy neu dair o gyfrolau Cyfres y Fil yn ogystal, 'ac ychydig gyfrolau o lyfrau Cymraeg, yn gofiannau a barddoniaeth'. Ni waherddid llyfrau eraill – yr oedd llyfrgell yn festri'r capel – ond ni chymeradwyai Jane Parry bob rwtsh. Y mae gan Gruffudd Parry yn ei

27

hunangofiant stori am ei frawd Richard yn y dauddegau cynnar yn cario 'nofals' ym mhoced cesail ei grysbais, llyfrau cowbois y mae'n debyg, a'i fam biwritanaidd yn dweud y drefn wrtho. Ebe Richard wrthi: 'Ma Dafi [sef ei gyfaill] yn deud bod yn iawn i mi neud. I ddysgu Saesnag.' A hithau'n ateb: 'Ma Tomos yn gwbod Saesnag a fu fo 'rioed yn darllan nofals.' Wele bwy yn y teulu hwnnw oedd y paragon, pwy y gwybodus dianras! Er disgrifio Jane Parry fel y fam biwritanaidd noder mai mewn rhai pethau yn unig yr oedd yn biwritanaidd. Tystiolaeth Dafydd Glyn Jones yw ei bod 'yn llai piwritanaidd na llawer yn ei chenhedlaeth' a'i bod yn gallu bod 'yn hwyliog ac yn groesawus' – yn chwyrn iawn hefyd, yn sicr ei barn ac yn ddigon hoff o ddadlau. Yr oedd yn genedlaetholreg gref, ac yn un o'r 609 a bleidleisiodd dros Lewis Valentine yn 1929.

Dywedodd Tomos unwaith mewn darn hunangofiannol na wyddai sut y cododd 'y tipyn diddordeb' a oedd ganddo mewn barddoni, heblaw ei fod 'yn y gwaed'. Y mae'n lled debygol iddo, fel ei gyfaill oes John Gwilym Jones, fagu parch at eiriau 'wrth i lifeiriant gymen o iaith Gymraeg rywiog, hyblyg, urddasol' dreiddio o'r pulpud i'w isymwybod heb iddo feddwl amdani. Ni fagodd ddiddordeb mewn diwinyddiaeth, ac ni fu ganddo erioed ddiddordeb mewn athrawiaethau crefyddol, ond yr oedd llafaredigaeth y pulpud yn bwysig iddo. Nid oedd i'r iaith yr un reiolti yn yr ysgol ddydd, ond yn bendifaddau yr oedd yr ysgol fel y capel yn meithrin yn ei phlant yr ethig waith y soniais amdani. Yn saith oed gadawodd Tomos yr ysgol fach yng Ngharmel a mynd yn 'fachgen distaw, swil . . . a phob amser fel pin mewn papur' i ysgol fawr Pennforddelen, filltir a hanner dda o Frynawel ar y ffordd i'r Groeslon, lle teyrnasai o hyd y William Ellis a ofynnodd i Mary Parry adael i Mary Jane aros ymlaen ychydig flynyddoedd ynghynt. Yn Saesneg y dysgai ef bob peth, o sillafu hyd at ganu, a dysgu gyda disgyblaeth ddidostur. Ond yr oedd modd dysgu hefyd o'r cyflenwad o lyfrau Saesneg a oedd yno, llyfrau y câi'r disgyblion eu darllen yn ddistaw ar brynhawniau Gwener. Rhyfedd na chlywsai Jane Parry am ei Thomos yn darllen *John Halifax, Gentleman* a'r *Swiss Family Robinson*! Efallai, er eu rhagored, na ddymunai glywed amdanynt. Fel ym mhob ysgol yn yr oes honno, ar ramadeg a rhifyddeg y gosodai Penfforddelen y bri uchaf, a'i nod pennaf oedd sicrhau bod cynifer o'r plant ag a allai yn pasio'r sgolarship i'r Ysgol Sir, ac yr oedd yr athro a ofalai am ddosbarth y sgolarship, W. O. Jones, Penrhyn-bach, Pen-y-groes, yn ôl John Gwilym Jones, yn athro 'eneiniedig'.

Ni thraethodd Tomos lawer am Benfforddelen, i raddau am fod John Gwilym wedi achub y blaen arno wrth draethu Darlith Llyfrgell Sir Gaernarfon yn 1970 ar y testun *Capel ac Ysgol*, flwyddyn cyn iddo ef draethu ar *Tŷ a Thyddyn*. Gan mor dawedog y bu ar y pwnc, gallwn gymryd yn ganiataol ei fod yn rhannu cofion John Gwilym amdani ac yn rhannu ei edmygedd rhannol ohoni. Y mae atgofion ei frawd iau amdani yn llawer mwy lliwgar a beirniadol. Lle i blant ddechrau colli eu hunan-barch a'u hunanhyder oedd Ysgol Penfforddelen i Gruffudd, a'r waliau uchel o'i chwmpas yn 'cynrychioli gorfodaeth Deddf Addysg 1870'. Ni rannodd ef erioed barch mawr ei frawd hŷn at sefydliadau.

Pasiodd Tomos y sgolarship, a mynd ymlaen wedyn, ar droed bob dydd ym mhob tywydd, 'dwy filltir i lawr y gelltydd yn y bore ac i fyny'n ôl ddiwedd y pnawn', yn bwyllog bob amser, i Ysgol Pen-y-groes, a sefydlwyd o ganlyniad i Ddeddf Addysg arall y buasai Gruffudd Parry wedi dymuno gweld ei diwygio onid ei dileu, sef Deddf Addysg Ganolraddol 1889. Ei phrifathro er ei chychwyn yn 1898 oedd D. R. O. Prytherch, *wrangler* (sef un a gafodd Anrhydedd yn y Dosbarth Cyntaf mewn mathemateg yng Nghaergrawnt), Cymro glân a oedd yn ddiacon yn sêt fawr Soar yr Annibynwyr ym Mhen-y-groes, na siaradai ddim o'i famiaith wrth ei swydd, disgyblwr cadarn, a'r hyn sydd bwysicach, pennaeth a wyddai sut i ddewis ei athrawon yn ddoeth. Drwy'r blynyddoedd yn yr ysgol fechan werinol hon yr oedd Tomos, eto yn yr efengyl yn ôl John Gwilym, naill ai'n gyntaf neu'n ail yn ei ddosbarth ('hogyn o Nebo fyddai'n gyntaf yn aml'), a byddai yntau'n drydydd neu'n bedwerydd. Nid oes fawr o reswm dros amau'r adroddiad hwn. Gan mor weithgar a phenderfynol ydoedd, diau i Tomos ddod i'r brig neu'n agos i'r brig ym mhob dim a wnâi. Ond ei ddyfarniad ef ei hun ar ei bedair blynedd gyntaf yn yr ysgol oedd ei fod wedi 'stryffaglio . . . efo Arithmetic, Algebra, Geometry, Trigonometry, Chemistry, Physics a Mechanics' am nad oedd ganddo 'ddim ffansi atynt o gwbl oll'. Er, yn 1920, pasiodd yn y pynciau hyn i gyd yn arholiadau *Senior* y Central Welsh Board, ys gelwid Bwrdd Addysg Cymru, a rhagori mewn Lladin, Cymraeg a 'Drawing'. Gwell o lawer ganddo na phasio'r rhain i gyd, meddai ef unwaith, fuasai cael cyfle i ddatblygu ei ddoniau mewn celfyddyd gain ac mewn cerddoriaeth, mewn cerddoriaeth yn enwedig.

Beth am ei ddawn farddoni? Yn yr ysgol ym Mhen-y-groes yr oedd pan welodd ei waith mewn print am y tro cyntaf, sef oedd hwnnw ei farwnad fuddugol yn Eisteddfod y Plant, Carmel, i 'Mr. Henry Evans, Caeforgan' a fu farw'r 4ydd o Fawrth 1920 yn un a deugain mlwydd oed. Fel y disgwylid, y mae rhamant ei chrefyddolder, ei theimladrwydd a'i geirfa yn ei dyddio (yn y ddwy ystyr), ond y mae ynddi ambell droad-ymadrodd sy'n dweud bod yma ddarpar-fardd o'r iawn ryw. Yn llinellau olaf y pennill olaf y ceir y gorau ohonynt:

> Bererinion blin y daith,
>> Sychwn ddagrau'n cur dihedd,
> Iraidd fydd, trwy flwyddi maith,
>> Lili rhinwedd ar ei fedd;
> Cofir ei gymeriad gwyn,
>> Calon bur, a'i rodiad da,
> Fel y cofir yn y glyn
>> Bersawr hudol rhos yr ha'.

Yn yr ysgol, purion enwi rhai o'r athrawon y gwyddai D. R. O. Prytherch sut i'w dewis, yr athrawon a gawsai Tomos yn y chweched dosbarth. Er bod yno ddau fachgen arall i'w magu, ni soniwyd yn y Gwyndy y dylai ef adael yr ysgol yn bedair ar ddeg oed a mynd i'r chwarel, nac i unman arall, i weithio. Yn wir, gwnaeth Tomos beth anghyffredin yn y chweched dosbarth, sef aros yno am ddwy flynedd cyn sefyll arholiadau'r *Higher*. Cafodd yn athro Saesneg David Davies, Dafi Dew chwedl hwythau, a blesiai John Gwilym yn fwy nag y plesiai Tomos, yn un peth am ei fod yn athro gorddramatig ei ddull. Gwaeth fyth, tybiai Tomos ei fod yn ddiog. Yn athro Lladin cafodd Alexander Parry 'onest, gydwybodol, llafurus'. Ac yn athrawes Gymraeg yr hyglod P. K. Owen, y dywedodd Bleddyn Owen Huws amdani na fu 'athrawes Gymraeg ragorach na hi yng Nghymru gyfan'.

Yn y darn hunangofiannol 'Dechrau Amryw Bethau' a gyhoeddwyd y tro cyntaf yn 1993 dywedodd Tomos iddo gael hwyl fawr yn y chweched dosbarth ar gynnwys y llyfr gosod *Telyn y Dydd* (1918), blodeugerdd a olygwyd gan Annie Ffoulkes, merch Edward Ffoulkes, Llanberis, un o gyfeillion R. Williams Parry. Yn ystod gaeaf 1921–22 ysgrifennodd 'anferth o drafodaeth' ar y bryddest 'Mab y Bwthyn' a enillodd i Gynan Goron Eisteddfod Genedlaethol Caernarfon yr haf cynt, y traethawd cyntaf a wnaeth iddo 'deimlo . . . [ei] fod yn un o feirniaid llenyddol Cymru'. Cofiodd yn ei flynyddoedd olaf iddo gael blas yn yr ysgol hefyd ar y gyfrol *Cywyddau Cymru* a olygwyd gan Arthur Hughes. Y mae rhyw arwyddocâd i hynny – dau yn wir. Yn y llyfr hwn y darllenodd Tomos am y tro cyntaf ddetholiad o gywyddau gan Ddafydd ap Gwilym; ac yn niwedd ei oes ymddiddorodd ddigon yn Arthur Hughes fel ag i lunio erthygl arno, sef ar ddyn nad oedd mor annhebyg â hynny iddo ef ei hun, ysgolhaig Cymraeg, ieithydd, ymgeisydd am y ddarlithyddiaeth Gymraeg yng Nghaerdydd yn 1906 (a roddwyd i W. J. Gruffydd), un tra hoff o gerddoriaeth, a chrefftwr a oedd yn gampwr ar wneud modelau o beiriannau ager, 'a'r rheini'n gweithio'. Noder un peth arall. Er gwaethaf yr 'addysg Seisnigaidd' a geid yn yr hen Ysgolion Sir, fe gafodd Tomos ym Mhen-y-groes, meddai ef, 'ryw hwb' i'r reddf lenyddol oedd ynddo – digon o hwb, y mae'n rhaid, i ddysgu sut i lunio rhai o'r pedwar mesur ar hugain ac i ddysgu cynganeddu. Er, nid am gerdd gaeth yr enillodd ei gadair gyntaf – yn Eisteddfod Bryn-rhos, rhwng y Groeslon a'r Dolydd – ond am 'nifer o benillion ar ryw bwnc neu'i gilydd'. Beth bynnag am hynny, ni fyddai neb wedi gallu gwneud y campau a wnaeth ef yn

Eisteddfod y Myfyrwyr yn ystod ei flwyddyn gyntaf yn y coleg heb fod ganddo eisoes lawer mwy na chrap ar gerdd dafod.

Wele, yn ddeunaw oed, yr oedd Tomos Parry yn Lladinydd da: yr oedd, yng nghymhariaeth athletig John Gwilym, 'fel wiwer yn neidio'n ddidrafferth o gymal i gymal y frawddeg Giceronaidd fwyaf troellog'; yr oedd wedi cael llawer o bleser yn astudio Saesneg, *The Rudiments of Criticism* gan Edmund Lamborn (1916) fel *Golden Treasury* tra enwog Francis Turner Palgrave (1907); ac yr oedd yn Gymreigiwr ardderchog, â'r ddawn i farddoni a'r ddawn i feirniadu eisoes yn rhannau o'i arfogaeth ysgoloraidd. Am ryw reswm bu'r dystysgrif a nododd fod Tomos yn arholiadau'r *Higher* yn 1922 wedi rhagori mewn Lladin a Chymraeg ac wedi pasio Saesneg ym meddiant P. K. Owen tan y flwyddyn 1984, pan ddaeth i ddwylo'i gwir berchennog drwy law Trevor Matthews, ei chyfreithiwr. Y mae'r ffaith i Miss Owen ddal gafael arni am drigain a dwy o flynyddoedd yn dweud cryn dipyn am ei hedmygedd cynnar, heb sôn am ei hedmygedd hwyr, o'i disgybl dyscedicaf.

Bu farw'r nain 'anystywallt' Mary Parry yn 1917, ac am fod gofalu am dair acer a hanner y Gwyndy a'r anifeiliaid yn ormod i Mary Jane, dyma Richard a Jane Parry yn cyfnewid tŷ â hi. Diau bod teulu Brynawel yn gwneud cryn dipyn o'r gwaith yr oedd angen ei wneud yn y Gwyndy eisoes. Gyda marw Griffith, y trydydd mab, yn 1911, pan oedd ei fam yn saith a thrigain, Richard Edwin oedd yr unig un o'r meibion a oedd ar ôl ganddi yr ochr hon i'r Iwerydd. Gan ddilyn ei dad, daeth Tomos yn gynefin ag amryfal dasgau'r tyddyn yn fachgen ifanc iawn – hynny o aredig a ellid yn y caeau tenau-eu-pridd, gwrteithio, tyfu a lladd a chywain gwair i'r gadlas, a thyfu digon 'o datws am y flwyddyn a rwdins a moron a ffa a phys'. Daeth yn 'dipyn o ddyn', meddai ef ei hun, ar y grefft o ffustio ceirch, a phleser iddo fyddai cael mynd 'â'r grawn i Felin Llwyn-gwalch er mwyn cael deunydd uwd a bara ceirch'. Yn ifanc daeth yn hen gynefin hefyd â hebrwng anifeiliaid y tyddyn i'r mynydd. Gan y defnyddid chwech o saith gae bychan y Gwyndy i dyfu cnydau a bwyd – 'y cae o flaen y drws oedd yr unig un fyddai'n cael ei bori' – byddai'n rhaid cael porfa amgen i'r ddwy fuwch 'tra byddai'r borfa gynnar yn glasu, a'r mynydd oedd hwnnw'. Y mae Gruffudd ei frawd yn ei hunangofiant *Cofio'n Ôl* (2000) yn dweud yr un peth yn fwy dramatig a thelynegol. O'i lofft yn y gwanwyn clywai ef y ddwy fuwch 'yn anadlu'n drwm dan y ffenestr yn y cae o flaen y drws, a'u sŵn yn cnoi'u cil a thuchan yn glir yn y distawrwydd. Mi fydd eisio mynd â nhw i'r mynydd ar ôl godro y bore 'ma.' Godro'r hwyr wedyn, a chorddi'r llaeth i wneud menyn. Cadwent ieir hefyd, a dau fochyn. Y llysiau a enwais a'r bara ceirch, y menyn a'r llefrith, a'r wyau, a'r cig o un o'r ddau fochyn oedd ymborth y teulu, fel pob teulu cymharol ffodus ar lechweddau Arfon, yr un bwyd rownd a rownd y ril, ys dywed un o'r merched yn *Traed Mewn Cyffion* Kate Roberts, ond bwyd ac ynddo 'elfennau digon iachusol mewn amgylchiadau lle'r oedd diffyg maeth yn nodwedd ar iechyd y cyhoedd', ys myn synnwyr cyffredin y Dr Thomas Parry yn *Tŷ a Thyddyn*.[1]

Dywedodd Gruffudd hefyd yn *Cofio'n Ôl* y ceid cig ffres at ginio dydd Sul yn y Gwyndy, ac y byddai ei fam yn pobi bara brith ac yn gwneud teisen blât pan gâi ffrwythau, ac, at hynny, y byddai'n paratoi 'brywes ac uwd a llymru hefyd – pethau oedd Mam wedi dyfod efo hi o

---

1 Y mae'n werth nodi bod Kate Roberts wedi ysgrifennu at awdur *Tŷ a Thyddyn* (1972) i ddiolch iddo am gopi o'r ddarlith ac i ddweud wrtho fod y bywyd a ddisgrifiodd ynddi 'yn union fel fy mywyd i yn blentyn' – dim ond tair blynedd ar ddeg oedd rhwng Kate Roberts a Thomas Parry, a thair milltir rhwng Rhosgadfan a Charmel – 'gydag ychydig bach o wahaniaeth. Bwthyn a thyddyn ar rent oedd fy nghartref i, ac ni ellid codi a gostwng y gadlas'. Y mae'r ffaith bod y llenor yn nodi'r manylyn hwn yn nodweddiadol ohoni. Drwy ei hoes ymhyfrydai'n fawr yn ei gallu i gofio a chofnodi hen arferion tyddyn, ac ysgrifennai amdanynt yn ei nofelau a'i straeon byrion fel yn ei cholofnau yn *Y Faner*. Byddai Jane Parry yn darllen *Y Faner*, ac ar ôl i Kate Roberts mewn un rhifyn nodi rhywbeth ynghylch yr hen arfer o bobi bara mewn padell, ysgrifennodd Mrs Parry at Tomos i ddweud ei bod wedi 'darllen y Peth gwirion yn y Faner' (ni wn ai K.R. ynteu'r peth yr ysgrifennodd amdano oedd y 'Peth gwirion'), a mynd rhagddi fel a ganlyn: 'Carwn ofyn i Kate Roberts a wyr hi beth oedd enw y peth oedd genum yn Sir Gaernarfon i ddal y Badall i Bobi bara. Anodd genyf feddwl y basa fawr o drefn ar y bara efo Dwy garag fawr i ddal y Badall – yr oedd y peth oedd genum . . . yn gyfriw beth fel y gallai y fflam gael myned o gwmpas y badall i gid fel y cae pob ochor o'r dorth ei chrasu.' Ebe hi wedyn wrth Tomos: 'gyra beth leci di o hwn [i Kate Roberts].' Ond nid yw wedi gorffen eto. Y mae ganddi 'beth arall faswn yn lecio dweyd wrthi', sef nad eithin wedi'i dorri a'i adael i grino yw *poethwal*, ond spâr y tân ar ôl ei losgi: 'yr wyf wedi hel llawer o hono' – rhywbeth na wnaethai Kate Roberts ei hunan, dyna'r awgrym.

Lŷn'. Y mae'n amlwg bod Llŷn yn lle pwysig ym mhrofiad y meibion fel ym mhrofiad y fam, ac yn lle pwysig yn eu dychymyg hefyd. Mewn sgwrs radio gyda'r ddifyrraf yn y gyfrol *Mân Sôn* (1989), sgwrs y rhoddodd iddi yr enw arwyddocaol 'Llenyddiaeth Hanes', y mae Gruffudd Parry yn peri i gymeriad dychmygol o'r enw Defi Jones ei dweud hi braidd am deulu'r Gwyndy: 'rhyngo ti a finna, synnwn i bennog nad ydi pobol wedi laru arnyn nhw'. 'Bob Parry' a 'Tom Rhyd-ddu' yw'r rhai yr alarwyd arnynt, yn ôl Defi Jones, sef wrth gwrs R. Williams Parry a T. H. Parry-Williams. Y mae'n iawn canmol gwehelyth y Gwyndy, ydyw; ond, ys dywed Defi eto, 'chenhedlodd y rheini mohonon ni mewn gwagle chwaith'. Rhaid wrth famau. A dyma Defi'n dechrau adrodd hanes teulu Jane, teulu Llangwnnadl. Y plentyn canol o naw plentyn Richard ac Ann Williams oedd hi. Gof oedd ei thad, a gof oedd ei dad yntau, William Williams Glanrafon Bach. Capten llong oedd David Roberts, ei thaid arall. Yn 1837 y ganed ei thad, Richard Williams, ac yn 1850 y ganed ei mam, Ann. Priodasant yn 1866, pan nad oedd Ann ond yn un ar bymtheg. Gan i'w daid yn Llŷn ymadael â'r fuchedd hon yn 1908 ni welsai Tomos lawer arno a phrin ei fod yn ei gofio. Ond os gair drwg oedd ganddo am ei nain o ochr ei dad, prin y gallai ddweud yn rhy dda am ei nain o ochr ei fam:

> o holl neiniau'r ddaear, gan gynnwys nain John Gwilym Jones – hon oedd yr orau un – hen wraig dal, osgeiddig, a'i gwallt yn hollol wyn, heb ddant yn ei phen, ac un llygad yn las a'r llall yn frown tywyll – un demprus, addfwyn, a di-ben-draw o garedig.

Âi ati 'am wythnosau o wyliau' bob blwyddyn, a chael bob blwyddyn fod 'naws byd arall' ar fywyd plwyf Llangwnnadl. I atgyfnerthu'r synnwyr hwn o arallfyd swynol, y mae ei frawd ifancaf yntau'n sôn am y 'dynfa gyfrin' a'i tynnodd ef yn ddiweddarach i fynd i weithio i Fotwnnog, 'tynfa lle ac amser yn nirgel leoedd yr anwybod'. Un o'r pethau a oedd yn cyfrif am ei swyngyfaredd oedd yr hamdden a geid yno, yr hamdden i sefyll a syllu, chwedl y bardd-grwydryn W. H. Davies. Yn lle'r catrodau o chwarelwyr yn gwneud eu ffordd yn blygeiniol i gwrdd â'r orfodaeth amseryddol a osodid arnynt gan gyrn y chwareli yn y Cilgwyn a Dorothea, beth a welai Tomos yn Llŷn oedd amaethwyr ar fuarth ac ar gae a chrefftwyr unigol wrth eu gwaith yn eu gweithdai eu hunain. Gof arall a ddaethai i'r teulu oedd William Hughes, Rhos-ddu, Dinas, priod Janet, yr ifancaf ond un o bum chwaer Jane. Byddai Tomos, ebe fe, yn 'treulio oriau yn edrych arno'n gwneud pedol ceffyl neu lidiart haearn, neu'n cylchu olwyn trol'. Câi bleser tebyg yn gweld Tomos y Crydd yn Nhudweiliog, nad oedd yn perthyn dim dafn iddo, 'yn rhoi clwt ar esgid yn yr hen ddull efo edau a chwyr crydd a gwrychyn mochyn', ac ar ôl mynd adref i Garmel âi ef ati 'i wneud yr un peth ar fy esgid fy hun'. Nid bod y byd cymharol hamddenol hwnnw'n hawddfyd – nac oedd, ni allai fod: ffermydd ar rent oddi wrth y stadau mawrion oedd y rhan fwyaf o'r ffermydd, gyda gofid am rent a gofal am anifail ynddynt yn fawr. At hyn, am nad oedd digon o waith yn agos i dref, bu'n rhaid i Jane, fam Tomos, adael Llŷn a mynd i weini i Arfon, fel y bu'n rhaid i'w brawd Dafydd fynd i weini ffarmwrs yn Eifionydd. Ond yr oedd bywyd y crefftwyr unigol, y gof yn ei efail a'r crydd yn ei siop, yn fywyd mwy annibynnol na bywyd y chwarelwr, ac yr oedd hynafiaeth eu crefft yn eu cysylltu â hynawsedd hen oesau.

Esgorodd Nain Llangwnnadl ar ei phlentyn cyntaf, Richard, yn 1867, pan oedd yn ddwy ar bymtheg oed, ac ar ei phlentyn olaf, Margaret, ugain mlynedd yn ddiweddarach; a chafodd yr holl blant fyw i weld oed yr addewid, 'peth go anghyffredin y pryd hwnnw'. Yr oedd gan bob un o'r naw, ebe Defi Jones wrth Gruffudd Parry, ei gân ei hun. Cân Dic oedd

> Dic tala rw, deud ar dy lw
> 'Ta tatws 'ta maip sy' gin ti'n dy graitsh.

Awgrymu ei fod yn un am hel ei fol y mae'r gân, fel y mae'r gân i Ann, yr hynaf o'r chwiorydd, yn mwy nag awgrymu ei bod hi'n denau:

> Nani dena'n trwsio sana
> Cadw'r nodwydd rhwng 'i senna.

Yr unig beth a ddyfyd cân Jane amdani yw mai hi oedd y plentyn canol:

> Pedwar tu blaen a phedwar tu ôl
> A Siani'n y canol yn eistedd ar stôl.

Chwedl Defi Jones eto, y mae'r rhigwm hwn yn dangos fod 'y teulu i gyd wedi cael eu geni' cyn i'r caneuon amdanynt gael eu cofnodi. Arwyddocâd y cyfan yw bod yng nghymeriad teulu Llangwnnadl wresowgrwydd teimladau, synnwyr digrifwch, a dawn ymadroddi. Go brin mai dieithriaid a luniodd y penillion uchod. Os magwyd prifeirdd ymysg y Parrïaid, magwyd rhigymwyr bro ymysg y Williamsiaid. Yn wir, cadwodd Tomos rai penillion o eiddo'i fam, penillion a gyfansoddodd hi ei hun yn ei hoed. Lled debyg mai yn ystod yr Ail Ryfel Byd y lluniodd hwn, ac fe'i printiaf fel y'i ceir yn ei llaw hi:

> Mae terynasoedd mawr y byd
> Ai trysorae gwerthfawr dryd
> Wedi mynd yn aberth tan
> Nid yw hyn yn destun can[.]

Dau deulu, dwy awen, dwy natur. Neu felly yr ymddangosai i Tomos. Fel y gwelsom, oeraidd oedd y croeso a gafodd Jane gan deulu'r Gwyndy pan briododd, a diau bod yr oerni hwnnw wedi dylanwadu ar y ffordd yr edrychai ei mab hynaf ar dylwyth ei dad (ac eithrio 'Gong') drwy'i fywyd. Ond beth oedd yn Llŷn? Y gwrthwyneb yn hollol. Tylwyth â'i waed yn gynnes, tylwyth a nyddai gerdd ac a hoffai hwyl, ie, tylwyth teg.

Oedd, yr oedd rhamant yn Llŷn, rhamant yr anadnabyddus a rhamant yr anghyffredin. Wedi'r cyfan, ar wyliau yr eid yno, nid yn hollol ar ffo o'r beunyddiol a'r cyffredin, ond gydag awch a disgwylgarwch bob amser. Cymryd y trên o'r Groeslon i Bwllheli, a chael car-post oddi yno i Langwnnadl. Weithiau âi Tomos i Lŷn gyda'i fam, fel y tro hwnnw yn haf 1914 pan ddywedodd un arall o deithwyr y car ei bod hi'n 'wâr', ac weithiau ar ei ben ei hun. Mynd i bysgota yn ystod oriau mân y bore, mynd i'r llan ar y Saboth. Ar ei ffordd adref un tro yr oedd Tomos 'mewn annwyd llaith a phesychlyd', a'r unig deithiwr arall yn y car-post a âi o Langwnnadl oedd Owen Gruffydd, Siop Pen-y-graig, aelod o'r ail genhedlaeth o deulu meddygon enwog y ddafad wyllt. Pan safodd y car-post o flaen y Ship yn Edern, dyma Owen Gruffydd yn mynd â'r llanc anwydog i mewn i'r dafarn a 'gorchymyn i'r tafarnwr roi nogin o wisgi' iddo. Llyncodd ef ar ei dalcen – a 'braidd yn ansylweddol oedd gweddill y daith i Bwllheli'. I fachgen cydwybodol gyda'i Ladin a'i Alfred Lord Tennyson a'i ramadeg Cymraeg drwy aeafau disgybledig mynydd-dir Arfon, yr oedd hafau penrhyn Llŷn megis penrhyddid.

II. BYWYD MYFYRIWR, 1922–1926

Aeth Tomos i aros gyda'i nain yn Llŷn eto ymhen blwyddyn neu ddwy pan oedd yn fyfyriwr yng Ngholeg Bangor, a'i salwch y tro hwnnw yn salwch mwy difrifol o lawer nag annwyd. Noder mai i Goleg Aberystwyth yr aeth ei ddau gefnder enwog, a mynd i Aberystwyth oedd bwriad cychwynnol Tomos. Ni orffennodd Bob Parry ei gwrs yno – ym Mangor y daeth i ben â'i gwrs gradd – ond ffynnodd Tom Rhyd-ddu yno. Yn y flwyddyn 1920, ac yntau wedi bod yn Rhydychen a Freiburg hefyd, 'ar ôl tipyn o wamalu rhyfedd o du'r awdurdodau' penodwyd ef i'r Gadair Gymraeg yn Aberystwyth. Os oedd unrhyw un yn y Gwyndy wedi meddwl y byddai'r Athro T. H. Parry-Williams, y bachgen a aethai'n sownd yng nghwt y ci chwarter canrif ynghynt, yn ffafrio'i gefnder wrth farcio papurau arholiad yr ysgoloriaeth fynediad, ei siomi a gafodd, achos ni chafodd Tomos Parry ysgoloriaeth yn Aberystwyth. Ond cafodd ysgoloriaeth ym Mangor, ac ym mis Hydref 1922 i Fangor yr aeth, yn 'llabwst main heglog' (chwedl ef ei hun) i astudio Cymraeg, Lladin a Groeg.

Coleg bychan oedd Coleg Prifysgol Gogledd Cymru y pryd hwnnw, bychan o ran niferoedd ei fyfyrwyr (oddeutu'r chwe chant drwy'r blynyddoedd y bu Tomos yno) a'i staff (llai na phedwar ugain), ond mawr o ran yr adeilad nobl a'i cartrefai ar y bryn uwchlaw'r ddinas, a mawr o ran y bri a osodid ar neb pwy bynnag a âi yno. O Gymru y deuai'r mwyafrif helaeth o'i fyfyrwyr, a deuai'r mwyafrif helaeth o'r rheini o Sir Gaernarfon. O Sir Fôn ac o Sir Gaernarfon yr hanai y tri aelod o staff yr Adran Gymraeg: y ddau Athro, Syr John Morris-Jones (a urddwyd yn farchog yn 1918) o Lanfairpwllgwyngyll ac Ifor Williams (y crëwyd Cadair Lenyddiaeth iddo yn 1920) o Dre-garth, a'r darlithydd cynorthwyol R. Williams Parry (bardd cadeiriog Eisteddfod Genedlaethol Bae Colwyn 1910 ac arbenigwr mewn Llydaweg) o Dal-y-sarn – ie, un o'r cefnderwydd y cyfeiriwyd ato eisoes fwy nag unwaith yn y bennod hon. Er bod yr athrawon yn adnabod cynefinoedd eu hefrydwyr yn dda, ac er eu bod ill tri drwy ddarlithoedd cyhoeddus a llithoedd mewn cyfnodolion, a thrwy bregethu yn achos Ifor Williams, yn cyfrannu'n gain ac yn gyson i'r bywyd diwylliadol a fwynhâi'r cynefinoedd hynny, yn nauddegau'r ugeinfed ganrif yr oedd bwlch go lydan rhwng athrawon a myfyrwyr. Anaml y gwelai'r myfyrwyr eu hathrawon y tu allan i'r ystafell ddosbarth, a chan hynny tenau oedd y gyfathrach rhyngddynt.

Yr oedd E. V. Arnold, yr Athro Lladin, yn hanu o fyd gwahanol iawn. O Goleg y Drindod, Caergrawnt, lle'r oedd yn Gymrawd, y daethai ef i Fangor, a hynny yn ystod y flwyddyn yr agorodd y Coleg, 1884–85. Dyn ymrysongar ydoedd, nad ofnai ddadl, hyd yn oed pan newidiai ei argyhoeddiadau, chwedl J. Gwynn Williams yn ei lyfr ardderchog ar hanes Coleg y Gogledd. Cynorthwyid Arnold gan Joshua Whatmough, ysgolhaig a chanddo 'wybodaeth gyfewin ddihysbydd' (Tomos biau'r disgrifiad). Ond ar ymddeoliad Arnold yn 1924 nid Whatmough ond ysgolhaig arall a godwyd i'r Gadair Ladin. Yn ystod ei flwyddyn gyntaf ym Mangor ni wyddai Tomos yn iawn p'run ai dilyn cwrs anrhydedd Cymraeg neu Ladin a wnâi, ond yn rhannol oherwydd personoliaeth Arnold – ni hoffai ei wialen haearn a'i goegni – penderfynu cymryd Cymraeg a wnaeth, a chymryd Lladin fel pwnc atodol.

Os tenau'r gyfathrach rhwng staff a myfyrwyr, yr oedd bywyd y myfyriwr talentog cymdeithasgar yn fywyd clòs a chyfoethog iawn. Heb ddim 'neuaddau preswyl gwerth sôn amdanynt i ddynion' – tri thŷ ar Ffordd Caergybi wedi'u bwrw'n un oedd yr unig neuadd i ddynion ym Mangor – mewn tai lojin y lletyai'r mwyafrif ohonynt. Yn 17 Park Street, Bangor Uchaf, y cafodd Tomos lety, ef a John Gwilym Jones yn y flwyddyn gyntaf yn rhannu ystafell wely yng nghefn y tŷ, a dau fyfyriwr o Dywyn Meirionnydd yn rhannu ystafell wely yn y ffrynt. Ymhen dwy flynedd daeth un arall o lanciau Carmel i rannu'r llofft gefn honno gyda hwy, Hywel Wyn Elias Jones, Gwyndre, a ddechreuodd ar gwrs BSc ym Mangor cyn mynd rhagddo i astudio meddygaeth yn Lerpwl. Mr a Mrs Woodings oedd gŵr a gwraig y llety, Cymry glân, a chyda hwy trigai Mrs Jacobs eu merch, gwraig weddw ifanc, a'i phlant 'bach hyfryd' hi, Betty a Paul. Am fod pob dyn i fod yn ei lety erbyn un ar ddeg o'r gloch y nos, byddai Mr Woodings yn 'cloi'r drws, nid heb seremoni, pan fyddai cloc y dre yn taro'r awr honno'. Wedyn casglai esgidiau ei letywyr a'u glanhau ar gyfer trannoeth. Dywed J. Gwynn Williams y gallai myfyriwr yn y blynyddoedd hynny fyw'n gysurus mewn llety am bunt yr wythnos. Os byddai ganddo fam neu nain neu chwaer fawr ffetus derbyniai'n gyson barsel o fwyd o'i gartref. O ddyddyn o'r enw Gwastad-faes yng Ngharmel y deuai parseli Tomos yn awr. Am fod mawr awydd ar ei dad i amaethu mwy o dir nag oedd gan y Gwyndy cymerodd y tyddyn hwnnw ar rent. Noda J. Gwynn Williams hefyd y ceid yn ffreutur y Coleg ginio da iawn am swllt a cheiniog, ond arall yw tystiolaeth englynol W. D. Williams Llawr-y-betws, tystiolaeth awenog ond annibynadwy efallai:

Wrth fwrdd y wledd eisteddwn, – a gweled
Pob gwiwlwys ddefosiwn;
Ni chawn, waeth faint achwynwn,
Ddim maeth, ysywaeth, ond sŵn.

Yr oedd y mwyafrif o'r myfyrwragedd mewn hosteli, a'u bywyd yn gaethach na bywyd y dynion. Disgwylid iddynt hwy fod yn eu neuaddau erbyn wyth. Dim ond blwyddyn neu ddwy cyn i Tomos gyrraedd Bangor y diddymodd yr awdurdodau y rheolau a oedd yn gwahardd i feibion a merched gydgerdded ar dir y coleg. O hyd ni chaniateid i barau adael dawns golegol gyda'i gilydd. Yr oedd cloeon ar ddrysau'r neuadd ddawns, a dim ond trwy gydweithrediad y prif borter, 'Capten Jones – clod i'w enw', y llwyddid i dorri'r rheol.

Ceid, ceid dawnsfeydd, a chyngherddau yn awr ac yn y man, a pherfformio dramâu, a'r adegau hynny ac mewn rihyrsals cymysgai'r bechgyn a'r merched yn ddiniwed ddilyffethair gyda'i gilydd. Ond gan mwyaf yng nghwmni bechgyn y troai bechgyn, ac yng nghwmni bechgyn a oedd yn barddoni y troai Tomos gan mwyaf yn ystod ei flwyddyn gyntaf ac yn ystod tymor cyntaf ei ail flwyddyn. Yn 1923 enillodd goron Eisteddfod Myfyrwyr Bangor am bryddest ar y testun 'Llyn y Morynion', buddugoliaeth a enillodd iddo gryn fri ymysg ei gyfoedion. Yn 1924 cyhoeddodd Jarvis *&* Foster *A Bangor Book of Verse: Barddoniaeth Bangor*, casgliad o gerddi Saesneg a Chymraeg a ysgrifennwyd gan fyfyrwyr Coleg y Gogledd yn ystod y flwyddyn academaidd flaenorol, ac ynddo argraffwyd saith o gerddi o eiddo Tomos, gan gynnwys telyneg lle mae'n cyferbynnu'r gaeaf tymhestlog gartref ar Fynydd Cilgwyn gyda'i 'hyfryd Haf'. Tomos Parry yn ymrithio'n brydydd rhamantaidd biau dymuno:

Ond rhowch i mi yr hyfryd Haf
A hirddydd coeth Fehefin,
Heb ddeilen na blodeuyn claf
Ymysg y grug a'r eithin;

A byw mewn bwthyn bach to gwellt

A rhosyn gwyn yn gadwyn

O gylch y drws a than y dellt

A'r haf ar Fynydd Cilgwyn.

Yr un flwyddyn enillodd y bardd-fyfyriwr wobr yn Eisteddfod Pisgah, capel yr Annibynwyr yng Ngharmel, nid am gyfansoddi barddoniaeth ond am gyfansoddi alaw i gyd-fynd â'r geiriau 'Wele, cawsom y Mescia'. 'Cyfansoddwyd yr alaw,' ebe'r cofnod, 'gan Tom Parry, Carmel, a chynganeddwyd hi gan T. Llew Jenkins, FRCO, LRAM, Pontypridd.'

Golygydd *A Bangor Book of Verse* oedd un o arweinwyr mwyaf amryddawn y gymdeithas golegol, Sam Jones o Glydach, Cwm Tawe, 'gŵr sy'n llawer rhy ddiddiogi i wneud bardd', ys dywedodd Tomos amdano yn y rhagymadrodd a luniodd yn 1938 i gyfrol a oedd yn olynydd Cymraeg i'r *Bangor Book*, sef *Barddoniaeth Bangor 1927–1937*. Yn y rhagymadrodd blasus hwnnw y mae'n barnu mai un o'r nodweddion sefydlog a bair fod 'i fywyd myfyriwr yng Ngholeg Bangor ei gymeriad, ei liw a'i flas ei hun' yw'r 'blys barddoni a deimla bob cenhedlaeth.' Yna ceir ganddo 'bortreadau chwim' o'r naw o hogiau y printiwyd cerddi o'u heiddo yng nghasgliad 1924. O'u plith, y bardd gorau oedd William Jones, awdur 'Y Llanc Ifanc o Lŷn', ac y mae disgrifiad Tomos ohono yn gartŵn gwirioneddol ddisglair:

[ei] het ar frig ei gorun, Gramadeg mawr Syr John Morris-Jones o dan ei gesail, yn llusgo'i ŵn fel cyw iâr â'i adain wedi torri, ac yn cael ei arwain gerfydd ei ddannedd blaen gan getyn hirgoes.

Yn eu plith hefyd yr oedd J. T. Jones, ysgolhaig hŷn na Tomos, cyfieithydd Shakespeare i'r Gymraeg ymhen blynyddoedd, 'dyn . . . a rhyw sŵn cysidro yn ei lais'; un arall hŷn, W. D. Williams, a enwyd eisoes, 'cynganeddwr anhygoel o sydyn, a thraddodiad ei fro o dan bob ewin iddo'; ac un o'i gyfoeswyr a chyfaill agos iddo, W. Roger Hughes, darpar offeiriad, chwaraewr pêl-droed, rhwyfwr a chynganeddwr, 'a chetyn tro yn dolennu am ei ên'. Ceir gan Tomos bortread byr o un arall yn ogystal, un a oedd, meddai, 'yn ifengach ac yn feinach nag ydyw heddiw.' Ef ei hunan oedd hwnnw, a'r hunan hwnnw bellach yn bur ymwybodol o'i faintioli.

Y mae i ail ran yr hunanddisgrifiad hwnyna – y rhan sy'n dweud ei fod 'yn feinach nag ydyw heddiw' – gryn arwyddocâd, oherwydd ar ganol ei ginio Nadolig yn 1923 trawyd Tomos gan dostrwydd a barodd iddo golli'r gweddill o'i ail flwyddyn yn y Coleg. Cafodd y dwymyn goch a phliwrisi gyda'i gilydd. Y bacteriwm *streptococcus* oedd achos y dwymyn goch, ac ef hefyd oedd achos y pliwrisi a gafodd ynghlwm â niwmonia llabedol, salwch difrifol iawn cyn darganfod penisilin – salwch mor ddifrifol fel yr ofnid y gallai'r claf farw ohono yn ystod y deng niwrnod cyntaf. Ar ôl pasio'r cyfnod argyfyngus hwnnw, yr oedd mwy o debygrwydd o wella nag o farw, ond yr oedd ar y claf angen gofal aruthrol o hyd, fel yr oedd angen gofalu na fyddai neb arall o'r teulu, y plant yn enwedig, yn cael ei heintio ganddo. Byddai Richard a Jane Parry wedi hen fagu imiwnedd iddo, ond am fod pob pesychiad yn beryglus o heintus gyrrwyd Dic (13 oed) i gysgu ym Mod Gwilym gerllaw a chadwyd Gruffudd (7 oed) o'r ysgol. Nid oedd yr un *isolation hospital* ar gael, ac yn ei lofft gartref y bu Tomos yn gorwedd am saith wythnos, heb neb ond ei fam yn cael ei weld. Yr oedd wedi hongian cynfas 'wedi ei gwlychu â Jeyes' Fluid' y tu ôl i ddrws ei ystafell, 'help rhannol' (chwedl fy nghyn-feddyg teulu, Ieuan Gwynedd Jones) i luddias yr haint rhag lledu i weddill y tŷ.

Dywed John Gwilym Jones yn ei hunangofiant *Ar Draws ac ar Led* (1986) mai ei waith ef 'bryd hynny oedd mynd i Garmel bob bwrw Sul' i ddweud hanes y Coleg wrth Tomos. Go brin iddo fynd rhyw lawer cyn canol mis Mawrth. Erbyn hynny, yr oedd ei gyfaill, a aethai i Fangor (fel y gwelsom uchod) yn 'llabwst main heglog', bellach yn feinach fyth o ganlyniad i'w salwch enbyd. Wedi iddo gryfhau tipyn anfonwyd Tomos i aros at ei nain yn Llangwnnadl, ac yn ystod ei arhosiad yno bwydodd ef nes iddo fynd 'yn dew fel porcyn' – 'a phan ddois i adre i Garmel 'roedd pobl yn chwerthin am fy mhen. A 'ddois i byth i fy hen siâp.'

Rhaid bod y corpws hwnnw o gyfansoddiad da cyn iddo gael y dwymyn goch a'r pliwrisi – onid e, ni fyddai wedi goroesi mor iach. Gellir gweld oddi wrth y lluniau ffotograff a geir ohono rhwng 1924 ac 1930 pa mor raenus o gorff oedd Tomos ar ôl gwella. Yr oedd yn balff o ddyn ifanc golygus, yn llond ei groen heb fod yn foldew, yn wefuslawn fochus lân ei wyneb. Edrychai i fyw llygad camera yn ddifrifolach na'i gyfeillion, a chribai ei wallt trwchus yn ôl yn syth o'i dalcen, gan roi'r argraff, yn ddwy a thair ar hugain mlwydd oed, ei fod ychydig flynyddoedd yn hŷn na'i gyfoedion, ac yn llawer mwy awdurdodol yr olwg na hwy. Yr oedd fel petai'r ysgolhaig Cymraeg clasurol a'r bardd arobryn eisoes wedi cael câs-cadw teilwng o'i dalent.

Pan ddychwelodd i Fangor yn hydref 1924 dechreuodd ar ei gwrs anrhydedd am yr eildro. Ebe fe ag un ysgubiad o'i frwsh:

> yr oeddem yn darllen Llyfr Du Caerfyrddin a Chanu Aneirin yn hir ac yn fanwl, yn astudio arysgrifau Galeg ac ogam ac ieitheg Geltaidd a'r glosau Hen Gymraeg ac ychydig o'r glosau Gwyddeleg a'r mymryn lleiaf o Lydaweg a hwde go helaeth o Ddafydd ap Gwilym. Disgwylid inni ddarllen llyfr W. J. Gruffydd ar y cywyddwyr. A dyna'r cwrs.

Y ddarlith hanner can munud oedd y cyfrwng addysg mwyaf cyffredin ym Mangor, y darlithydd yn traethu a'r dosbarth yn gwrando ac yn codi nodiadau – 'heb ddim cyswllt arall rhwng yr athro a'r disgybl'. Yr oedd un eithriad. Wrth ddarllen Aneirin câi'r pump a oedd yn y Dosbarth Anrhydedd – 'yn y cwrs terfynol y byddai'r mwyafrif yn pori' – eistedd o gwmpas y bwrdd yn ystafell breifat Ifor Williams, lle darllenent destun W. F. Skene, *The Four Ancient Books of Wales*, a lle caent y pleser o glywed yr Athro'n sgwrsio'n hamddenol amdano: 'sgwrs oedd pob darlith iddo ef'. Gyda syndod a gofid trannoeth y dywedodd Tomos na ofynnodd neb erioed iddo ysgrifennu traethawd yn ei gwrs Cymraeg, na'i gwrs Lladin. Golygai hynny fod gan fyfyrwyr, hyd yn oed fyfyrwyr cydwybodol, gryn amser ar eu dwylo.

Wrth gwrs, yr oedd y Coleg yn fwy nag academwaith. Yr oedd ynddo gymdeithasau gwerthfawr, difyr. Pan ddychwelodd Tomos i'r Coleg ym mis Hydref 1924 yr oedd Cymdeithas y Cymric, yr hen *Students' Welsh National Society*, yn dathlu ei phen-blwydd yn chwarter canrif oed, a phrif ddynion y genedl wedi bod yn darlithio iddi. Yn 1902 cawsai ddarlith ar 'Hywel ab Owain Gwynedd' gan newyddiadurwr ifanc o'r enw T. Gwynn Jones a oedd wedi ennill Cadair yr Eisteddfod Genedlaethol ym Mangor am 'Ymadawiad Arthur' y flwyddyn honno. Ym mlwyddyn Diwygiad Evan Roberts, 1904, cawsai ddarlith ar 'Baganiaeth yn Llên Cymru' gan athro ysgol o Fiwmares, W. J. Gruffydd, BA. Cynhelid yn y Cymric ddadleuon yn ogystal â darlithoedd, dadleuon ar bynciau modern ('Fod y Blaid Lafur yn colli ei Delfrydau'), aruchel ('Fod diwinyddiaeth yng Nghymru yn lladd yr efengyl') a chellweirus ('Y dylid trethu hen lanciau'). At hynny, trefnid ynddi ffug-brofion, fel y ffug-brawf y bu Tomos yn rhan ohono ddechrau 1926 pan roddwyd Dafydd ap Gwilym o flaen y barnwr W. E. Thomas a'i gyhuddo o 'anwadalwch, anffyddlondeb a phenchwibandod yn ei gysylltiadau carwriaethol'. Y tystion oedd cyfeillion y bardd Madog Benfras a Gruffydd Gryg, ei gariadon Dyddgu a Morfudd, y Brawd Llwyd, 'a gwraig y tŷ lojin'. Y ddedfryd? Euog. A'r gosb? Priodi Morfudd yn y fan a'r lle.

Mewn ffordd, canghennau o foncyff y Cymric oedd y cymdeithasau Cymraeg eraill a geid ym Mangor yn y dauddegau. Yr Eisteddfod Golegol yn un, a arweiniodd at sefydlu yn y flwyddyn 1922 yr Eisteddfod Gyd-golegol. Y Gymdeithas Ddrama hithau. Hyd y gellir gweld, yn 1920 y perfformiwyd drama Gymraeg yn y Coleg am y tro cyntaf, *Ar y Groesffordd* R. G. Berry, a hynny yn Neuadd Bowis. Y flwyddyn yr oedd Tomos yn sâl perfformiwyd cyfieithiad R. Silyn Roberts o *Cross Currents* J. O. Francis yn y Cownti Theatr yn Stryd y Deon, drama y cafodd John Gwilym ran fechan ynddi. Actiodd Tomos ei hun mewn cynhyrchiad o ddrama arall gan Berry, *Y Ddraenen Wen*. A'r flwyddyn ganlynol, a'r athro ysgol o gynhyrchydd athrylithgar o Fethesda, J. J. Williams, 'wedi cael gafael iawn ar y cwmni', penderfynwyd 'cynnig ar rywbeth mawr', sef oedd hwnnw cyfieithiad Ifor Williams o *Tŷ Dol* Ibsen. Ymhlith y cymdeithasau llai, ceid y Tair G, a sefydlwyd tua 1920 i gynnal trafodaethau – trafodaethau yn hytrach na dadleuon – y gallai pawb a fynnai ymuno ynddynt. Dyma gnewyllyn Cangen y Coleg o'r Blaid Genedlaethol, ac yn ôl John Gwilym yr oedd gan Tomos ran nid bechan yn ei chychwyn.

Perthynai Tomos i ddwy gymdeithas arall. Clwb y Deg ar Hugain, y *XXX Club*, oedd y naill, yr uchaf yn hierarchiaeth cymdeithasau'r Coleg, o leiaf ym meddwl ei haelodau, am y rheswm mai cymdeithas ddirgel ydoedd pan ffurfiwyd hi yn 1908 ac am mai'r myfyrwyr mwyaf blaengar yn unig a gâi wahoddiad i ymuno â hi. Trafodfa ydoedd ar bob math o bynciau celfyddydol, gwyddonol, diwinyddol ac amaethyddol. Cymdeithas ac iddi ddiben nid annhebyg, ond cymdeithas fwy newydd a chyfyngach ei haelodaeth (deuddeg), oedd Cymdeithas Cymru Fydd, a fyddai'n cyfarfod 'yn llechwraidd mewn caffi yn y dre' i wrando a thrafod papurau gan bob un o'r brodyr yn ei dro. Ni chedwid cofnodion o'i gweithgareddau, ond y mae'n werth nodi bod William Jones y bardd yn dweud mewn llythyr at Tomos yn 1948 ei fod yn ei gofio yn darllen papur ar 'Natur yng ngweithiau Pantycelyn', bardd y bu iddo'i ddibrisio braidd mewn blynyddoedd diweddarach.

Y mae'r disgrifiadau anfeirniadol hyn o fywyd cymdeithasol llawn Tomos Parry yng Ngholeg Bangor yn swnio fel petai'n goleg yn Nhir na n-Og. Os ydynt, beier Tomos Parry ei hun am hynny, oblegid o'i ysgrifeniadau ef y tynnwyd y rhan fwyaf ohonynt. Ebe fe yn ei sgwrs radio yn y gyfres 'Atgofion': 'er gwaethaf pob caethiwed a rheol 'roedd bywyd [coleg] yn ddedwyddwch paradwysaidd.' Ac ebe fe wrth ei gariadferch Enid Picton Davies pan oedd hi ar fin mynd i Goleg Caerdydd, y 9fed o Hydref 1929: 'ni welais i neb eto nad yw wrth ei fodd yn y Coleg. Mae rhyw ysbryd uchel ymysg myfyrwyr, a'r cyfan yn myned i waed dyn, a churo'n gryf yn y gwythiennau.' Yr un brwdaniaeth sydd yng ngeiriau'r gŵr o'r Groeslon pan sonia am Tomos yn byw bywyd myfyriwr i'r ymylon:

cynganeddu fel dŵr yr afon a honno weithiau heb fod mor groyw loyw, brecwesta efo'r prifathro, mynd i Ffair y Borth, chwarae triciau coslyd, chwerthin cyn uched â neb, mwynhau bwyta a rhannu parsel wythnosol ei fam, cymryd rhan dyn dall mewn drama, ennill coron yr Eisteddfod, mynd am dro i Sir Fôn – ac i Siliwen hefyd o ran hynny.[2]

Y mae'n werth edrych yn fanylach ar ambell un o'r eitemau yng nghatalog John Gwilym uchod. Y 'cynganeddu fel dŵr yr afon' i ddechrau. Yn ystod 1924–26 yr oedd eu tŷ lojin hwy fel 'rhyw fath o ganolfan gymdeithasol i amryw o lanciau' a hoffai farddoni, cynganeddu yn enwedig. Y ffyddloniaid yn y ffau oedd W. Roger Hughes, a gyflwynwyd eisoes; Huw Roberts, a gyfenwyd yn 'Afagddu', ymgeisydd am y weinidogaeth gyda'r Methodistiaid Calfinaidd; Goronwy Prys Jones, a ddaeth yn Gyfarwyddwr Addysg Sir Fôn ymhen y rhawg; John Gwilym; ac R. Meirion Roberts, ymgeisydd arall am y weinidogaeth gyda'r Hen Gorff, glas-fyfyriwr tra hoff o'r awen ac o athronyddu: ef biau dweud iddynt lawer tro 'wylio hir brynhawn yn cilio mewn mantell o fwg baco tua 17 Park St.' Ni fedrai John Gwilym gynganeddu tros ei grogi, ond yr oedd yn aml yn destun cân. Mewn copi-bwc bach brownglawr a gadwodd Tomos weddill ei ddyddiau y mae cywyddau ac englynion o waith y brodyr hyn, gweithiau sy'n cynnwys englynion cywaith i 'Ieuan Fwglanc', ys gelwid yr ysmygwr John Gwilym mewn dau ohonynt. Y mae yno un englyn yn tynnu ei goes am fod 'ei holl ên | yn llyfn fel un morwyn' – ac englyn arall yn ei gyhuddo o wirioni ar bob merch yn ei thro, heb fedru dewis yr un.

Yr oedd Tomos ar y pryd yn canlyn May George, merch o Nant-yffyllon gerllaw Maesteg, Morgannwg. Gyda hi, debyg, yr âi am dro i Siliwen. Wrth ganu 'I hardda bardd heb ei ail', sef Tomos, y mae Goronwy Prys Jones yn dweud yn 'Nghywydd y Cwymp' fod gwrid iachus wedi

---

2 Rhaid disgwyl am atgofion Gruffudd y brawd ieuengaf cyn llychwino'r rhes hon o brofiadau gogoneddus. Pan aeth ef i Fangor yn 1929 aeth i'r llety yn 17 Park Street yr oedd 'rhai wedi rhamantu'n atgofus yn ei gylch' – a'i gael yn 'dwll o le'!

dychwelyd i'w rudd, gwrid yn codi nid o adferiad iechyd wedi'r dwymyn goch a'r pliwrisi, eithr o 'gariad addwyn | At eneth wen feinwen fwyn.' –

> Prysured a dyred dydd
> Priodas May a'r prydydd.

Yr oedd Meirion Roberts yn canu yn yr un cywair:

> Mi fetiem, Dom, fotwm dimau
> Ryw ddydd y priodir y ddau.

Ymateb bechgyn ifainc ugain ac un ar hugain oed na wyddent yn iawn beth i'w wneud o garwriaeth mab a merch oedd yr ysmaldodau hyn. Y mae'n amlwg wrth bopeth a ddywedodd yn y blynyddoedd dilynol y credai Tomos fod rhuthro i briodi yn act gwbl ddisynnwyr. Ond ni wn pryd y daeth ei garwriaeth gyda May George i ben.

Er ei fod yn mwynhau hwyl y cywydda a'r englyna hwn cystal â neb, yr oedd mwy o stamina gan ei awen ef. Yn Eisteddfod y Myfyrwyr yn 1925 enillodd y goron am bryddest ar y testun 'Llatai' a'r gadair am awdl ar 'Y Deffro'. Pryddest sentimental yw'r bryddest, am offeiriad a gollodd ei wraig a'i unig ferch drigain mlynedd ynghynt, yn awr yn cael ei ddenu gan ysbryd y ferch fach i fynd i'r fro hyfryd dros 'y gorwel heb fod nepell' lle trigant yn eu hangau. Er ei sentimentaleiddiwch y mae'r bryddest yn tystio i rwyddineb mydryddu cwbl hyderus. Y mae i'r awdl, sy'n fwy profiadol, ddwy ran. Yn y Rhan Gyntaf y mae'r adroddwr o lanc yn dweud iddo gynt rodio'r wlad gyda'i gariadferch. Ond ymadawodd hi ag ef, a gŵyr y llanc 'Fynd drosodd ëon draserch | A hud maith cofleidio merch.' Yn yr Ail Ran, llanc a ddaeth yn gydymaith iddo, llanc y bu'n 'Rhannu hwyl pob rhin hylon | Ac iach gyfrinach y fron' gydag ef. Buan y gwelodd yr adroddwr nychdod yn nhrem ei gyfaill, ac un noson pan ddaeth 'Chwa gêl â rhyw dawch gwyn | Am dâl Mynydd Cwm Dulyn' bu farw. Deil y bardd-adroddwr i gerdded ei ddarn o wlad yn Eryri, ac ynddi daw ar draws bedd ei gyn-gydymaith, lle 'daeth hiraeth am Harri | I oeri nwyf fy mron i'. Harri Roberts, brodor o Dal-y-sarn a chyd-fyfyriwr â Tomos ym Mangor, oedd yr Harri hwn, un arall 'campus am lunio llinellau', a fu farw o'r diciâu y flwyddyn y bu Tomos yn orweiddiog. Ar un olwg, awdl deyrnged iddo ef yw 'Y Deffro'. Ar olwg arall, awdl ydyw sy'n atgoffa'i hawdur y gallasai ef ei hun fod wedi syrthio'n ysglyfaeth ifanc i'r Angau.

Un o'r pethau eraill difyr yn rhestr John Gwilym o gampau a phrofiadau Tomos ym Mangor yw iddo frecwesta gyda'r prifathro. Syr Harry Reichel oedd hwnnw, brodor o Felffast a Chymrawd o Goleg yr Holl Eneidiau yn Rhydychen, a fu'n Brifathro Coleg y Gogledd o'i gychwyniad ac a oedd yn awr yn dynesu at oed yr addewid. Er nad oedd gyda'r mwyaf cymdeithasgar a thafotrydd o blant dynion, mynnai gadw rhai o draddodiadau Rhydychen yn fyw drwy wahodd bob hyn-a-hyn nifer o fyfyrwyr i frecwesta gydag ef yn ei gartref gerllaw'r Coleg. Bu Tomos yno ddwywaith, ac yr oedd y tro cyntaf yn fyw iawn yn ei gof ddeng mlynedd ar hugain yn ddiweddarach pan rannodd y profiad gyda chynulleidfa o Hen Fangoriaid mewn cinio yng Ngwesty'r Marine yn Aberystwyth. Ei boen gyntaf, meddai, oedd codi'n ddigon cynnar i gyrraedd Gartherwen erbyn 8.30 (yr oedd cyrraedd y Coleg mewn pryd i ddarlith naw yn ddigon anodd ganddo, er nad oedd 17 Park Street ond rhyw ddau gan llath i ffwrdd). Ond fe lwyddodd, 'and arrived a few minutes before Sir Harry appeared, clad in his dressing gown'. Pump o westeion oedd yno, a rhoddwyd Tomos i eistedd ar ben y bwrdd gyferbyn â'r Prifathro – 'behind an array of silver vessels, which were obviously a teapot, a hot water jug, a coffee pot and a pot of hot milk. It was my duty to pour.' Drwy '[b]rocess of elimination' y llwyddodd i adnabod y pot coffi. Ac ebe fe wedyn wrth ei wrandawyr yn y Marine: 'I consoled myself with Mr Salteena's sentence in *The Young Visiters*, "I am not quite a gentleman but you would hardly notice it."' At y prif gymeriad yn nofel ddoniol Daisy Ashford (1919) y cyfeiriodd yn y fan hon, nofel arall a ddarllenodd heb i'w fam wybod!

Bu hefyd yn ei dro yn ciniawa – cinio nos – yng nghartref Syr John Morris-Jones yn Llanfair. Lle'r oedd cymdeithas Reichel yn galetsych ddyletswyddgar, yr oedd sgwrsio 'ysgafn a hwyliog' Syr John ar ei aelwyd yn ei Gymraeg naturiol yn fodd i fyw i'r myfyrwyr a arferai wrando arno'n traethu yn Saesneg yn y Coleg. Wrth ddychwelyd o'r Tŷ Coch i'w lletyau dros Bont y Borth byddai 'ias yn eu cerdded wrth feddwl eu bod wedi dod mor agos at un o ddynion gwir fawr eu hoes'. A dyna un o'r pethau ynglŷn â'r Coleg a uchel-brisiai Tomos, y cysylltiad gyda mawredd, 'y cyffro wrth gofio fod Syr Henry Jones a Silyn Roberts a Gwili . . . a T. Rowland Hughes wedi byw'r un bywyd' ag yntau a'i gyd-efrydwyr, ac wedi bod fel hwythau 'yn annerch ac yn gwrando ac yn cellwair' yn ei amryfal gyfarfodydd.

T. Rowland Hughes oedd Llywydd y Myfyrwyr ym mlwyddyn olaf Tomos, 1925–26. Cawsai anrhydedd yn y Dosbarth Cyntaf yn Saesneg yn 1925, ac yn 1926 cafodd Tomos anrhydedd yn y Dosbarth Cyntaf yn y Gymraeg. Yr haf hwnnw safodd etholiad am Lywyddiaeth Cyngor y Myfyrwyr i olynu Rowland Hughes, ac ennill. Ond am iddo adael Bangor am Gaerdydd cyn ymgymryd â hi, ei gyd-ymgeisydd J. E. Meredith a aeth iddi, myfyriwr disglair â'i fryd ar y weinidogaeth gyda'r Hen Gorff a ddaeth yn y man yn Llywydd Undeb Cenedlaethol y Myfyrwyr drwy Brydain oll.

III. TAIR BLYNEDD YNG NGHAERDYDD

Nid oedd wedi cynllunio mynd i Gaerdydd. Er iddo adrodd unwaith fod Ifor Williams yn dymuno'i anfon i Brifysgol Bonn at yr ysgolhaig Celtaidd Rudolf Thurneysen, ei fwriad ef ei hun yn haf 1926 oedd dychwelyd i'r Coleg yn Llywydd y Myfyrwyr a dilyn cwrs hyfforddi. Er mwyn magu rhywfaint o brofiad o flaen dosbarth, ganol Mehefin, ar ôl sefyll ei arholiadau gradd, aeth i ymarfer dysgu yn un o ysgolion

Caernarfon. Un awr ginio yn ystod y cyfnod byr hwnnw aeth drwy'r Porth Mawr i lawr i'r cei i gael tipyn o awel. A phwy a welodd yno ond T. H. Parry-Williams, a ddywedodd wrtho 'fod Coleg Caerdydd yn chwilio am ddarlithydd mewn Cymraeg a Lladin, a'u bod yn methu'n glir â chael y fath gyfuniad od'. Ar anogaeth daer ei gefnder gyrrodd Tomos lythyr at W. J. Gruffydd 'i weld sut yr oedd y gwynt yn chwythu'. O'r gogledd, y mae'n amlwg, oherwydd ar ôl cyfweliad 'go ryw ryfedd' gyda'r Prifathro A. H. Trow a'r Athro Gruffydd a W. W. Grundy, yr Athro Lladin, cynigiwyd y swydd iddo ar gyflog o £300 y flwyddyn – 'cymaint ddwywaith ag yr oedd fy nhad yn ei gael yn chwarel Dorothea', ys dywedodd Tomos gyda chwithdod a oedd bron yn gywilydd.

Yr oedd bywyd Caerdydd yn fywyd newydd ac yn estyniad ar fywyd Bangor yr un pryd. Yr oedd ei gymrodyr yn yr Adran Gymraeg, W. J. Gruffydd a G. J. Williams, yn newydd – y naill, yn ddeugain a phum mlwydd oed, yn dra adnabyddus fel bardd ac ysgolhaig a golygydd *Y Llenor* (yr âi copi ohono bob chwarter i Wastad-faes), a'r llall, yn bedair ar ddeg ar hugain, yn fardd llai ac yn ysgolhaig manylach, trymach efallai na'i bennaeth. Yr oedd Tomos wedi darllen llyfr Gruffydd ar lenyddiaeth Gymraeg y cyfnod rhwng 1450 ac 1600 wrth ddilyn ei gwrs israddedig, a diau iddo ddod yn gyfarwydd â llyfr G. J. Williams, *Iolo Morganwg a Chywyddau'r Ychwanegiad*, yn union ar ôl ei gyhoeddi yn 1926. Pan ddymunai drafod rhywbeth gyda'i bennaeth, byddai arno ofn mentro i'w ystafell am sgwrs. Ond byddai'n cyfarfod â Griffith John weithiau yn Llyfrgell Salisbury, lle byddai'r llyfrgellydd Hubert Morgan a'i westeion dethol yn 'herio pob rheol drwy smocio'n dangnefeddus'. Os oedd Gruffydd braidd yn bell – fel personoliaeth yr oedd ar yr olwg gyntaf yn 'surbwch a digroeso a byr ei amynedd' – yr oedd G. J. yn 'groesawus a charedig bob amser', yn y blynyddoedd cynnar beth bynnag, a byddai'n aml yn gwahodd y Northman ifanc i'w gartref ym Mhenarth ac yn ei dywys ar deithiau drwy Fro Morgannwg. Ni soniodd Tomos yn unman ddim am ei berthynas gyda'i gyd-weithwyr newydd yn yr Adran Ladin. Efallai ei fod yn ymwybodol o'r ffaith nad oedd ganddo radd yn y pwnc. Mewn sgwrs ag Ioan Roberts yn *Y Cymro* adeg ei ymddeoliad, dywedodd fod ganddo 'wyneb fel talcen tas i feddwl darlithio yn Lladin' yn 1926.

Yr oedd Caerdydd ei hun yn newydd – yn dref gymaint ddeugeinwaith â Bangor Fawr yn Arfon, a chanddi ei chanolfan ddinesig a'i llys a'i theatrau a'i sinemâu. Daeth i fwynhau mynd i'r hyn a alwai yn *celebrity concerts* yn fawr. Ni soniodd am Barc yr Arfau na Pharc Ninian, oblegid nid âi Tomos fyth i weld rygbi na chriced na phêl-droed. Lletyai yng Nghathays, yn 26 Monthermer Road. Ar y Sul âi i'r oedfa yng nghapel y Methodistiaid Calfinaidd ym Mhembroke Terrace, lle'r oedd y Parchedig John Roberts, awdur dysgedig y gyfrol gampus *Methodistiaeth Galfinaidd Cymru: Ymgais at Athroniaeth ei Hanes*, 1931, yn weinidog. Mab J. J. Roberts, Iolo Caernarfon, a fu'n chwarelwr yn Nyffryn Nantlle cyn mynd i Goleg y ac yna i'r weinidogaeth, oedd ef – gŵr, gan hynny, a chanddo gysylltiad agos â henfro Tomos ei hun. Ei fab ef, John Roberts arall, oedd y chwaraewr rygbi y seiliwyd arwr 'Y Dyrfa' Cynan arno.

Ac yng Nghaerdydd gwnaeth gyfeillion newydd. Yn eu plith yr oedd T. I. Ellis, athro Lladin yn Ysgol y Bechgyn, lle dysgai R. T. Jenkins hefyd; Arthur ap Gwynn, Llyfrgellydd y Ddinas; ac Iorwerth C. Peate, enillydd coron yr Eisteddfod Ryng-golegol gyntaf yn 1922 a oedd yn awr yn gweithio yn yr Amgueddfa Genedlaethol. Yr un a ddaeth i fod y mwyaf mynwesol o'i gyfeillion newydd oedd W. J. Parry, brodor o Ben-y-groes, swyddog gyda Bwrdd Iechyd Cymru, dyn ifanc yng nghanol ei ugeiniau a adawsai'r ysgol yn bedair ar ddeg ac a ffeindiodd ei ffordd i'r ffosydd yn Ffrainc tua 1917 drwy ddweud celwydd am ei oed, Bedyddiwr selog a gweddïwr cyhoeddus huawdl, gŵr 'helaethach ei ddiwylliant' na llawer 'a wthiwyd trwy felinau ein cyfundrefn addysg', ac ar ben pob peth gŵr ifanc nwyfus a oedd 'yn ymgomiwr digymar ac yn llawn doniolwch', priodoleddau hoff iawn iawn gan Tomos. Yr oedd ysmaldod yn ei wyneb hyd yn oed, yn ei wefusau hirion cul a'i lygaid disgleirdrist. Diau mai ymgais i fynegi cyflymder parabl W. J. Parry oedd arfer diweddarach Tomos o ysgrifennu'i enw fel *wilijohnparri*.

51

Y mae'n fwy na thebyg mai drwy Sam Jones, a rannai lety â W. J. Parry, y daeth Tomos i'w adnabod. Ar ôl gadael Coleg y Gogledd aethai Sam Jones i weithio i'r *Western Mail*, lle gweithiai Caradog Prichard yntau, y llencyn ifanc o Fethesda a fuasai rai blynyddoedd ynghynt yn brentis newyddiadurwr yng Nghaernarfon. Daeth ef hefyd yn llawiau gyda Tomos, a threulient aml brynhawn ac aml gyda'r nos gyda'i gilydd 'uwch sigaret a chetyn' yn ymddiddan ac yn barddoni 'yng nghell fach rhyw angall fyd' neu'n rhodio 'ein dau drwy gaeau a gwig' i roi'r byd yn ei le.

Un o gysylltiadau Bangor oedd Sam Jones, fel y cofir; ac estyniad o'r berthynas a fu rhyngddynt ym Mangor oedd y berthynas rhyngddo ef a Tomos yng Nghaerdydd. Yn haf 1927 y mae'r ffordd y mae Tomos yn dod â W. J. Parry i fewn i'r frawdoliaeth Fangoraidd yn dangos pa mor laslencynnaidd oedd hiwmor ceiliogod y colegau o hyd, a bod W. J. Parry wrth ei fodd yn ei rannu. Y mae ar glawr yn yr Archifdy yng Ngholeg Bangor ddalen ffugfemrynnaidd a anfonodd Tomos at W. J. Parry yn 1927 yn ei hysbysu ddarfod iddo gael ei ethol yn aelod anrhydeddus o Orsedd Newydd Beirdd Ynys Brydain (arwyddair: 'Y Byd yn erbyn y Gwir'), ac mai ei enw ynddi fydd 'Gwilym Iechyd'. Dywedir wrtho hefyd y disgwylir iddo fod 'yn wyddfodol yng Nghaer-gybi ym mha le y cynhelir yr Eisteddfod yleni', ac y disgwylir iddo, fel pob aelod arall, 'ddod a chlêdd i Gaergybi rhag ofn bydd yr hen Orsedd yn anesmwythaw'. Ymhlith y rhai a dorrodd eu henwau ar y memrwn y mae 'Melfed (Archdderwydd)' – ni raid, gobeithio, nodi mai sgit ar Elfed sydd yma, na nodi enwau cywir y lleill a watwerir – 'Sonders Tawe, Chwili, Conyn, Chwys, Wil Ifanc, Sieffre o Felynwy', &c. Un a ymfalchïai ei fod yn ddisgybl i John Morris-Jones, a oedd wedi treulio degawdau yn beirniadu'r hen Orsedd oblegid ei chred yn ei ffug hynafiaeth, oedd creawdwr y memrwn dychanol hwn. Ganol wythnos yr Eisteddfod yng Nghaergybi gallai ymfalchïo ei fod, yn ogystal, yn un o gyfeillion agosaf bardd y goron, sef, ie, Caradog Prichard.

Y Bangoriad a gadwai mewn cysylltiad amlaf gyda Tomos yng

Nghaerdydd oedd R. Meirion Roberts, mab gorsaf-feistr Corwen, a oedd yn ei ystyried ei hun yn '*protégé* bach' iddo (''Rwyt ti'n hŷn na mi o ddwy flynedd, ac mae hynny'n cyfri cymaint yng nghwmpasoedd yr ugain oed'). O'i lety yng Nghae Llepa, a rannai gyda Bleddyn Jones Roberts yr Hebrëwr ymhlith eraill, dywedodd wrth Tomos mewn llythyr dyddiedig y 13eg o Hydref 1926 fod 'gwagle ar d'ôl'. 'Hwyrach,' meddai wedyn, 'mai cywirach fai disgrifio'r sefyllfa fel rhyw ddieithrwch trist sy'n gorwedd dros y Coll i *mi* . . . mae gennyf hiraeth anobeithiol am y llynedd.' Gan mor synhwyrgall oedd Tomos bron ym mhob peth, hyd yn oed yn ei ieuenctid, ac eithrio mewn ambell delyneg ffasiynol-yn-ei-dydd, y mae'n anodd meddwl amdano'n goddef y fath deimladrwydd heb refru. Ond cofier bod brawdoliaeth Bangor o bwys mawr iddo, a bod y brodyr a'i rhannai gydag ef yn ddigon agos at ei galon iddo addunedu, wrth fynd i Gaerdydd, y cadwai mewn cysylltiad â hwynt 'drwy gymundeb meddwl'. Meirion Roberts eto biau'r dweud. Y 10fed o Ragfyr 1926 y mae'r hwn sy'n gwerthfawrogi'r cymundeb meddwl hwnnw fwyaf yn dweud ei 'fod yn ysu am gael gweld y "corff" Tom – y cysgod awgrymiad yn nhro'r wefus, a ffraethineb diatreg y llygaid. Cred fi – mae gennyf hiraeth cywir amdanat'. Arwraddoliaeth sydd yma, wrth gwrs, arwraddoliaeth â'r arwr ymhell. Ymateb Tomos i'r fath gri oedd gwahodd ei gyfaill i Wastad-faes dros y Nadolig.

Yn yr un llythyr y mae Meirion Roberts yn adrodd hynt ei 'gyfeillgarwch anarferol' gyda myfyrwraig o'r enw Eurgain (Eurgain Morris Jones, Llanfairpwllgwyngyll, merch William, brawd i Syr John), a hynt perthynas neu ddiffyg perthynas Tomos â merch o Garmel o'r enw Gwen, un yr oedd 'fflach brydferth yn ei llygaid' pan soniai Meirion wrthi am Gaerdydd. Chwaer yr Hywel Wyn Elias Jones a fu'n lletya am flwyddyn yn Park Street oedd Gwen, merch Elias Jones, perchennog y siop fwyaf yng Ngharmel. Ymhen y mis, yr 20fed o Ionawr 1927, y mae Meirion yn annog Tomos i anfon gair ati 'yn gyson, *gyson* . . . a dihysbydda dy dynerwch a'th athrylith yn y llythyrau'. Y mae'n amlwg na ddaeth dim o'r gyfathrach: mud hollol yw Tomos amdani.

53

Nid mor fud am Feirion: 'un bychan melynwallt, syn ei drem a dwfn ei fyfyrdodau yw ef,' meddai amdano unwaith, a 'bardd godidog' a fwynhâi drafod unrhyw beth: merched, diwinyddiaeth, poeteg, dirgelion Natur, cenedlaetholdeb. Anfonent gerddi at ei gilydd yn rheolaidd. Wrth ymateb i gerdd o'r enw 'Cyffes yr Anwadal' a gafodd gan Tomos ym mis Gorffennaf 1927 y mae Meirion yn dweud wrtho fod 'y clyfrwch diymdrech a'r troeon sydyn lle cuddia'th gryfder i'w gweld fel erioed'. O'r tu arall, wrth ganmol rhyw englynion gan Meirion, y mae Tomos yn nodi'r 'brychau cynghanedd a chystrawen' sydd ynddynt. Yn ei lythyrau cyfeddyf Meirion ei fod yn 'spowtio'n ddidrugaredd' a dywed wrth eu derbynnydd am dalu drwg am ddrwg a spowtio'n ôl. Y bardd rhwydd, y sgwrsiwr rhydd, y llythyrwr lluosog, yr oedd Meirion Roberts yn ŵr ifanc allblyg hyderus hyd nes yr âi ei frwdaniaethau yn drech nag ef, ac yna dioddefai'n feddyliol, megis pan gafodd rywbeth yn ymylu ar *nervous breakdown* neu *religious mania* ddechrau 1929. Tomos y cyfaill triw oedd ei ymgeleddwr eto. Nid ei wahodd i Wastad-faes a wnaeth y tro hwn ond mynd i Gorwen i aros gydag ef, ac ysgrifennu at David Phillips, Prifathro Coleg y Bala, i geisio'i gael i berswadio Meirion i fynd yn ei flaen i'r Coleg Diwinyddol yn Aberystwyth.

Nid oedd eisiau annog y Carmeliad i weithio. Yn fuan yn 1927, yn ogystal â pharatoi darlithoedd newydd bob wythnos mewn dau bwnc ('llafurio fel slaf oedd y drefn') a gosod darnau i'w cyfieithu i ddau ddosbarth Lladin bob yn ail wythnos, dechreuodd weithio ar draethawd MA. Bywyd a gwaith y Dr Siôn Dafydd Rhys, y meddyg a'r ysgolhaig a aned yn Llanfaethlu Môn yn 1534, a gymerodd yn bwnc. Un o wŷr y Dadeni oedd ef, a fu'n byw am rai blynyddoedd yn yr Eidal ac a gyhoeddodd yno ramadegau Groeg a Lladin a llyfr ar ynganiad yr Eidaleg. Y gwaith a roes fwyaf o fri arno, a'r hyn y rhoddodd y myfyriwr ymchwil y sylw mwyaf iddo, oedd *Cambrobrytannicae Cymraecaeve Linguae Institutiones et Rudimenta* (1592), a luniodd rai blynyddoedd ar ôl iddo ddychwelyd i Gymru. Gellir rhannu'r gwaith yn dair rhan, gramadeg pur, trafodaeth ar fesurau traddodiadol y beirdd Cymraeg, a'r gynghanedd. Er nad oedd y llyfr hanner cystal â *Dosparth Byrr ar y Rhann Gyntaf i Ramadeg Cymraeg* a gyhoeddodd Gruffydd Robert ym Milan yn 1567, ebe Tomos, yr un oedd ei negeseuon, sef y dylai'r beirdd llys, cynheiliaid y bywyd ysgolheigaidd a llenyddol Cymraeg, ymgydnabod â'r Ddysg Newydd a oedd yn cerdded drwy wledydd gorllewin Ewrop, y dylent rannu cyfrinachau eu crefft gyda'r byd, ac y dylent ganu ar bynciau newydd yn hytrach na bodloni ar gaethiwed a diymadferthedd eu pynciau traddodiadol.

Ceisio 'canfod lle arbennig Siôn Dafydd Rhys ymysg gwŷr ei gyfnod' oedd bwriad y traethawd MA, 'dymchwel y chwedlau a dyfodd o'i gwmpas, y rhan fwyaf ohonynt yn waith Iolo Morganwg', ac astudio'i gynnyrch. Y mae'r astudiaeth, fel y disgwylid, yn drylwyr, a'r drafodaeth yn hyderus. O gymharu'r gramadeg gyda gramadegau Lladin y gallasai Rhys fod wedi benthyca ohonynt, barnodd Tomos mai ychydig ohono oedd yn waith gwreiddiol, ond ei fod 'yn dilyn modelau cynharach' ac yn cynnwys cyfieithiadau i'r Lladin o ddarnau o *Ramadeg* Gruffydd Robert. Am y rhannau o'r llyfr a drafodai'r gynghanedd, er i'w hawdur ymgynefino 'gyda phopeth a wyddai'r beirdd Cymraeg yn ei gyfnod', 'nid oes fawr ddim y gellir credu mai Rhys piau ef' ac 'nid oedd yn feistr ar holl ddyrys bynciau cerdd dafod'. Ond wrth gymharu'r hyn a ddywedodd Siôn Dafydd Rhys am gerdd dafod gyda thraethiadau mwy dibynadwy arni, daeth Tomos Parry ei hun yn feistr arni, ac ar ei datblygiad, a hynny'n bur gynnar yn ei yrfa ysgolheigaidd. Fel y daeth yn gynnar yn ei yrfa i fwynhau rhedeg ar Iolo Morganwg, dyfeisiwr 'y tipyn rhamant a draethir am lawforwyn Jane Stradling' yn cenhedlu Siôn Dafydd Rhys, rhamant arall y ceisiodd Iolo drwyddi gysylltu un arall o wŷr mawr Cymru â Morgannwg.

Gan ei fod yn awyddus i ddangos y gwaith i John Morris-Jones cyn ei gyflwyno am y radd MA, ysgrifennodd i Dŷ Coch i ofyn a gâi fynd yno ar ymweliad. Ddeuddydd cyn y Nadolig 1928 dyma'r Athro yn ysgrifennu ato i ddweud y byddai'n bleser ganddo'i weld 'ryw brynhawn rhwng y Nadolig a'r chweched o Ionawr'. Ymhen ychydig ddyddiau dyma lythyr arall o Lanfair, y tro hwn yn llaw Rhiannon, un o'i ferched, yn dweud bod Syr John yn wael, ac yn gofyn i Tomos ohirio'r ymweliad nes y byddai wedi gwella. Ni fu gwella, a bu'r marchog farw ganol Ebrill. John Jones arall, John Lloyd-Jones, Athro Cymraeg Coleg y Brifysgol Dulyn, a ddyfarnodd i Tomos ei MA.

Yn ystod salwch John Morris-Jones, ei gyd-Athro Ifor Williams a ddaliodd ben trymaf y baich dysgu, gan gymryd at y gwaith o ddarlithio ar gyrsiau ei bennaeth yn ogystal â'i gyrsiau ei hun. Ni roes y darlithydd cynorthwyol R. Williams Parry hyd yn oed hanner ysgwydd o dan y baich. Mewn nodyn a ysgrifennodd y 13eg o Ionawr 1929 dywed Tomos iddo weld 'Bob yng Nghaernarfon wythnos i'r Sadwrn diwethaf, mor hapus ag aderyn, heb na gwaith na phang cydwybod yn ei boeni!'

Ddiwedd Chwefror cofnododd Pwyllgor Penodi Coleg Bangor fod y Cyngor wedi awdurdodi Darlithyddiaeth Gynorthwyol Barhaol yn yr Adran Gymraeg. Ar ôl clywed datganiad llawn gan Ifor Williams, a chlywed ganddo fod John Morris-Jones o'i wely cystudd yn cydsynio â'i farn, penderfynodd yr aelodau fod 'Mr Tom Parry BA' yn nodedig o gymwys i'w benodi i'r ddarlithyddiaeth newydd, ac y dylid trefnu bod y Cyngor yn ei gyf-weld yn ystod ei gyfarfod nesaf heb hysbysebu'r swydd. Cyfwelwyd Tomos wythnos ar ôl claddu Syr John a chafodd y swydd.

Os oedd yr Angau yn gysgod ar bethau ym Mangor, drwy'r un gaeaf yr oedd uchelgais W. J. Gruffydd wedi tywyllu pethau yng Nghaerdydd. Am yr eildro mewn deng mlynedd yr oedd yn ymgeisydd am Brif-athrawiaeth y Coleg. Nis cafodd yn 1919 pan benodwyd A. H. Trow, ac yr oedd carfan gref o gynghorwyr blaenllaw'r Coleg yn dymuno'i gadw ohoni eilwaith yn nechrau 1929. 'I am told,' ebe un ohonynt, Mabel Howell, 'that Gruffydd has a touch of genius in his own line, but that he is impulsive and lacks the steady control of himself necessary for this post.' 'Y mae'n dioddef,' ebe Percy Watkins, Pennaeth Adran Gymreig y Weinyddiaeth Addysg a chyn-Gofrestrydd Coleg Caerdydd, 'nid o gymhleth y taeog ond o gymhleth yr hwn-nas-gwerthfawrogir' – ond y mae'n blodeuo'n rhesymol gynorthwygar os trinnir ef gyda chydymdeimlad. Dywedodd Tomos mewn llythyr diddyddiad at Ifor Williams mai'r sôn yng Nghaerdydd oedd fod gan Gruffydd siawns dda am y swydd. Golygai hynny, meddai wedyn, y rhoddid y Gadair Gymraeg i G. J. Williams, y câi yntau ddilyn sodlau Griffith John a dod yn rhydd o'r Lladin: 'A pha esgus a fuasai gennyf wedyn dros ddod i Fangor pan elwir arnaf?'

Er dirfawr siom i Gruffydd, J. Frederick Rees, hoff efrydydd O. M. Edwards yng Ngholeg Lincoln yn Rhydychen, a benodwyd yn Brifathro Caerdydd. Buasai Rees yn ymgeisydd i olynu Reichel ym Mangor ddwy flynedd ynghynt, ond gwrthodwyd ef yno 'because of his ignorance of Welsh'. Yr Athro D. Emrys Evans, Abertawe ar y pryd, a ddewiswyd yn lle Reichel, clasurydd, un o gyn-fyfyrwyr y Coleg, mab gweinidog y capel Bedyddiol yng Nghlydach lle maged Sam Jones. Gyda phenodiad Prifathro Caerdydd o'r ffordd, yr oedd Tomos Parry ychydig yn fwy rhydd ei gydwybod ynghylch Bangor. Er hyn, creadur nerfus a aeth un nos Wener i Benarth 'i ddechrau torri'r ia efo Mr. *&* Mrs. G. J. Williams' a chreadur mwy nerfus fyth a aeth i ddweud ei neges wrth Gruffydd drannoeth. Yr hyn a ddywedodd Gruffydd wrtho oedd fod Cyngor y Coleg wedi pasio i gael 'rhywun i weithio amser llawn ar y Gymraeg', ond pan holodd Tomos y Cofrestrydd ynghylch y penderfyniad hwnnw dywedwyd wrtho nad oedd sicrwydd o gwbl y deuai'r penderfyniad i rym yn hydref 1929. 'Peidiwch â rhoi ateb terfynol i Fangor nes gweld y Prifathro yma,' ebe Gruffydd wedyn. Erbyn hynny yr oedd Tomos *wedi* penderfynu dychwelyd i Fangor, ond am ei fod 'yn wan ac yn llwfrgi … ni fedrais fagu digon o blwc i ddweud wrth Gruffydd'. Ar ôl i Gyngor Coleg y Gogledd gadarnhau ei benodiad anfonodd Tomos lythyr cynnes ato yn diolch iddo am ei ddealltwriaeth, a chafodd air yr un mor gynnes yn ôl.

PENNOD 2

Tomos ac Enid

I. CARWRIAETH 'MYM' A 'CNON'

YR OEDD mwy nag un yn hiraethu ar ei ôl pan adawodd Tomos Gaerdydd. Hiraeth gwneud cyd-awenydd oedd hiraeth Caradog Prichard, a fynegwyd mewn cywydd marwnad i Domos ap Harri. Yn y gorffennol y mae pob daioni bellach, ebe'r bardd:

> Dydd ni bydd ond Oedd hên, bach
> I'm hawen glwyfus mwyach,
> Oedd fydd pob heddiw a'i fawl,
> Oedd yfory ddiferawl!

Y mae'n dwyn i gof yr hen adeg gynt pan chwarddent a phan gellweirient gyda'i gilydd, pan drafodent 'wendidau dyn', a phan droent yn gydysgolheigion i 'drwm hidio' Gramadeg yr hen Siôn Dafydd Rhys. 'Och!' ebe'r bardd yn ddramatig, mor ddramatig fel na sylwodd fod ganddo ddwy gynghanedd sain mewn un cwpled:

> Och! Na chawn o'm chwennych hir
> Y doe'n ôl, ond ni welir
> Llwybrau ein tramwy mwyach,
> Dydd ni bydd ond Oedd hên bach –
> Myfi rhwng meini mynwent
> Ac ap Harri wedi went.

Fel y disgwylid, lluniodd yr ymadawedig gywydd ateb i Garadawg ap Rhisiart, cywydd yn honni nad 'marw wyf i', na 'byw iawn' chwaith,

58

'ond mud boeni'. Am beth? Am na chawn gyd-drafod fel cynt. Yn wir, meddai, ni chawn gyfeillachu â'n gilydd eto tan y byddwn 'bydredd ym meddau, | Yn isel, dawel ein dau'. Yno –

> Ym mherfedd y dyfnfedd du
> Fe all llwch gyfeillachu;
> A mwyn cwmnïaeth mynwent
> Pan fyddwn ni wedi went.

Y peth mwyaf eironig am ymadawiad Tomos â Chaerdydd oedd ei fod yn gadael y lle ychydig wythnosau'n unig ar ôl sylweddoli mai yno y trigai cariad mawr ei fywyd, y ferch a ddeuai'n wraig iddo. Ac yntau'n gwmnïwr hyderus deniadol ac yn ddarlithydd prifysgol sengl oddi cartref, rhwng 1926 a 1929 cafodd groeso yng nghartrefi nifer da o Gymry caredig y dref, gan gynnwys cartref y Dr Llywelyn Williams, tad Alun ac Enid Llywelyn-Williams, a chartref Owen Picton Davies, 25 Roath Court Place, lle trigai Enid arall, yr Enid anwylaf ganddo. Ni wyddys ai yn ei chartref y gwelodd Tomos hi gyntaf, ai mewn cyfarfod a drefnwyd i sefydlu cangen o Urdd Gobaith Cymru yn Ysgol Uwchradd y Merched, lle'r oedd gwraig W. J. Gruffydd yn athrawes Ffrangeg. Cawsai staff Adran Gymraeg y Brifysgol wahoddiad i fynd i'r cyfarfod hwnnw 'i roi tipyn o urddas' arno. Pa'r un bynnag, ar y 13eg o fis Gorffennaf 1929 yr aeth y ddau 'am dro gyda'i gilydd y tro cyntaf erioed, i fyny i Benylan ac ar hyd ffyrdd Cyncoed'. Cyn pen pythefnos yr oeddynt yn gwneud oed i gwrdd â'i gilydd eilwaith, y tro hwnnw ym mhen arall y wlad, yng Nghaernarfon, pan ddeuai'r Picton Dafisiaid ar ymweliad â 'Neinw', Jane, mam Mrs Jane Picton Davies, yr hon yr oedd ei chartref yn Rhyd-y-galen ger Bethel. Eu bwriad oedd teithio i fyny ar y trên dros nos nos Wener, a bwriad Tomos oedd cyfarfod ag Enid yn y dref y nawn Sadwrn canlynol: 'o chwilio'n amyneddgar fe ddowch o hyd i'm corffyn eiddil i yn sefyll yn ymyl y Fountain . . . ar y Maes.' (Dyma gyfeirio eto at ei faintioli.)

Un o'r rhai cyntaf i weld eironi ymadawiad anserchiadol Tomos â

Chaerdydd yr haf hwnnw oedd wilijohnparri, y byddai ei gyfaill iau byth a hefyd yn ei ddwrdio am 'lithro i gors anobaith hen-lencyndod'. Pan ddarfu hynny un tro yn ormod, dywedodd W. J. Parry wrtho: 'Tom annwyl, ateb gwestiwn neu ddau. Paham yr wyt ti'n caru Enid? Pam na cheraist Nans Llangwnnadl? neu Janet? neu Jane? neu Maggie? neu Ellen?' Awgrymu yr oedd, wrth gwrs, na chyfarfu ef eto gyda geneth a garai, ond bod Tomos wedi gwneud. *Caru Enid*, sylwer, nid *canlyn*: y mae sicrwydd gwybod yma o'r dechrau. Y mae W. J. Parry yn gofyn cwestiwn arall iddo wedyn: 'paham na ddechreuaist ti garu Enid y flwyddyn gyntaf y buost yng NghaerDydd, yn lle troi ati rhyw ddeufis neu dri cyn dyfod oddiyno?' Cwestiwn amlwg efallai, ond siawns na wyddai'r gofynnydd nad oedd Enid ond yn bymtheng mlwydd oed y flwyddyn gyntaf yr oedd Tomos yng Nghaerdydd, ac yntau'n ddwy ar hugain.

Mab ffarm Morlogws Uchaf ym mhlwyf Cilrhedyn yng Nglyn Cuch y Mabinogi ar y ffin rhwng Sir Benfro a Sir Gaerfyrddin oedd Owen Picton Davies (Picton oedd cyfenw'i fam-gu, mam ei dad, cyn iddi briodi), a ddaethai i Gaernarfon y tro cyntaf yn bump ar hugain mlwydd oed yn y flwyddyn 1907 pan benodwyd ef yn olygydd *Yr Herald Cymraeg*. Cyn hynny buasai O. P. Davies yn brentis ar y *Carmarthen Journal* ac yn gweithio ar y *Western Mail*, fel gohebydd yng Nghwm Rhondda am ddwy flynedd ac yna fel is-olygydd yn y swyddfa yng Nghaerdydd am bedair. Yr oedd yn ŵr ifanc dawnus a hyfedr dros ben. Gallai ganu er yn grwt, gallai adnabod seiniau cerdd wrth y glust, ac yr oedd yn un da gyda'i ddwylo. Pan oedd yn bedair ar ddeg rhoddodd ei dad ddwy flynedd o addysg iddo yn Ysgol yr Hen Goleg yn nhref Caerfyrddin, lle datblygodd i fod yn ddarllenwr brwd, yn chwaraewr gwyddbwyll glew, yn dipyn o giamster ar law-fer, ac ar iaith arall yn ogystal, sef 'iaith fysedd y mud a'r byddar'. Defnyddiodd ei law-fer wrth ei waith wedyn, wrth gwrs, ond hefyd i ohebu gyda J. Bodvan Anwyl, y daethai i'w adnabod pan oedd y bardd a'r geiriadurwr yn weinidog yn Elim, y tu allan i Gaerfyrddin. O Elim aeth Bodfan i weithio gyda'r mud a'r byddar ym Morgannwg, ond crwydrai Gymru ar eu rhan. Pan oedd yng Nghaernarfon un tro ymwelodd â bachgen yng Nghroesor a oedd yn fud a byddar ac yn ddall, ac Owen Picton Davies a'i hebryngodd yno drwy'r mynyddoedd. 'Ar ein ffordd,' ebe fe yn ei hunangofiant, *Atgofion Dyn Papur Newydd* (1962), 'cafwyd sgwrs felys yn y bryniau ger Nantmor gyda Charneddog ac yn Rhyd-ddu gyda'r ysgolfeistr diddan, tad Syr Thomas Parry-Williams.' Wele, yr oedd wedi cael cwmni ewythr iddo ugain mlynedd dda cyn cael cwmni Tomos.

Y mae disgrifiadau Owen Picton Davies o fywyd diwylliadol Caer-narfon yn y blynyddoedd cyn 1914 cystal â dim a geir arno, ac ymroes yn llwyr i bob agwedd ar y bywyd hwnnw. Ond 'rhinwedd pennaf' y dref iddo oedd mai yno y cyfarfu â'i wraig Jane (Jennie), a aned yn 1879, un o bedair merch y diweddar Gapten David Jones, hyhi ar y pryd hwnnw yn athrawes. 'Titsiar Jennie' oedd yr enw arni, ebe W. R. Owen yn *Yr Herald Cymraeg*, y 27ain o Fawrth 1967, 'yr eneth fywiog a chydwybodol honno a fu'n canu'n dlws nid yn unig i glyw ei disgyblion ei hun ond dros yr ysgol i gyd'. Deuddeng ar hugain oed oedd hi pan aned Enid, a hynny drwy *Caesarian section*, y gyntaf o'i bath yn siroedd y gogledd. Y flwyddyn y torrodd y Rhyfel Mawr allan, cafodd Picton Davies swydd dda gyda'r *Western Mail* eilwaith, a dyma'r teulu yn mudo i Gaerdydd.

Yn ferch dda-ei-byd yn y ddinas honno y maged Enid. Cafodd ysgol ragorol ac yr oedd hi'n rhagorol yn yr ysgol, yr oedd yn weithgar yn Ebeneser yr Annibynwyr er yn ifanc, hoffai dennis lawnt yn yr haf a thennis bwrdd o dan do, ymfalchïai yn ei gwisg a'i gwedd (yr oedd ganddi wyneb crwn siriol a chroen meddal hyfryd), sicrhâi fod ei gwallt ('pen bach du oedd ganddi') wedi'i dorri yn y ffasiwn ddiweddaraf, yr *Eton crop* pan ydoedd, a hoffai gerdded y siopau dillad gorau yn 'Paris model with a vengeance'. Gan ei rhieni llengar a cherddgar, cyfeillion pur agos i'r gyfansoddwraig Grace Williams, cafodd bob cefnogaeth i ddysgu canu, canu'r piano a'r ffidil, anogent hi i gyfansoddi ei darnau cerdd ei hun, ac aent â hi'n gyson i wrando cyngherddau ac i wylio operâu. Aent â hi hefyd bob gwyliau i Forlogws ac i Fethel: yn y naill le siaradai dafodiaith Shir Gâr, yn y llall dafodiaith Arfon. Yn 1926 enillodd y wobr gyntaf am ganu yn Eisteddfod Genedlaethol Abertawe, lle curodd un Amy Thomas (a ddaeth ymhen blynyddoedd yn wraig i T. H. Parry-Williams). Yna yn 1929 enillodd y ferch ddawnus, gymen, soffistigedig y syrthiodd Tomos dros ei ben a'i glustiau amdani *Exhibition* Craddock Wells i fynd i astudio Cymraeg yn y Coleg yr oedd ef newydd ei adael, a Medal Aur am ei Ffrangeg llafar yn arholiad yr *Higher*. O ran ei chymeriad a'i chyraeddiadau, yr oedd eisoes yn egin-gymhares ddelfrydol i'r ysgolhaig a'i coleddai.

Nid oedd asgwrn diog yng nghorff Tomos. O leiaf, nid oedd asgwrn diog yng nghorff Tomos unwaith y ceid ef o'i wely. Yn ei wely yng Ngwastad-faes yr oedd fore Gwener yr 28ain o Orffennaf pan ddaeth ei fam â llythyr cyntaf Enid iddo, llythyr 'tra gwych' (meddai ef wrth ei ateb) na chynhwysai fawr ddim mwy na disgrifiadau o'i gorchwylion diwedd tymor yn yr ysgol a'i difyrion. Nid oedd ynddo ddim dimeiwerth o serch – ond, chwarae teg, geneth ifanc ddeunaw oed a'i lluniodd, geneth ifanc yn ysgrifennu am y tro cyntaf erioed at ŵr awengar o Feistr yn y Celfyddydau a oedd wedi'i benod i lenwi swydd Syr John Morris-Jones yng Ngholeg Bangor ac a oedd ar yr un pryd yn ymgynnig yn gariad iddi hi. Yn ei hamser ei hun y daeth Enid i delerau â hynny, ond y mae'n deg dweud mai yn ei lythyron ef y mynegir blaenaf ac yn fwyaf angerddol deimladau'r carwr.

Wrth ateb ei llythyron cynnar y mae'n cywiro'i hiaith – yn y ffordd felysaf bosib, y mae'n rhaid dweud – ond cywiro'i hiaith y mae, serch hynny. Yna, y mae hi'n anfon englynion ato, englynion o'i gwaith ei hun y dysgodd 'Uncle Bodfan' iddi sut i'w llunio. Tomos yn ei llongyfarch arnynt, yna'n dweud na ŵyr ond am ddwy o ferched Cymru sy'n canu ar gynghanedd: Gwerful Mechain yw'r naill, a'r 'llall yw – (rhwymwch eich pen â strap lledr, rhag iddo chwyddo gormod i fynd allan drwy'r drws!!) Enid ab Owen', ac yna wedyn y mae'n cymryd dau dudalen i fanylu ar y gwallau sydd ynddynt. Yr 17eg o Dachwedd y mae'n datgan na welodd 'gymaint ag *un* gwall gramadegol yn eich llythyr diwethaf'. Yn gymysg â'r gwersi, ac yn wir yn gorbwyso'r gwersi, y mae yn ei lythyron cynnar ef ebychiadau iachus o ias a hwyl a haleliwia caru, ac weithiau ddatganiadau dwysach, difrifol. Yr oedd Tomos yn mynd i dreulio'r Nadolig yng Nghaerdydd, ac yr oedd yn cyfri'r wythnosau. Y mae ei lythyr dyddiedig y 4ydd o Ragfyr 1929 yn cynnwys datganiad ffeithiol a golygfa ddoniol:

Tair wythnos i fore Iau nesaf, – tair wythnos – dim ond tair wythnos! (Tomos Parry yn curo'i ddwylo gan lawenydd, yn sefyll ar ei ben am ddeng munud, a'i draed yn curo'r awyr yn rheolaidd; yna'n disgyn i gadair esmwyth, gan wenu mewn hunan-foddhad perffaith. Bellach dechrau ysgrifennu eilwaith.)

Y blynyddoedd cyntaf yr aeth i Gaerdydd i garu, arhosai gyda John Williams y Glo, brodor o Ben-y-groes Arfon, trysorydd Capel Heol y Crwys a oedd yn byw yn 32 Glynrhondda Street. Dyma'r 'gŵr doniol a dawnus' y mae Alun Llywelyn-Williams yn ei hunangofiant *Gwanwyn yn y Ddinas* yn adrodd amdano'n rhoi ei geirt glo (wedi'u sgwrio'n lân, wrth gwrs) a'i geffylau i'w tynnu 'at wasanaeth trip yr Ysgol Sul' pan âi'r aelodau allan i'r wlad yn hytrach nag i'r Barri neu Borth-cawl. Pan nad oedd lle gan John Williams lletyai Tomos yn ei hen lety yn Monthermer Road. Ond, wrth gwrs, gydag Enid y treuliai ei amser. Y mae'n amlwg oddi wrth lythyron Ionawr 1930 eu bod y Nadolig cynt wedi addunedu i fod yn gariadon. 'Mi geisiaf,' meddai Tomos, yn sobor fel sant, 'bob amser siarad a meddwl a gweithredu yn deilwng o'n cysylltiad ni'n dau, a'r delfrydau a roesom o'n blaenau.' Bron nad yw'n *sanctimonious*, yn awgrymu na fyddai rhyngddynt ormod o labswchan na gorfaldodi. Dywedasai wrth R. Meirion Roberts lawer gwaith 'mai ysbryd yw perthynas mab a merch, ac nad yw'r corff ond rhwystr' – rhwystr i beth, Dyn a ŵyr, onid i burdeb. Yr oedd ei agwedd at ryw yn biwritanaidd, hyd at fod yn anghyffwrdd o Blatonaidd. 'Rhaid caru merch gorff ac enaid,' meddai wrth Enid, y 30ain o Ebrill 1930 – ond pa le sydd i'r

63

corff yng ngweddill y frawddeg hon ni wn: 'Rhaid caru merch gorff ac enaid, a dyrchafu'r teimlad i dir sancteiddiolaf yr ysbryd, a dyna'n ddiau gyfrinach eich hapusrwydd chwi a minnau yng nghwmni'n gilydd.' Atgoffir dyn o'r englyn a ysgrifennodd ganol y dauddegau, englyn sy'n pwysleisio nid pryd a gwedd y ferch rinweddol, ond yn hytrach y wedd ysbrydol arni:

Nid prydferth fel rhos perthi, – nid harddach
Glanach na goleuni,
Nid chwaer y don mohoni, –
Ond hardd ei henaid yw hi.

Wrth drafod y 'trosedd cymdeithasol' o garu cyn priodi – ei ymadrodd ef ydyw – er dweud ohono nad ystyriai'r peth 'yn hanner cymaint pechod â rhai camweddau "parchus" eraill' – dywed Tomos yn yr un gwynt na allai 'byth feddwl am ddau yn caru ei gilydd yn iawn yn mynd i'r brofedigaeth yna'. Fe dyngodd lw ar ôl Ysgol Haf Plaid Cymru yn Llangollen, 1927, nad âi ar gyfyl Ysgol Haf arall fyth mwy, am fod rhai o'r aelodau yno wedi colli pob rheolaeth arnynt eu hunain a chamfyhafio'n rhywiol. Yn Ionawr 1933, wrth gyfeirio at y Nadolig yr oeddent newydd ei dreulio gyda'i gilydd, yr hyn a ddywed Tomos yw ei fod yn falch o eigion ei galon fod Enid yn 'gallu bod yn hapus yn y ffordd fach dawel sy'n apelio cymaint' ato ef, – 'darllen, gweu, gwrando ar fiwsig, sgwrsio'n hamddenol, myned am dro, ac ambell sgawt i'r pictiwrs, a gwaith solet pan fydd gofyn am hynny.' Er enghraifft, yn ystod gaeaf 1933–34, ar wahân ac ar y cyd, ef gyda'r *libretto* a hi gyda'r gerddoriaeth, gweithient ar *operetta* y darfu iddynt unwaith feddwl am ei hanfon i un o gystadlaethau Eisteddfod Genedlaethol Castell Nedd.

Ond, wrth gwrs, fe geir geiriau melys, melys a mwythlyd, yn y llythyron. Ac fel yr â amser rhagddo y mae ef yn tueddu i ddefnyddio'r ail berson unigol fwyfwy. Mewn llythyr at Enid ym Mai 1933 dywed Tomos gydag afiaith a disgwylgarwch mai 'dim ond mis ysydd nes y caf dy weld a'th glywed *&c.* – (yr *&c.* yn arbennig!)'. Ni soniodd am yr *etcetera* yna mewn unrhyw lythyr arall. Er dweud ei fod 'yn meddwl amdani gannoedd o weithiau bob dydd ac yn ymhyfrydu mwy yn ei chariad nag erioed', eithriad yw dywediad o'r fath. Ac fel y dywedais eisoes, yn ei lythyrau ef y'i ceir. Ond y mae yn llythyron y ddau anwyldeb bywiol chwareus – ysbryd serch, yn bendifaddau. A hwnt ac yma y mae ynddynt siarad siwgwr. Dafydd ap Gwilym biau'r llinell 'Y mymryn gwenddyn gwynddaint', ac ar ôl ei dyfynnu un tro y mae Tomos yn aml yn galw Enid yn *mym* (= mymryn), a'i hanwylair hi amdano ef yw *cnon*, weithiau *cnyn* (= cnonyn, cynrhonyn). Pan â 'Defis a'i wreic' i Forlogws am bythefnos yn haf 1935 bwriad Tomos yw mynd i Gaerdydd i aros gydag Enid a'i nain (a oedd wedi symud atynt erbyn hynny), ac ebe hi wrtho: 'meddwl mor neis y bydd iti gael mymryn i'th ddeffro yn y bore – y gwrthwyneb i Cnon yn deffro'r mym ym Mryn Awel.'

Yr oedd yn ogystal â geiriau weithredoedd melys. Anfonai Tomos anrhegion yn rheolaidd i Enid. Y tro cyntaf iddi ddathlu ei phen-blwydd ar ôl iddynt ddechrau caru anfonodd gloc iddi, gyda'u henwau hwy eu dau wedi'u hysgythru o dano. Ar ôl iddi dreulio rhai wythnosau yng Ngharmel ddiwedd Awst y flwyddyn honno, 1930, ('y gwyliau gorau a gefais erioed'), anfonodd Tomos ati Dystysgrif Teilyngdod, tystysgrif mewn Cymraeg crand yn nodi pa mor rhagorol yr oedd hi wedi ymddwyn yn ei llety! Yn awr ac yn y man anfonai arian iddi brynu dilledyn neu bâr o esgidiau newydd, nid am fod arni angen yr arian ond am ei fod ef wrth ei fodd yn 'porthi tipyn' ar ei 'balchder . . . mewn dillad'. Y mae'n amlwg na feindiai'r balchder hwnnw, ond ffieiddiai neb pwy bynnag a geisiai 'newid y corff a roed iddo gan Natur' drwy ei addurno gyda phowdwr a minlliw: y pryd hwnnw 'y mae balchder yn mynd yn bechod'. 'Os gwnaeth Natur unrhyw ferch yn hyll, yn hyll y bydd, ac ni all paent yr Art Gallery oll newid dim arni. Arwynebol (maddeuwch y "pun") yw'r cyfan.' A rannai Enid yr agwedd hon at gosmeteg *cyn* iddi ddechrau canlyn Tomos, ni wn, ond fe'i rhannai *wedyn*, am rai blynyddoedd ta beth. Yn Ebrill 1933 yr oedd yn adrodd wrtho fod Mattie Evans, dyweddi

Caradog Prichard, 'tua phum mlynedd yn ôl wedi mynd at hairdresser a thalu £4 i gael ei gwallt yn oleuach, ac ers hynny bu'n talu 10/- y mis am ei gadw'n olau. Onid yw'r peth yn warth?' Yn yr un llythyr yn union dyry ddisgrifiad manwl o gostiwm felen newydd gyda bow brown yr oedd hi ei hun newydd ei phrynu yn siop Amos am £2/15/0.

Am rai blynyddoedd cyn i'r teulu symud o Wastad-faes yn ôl i Frynawel, lletya yn 11 Menai View yr oedd Tomos ar ôl dychwelyd i Fangor. Ddechrau 1930 y mae'n dweud wrth Enid iddo wneud trefniadau iddi hi gael aros yno dros Eisteddfod y Myfyrwyr, er bod Doc Tom a Mrs Richards, Llyfrgellydd y Coleg a'i wraig, wedi cynnig gwely iddi yn eu cartref hwy. Mesur o ddiniweidrwydd y dydd oedd fod pobl fel Doc Tom a'r myfyrwyr eu hunain yn creu hwyl fawr wrth gyfeirio'n gyhoeddus at garwriaeth Tomos a'r fyfyrwraig o Gaerdydd. Yng Nghinio Gŵyl Dewi'r Cymric, 1930, ar ôl i Huw Llewelyn Williams adrodd pwt o bennill amdanynt, darfu i bawb 'ond *un*' o'r trigain a oedd yn bresennol guro'u dwylo 'a chnocio'r bwrdd a llefain a chwerthin'. Y flwyddyn ddilynol, mewn darlith ar yr Hen Benillion gan T. H. Parry-Williams yn Neuadd Bowis, pan ddyfynnwyd y pennill sy'n sôn am gariadfab yn fodlon cario 'yn fy mreichie | Gaerdydd ac Abertawe', pwyntiodd y cadeirydd ei fys at Tomos, ac aeth y lle'n 'chwalfa o chwerthin' a churo traed a chadeiriau. 'Up! Up! Up! Up!' oedd hi eto pan aeth Enid i'r Eisteddfod Ryng-golegol yn Aberystwyth. Ar ginio yn y Queen's Hotel ar y ffrynt, o'i gweld hi, dyma fechgyn Bangor yn 'gweiddi dros y lle "Pwy sy'n hiraethu am Tom?" dair gwaith'. Pan enillodd ar y ffidil ac ar y ddeuawd biano yn Rhyng-gol 1933, 'yr oedd teulu Bangor yn byhafio y tro hwn'.

Yr oedd teulu Carmel yn hoff iawn o Enid. Buasai Jane Parry yn nghartref y Pictoniaid y gwanwyn cyn i Tomos adael Caerdydd (a chyn iddo ddechrau canlyn Enid mewn gwirionedd), a phob haf o 1930 ymlaen treuliai Enid rai wythnosau yng Ngharmel. Pan oedd Eisteddfod Genedlaethol yr Urdd yng Nghaerffili cafodd Gruffudd Parry a chyfaill iddo aros yn 25 Roath Court Place. Dotiai Enid at ddawn ac at ddonioldeb Gruffudd, a chymerai ddiddordeb arbennig yn ei wersi ffidil. Yr oedd John Gwilym hefyd yn hoff iawn o Enid. Un tro cymerodd Tomos arno fod yn wynepdrist a dywedodd wrth John fod Enid wedi'i fradychu drwy fynd allan gyda rhyw fachgen o Goleg Caerdydd. 'O dam, blydi niwsans ydi'r diawliaid genod yma bob un!' ebe'r cyfaill cywir. Fe 'ddaliodd' Tomos am hanner awr, meddai, a phan glywodd y gwir yr oedd 'John yn falch, &c.' Diniweidrwydd y dydd – a'r dyn! – eto. Yr oedd eraill hefyd yn ei chanmol. Dywedodd Bob Owen Croesor wrth y Dr Thomas Richards ei fod yn Llyfrgell Salisbury yng Ngholeg Caerdydd un diwrnod: 'Daeth Miss Picton Davies i mewn, a chefais ysgwyd llaw â hi, a dyna lle'r oeddwn i â rhyw gyfrol brin yn fy llaw, yn dotio at y gyfrol brinnach a bwrcasodd Tom Parry.'

Yn yr un modd, yr oedd y Pictoniaid yn dod ymlaen yn ardderchog gyda Tomos. Mewn llawer o'i lythyron at Enid cyfeiriai beth o'i newyddion at Defis a Lady Jane fel y'u galwai. (Diau bod hwn yn un rheswm dros brinder y swyn serch sydd mewn cynifer ohonynt.) Rhannai Defis ei ddiddordeb ef mewn llenyddiaeth fel mewn gwaith coed ac *electricals*. Rhoddodd radio wrth ei gilydd un tro, ac wrth ddilyn cyfarwyddyd manwl 'y Defis Radio Manufacturing Co. Ltd.' rhoddodd Tomos radio gyffelyb wrth ei gilydd yng Ngharmel.

Yr oedd Tomos ac Enid yn bâr poblogaidd a hoffai gymysgu gydag eraill. Pan fyddai hi ar ei gwyliau yng Ngharmel ymwelent â rhai o staff Coleg Bangor ac yn ystod y ddwy flynedd a oedd yn arwain at Eisteddfod Genedlaethol Caernarfon 1935 daethant yn bur gynefin â Mrs Grace Gwyneddon Davies, yr awdurdod ar alawon gwerin. Ddechrau 1934 gwahoddodd Kate Roberts hwy i ddyfod i fyny am dro i Donypandy, yn benodol i gyfarfod â Mr a Mrs D. J. Williams, a oedd yn bwrw'r Sul gyda hi a Morris Williams. Teimlai Enid fod W. J. Gruffydd yn oeraidd tuag ati ('un rheswm am hynny yw eich bod yn mynd efo mi,' ebe Tomos wrthi), ond yr unig rai o'i hen gyfeillion na fyddent yn cynnwys Enid fel ei gariadferch ar eu haelwyd oedd Mr a Mrs G. J. Williams. Ar ôl iddynt symud o Benarth i Waelod-y-garth câi Tomos wahoddiad i'w cartref o hyd, ond er syndod a gofid iddo ni sonient am wahodd Enid, efallai am ei bod yn fyfyrwraig yn yr Adran. Yn y diwedd digiodd Tomos wrthynt dros dro, gan ddweud wrth Enid 'nad oes arnaf eisiau eu gweld'.

Gan fod Enid wedi penderfynu dilyn cwrs gradd mewn cerddoriaeth ar ôl gorffen ei chwrs Cymraeg, arhosodd yn y Coleg am bum mlynedd. Hyd yn oed pe dymunent briodi, ni fuasai'n hawdd iddynt cyn diwedd haf 1934 fan gyntaf. I ni sy'n darllen amdanynt, efallai fod hynny'n fantais, canys y mae'r llythyron lu a bostiwyd rhwng Cathays a Charmel rhwng 1929 a 1936 yn cynnwys nifer o storâis tra diddan am rai o bobl y Pethe a'u pethau, a sawl stori am briodasau pobl eraill.

Yr haf y dechreuodd Tomos ac Enid ganlyn ei gilydd, wele y mae Iorwerth Peate yn priodi 'wedi blynyddoedd o garu', ac y mae Tomos yn dweud y bydd yn rhaid prynu anrheg priodas iddo: 'Credaf mai'r peth gorau fyddai rhestr o'r holl odlau dwbl yn yr iaith Gymraeg!' Y nesaf i briodi oedd ei gyfaill coleg W. Roger Hughes, a oedd yn awr yn giwrat yn yr Wyddgrug. Yng ngwanwyn 1930 gofynnodd i Tomos fynd i'w weld am fod arno 'boen a blinder meddwl' – sef oedd hynny, erbyn gweld, y ffaith iddo briodi'n ddirgel ddechrau Ionawr am fod ei gariad Mabel (Mabli) yn disgwyl plentyn. Erbyn diwedd Mai yr oedd ganddo ef a'i wraig blentyn bach pythefnos oed 'a aned yn rhywle yn Sir Gaer'. 'A mwy na hyn . . . nid oes neb yn gwybod yr holl fanylion ond pedwar yn unig, sef ei wraig, ei mam, Roger ei hun a minnau; ac fe fyddwch chwithau'n gwybod bore fory . . . nid yw Roger wedi hysbysu ei deulu hyd yn oed. Ond y mae'r stori wedi dianc allan rywfodd.' Nid y stori ynddi'i hun sy'n bwysig i ni yma, ond y ffaith mai at Tomos y trodd Roger Hughes yn ei drafferth, er ei fod yn gwybod am ei safonau moesol piwritanaidd. A beth ddywedodd Tomos ddoeth ddiflewyn-ar-dafod wrtho? Dweud wrtho'n blaen mai 'ffwlbri hollol afresymol oedd ceisio lluchio llwch i lygaid pobl', a'i annog 'i fynd i gyfaddef y cwbl i'r ficer ac i Archesgob Llanelwy'. A dyna a wnaeth. Gallasai Roger Hughes fod wedi cael ei ddiarddel o'r offeiriadaeth, ond ei 'suspendio' a gafodd, ac erbyn diwedd yr haf y flwyddyn gythryblus honno yr oedd ef a'i wraig a'r mab a'i mam hi 'wedi mynd i aros i'w gartref ef'. Un arall o'i gyfeillion

Bangoraidd a briododd yn ddiarwybod i Tomos oedd Meirion Roberts, a gymerodd yn wraig Fangoriad arall o'r enw Daisy Harker; ond cafodd ddarn o'u cacen briodas drwy'r post.

Un o'r tasgau cyntaf yr ymgymerodd Tomos â hi yn ystod ei dymor cyntaf yn ôl yn ei hen Goleg oedd paratoi ar y cyd ag R. H. Hughes, myfyriwr o Gaernarfon, gyfieithiad o *Hedda Gabler* Ibsen ar gyfer Cymdeithas Ddrama'r Coleg. Y mae'n werth eu gweld wrthi:

> Dychmygwch amdanom. Yn un pen i'r bwrdd y mae bachgen bychan, main, bywiog â gwallt crych; yn y pen arall y gwrthwyneb yn hollol i hynny, sef – myfi! Pawb â'i deipreitar. O flaen y bachgen bychan y mae'r gwreiddiol mewn Norwyeg, a hefyd gyfieithiad Ellmyneg. O flaen y llall y mae cyfieithiad Saesneg. A rhwng y cwbl ceisir llunio cyfieithiad Cymraeg gweddol deilwng.

Beth sydd a wnelo hyn â phriodasau cyfeillion Tomos? Penderfynodd y Gymdeithas Ddrama gyhoeddi'r cyfieithiad o *Hedda Gabler*, a gofynnodd i Tomos ofalu am y printwasg. Buan y daeth yn ffrindiau gyda'r argraffydd a osododd y gwaith, John Hwfa Thomas, Bryn Hyfryd, Porthaethwy, a oedd yn canlyn merch o'r enw Annie, a fuasai'n nyrs ym Manceinion. Pan briododd John ac Annie yn 1931 Tomos oedd y gwas. Yn ystod y blynyddoedd wedyn âi atynt am swper a mwynhau gweld eu teulu bach yn tyfu.

Yn nes adref, yr oedd ei ail frawd, Dic – y Dic 'hynaws a hoffus … swynol dros ben', chwedl Dafydd Glyn Jones – ar ôl graddio ym Mangor, bellach yn athro ysgol yn Llundain, ac yn caru'n dynn gyda Kay Rees, merch ddi-Gymraeg o Gwm Ogwr a fuasai'n fyfyrwraig yn y Coleg Normal. A barnu wrth eu lluniau, yr oeddynt yn bâr eithriadol brydweddol: Dic a chanddo ên dda, wyneb glân a mwstásh main fel un o sêr ffilmiau'r cyfnod, a Kay oleubleth yn 'swynol ei gwên a'i ffordd'. Os 'y ddamnedigaeth' i Tomos oedd 'bod arni dipyn bach o liw na chafodd gan Ragluniaeth', dotiodd ei frawd ddigon arni i'w phriodi adeg y Nadolig 1935. Efallai mai'r ddamnedigaeth i Jane Parry oedd nad oedd Kay yn siarad Cymraeg. Ni wnaethant hwy lawer â'i gilydd o gwbl, ac am nad oedd cyfathrach agos rhwng ei fam a'i wraig, yn raddol dieithriodd Dic oddi wrth Garmel a'i dylwyth.

Y briodas nad oedd Tomos ac Enid – na neb arall yn eu cylch – yn ei ffafrio oedd priodas John Edward Daniel, yr Athro disglair yng Ngholeg Bala-Bangor yr Annibynwyr, gyda Chatrin Huws o Gaerdydd a oedd yn Saunders-debyg wedi ymuno â'r Eglwys Babyddol. Yr oedd y sôn am garwriaeth y ddeuddyn cenedlaetholgar ymddangosiadol anghymharus hyn yn achos trafod am wythnosau bwy'i gilydd yn llythyron Tomos ac Enid.

Ond *y* briodas sydd fel miaren yn cordeddu drwy berthen hir yr ohebiaeth yw darpar-briodas y Prifardd Caradog Prichard a Mattie Evans – *Matacarad*, chwedl y llythyron – y naill yn gweithio gyda Picton Davies a'r llall yn un o gyd-ysgolheigion Enid gynt yn yr Ysgol i Ferched. Erbyn hydref 1929 yr oedd Caradog yn uchel ei fri am iddo ennill tair coron genedlaethol o'r bron – mor uchel ei fri fel y rhoddodd Cyngor Dinas Caerdydd Dderbyniad Dinesig iddo. Yr oedd ei fryd yn awr ar ddilyn cwrs gradd, a chafodd le yng Ngholeg Caerdydd i wneud Cymraeg a Saesneg. Ond yr oedd ei fryd hefyd ar briodi – cyn diwedd y mis, ebe fe wrth Enid ym Mai 1930. Ni ddarfu iddo. Yn hytrach, prynodd gar, Singer gwyrdd golau a streipen wen arno, efallai ar anogaeth Mattie. Hi oedd yn cael y bai am lawer o'i oferedd ef. Er i Tomos ofyn i Enid beidio â mynd allan gydag ef yn y car 'am fod fy ffydd ynddo fel gyriedydd yn wan ddychrynllyd' fe aeth fwy nag unwaith, un tro ynghyd â'r Anwylyd (ys galwai Caradog ei gariad) drwy Gasnewydd hyd at Drefynwy ac Abaty Tyndyrn ac yn ôl. Er mai ei oddef y byddai'n aml, bob hyn a hyn gofidiai Tomos am gyflwr y Prifardd: mynnai ef a wilijohnparri gael ganddo '[daflu] John Heidden dros y bwrdd'. Ond ni allai yn ei fyw oddef ffolinebau a balchderau'r Anwylyd, na'r symiau aruthrol a wariai ar oleuo'i gwallt ac ar bowdwr a minlliw na'i phenderfyniad i wisgo un o goronau Caradog yn y briodas ('O diawch'). 'O, diawch' am ei fod wedi hen addo cymryd rhan flaenllaw yn y briodas fel gwas i Garadog.

70

Ychydig wythnosau cyn y diwrnod mawr, y 18fed o Fai 1933, ebe fe wrth Enid:

> Cefais lythyr gan Garadog heddiw yn dweud ei fod am wisgo het silc a chôt ddu gyffredin. Dyna ichwi ynfydrwydd Caradogaidd. Y lwmp! Os yw am yr uflwydd het, rhaid iddo'i gorffen hi, a rhoi côt hir. Ysgrifennais ato gyda'r troad i ddweud wrtho fod clown cyfa yn well na darn o glown! Felly y mae'r het yn anocheladwy, ond (a dyfynnu o'r hyn a ysgrifennais at Garadog) myn fy nghred, myn llaw fy nghyfeillt, myn enaid Pharo, mynyffyri, ni wisgaf moni ar fy mhen.

Ceir mawr sôn yn y llythyron am un amhriodas hefyd, sef gwahaniad yr Athro W. J. Gruffydd a'i wraig, Gwenda. Drwy'r flwyddyn gyntaf a dreuliodd Enid yn ei Adran yr oedd Gruffydd yn cewcan gyda chydfyfyrwraig iddi, Olwen Rees o Aberdâr – ef 'yn ei chusanu *&c* ... i fodloni ei nwydau a'i chwantau' a 'hithau wedi gwirioni'n lân arno', er nad hawdd 'fuasai cael neb mwy anolygus nag ef yng Nghaerdydd i gyd'. Yn fuan ar ôl iddi gael ei chyhoeddi cynigiodd Gruffydd roi benthyg ei gopi o *Monica* Saunders Lewis iddi, act symbolaidd erchyll yng ngolwg Tomos ac Enid. Er holl rybuddion Enid yn ei erbyn, daliai'r ferch ifanc i feddwl amdano. Yng ngwanwyn 1931, wrth fynd i ymweld â'i chynathrawes Kate Roberts, a drigai'r pryd hwnnw ar bwys W. J. Gruffydd yn Rhiwbeina, aeth Olwen heibio i'w dŷ. Pwy ddaeth allan a'i gweld ond Dafydd Gruffydd, y mab, a cheisiodd Olwen guddio dan ei hymbarél. Fore drannoeth yn y Coleg dyma Dafydd yn gofyn iddi, 'Why didn't you call and give the old man a thrill? He's always carrying on with loose women. But for goodness' sake don't tell anyone.' 'Gyda llaw,' meddai Tomos wrth Enid, y 9fed o Fehefin 1931, 'ar sgwrs pnawn ddoe gofynnodd Ifor imi'n sydyn, "Dywed i mi, Tom, a glywaist ti rywdro nad ydi W. J. Gruffydd ddim yn byw'n hapus gyda'i wraig?" Mentrais ddweud rhai pethau a wyddwn. Yr oedd wedi synnu trwy ei galon.' Yn 1933 yr oedd G. J. Williams, ebe Enid, yn dweud bod Gruffydd 'yn byw ar wahân i'w wraig er mwyn cael heddwch i weithio'.

Gan fod Enid wedi gorffen ei Mus Bac yn 1934 – yr oedd wedi graddio'n BA yn 1932 – rhyfedd na phriododd hi a Tomos yn union wedyn. Gwir bod ei bywyd hi'n llawn bron i'r ymylon hyd yn oed ar ôl gadael coleg. Cymerai ran mewn cyngherddau yn y Coleg ac yn y dref yn rheolaidd, rhoddai wersi ffidil, a beirniadai mewn ambell eisteddfod. Pan aeth Sam Jones i weithio i'r BBC o'r *Western Mail*, rhoes gryn dipyn o waith sgriptio i'r llengar Owen Picton Davies, ac un diwrnod yn 1933, am ei fod ef yn ei wely gyda gwres o gant, darlledodd Enid ei 'bapur' yn ei le. 'Anfarwol, ferch,' ebe'r anfarwol Sam, 'you've got a proper microphone voice.' Bu'n cymryd rhan mewn amryw raglenni wedyn, naill ai fel cerddor neu fel cyfrannwr. Addasodd *Hunangofiant Tomi* ar gais T. Rowland Hughes, a thrwy hydref a gaeaf 1934–35 cynorthwyai gyda chyfieithu bwletinau'r newyddion i'r Gymraeg – tasg a roddodd esgus newydd i Tomos ganmol ei champau a chywiro'i chamgymeriadau. Yna yn 1935, a hithau'n awr yn 24 oed, dechreuodd fynd am wersi cyfansoddi at Imogen Holst, ferch Gustav, yn Llundain; ac ym Medi'r flwyddyn honno safodd arholiadau'r LRAM, rhywbeth yr oedd ei hathrawon cerdd yng Nghaerdydd, Hubert Davies a David Evans, wedi pwyso arni i'w wneud ers blynyddoedd.

Ddeufis ynghynt rhoesai Tomos fodrwy ddyweddïo am ei bys, ac o'r diwedd yr oedd mawr sôn am briodi. Ar ôl i'w rieni a Gruffudd symud yn ôl i Frynawel, prynodd Tomos gar, Standard 9 a lysenwodd yn Jiwdi, ac aeth yntau'n ôl i fyw i Frynawel ('yr ydym am wneud y parlwr yn ystafell i mi – 3 piece, desg, piano, *&c.*') a theithio'n ddyddiol i'r Coleg. Gan ei fod wedi ymweld â llawer o gartrefi ei gyd-weithwyr, fel gŵr o chwaeth ystyriai ei hun yn dipyn o arbenigwr ar dai a dodrefn, a'i fwriad cyn priodi oedd codi tŷ newydd, sylweddol. Yn 1935 prynodd ddarn o dir ym Meirion Lane ar y bryncyn rhwng Garth Uchaf a Sili-wen, a chyflogodd bensaer ac adeiladydd lleol o'r enw Douglas Hall i'w gynllunio a'i godi. £160 oedd cost Brynawel yn 1902; talodd Tomos £1335/7/5 am ei dŷ newydd yn 1935–36 (gan gynnwys 'Extra for engraving taps in Welsh, 5 pairs @1/9'), a'i enwi ar ôl Peniarth, y

72

plasty ym Meirionnydd lle cedwid y llawysgrifau enwog. Cafodd £400 o fenthyciad gan Defis i ddechrau ar y gwaith yn haf 1935, a rhodd o'r un swm yn ddiweddarach. Yr oedd ganddo ef ei hun gelc go lew, canys ar ben ei gyflog a'r arian yr oedd yn ei ennill drwy ysgrifennu i'r wasg ac wrth ddarlithio ar led cawsai Tomos ffi go dda bob blwyddyn er 1930 am farcio papurau arholiad y Bwrdd Canol. Y mae'r llythyron rhyngddo ef ac Enid drwy aeaf 1935-36 yn berchentyol tu hwnt, yn cyfeirio'n gyson at ddatblygiad y gwaith ar Beniarth, yn manylu ar bopeth o'r math o ddodrefn gosod yr hoffai hi eu cael yn y gegin hyd at y 'corkmatting i'r bathrwm a'r W.C. i fynu grisiau'. I ni sy'n gwybod na chawsant blant, yr un elfen drom o dristwch sydd yn y llythyron hyn yw eu bod yn cyfeirio fwy nag unwaith at 'ystafell Siân'. Yr eneth y dymunasant ei chael ac na chawsant oedd hi. Ddiwedd 1935 y mae Tomos yn dweud wrth Enid fod Eluned Bebb yn disgwyl plentyn, ac y mae Enid wrth ateb yn dweud ei bod yn gobeithio os merch a gaiff na fydd yn ei henwi'n Siân er mwyn iddynt hwy gael yr enw'n ddigystedlydd.

Yr 20fed o Fai 1936 oedd dydd eu priodas. Yr ôl-nodyn i'w llythyr caru olaf hi ato ef yw 'Cofia'r stifficet, fy mach i!' Priodas fechan ddistaw yn Ebeneser Caerdydd oedd hi, y briodferch mewn ffrog a chôt ysgafn o liw mwstard a'r mab mewn siwt gyffredin dda, Angharadogaidd. Mis mêl yng Nghernyw. A thra oeddynt hwy'n dod i adnabod ei gilydd yr oedd Gruffudd, y brawd ifancaf, a Maggie'r gyfnither (merch Dafydd, brawd Jane Parry, a mam Dafydd Glyn Jones) yn cynnau tanau ym Mheniarth i'w dempru. Yn wobr am eu gofal, y trêt a gawsant gan Tomos ac Enid oedd cael mynd i noson agoriadol y sinema newydd yng Nghaernarfon.[3]

---

3 Fore'r briodas anfonwyd *greetings telegram* i gartref Enid. Y mae'n agor fel darn o gywydd Saesneg, ac y mae englyn yn dilyn. Fe'i ceir yma'n ddiatalnod yn union fel y cofnododd un o swyddogion y GPO ef: 'OUR TOM THE LOVER TIMID NOW HAS WON HIS ANNWYL ENID HE HAS DONE WHAT I ONCE DID DUW MAWR HE HAS GOT MARRIED MAY NO TEAR COME TO HARRY TWO SO FAIR NO CARE MAY YOU CARRY ALL THE HAPPIEST BEST NOW BE POURING UPON THE PARRY *CARADOG AMATI.*

II. Y DARLITHYDD IFANC

Pan benodwyd T. Parry, MA, yn ddarlithydd ym Mangor yr oedd Meistr arall yn y Celfyddydau yn dra siomedig. J. T. Jones, brodor o Langernyw, un o feirdd aeddfetaf y *Bangor Book of Verse* y cyfeiriwyd ato uchod, oedd hwnnw. Yn 1922 yr oedd ef, llanc deng mlynedd yn hŷn na Tomos a fu'n arwyddwr gyda'r Machine Gun Corps ym Macedonia yn ystod y Rhyfel Mawr, wedi ystyried cynnig am y swydd a roddwyd i R. Williams Parry. Yn awr yn 1929, am ei fod wedi gwneud marc go lew fel myfyriwr ymchwil, yr oedd yn mwy na hanner disgwyl y cynigid y swydd newydd iddo ef. Ond, fel y gwelsom, i Tomos y'i cynigiwyd. Wele, cyn ei fod yn bump ar hugain, yr oedd Tomos wedi cael cynnig ac wedi derbyn dwy ddarlithyddiaeth gynorthwyol mewn dau goleg, ffawd dra charedig mewn cyfnod pan oedd swyddi academaidd yn ddychrynllyd o brin, ffawd y dedwydd. Yna yn Ionawr 1931 rhoddwyd iddo statws darlithydd llawn, a chyflog o £350 y flwyddyn.

Heb os, yr oedd Ifor Williams wedi adnabod ei ddyn, ei ddycnwch dihysbydd a'i hunanddisgyblaeth. Yn 1929, yn ogystal â chwblhau ei draethawd ymchwil, yr oedd Tomos hefyd wedi cyhoeddi golygiad o *Peniarth 49*, a gymerai ei le mewn cyfres o adysgrifau o lawysgrifau Cymraeg o dan nawdd Bwrdd Gwybodau Celtaidd Prifysgol Cymru. Gruffydd yng Nghaerdydd a'i cymhellodd i ymgymryd â hwnnw, ond gydag Ifor Williams ym Mangor y cywirodd y proflenni. Barddoniaeth gan Ddafydd ap Gwilym sydd yn Llawysgrif Peniarth 49, y rhan fwyaf ohoni yn llaw'r Dr John Davies Mallwyd. Arwyddocâd y llyfr *Peniarth 49* yw mai dyna gyffyrddiad cyntaf Tomos Parry yr ysgolor wrth-ei-swydd â barddoniaeth y bardd aruthrol fawr y daeth ymhen blynyddoedd yn bennaf awdurdod arno. O 1929 am ugain mlynedd a rhagor rhoddodd gyfran o bob blwyddyn i gopïo a darllen a golygu a beirniadu popeth y dywedid ei fod yn gynnyrch Dafydd, a gellir dweud bod Athro Cymraeg Caerdydd fel Athro Cymraeg Bangor yn gyd-dadogion y gwaith

74

gorchestol a ymddangosodd yn 1952 o dan y teitl *Gwaith Dafydd ap Gwilym.*

Unwaith y gorffennodd *Peniarth 49*, aeth Tomos ar ei union i olygu *Theater du Mond (Gorsedd y Byd)*, 1930, llyfr moesol-ddiwinyddol ar drueni'r hil ddynol a ysgrifennwyd yn Lladin yn wreiddiol gan y Ffrancwr Pierre Boaistuau, a gyfieithwyd wedyn i'r Ffrangeg, ac a gyfieithwyd i'r Gymraeg gan yr offeiriad pabyddol Rhosier Smyth, a'i cyhoeddodd ym Mharis yn 1615. Lled debyg fod Gwasg Prifysgol Cymru wedi gofyn i Tomos olygu'r llyfr am ei fod yn Lladinydd ac yn Gymreigiwr, ac am fod Smyth yn gyfoeswr iau i Siôn Dafydd Rhys ac yn rhannu awydd dyneiddwyr yr oes i estyn ffiniau meddwl a dychymyg y Cymry. Y mae'n amlwg oddi wrth y rhagymadrodd nad oedd gan y golygydd rithyn o ddiddordeb yng nghynnwys athrawiaethol y llyfr, oblegid nid trafod ei syniadau y mae ond ei iaith, y rheidrwydd a oedd ar Smyth fel William Morgan a William Salesbury a Gruffydd Robert o Filan i gymhwyso Cymraeg 'ddigyfnewid beirdd y cywydd' at y pynciau newydd a drafodent. Noder yn y fan hyn fod Tomos wedi ceisio gwybodaeth am awdur gwreiddiol *Theater du Mond* yn y *Biographie Universelle*, ond iddo gael trafferth i'w ddarllen am fod ei Ffrangeg mor denau. Penderfynodd ei gwella, ac un prynhawn Sadwrn cododd oddi wrth ei fwrdd yn y llety ym Menai View, taro côt a het amdano, 'trotian' y ddau can llath i siop lyfrau Galloway, 'a phrynu gramadeg Ffrangeg a geiriadur'. 'Credaf,' ebe fe wrth Enid, y 25ain o Fawrth 1930, 'y byddaf yn darllen Ffrangeg yn gymhedrol erbyn diwedd gwyliau'r haf.' A gwir y gair.

Rhwng 1930 a 1932 cyhoeddodd nifer o erthyglau seiliedig ar ei draethawd MA yn *Y Llenor* ac yn *Bwletin y Bwrdd Gwybodau Celtaidd*. Dyma pryd y dechreuodd gerdded y llyfrgelloedd i gopïo gweithiau Dafydd ap Gwilym – fe'i cawn yn ystod gwyliau'r Coleg yn 1930 yn y Llyfrgell Genedlaethol yn Aberystwyth ac yna yn yr Amgueddfa Brydeinig yn Llundain. Ond am na châi'r gwaith mecanyddol hwnnw, oblegid ei gynhared, yn orddiddorol, aeth ati yn 1933 i ysgrifennu llyfr o'r enw *Saint Greal* ar bwnc y cyffyrddodd Siôn Dafydd Rhys â'i ymylon yn un o'i draethodau anghyhoeddedig ef, sef pwysigrwydd y Brenin Arthur yn hanes y Cymry, a lledaeniad yr hanesion amdano i bob gwlad yng ngorllewin Ewrop, lle casglwyd o'i gwmpas chwedlau o bob math. Yn y ddeuddegfed ganrif lluniwyd 'toreth enfawr' o ramantau rhyddiaith am Arthur, nifer ohonynt yn ymwneud â'r Greal Sanctaidd neu'r Saint Greal, sef y ddesgil y dywedir i Grist yfed ohoni yn y Swper Olaf, a'r ddesgil y dywedir i Joseff o Arimathea ddwyn dafnau o waed y Crist croeshoeliedig ynddi i Brydain Fore. Yr oedd rhai o'r rhamantau hyn yn olrhain hanes y Greal o'i gychwyn, yr oedd eraill yn adrodd hanes marchogion Arthur yn chwilio amdano. Y blaenaf o'r rhamantau ymchwilgar oedd *La Queste del Saint Graal*, a ysgrifennwyd yn Ffrangeg ac a seiliwyd ar y gerdd *Perceval* gan y bardd mawr Chrétien de Troyes. Yn y gerdd ac yn *La Queste* Peredur yw'r gŵr a gais y Greal yn wreiddiol, ond am ei fod ef 'yn rhy fydol a lleygol' i fodloni delfrydau'r awdur y mae'n creu cymeriad newydd i'w geisio, Galâth, y dywedid ei fod yn un o ddisgynyddion Joseff o Arimathea. Beth sydd gan Tomos Parry yn *Saint Greal* (1933) yw cais i 'ail adrodd chwedl Saint Greal yn y Gymraeg ddiweddar'. Yn Llawysgrif Peniarth 11 y'i cafodd. Yno, ebe fe yn y rhagymadrodd i'w lyfr, y mae'r stori'n wasgarog ac yn llawn gwersi moesol a chrefyddol. Ond am mai dweud y stori fel stori oedd ei ddymuniad, wrth ei hailadrodd gadawodd allan 'y gwersi diddiwedd a diflas hynny', gan hyderu na thynnodd ddim 'oddi wrth ansawdd lenyddol y gwaith yn ei Gymraeg gwreiddiol'.

Gan mai i'w frawd Gruffudd (16 oed) y cyflwynodd y llyfr, gellir dadlau mai llyfr i ddenu glaslanciau a glaslancesi i ddod i wybod rhywbeth am chwedloniaeth Cymru ydyw, a hynny wrth i'r awdur ddefnyddio dyfeisiau llenyddol y nofel ddiweddar i gynnal y gwaith. 'Caf lawer o bleser . . . wrth feddwl sut y buasai orau rhoi rhyw ddigwyddiad i lawr mewn ysgrifen, a cheisio cael y stori i symud yn gyflym,' ebe Tomos wrth Enid, yr 11eg o Fai 1933: 'Y mae gennyf amryw driciau i sicrhau hynny – rhyw fân bethau y sylwais arnynt mewn nofelau.' (Glywsoch chi, Jane Parry?) Ni allaf siarad dros ddarllenwyr y tridegau cynnar, ond fel y'i ceir ganddo ef ymddengys y stori i mi yn stori anghelfydd, afrwydd braidd. Ac, wrth gwrs, am fod Tomos wedi'i dihysbyddu o'i moeswersi, stori yn unig ydyw. Mewn cynifer o lefydd, yn *Theater du Mond* fel yn *Saint Greal* fel mewn llyfrau eto i ddod, rhyfedd fel na faliai am feddyliau ac athrawiaethau. Yma, yn y dweud, yn y mynegiant, yr oedd ei ddiddordeb pennaf.

Awgrymodd Tomos hwnt ac yma ei fod yn barnu y buasai'n well gan Ifor Williams petai'n cyhoeddi mwy o nodiadau yn y *Bwletin* na naratif fel hwn gyda Gwasg y Brifysgol. Ond eisoes, o fewn dwy a thair blynedd i'w benodi, ni allai wadu bod ganddo yn Tomos Parry was deheulaw tra diwyd, tra chynhyrchiol – tra tra gwahanol i'r darlithydd arall ar ei staff, R. Williams Parry. Er 1923, pan benodwyd ef i staff y Coleg, rhannai Williams Parry ei amser rhwng yr Adran Gymraeg a'r dosbarthiadau allanol yn Sir Gaernarfon a oedd o dan ei ofal: dyna'r cytundeb oedd ganddo. Am ei fod yn teimlo'n amddifad o ddyletswyddau mewnol, tua chanol y dauddegau gofynnodd i Syr John Morris-Jones am gael darlithio ar bynciau llenyddol i'r ail a'r drydedd flwyddyn, ac fe gafodd. Erbyn haf 1928 dywedasai wrth Ifor Williams ei fod yn 'difaru f'enaid' iddo erioed wneud y cais: ''Does dim dwywaith, 'rhen ddyn, "pysgodyn mewn cae tatws" wyf i yn y Coleg yna.' Unwaith yr ymddeola Syr John, ebe fe wedyn, 'fe wnaf gais am gael bod allan yn gyfangwbl, er mwyn gwneud lle i rywun addasach'. Fel y gwelsom, ar fyned Syr John, am fod y Coleg wedi ariannu swydd arall, nid oedd raid i Williams Parry symud o'r ffordd i wneud lle i rywun arall.

Ond yr oedd dyfodiad Tomos i'r Adran yn 1929, ac yn enwedig ei ddyrchafiad i ddarlithyddiaeth lawn yn Ionawr 1931, yn peri poen iddo, onid yn ei fyllio rhyw ychydig, ac yn myllio Myfanwy ei wraig yn bendifaddau. Ysgrifennodd hi – ie, hi – lythyr at Ifor Williams y 6ed o Chwefror 1931 yn dweud na wyddai '[Bob fod Tom] wedi cael ei wneud yn *lecturer*' tan i Ifor ddweud wrtho. 'Ni fynnwn er dim i chwi feddwl fod ganddom wenwyn i Tom – dim o gwbl, ac yr ydym yn meddwl yn rhy uchel o hono fel pawb arall.' Ei phoen, meddai, oedd 'y gwahaniaeth mawr rhwng *position* Bob yn y coleg [a'i] *bosition* yn y wlad'. Ie, ar ryw olwg, a nage. Yr *oedd* yna genfigen at Tomos. Pe baech chi, Ifor, yn lle Bob, ebe Mrs Williams Parry ymhellach:

> buasech yn teimlo yr un mor anhapus – dyn ugain mlynedd ieuengach na chwi yn cael ei roi ochr yn ochr a chwi . . . Nid oedd gymaint o *odds* gen i tra oedd Tom yn *assistant lecturer* a Bob yn cael yr *enw* beth bynnag o *full lecturer* – ond bellach bydd y ddau yn *lecturers*.

Yr wythnos ganlynol ysgrifennodd Bob ei hun lythyr at Ifor, llythyr hir yn cynnwys rhestr o'i gyhoeddiadau – rhestr go shimpil yn academaidd – yn yr hwn y gofynnodd am 'swydd "ychydig is na'r angylion", sef swydd Darlithydd Annibynnol' (y math o swydd a statws a oedd gan R. T. Jenkins yn Hanes Cymru). Ni ddaeth dim o'i gais. Mewn llythyr arall a ysgrifennodd yr 8fed o Ebrill 1932 dywedodd ei fod o'r un genhedlaeth â W. J. Gruffydd a T. H. Parry-Williams ond nad oedd wedi cael y gydnabyddiaeth a gawsent hwy, ei fod yn awr gan hynny yn dymuno ceisio 'am swydd Darlithydd Hynaf', ac yn gofyn 'sêl bendith' Ifor ar y cais. Yn ei ateb dywedodd Ifor wrtho'n blaen fod Gruffydd a Pharry-Williams ill dau wedi cyhoeddi llawer o gyfrolau ac erthyglau ysgolheigaidd a beirniadol tra bod Bob 'wedi ymgyfyngu i Feirniadaethau yr Eisteddfod, ac yn mynnu bodloni ar hynny, yn ychwaneg at dy farddoniaeth'. 'Yr wyt yn gwrthod fy nghyngor' – sef, heb os, hen gyngor iddo gyhoeddi erthyglau ysgolheigaidd – 'ac eto yn disgwyl i mi ategu dy gais. Pa gysondeb sydd yn hynny?'

Rhoddodd Ifor Williams gyngor arall i Williams Parry yng nghwt y llythyr hwn. 'Dos i weld y Prifathro.' Nid aeth. Ond y mae'n sicr bod Emrys Evans wedi cael mwy nag achlust o'r drafodaeth, a chan feddwl ei fod yn gwneud tro da â Bardd yr Haf estynnodd wahoddiad iddo draddodi'r Darlithoedd Cymraeg Cyhoeddus yng Ngholeg Bangor yn 1933, darlithoedd â bri arnynt a thâl sylweddol amdanynt. Y mae ateb Williams Parry i'r gwahoddiad hwnnw yn canolbwyntio ar ei safle yn y Coleg, ac yn dangos ei fod yn dal i ystyried dyfodiad Tomos i'r Adran yn sen arno ef, canys penodwyd Tom, meddai, 'i'r swydd a gynigiasai [Ifor] i mi'. Y mae'n codi mater y Ddarlithyddiaeth Annibynnol, ond y mae'r Prifathro yn ateb gan ddweud mai Cyngor y Coleg biau deddfu ar hynny, ac y tybiai y byddai'r swm o arian y byddai arno'i angen i sefydlu darlithyddiaeth o'r fath yn rhy uchel. At hyn, meddai, 'ni chlywais erioed fod dyled ar Goleg na Phrifysgol i osod beirdd ar eu staff *am eu bod yn feirdd* . . . arall yw byd y bardd, ac arall yw byd yr ysgolhaig.' Gwrthododd Williams Parry y gwahoddiad i ddraddodi'r Darlithoedd Cyhoeddus, ac ebe'r Prifathro wrtho, yn ddigon teg, 'Gresyn i chwi wrthod y cyfle a roesai'r darlithoedd cyhoeddus i brofi'r ffaith (a chredaf ei bod yn ffaith) eich bod yn feirniad yn ogystal â bardd.'

Dyma pryd yr addunedodd Williams Parry na wnâi ddim byd yn y Coleg na'r gymdeithas ar led ond ei ddyletswydd noeth, na chyhoeddai 'na chynhyrchu chwaith un gair o farddoniaeth na beirniadaeth, yn y wasg nac ar y radio, hyd oni symudir – os byth y gwneir – yr ymdeimlad o anghyfiawnder a'm lletha'. Tynnodd yn ôl hefyd ei addewid i Wasg Gregynog gyhoeddi casgliad o'i farddoniaeth. Fel y mae'n digwydd, Tomos, yng nghyflawnder yr amser, a lywiodd gyfrol o'i farddoniaeth drwy Wasg Gregynog, yn 1980. Tomos hefyd a ddraddododd y Darlithoedd Cymraeg Cyhoeddus y gwrthododd Williams Parry eu traddodi, gweithred sy'n symbol perffaith o barodrwydd brwd y naill at waith a negyddiaeth – os negyddiaeth hunangyfiawn – y llall.

Y mae'r mater hwn yn bwrw cryn oleuni ar boenusrwydd sensitif R. Williams Parry ('Mewn potel y dylwn i fod yn byw, a gofalu bod yna gorcyn arni rhag drafft!'), ac yn bwrw peth goleuni ar y berthynas rhwng y tri yn yr Adran. Ysgrifennu at Ifor i ddweud ei gŵyn a wnaeth y bardd, nid ei thrafod ag ef wyneb yn wyneb, ac mewn llythyr yr atebodd Ifor ef. Gall hynny fod am na ddeuai Williams Parry o Goetmor i'r Coleg bob dydd, nac Ifor o Borthaethwy i'r Coleg bob dydd. Ni wn faint o'r materion hyn a rannodd Ifor gyda Tomos, a chan hynny ni wn a wyddai fod ei gefnder yn teimlo mai ef oedd 'yr isaf o'r Drindod' ar y staff. Ond gwyddai Tomos mai ychydig o lwyth gwaith oedd ar gefn Williams Parry.

Ym mis Tachwedd 1932 dywedodd wrth Enid nad ymffrostio yr oedd wrth ddweud mai ef 'sy'n gwneud y rhan fwyaf o'r gwaith yn yr Adran Gymraeg yma' – yn gyntaf, am fod 'R. W. P., yr hen greadur, yn ormod o fardd i ymboeni â pheth mor rhyddieithol â gwaith Coleg', ac yn ail am fod 'Ifor bob amser yn ddifater hollol ynghylch myfyrwyr. Ei nod mawr ef mewn bywyd yw "research", ac ail beth yw dysgu'r myfyrwyr'. Eto, er ei fod yn feirniadol o'i stans, hoffai Tomos R. Williams Parry, gyda hoffter cydymdeimladol dyn yn adnabod ei angenach a'i wannach. Ac er ei fod yn gweld Ifor Williams yn gymharol ddi-hid o'i fyfyrwyr ac yn ddi-feind o weinyddiaeth y Coleg, parchai ac edmygai ei 'benderfyndod' gyda'i waith ar yr hen farddoniaeth ac ar y Mabinogi yn ofnadwy. At hynny, gwyddai fod gan yr Athro a'r Bardd drwy'r cyfan deimladau cynnes at ei gilydd. Pan oedd Ifor yn bur wael o glefyd y galon yn 1935 anfonodd Bardd yr Haf y nodyn hwn ato: ''R wyf wedi dweud fwy nag unwaith mai fi ar ôl Mrs. Wms., sydd fwyaf o ofn iti ei heglu o neb. Gallwn gael dy waeth o beth cynddeiriog! Brysia'n ôl.' Ond y tymor y bu Ifor gartref yn sâl ni chododd y Bardd gymaint â bys i helpu Tomos i lenwi'r bwlch. Ef, ac ef yn unig, a gymerodd ddarlithoedd Ifor yn ei le, gwaith a olygai er enghraifft ei fod yn gorfod gloywi ei Hen Wyddeleg, y meddyliodd unwaith 'mai hi oedd penllâd diflastod' – 'ond fe dâl ei gwybod'.

Drwy drugaredd, lle bynnag yr oedd anghydfod, yr oedd gan Tomos y math o groen a barai ei fod yn gallu'i oddef. A chyda'r croen hwnnw nid ofnai ymgyrchu dros yr hyn y credai ynddo. Yn fuan yn ystod ei yrfa ym Mangor ceisiodd ddarbwyllo Ifor Williams 'mai cwrs tila yw Cwrs Anrhydedd y Coleg hwn wrth gyrsiau'r Colegau eraill', a cheisiodd ei berswadio i'w gyfoethogi drwy gynnwys ynddo fwy o bynciau'n ymwneud â llenyddiaeth a beirniadaeth. Am ei fod yn 'caru sefydlogrwydd ac yn rhoi pris ar rinweddau hir arfer', cadw pethau fel ag yr oeddynt yn nyddiau Syr John oedd tueddfryd yr Athro. Ond yn raddol, am fod Tomos yn pwyso ac yn pwyso, fe ddaeth i wrando arno. Daeth i weld hefyd fod gan Tomos ddoniau cymdeithasol a doniau pwyllgorawl na feddai ef arnynt, doniau i fwynhau bod ymysg pobl ac i ffynnu yng ngweinyddiaeth a gwleidyddiaeth academia. Fis i fewn i'w dymor cyntaf ym Mangor penodwyd ef yn Guradur Cynorthwyol yr Amgueddfa Henebion a berthynai i'r Coleg, amgueddfa a oedd yng ngofal J. Humphrey Davies, cynorthwyydd personol y Prifathro. Ac o hynny hyd at ei ymadawiad â'r lle ni bu Tomos erioed heb ryw swydd ychwanegol yn y Coleg.

Cofier mai hen lanc (hen lanc yn caru, y mae'n wir, ond hen lanc yn caru ymhell) oedd Tomos yn y blynyddoedd rhwng 1929 a 1936, yn byw am bedair blynedd mewn llety ac yna gartref gyda'i fam a'i dad. Yn wahanol i Williams Parry ac Ifor Williams, onid oedd ar berwyl arall, byddai'n dod i'r Coleg bob dydd gwaith, a byddai'n selog yn yr Ystafell Gyffredin. Ar y cychwyn cafodd fod rhai o'i gyd-weithwyr hŷn yn ddynion pell ac anghyffwrdd, yn 'urddasolion mawreddog' a oedd 'wedi gosod mur o adamant o'u cwmpas'. Hwy, ebe fe, oedd 'gweddillion aristocrataidd' y traddodiad Rhydychennaidd yng Ngholeg Harry Reichel. Ond yr oedd eraill ffeindiach a'i gwahoddai i'w tai. Er enghraifft, ar nos Sadwrn yn awr ac eilwaith ymunai â'r cylch o bobl a gyfarfyddai i ddarllen dramâu ar aelwyd yr hanesydd A. H. Dodd. Ambell nos Sadwrn arall byddai'n mynd i yrfa whist mewn 'At Home' a drefnid gan rai o wragedd y Coleg, gwragedd a oedd 'yn *starch* ac yn dduwch i gyd'. *Starch* a düwch neu beidio, yr oedd wrth ei fodd gyda'r tamaid o 'swper yn y canol' a baratoai'r gwragedd, swper a oedd un tro yn cynnwys 'rhywbeth yn edrych yn union fel "chocolate cake" o siop Penylan' Caerdydd – 'ond erbyn deall ffesant oedd! Da ddychrynllyd.' Anfonai at Enid fwydlen bron pob cinio a swper a fynychai. Câi Tomos groeso bob amser yng nghartref y Dr a Mrs Thomas Richards. Ac ymwelai ag R. T. Jenkins yn weddol gyson. Yng ngwanwyn 1933 dywedodd wrth Enid fod yr hanesydd wedi symud ychydig wythnosau ynghynt i dŷ hyfryd ar Sili-wen, 'y tŷ mwyaf gogoneddus a welais erioed – ffenestri fel tŷ tomatos a golygfa ar hyd yr afon Fenai. Ond nid yw wedi newid ei wraig, na hithau wedi newid ei synnwyr.' Hoffai gwmni a sgwrs yn arw. Y mae un llythyr at Enid yn 1932 lle sonia amdano'i hun un noson yn cerdded i'r Borth i geisio cwmni John Hwfa ac yn cael cawell, yn cerdded yn ôl i Fangor Uchaf i dŷ Ambrose Bebb ac yn cael cawell yno hefyd, yna'n cerdded i dŷ Tegla Davies ym mhen arall y dref ac yn cael cawell am y trydydd tro. Yn ôl i'w lety wedyn, at waith ac at lythyru i Gaerdydd. Yn hytrach na'i flinder yn cael cawell wrth geisio ymweld â chyfeillion, yr hyn a geir mewn llythyr arall, llythyr y 6ed o Fehefin 1932, yw hanes hwyliog y blinder y mae papurau arholiadau'r myfyrwyr yn ei roddi iddo – pymtheg ar hugain ohonynt yn ei hysbysu

> mewn iaith dyllog fod Siôn Cent yn canu am freuder a byrder einioes, a bod D. ap G. wedi dwyn dulliau'r Cyfandir i ganu Cymru. Teimlo yr oeddwn y carwn stwffio cadach llestri gwlyb i ganol ceg pob un ohonynt. Ond wedyn yr oedd y peth a elwir yn gydwybod yn sibrwd bod dyfodol yr enwadau Methodistaidd, Annibynnol &c. yn dibynnu ar y sbesimenau o bregethwyr ieuainc sydd yn y papurau hyn yn dweud pob math o anwireddau am hanes llenyddiaeth Cymru. Wedyn byddaf yn mynd yn hogyn da, ac yn rhoi heibio'r dyhead am y cadach llestri, ac yn dal i farcio dan wenu'n glên. Dyna ichwi fywyd.

Fel pe na bai darlithio ac ymchwilio ac ysgrifennu llyfrau ac erthyglau a llythyron a marcio a hel tai (neu geisio hel tai) ddim yn ddigon, ymgymerai ag adolygu llyfrau ac ysgrifennu i bapurau a chyfnodolion a beirniadu mewn eisteddfodau. Yn 1933 cyhoeddodd Hughes a'i Fab Wrecsam *Chwech o Alawon Gwerin Cymreig* a drefnwyd gan Grace Gwyneddon Davies, ynghyd â chyfieithiadau ohonynt gan Tom Parry i'r Saesneg. Yr oedd wrth ei fodd yn cyfansoddi geiriau i ganeuon, a gwelir nifer o'i delynegion yn rhifynnau *Y Cerddor*, y cylchgrawn graenus a olygid gan J. Lloyd Williams, y botanegydd a oedd hefyd yn un o brif gasglwyr alawon gwerin a hwiangerddi Cymru. Yn 1932–33 bu hefyd yn helpu ysgolhaig o Sais ifanc o'r enw Kenneth H. Jackson a ddaethai o Surrey *via* Caergrawnt i dreulio'r flwyddyn academaidd 1932–33 yn astudio Hen Gymraeg wrth draed Ifor Williams. Am nad oedd gan Jackson ddigon o Gymraeg i ddeall y darlithoedd yn rhwydd, penderfynodd Tomos roi dwyawr bob wythnos iddo ar ei ben ei hun. Drwy'i yrfa ddisglair hir yn Harvard a Chaeredin nid anghofiodd Jackson y gymwynas honno.

R. T. Jenkins, Thomas Richards, R. Alun Roberts (y Darlithydd Annibynnol a oedd yng ngofal Botaneg Amaethyddol), Williams Parry weithiau, a Tomos: dyma'r brodyr ym mlynyddoedd canol y tridegau a gynullai yn ystafell Ifor Williams, ar brynhawniau Llun fel arfer, i gael te ac i drafod y byd a'r betws. (Noder bod Williams Parry yn troi i fewn i'r seiadau hyn yn achlysurol er ei fod yn barnu iddo gael cam gan ei bennaeth adran: un peth oedd gweithio, arall oedd cymdeithasu.) Y brodyr hyn oedd bwytawyr 'yr academig dost' a ddisgrifiodd Williams Parry mor sbengllyd yn ei soned i Saunders Lewis yn 1937 pan dorrodd ei embargo barddonol ei hun. Gwaetha'r modd, y mae'r ffigur ymadrodd hwn wedi dod yn drosiad i gyfleu bodlonrwydd cymdeithasol a gwleidyddol ddi-hid pobl ddysgedig mewn swyddi braf. Ond pobl weithgar i ryfeddu oedd y criw hwn i gyd, R. T. Jenkins yn hanesydd gyda'r lletaf ei ddysg a'r hyfrytaf ei arddull o bob hanesydd Cymraeg modern, Thomas Richards yn llyfrgellydd gyda'r casglwr llawysgrifau gorau a gafodd unrhyw goleg yng Nghymru, R. Alun Roberts yn weithgar dros ben yn y Coleg ac yn y wlad, Ifor Williams a Tomos Parry yn darlithio ac yn cyhoeddi'n gyson, *&c., &c.* – pobl weithgar uwchben cwpanaid o de un waith yr wythnos yn mwynhau cwmni'i gilydd, ie, ac yn mwynhau'r hwyl a gaent yn dychanu'i gilydd ar gân. Lluniwyd digon o'r caneuon hyn i gyhoeddi cyfrol, meddai Thomas Richards, cyfrol yn dwyn y teitl *Maip y Dalar*. Ond 'cafwyd enw gwell (yn ôl rhai)', *Ffa'r Gors* neu *Ffa'r Corsydd*, a oedd yn barodi ar enw cyfrol ddiweddaraf Iorwerth C. Peate, *Plu'r Gweunydd*. Disgrifia un o'r caneuon Tomos a Williams Parry fel hyn:

> Pwy welaf fel mellten yn fflachio
> Gan chwalu pob enaid o'i flaen?
> Twm Parri sy'n gyrru tuag adref
> Mewn cerbyd dychrynllyd o dân.

Atseinia hen furiau Caernarfon
  Ei floedd: 'Mab y Mynydd wyf i!
Mae 'nghalon ar ben Mynydd Carmel –
  Ffarwel i'r Doc Tom ac R. T.'

Ym Mynydd Carneddi y gwelir
  Dylifiad llwynogod o bell;
Ni ddont byth ar gyfyl y Coleg –
  Mae tremio drwy ddrych arno'n well.
Rhos Hirwaun – os mynnwch – neu Nantlleu,
  Llangybi, neu Lanfair-Pî-Jî, –
Mae pobman yng Nghymru (ond Bangor)
  Yn 'nabod y bardd R. W. P.

Ar ei ddychweliad i Fangor, un o'r pethau y dywedodd Ifor Williams
wrth Tomos oedd ei fod yn awyddus i wneud yr Adran Gymraeg yn
rym yn y wlad, drwy adeiladu ar ei henw da mewn ysgolheictod, ie, ond
drwy weithgareddau allanol hefyd, drwy fod ei haelodau yn darlithio a
darlledu a chyfrannu i gyfnodolion. Diau yn hyn o beth yr ystyriai waith
Williams Parry gyda'i ddosbarthiadau a'r Eisteddfod yn dra gwerthfawr.
Un o gynlluniau Tomos yn 1930, ar y cyd â T. Rowland Hughes, a oedd
ar y pryd yn diwtor yng Ngholeg Harlech, oedd cyhoeddi drwy gwmni
Foyle's yn Llundain gylchgrawn llenyddol newydd, cylchgrawn yn dwyn
yr enw *Gwlad y Bryniau*. Yr un pryd, yr oedd John Tudor Jones, John
Eilian, gŵr ifanc cyfoed â Tomos, bardd a newyddiadurwr a oedd yn
gweithio yn Stryd y Fflyd yn Llundain, newydd sefydlu cylchgrawn
arall, *Y Ford Gron*, cylchgrawn ac ynddo ysgrifau a cherddi difrif a
doniol, erthyglau ar ffasiwn a theithio, lluniau a chartwnau. Ym marn
Rowland Hughes, newyddiaduraeth boblogaidd oedd yn *Y Ford Gron*.
Ym marn Tomos, yr oedd 'gormod o arlliw Llundain' arno. Barn nid
annhebyg oedd gan Iorwerth Peate hefyd: 'cyhoeddiad y *Daily Mail*
ydyw'. Ond dyna'r bwriad: cylchgrawn i'r Cymro metropolitan ydoedd.
A beth bynnag oedd barn pobl ohono yr oedd eisoes yn bod, ac yr

oedd mynd arno. Yn ystod 1930 bu Rowland Hughes a Tomos yn ysgrifennu at lawer o ddarpargyfranwyr *Gwlad y Bryniau*, gan gynnwys R. I. Aaron, Geraint Dyfnallt Owen, E. Morgan Humphreys, Stephen J. Williams a Kate Roberts, a bu Tomos yn trafod yr wyneb-ddalen gyda J. O. Williams, Bethesda. 'Rwan a wnewch chi faddau imi am fod yn Mistras Busnes Pawb?' meddai Kate Roberts wrth ateb. Dywed ei bod yn dymuno gwneud dau bwynt. Yn gyntaf, nad yw'n hoffi'r enw: 'mae'n dlws ond mae'n ormod o lond ceg'; ac yn ail, rhybuddia Tomos na thâl Foyle's i neb heb fod 'gwn o flaen eu talcennau'. Ffynnodd *Y Ford Gron* tan 1935, ond ni ddaeth dim o *Gwlad y Bryniau*.

Yn 1932 daethai John Eilian o Lundain i fyw i Wrecsam i sefydlu'r *Cymro* i Gwmni Woodal. Tua'r un pryd symudodd W. J. Parry o Gaerdydd i'r Wyddgrug gyda'i waith, a chyda'i gilydd treuliodd Tomos a wilijohnparri fwy nag un bwrw Sul ar aelwyd John Eilian a'i wraig, Lilian, yn dadlau hyd berfeddion, gyda'r wraig llawn cymaint â'r gŵr, am bopeth o dan y nefoedd – o safon barddoniaeth gyfoes hyd at lyfr diweddaraf Timothy Lewis, *Beirdd a Bardd-rin Cymru Fu* (1929), a fawrygid gan yr Eilian ac a felltithid gan Tomos.

Fel y dywedwyd o'r blaen, ddiwedd 1929 ymgymerodd Tomos â chyf-ieithu *Hedda Gabler* ar y cyd ag R. H. Hughes, myfyriwr a fedrai dipyn o Almaeneg a rhyw ychydig o Norwyeg. Pan lwyfannwyd *Hedda Gabler* y tro cyntaf, ddeugain mlynedd ynghynt, derbyniad sâl iawn a gafodd, yn rhannol am na ddymunai cynulleidfaoedd y theatr weld yr ochr dywyll hyll amheus i fywyd a bersonolid gan y prif gymeriad, yn rhannol hefyd am fod ei harddull – math ar law-fer ddramatig – yn wahanol i'r ddialog lawnach yr arferid ei chael ar lwyfan. Yna yn 1902 llwyfannwyd cyfieithiad Saesneg ohoni yn Broadway a gafodd ganmoliaeth frwd. Efallai bod y ganrif newydd yn barotach amdani, yn barod am niwrosis a nihiliaeth Hedda Gabler herfeiddiol hardd, yn barod am wendidau ei gŵr, George Tesman, yr ysgolhaig uchelgeisiol ond eilradd a gymerodd hi'n ŵr (efallai oherwydd diflastod, efallai i'w lethu), ac yn barod am y feirniadaeth gymdeithasol a moesol a geir yn storïau trasig yr ysgolhaig rhagorach Eilert Løvborg a'r wraig ifanc anffodus Thea Elvsted. Eto fel y gwelsom yn y bennod flaenorol, llwyfannwyd Ibsen ym Mangor bum mlynedd ynghynt, pan ddysgodd Ifor Williams ddigon o Norwyeg i roi blas ar ei gyfieithiad o *Tŷ Dol*. Y pryd hwnnw, fesul dalen neu ddwy y cafodd y cast eu sgript. Y tro hwn, gorffennodd Tomos Parry ac R. H. Hughes eu gwaith cyn ei drosglwyddo i'r cynhyrchydd. Ac wrth ei drosglwyddo, tybed na feddyliai Tomos, gyda gwên ddeallus, fod y Dr Tesman ar ryw ongl yn ddrych gwael o'i ddyfodol ef ei hun? Dyn newydd ddod tua thref o'i fis mêl hir hir oedd gŵr Hedda Gabler, mis mêl y treuliodd lawer ohono mewn llyfrgelloedd yn casglu deunydd ar gyfer llyfr newydd, er diflastod i'w wraig anghymodadwy. 'Rwy'n disgwyl y bydda i'n Broffesor cyn bo hir,' ebe Tesman; 'does dim pleser teithio efo ysgolheigion,' ebe Hedda. Noder bod Tom Parry mor gynnar â 1931 yn gwneud trefniadau i Enid ymuno gydag ef yn yr Amgueddfa Brydeinig i'w helpu i gopïo Dafydd ap Gwilym!

Bu'r ddrama'n llwyddiant. Y flwyddyn ganlynol llwyfannodd Cwmni'r Coleg gyfieithiad R. E. Jones o *Rutherford & Son* Githa Sowerby (1912), llwyddiant arall. Ond yr oedd y wasg yn awr yn dechrau beirniadu'r cwmni 'ar fynd dros Glawdd Offa, ac yn wir dros Fôr y Gogledd, i geisio dramâu', yn hytrach na chefnogi dramodwyr Cymraeg. Penderfynodd Tomos ateb y feirniadaeth. Mewn colofn yn *Y Genedl*, y 9fed o Chwefror 1931, ebe fe gyda pheth coegni a llawer o wirionedd:

> Nid oes neb gweddol glir ei lygad na wêl fod bron bob gwlad yn Ewrop yn curo Cymru am ddrama. Bwrier y bai ar y Methodistiaid, Senedd Lloegr neu'r tywydd, nid oes wadu'r ffaith. Rhaid i ni heddiw geisio gosod sylfeini newydd, ac yn rhywle o gwmpas y sylfeini yr ydym hyd yma, heb osod ond ychydig o gerrig y muriau gyda'i gilydd.

Gan newid ychydig bach ar ei droadymadrodd, ychwanegodd mai fel rhan 'o astudiaeth y plan' y bwriedid y dramâu estron a berfformid gan Chwaraewyr Coleg y Gogledd, 'ac nid fel pethau i fodloni arnynt a byw ynddynt'. Yr wythnos ganlynol cyhoeddodd *Y Genedl* lythyr gan

Kate Roberts yn dweud bod yr arfer o 'roddi gwaith cyfieithedig o flaen cynulleidfa y naill flwyddyn ar ôl y llall' yn 'niweidiol iawn' i Gymreictod am mai bywyd cenhedloedd eraill a geid yn y dramâu estron. At hynny, dywedodd fod gennym ddigon o ddramâu da yn y Gymraeg y gellid eu llwyfannu, *Ephraim Harris* a *Gwaed yr Uchelwyr* er enghraifft. Daeth yr hanesydd W. Gilbert Williams ac Awena Rhun o Flaenau Ffestiniog i'r maes i'w chefnogi. Yn rhifyn yr 2il o Fawrth dyma Tomos yn ei ôl i wneud tri phwynt. Yn gyntaf, y gellir, trwy ymgydnabod â llenyddiaeth estron, gynhyrchu corff o lenyddiaeth Gymraeg ardderchog. Onid canu Ffrainc oedd patrwm Dafydd ap Gwilym? Onid o wledydd estron y cafodd Dic Hughes Cefn Llanfair a Morgan Llwyd o Wynedd ac Ellis Wynne o'r Lasynys eu hysbrydoliaeth? Ac oni fu 'cathlau Heine ac Omar Khayyâm yn sylfaen i goethder ein llenyddiaeth ddiweddar?' Yn ail, gan ateb pwynt Kate Roberts am fywyd cenhedloedd eraill, dywedodd nad 'nodweddion gwahaniaethol . . . cenedl arbennig' a geir mewn drama dda, ond 'dyfnion bethau'r meddwl dynol' a 'gwrthdrawiad rhwng dynion o wahanol natur'. Yn hynny o beth, 'y mae Nora Helmer [*Tŷ Dol*], Jane Clegg [yn nrama St. John Ervine o'r un enw] a Hedda Gabler yn Gymry yn haenau dyfnaf eu cymeriadau'. Ac yn drydydd, gyda golwg ar berfformio dramâu Cymraeg, ychydig o rai rhagorol sydd gennym, ac ni ellir eu hactio hwy dro ar ôl tro. A chan droi'r pwyntil i fynwes Miss Roberts, ebe fe: 'fe berfformia Cwmni Bangor ddramâu estron am yr un rheswm ag y mae pencampwr y stori fer yn darllen Maupassant a Tchekov, yn lle'i gyfyngu ei hun i'r Mabinogion.'

Buasai Tomos yn hoff o'r theatr er pan aethai i Fangor yn fyfyriwr, ac yn hoff o'r theatr broffesiynol er pan aethai gyda John Gwilym i Lerpwl ar ei wyliau, eto yn nyddiau coleg, a gweld Sybil Thorndike yn *Saint Joan* George Bernard Shaw. Y blynyddoedd yr oedd ef yng Nghaerdydd yr oedd John yn athro yn Llundain, ac âi ato weithiau a mynd i'r theatr gydag ef. Daeth John yn athro i Landudno yn 1929, ond yn y man aeth Dic, brawd Tomos, i Lundain, ac ar ei ymweliadau ymchwil i'r ddinas honno âi Tomos gydag ef i'r theatr. Yn y New Theatre un noson o Chwefror 1933 gwelsant Gwen Ffrangcon-Davies yn *Richard of Bordeaux* gan Gordon Daviot (*nom de plume* Elizabeth Macintosh), a nos drannoeth aethant i'r Wyndham Theatre i weld *Service* gan C. L. Anthony (*nom de plume* Dodie White). Yr oedd yr ymweliadau hyn yn ddifyrrwch ac yn addysg.

A oedd gan y darlithydd ifanc amser i ymddifyrru gartref? Oedd. Gall dyn prysur wneud amser. Rywdro yn 1933 aeth i bictiwrs bach y Borth gyda Chynan a'i fab Emyr i weld *The Wandering Jew*. Y 15fed o Ionawr 1934 aeth gyda'i fam i'r Plaza ym Mhen-y-groes, lle cynhelid perfformiad cyntaf y ffilm lafar gyntaf a wnaethpwyd yng Nghymru, sef *Men Against Death* o waith y cynhyrchydd C. H. Dand. 'Y rheswm am yr awydd mewn hen wraig ddi-bictiwrs fel mam' i fynd i'r sinema oedd bod y ffilm yn cynnwys golygfeydd o chwarel Dorothea lle gweithiai ei gŵr. Ond am fod Richard Edwin gartref gyda 'chwydd yn ei droed' yr adeg y saethwyd hi, nid oedd ef 'yn un o'r "stars"'. Y mis Mai canlynol aeth Tomos gyda'i fam a Gruffudd i Chwilog i seremoni ddadorchuddio carreg fedd Eifion Wyn, gyda Lloyd George yn siarad. Am fod miloedd wedi ymgasglu yno ni lwyddodd Tomos i fynd i fewn i'r capel i wrando arno. Da hynny, oblegid 'symol oedd Lloyd George'. Âi'n bur aml am sbin yn y car gyda John Gwilym a Wil Vaughan Jones, cyfaill iddynt, a châi Gruffudd fynd yn eu sgil.

Eithr mynd â'i fam i Lŷn er mwyn iddi gael gweld rhai o'i thylwyth oedd yr hyfrydwch modurol mwyaf ganddo. Byth er pan âi'n fachgen ar ei wyliau at ei nain yn Llangwnnadl – bu hi farw yn 1926 – yr oedd iddo hud yn Llŷn a hyfrydwch dihysbydd yn ei adnabyddiaeth o'i ewythrod a'i fodrybedd a'u plant. Aeth Jane Parry ac yntau yno un Sadwrn yn Ebrill 1934 yn unig swydd i weld sut hwyl a gâi Teulu Tŷ Cam, Evan (un o'i brodyr) a Sarah ei wraig, ar godi 'byngalow iawn' iddynt eu hunain. Yr haf cynt gwelsai Tomos eu bod yn byw mewn cwt allan 'go siabi' ac yn gosod y tŷ i ymwelwyr haf, a chynigiodd fenthyg arian i'w ewythr, a oedd yn saer coed, i godi lle newydd iddo'i hun. Erbyn yr Ebrill hwnnw yr oedd siâp ar bethau, cymaint o siâp fel y trefnodd Tomos i fynd yno drachefn y Sadwrn canlynol, oblegid, meddai, 'mae peth fel hyn yn ddiddorol odiaeth i mi'. Droeon eraill deuai rhai o dylwyth Llŷn ar ymweliad ag Arfon. Pan ddaeth ei fodryb Janet atynt un gwanwyn aeth Tomos â hi ynghyd â'i fam a Gruffudd i'r Rhyl 'er mwyn cael hwyl am ei phen ar y *figure 8*, a rhyw bethau gwirion felly'.

Gartref, ef a balai'r ardd, ef a blannai datws a llysiau, ef a heuai hadau blodau. Cododd ei fodurdy ei hun, triniai ei gar ei hun, a phan oedd eisiau torri twll mawr yn y ddaear i fynd â dŵr i ffwrdd o'r tŷ a'r garej ef a dyllodd y twll. Er nad oedd yn athletwr nac yn bêl-droediwr, ac er ei fod yn casáu ymarferion o bob math, yn herwydd y gwaith corfforol yr ymgymerai ag ef gyda balchder, yn enwedig yn yr ardd yn y gwanwyn a'r haf, yr oedd gan Tomos Parry, yn ddeg ar hugain oed, heb os, feddwl gwir iach mewn corff gwir iach, os ychydig yn fras. Heb werthu lledod, gellid dweud ei fod yn ddyn ifanc siampal.

III. AWDL 'MAM'

O'r holl bethau a gyflawnodd yn ystod y tridegau cynnar nid oedd unpeth i'w gymharu â'r awdl a ysgrifennodd ar y testun 'Mam' ar gyfer Eisteddfod Genedlaethol Aberafan, 1932, nac unpeth tebyg i'r ymateb a fu iddi. Y mae'n werth cofio bod yr Eisteddfod a'i phethau yn ennyn sylw cyhoeddus mawr yn y cyfnod hwnnw, fel y mae'n werth cofio bod gan y papurau newyddion Saesneg a Chymraeg, yn Llundain, Caerdydd, Aberystwyth a Chaernarfon, ddigon o ddiddordeb ynddi nid yn unig i anfon gohebyddion iddi, ond digon o ddiddordeb hefyd i argraffu'n llawn y beirnadaethau ar ei phrif gystadlaethau llenyddol ac i brintio trafodaethau ar ei phrif ddigwyddiadau am wythnosau wedi iddi ddod i ben. Yr oedd yn gynulliad diwylliadol tra phoblogaidd, yn

Ascot ac yn Henley'r Cymry ac yn ail Ŵyl Dewi oll wedi'u rowlio'n un. Ac yntau yn 1925 wedi profi y gallai ysgrifennu awdl, diau i Tomos, fel pob cynganeddwr ifanc uchelgeisiol arall, feddwl ryw dro y byddai'n cystadlu am y gadair genedlaethol. Pan ddywedodd wrth Enid ddechrau gaeaf 1929 ei fod wedi cael ei ddewis i fod ar bwyllgor Prifwyl Bangor 1931, ei hymateb hi oedd ei bod yn gobeithio na fyddai hynny'n ei luddias rhag cynnig am y gadair. Yr oedd yn ddiau yn rhywbeth y buont yn ei drafod. Tybed a oedd ef yn ystod blynyddoedd Caerdydd a'r cwta ddwy flynedd wedyn ym Mangor wedi ymarfer ei gerdd dafod yn gyson? Y mae'n anodd iawn tybied bod y feistrolaeth dechnennig a welir yn awdl 1932 – ni soniaf yn awr am y myfyrdod sydd ynddi – yn gamp ddiymarfer.

Rywbryd yng ngwanwyn 1931 y dechreua stori 'Mam', pan aeth Tomos i Lerpwl i dreulio'r diwrnod gyda'i gyfaill Hywel Elias Jones, a dreuliasai flwyddyn gydag ef a John Gwilym yn 17 Park Street, ac a oedd yn awr yn dod i ben â'i astudiaethau meddygol yn y ddinas honno. Yn y prynhawn aethant i'r Bluecoat School yn Wavertree lle'r oeddid yn arddangos y cerflun syfrdanol a luniasai Jacob Epstein y flwyddyn gynt, *Genesis*: 'Dyna lle'r oedd, mewn ystafell ddiffenestr o flaen llen du, a golau cry yn taro arno – cerflun claerwyn o wraig feichiog hagr ac anferthol.' Artist o dras Iddewig a aned yn yr Unol Daleithiau yn 1880 oedd Epstein, a ddaeth yn ddeiliad Prydeinig yn 1911. Dywedid ei fod tua 1928–30 yn arbrofi gydag arddull fwy haniaethol, ond er bod bol a bronnau gwraig fawr feichiog y cerflun *Genesis* yn annaturiol o lyfn, er bod ei hwyneb fel masg a wnaed gan rywun o lwyth Affricanaidd, ac er bod ei morddwydydd wedi'u suddo i'r slabyn gerwinedig o farmor y'i gwnaed ohono, prin y gellir honni mai cerflun abstract ydyw. Y mae'r fam i'w gweld yn glir ynddo. Neu efallai ei bod yn decach dweud bod natur elfennaidd mamolaeth i'w gweld yn glir ynddo, y grym garw priddlyd anifeilaidd sydd yn hanfod pob bod dynol – y famolaeth waelodol honno nad oes iddi brydferthwch gwylaidd traddodiadol y rhyw deg. Efa egr ydyw.

Yr 22ain o Fai y mae Tomos yn disgrifio'r cerflun mewn llythyr at Enid, ac yna'n dweud wrthi na chafodd 'dim erioed y fath argraff' arno:

Yr ias yn ddigon siŵr, ond nid yr ias a geir o glywed y Bach Cantata neu o ddarllen barddoniaeth, ond rhyw ias o ddychryn ac arswyd … Wrth gwrs, y mae'n hagr ac yn hyll, yn atgas hollol, rhaid dweud, ond er hynny i gyd, y mae'r meddwl sydd y tu ôl iddo, a'r meddyliau a gyfyd ynoch wrth edrych arno yn ddieithr ac ofnadwy.

Yna, dywed: 'Dechreuais soned iddo yn fy ngwely neithiwr, ond yr oeddwn wedi blino gormod, a chysgais.' Diolch bod perthynas Tomos â Siôn Cwsg yn berthynas mor iachus. Ped amgen, efallai y buasai wedi bodloni ar soned i *Genesis*. Ac eto, go brin. Y mae'n amlwg ei fod wedi myfyrio cryn dipyn ar arwyddocâd y cerflun, ac y mae'r un mor amlwg bod gweld beth oedd testun y gadair yn Aberafan wedi rhoi min diffiniad ar gyffro'r myfyrdod hwnnw. Yn y llythyr a aeth i Roath Court Place ar yr 20fed o Awst 1931 y mae Tomos yn nodi ei fod newydd ddarllen yr awdl a enillodd gadair Bangor i Gwenallt ac yn datgan y gallai yntau lunio cerdd nid annhebyg pe câi amser. A'i dystiolaeth? Y cynllun clir sydd ganddo ar ei chyfer:

1. *Y Pnawn.* Myned i weled 'Genesis'. Ei disgrifio ac wfftio at ei hacrwch. Y teimlad wrth ei gadael oedd ffieidd-dod ac atgasedd.
2. *Y Nos.* Breuddwydio fy mod yn gweled y ddelw yn y nos wrth ddau lusern, ac wrth imi ei gwylio, y mae'n graddol newid, ei hacrwch yn cilio a rhyw harddwch llonydd yn dod yn ei le. Yn sydyn sylweddolaf mai cerflun ydyw o'm mam fy hunan. 3. *Y bore.* Myned i weled 'Genesis' eilwaith, ac er ei bod yr un fath â'r pnawn cynt, nid yw'n hagr mwyach. Gwelaf ynddi ymgorfforiad o fam ymhob oes o'r byd, y fam dragwyddol, ac yn y ddelw hon y mae holl hacrwch, trueni, mawredd, darostyngiad a goruchafiaeth y fam.

Yn ystod y misoedd y bu'r bardd wrthi'n cyfansoddi'i awdl ni wyrodd fawr ddim oddi wrth y cynllun hwn. Y crefftwr disgybledig ag ydoedd, fel pob crefftwr da, glynodd y saer geiriau wrth y plan, er bod yn y gwaith gorffenedig addurn-bethau manwl ac ambell ehediad rhethregol na ellir disgwyl eu gweld yn yr amlinelliad gwreiddiol.

Pan anfonodd y llythyr y dyfynnais ohono'n awr at Enid nid oedd, meddai, wedi ysgrifennu'r un sill o'i gerdd. Ei chynllun oedd ganddo, a dim arall. Er hyn, y mae'n siarsio Enid i beidio a sôn gair am ei fwriad wrth neb – 'rhag ofn imi ddechrau cyfansoddi'. Ar yr un gwynt y mae'n ei rhybuddio i beidio â hyderu gormod, 'rhag mai difancoll fydd tynged y cynllun hwn eto, fel llawer cynllun arall'.

Nid aeth i ddifancoll. Drwy'r hydref canlynol a'r gaeaf, aeth ati, gyda grym meddwl a graen awen angerddol a oedd ar yr un pryd yn dechnegol loyw, i gyflawni'i fwriad, a chreu, mewn hir-a-thoddeidiau gan mwyaf, awdl eithriadol bwerus ei myfyrdod a'i chynghanedd. Yn rhan agoriadol y Rhan Gyntaf dywedir yn glir mai cerflun o fam sydd yma, mam fawr hagr o farmor:

> Rhyw ddwylo a fu'n rhoi ar ddelw fynor
> Amwyll galedi, a'i chymell i gludo'r
> Trymfaich o ofid didor – heb egwyl,
> A gwelwi wrth ddisgwyl awr faith ei hesgor.

> Rhoi llun y maen ar wir ac anwiredd,
> A delw hagrwch i'r hen hudol lygredd;
> Rheibio a thrin taer obaith rhianedd,
> A cherfio i graig hoen a chrefu gwragedd;
> Ofnau'n rhwym dan fynor wedd, – cri a blys
> Ac enaid rhwyfus dan gnawd diryfedd.

Ar ôl iddo'i chreu, gadawodd y cerflunydd hi i sefyll mewn oriel lle mae'n destun dirmyg a gwawd y torfeydd a ddaw i syllu arni. Ond er mai mynor ydyw, y mae'n fyw – yn fyw i ymateb pobl iddi, ac i'w phrofiadau a'i dyheadau hi ei hun. Gan ei bod yn feichiog, rhaid ei bod wedi teimlo o leiaf unwaith gyffro serch. Do, ebe'r bardd, bu iddi garu – '[yng] ngwyll coedwigoedd' gyda llanc a ddisgrifir fel un 'lluniaidd eurwallt', llanc a addawodd bopeth iddi, ond llanc, o weld beth oedd canlyniad eu cydio, na ddaeth ar ei chyfyl byth mwy:

> Addo pob gwerth a'i nerth yn gynhorthwy,
> Asur a pherl, a sawr ei hoff arlwy,
> > Addo'i einioes, moes, a mwy; – ond o'i goed
> > Ni fyn oed â'i hanferthwch ofnadwy;

A hithau'n feichiog ac yn unig, yn gresynu'n gywilyddus at ei chyflwr, y mae'r bardd yn gofyn 'Ai dyma benllâd dyhead daear – | Clwyfo, ysigo, 'rôl anwes hygar?' Yn y tri hir-a-thoddaid sy'n dilyn pwysleisio y mae pa mor wahanol yw gwefr y goedwig gynt i drueni'r gell lle mae'n awr yn disgwyl ei thymp, a datgan pa mor dwyllodrus yw rhyw:

> Mae seirff yn cuddio dan liwiau'r blodau,
> Dreigiau'n sbïo pan yso gwefusau;
> Gewynnau, nerfau'n fyw o ystrywiau;
> Dewin yn llithio dan y llywethau
> A briw hir ochain yng nghwlwm breichiau;
> > Twyll sydd yng nghynllwyn gwaed dau – pan ferwo,
> > A than y gwingo, peth gwaeth nag angau.

Ar ddechrau Ail Ran yr awdl, y mae Dewin, a elwir hefyd yn Ŵr Trugarog, yn peri i'r ferch ddod yn fyw. O dderbyn y cynllun a amlinellodd Tomos, gwyddom mai breuddwydio y mae'r bardd yma, breuddwydio bod y ddelw farmor yn dod yn fyw ac yn cyfarch y plentyn sy'n ei chroth, plentyn y mae hi'n cymryd yn ganiataol mai mab ydyw. Mewn llythyr o esboniad ar yr awdl a ysgrifennodd at J. J. Williams, cynhyrchydd *Hedda Gabler* a oedd bellach yn Gyfarwyddwr Addysg Penbedw, llythyr dyddiedig yr 8fed o Chwefror 1933, dywed y bardd mai ef yw'r mab hwnnw: 'gweled a wneuthum fy mam fy hun cyn fy ngeni i, a dywaid hi am yr holl rinoedd a rydd imi.' Yn y darnau cywydd canlynol y fam ei hun sy'n rhestru'r rhinoedd y mae'n eu rhoi i'w mab.

Yn gyntaf, y mae'n rhoi iddo gariad at gelfyddyd, a gynrychiolir gan fiwsig:

> Gwn iaith wych y gân ni thau
> A phêr hoen offerynnau;
> A gwn wingo gan angerdd
> O wrando cur nodau cerdd.

Yr ail ddawn a rydd iddo yw'r ddawn i adnabod Natur yn ei mawredd arswydus, Natur a gynrychiolir yma gan y sêr:

> Adnabod syndod y sêr
> Ar daen dros yr hwyr dyner;
> Rhoi lloches i'r llu uchel
> Ym mhlygion y galon gêl . . .

Yn drydydd rhydd iddo'r ddawn i adnabod Natur yn ei heiddilwch hardd, dawn a gynrychiolir gan gariad at flodau:

> Rhos swil y drysi a welais
> Yn yfed gwlith haf di-glais;
> Yntau â'r petalau pêr
> Lle y'i denai llaw dyner.

Am fod y bardd wedi dysgu yn ei freuddwyd nad twyll mo serch ac mai ffordd y cread o gadw'n fyw bethau gorau'r ddynol ryw yw beichiogrwydd, wrth fynd i weld y cerflun eilwaith, yn y Drydedd Ran, y mae'n moli'r fam fynor am mai hi yw Rhoddwr Bod. A lle yn y caniad cyntaf y gofynnwyd yn ofidus ai clwyfo ac ysigo oedd '[p]enllâd dyhead daear', yn y caniad olaf hwn dywedir mai '[p]enllâd dyhead daear' yw'r 'Medi a dyfodd heb ddim edifar', sef yw hwnnw cynhaeaf cyfoethog ein dynoliaeth a'i doniau, na byddai dim ohono heb aberth a dioddefaint mam. Gan hynny, rhaid canmol a moli'r 'ferch gofidiau' sy'n fam:

Chwi feibion dynion, cyweiriwch dannau,
Uchel foeswch wych fawl o wefusau,
Dygwch bob glendid i ferch gofidiau
A rydd ei gwyn gnawd llathraidd i'w gynnau,
A'i henaid a'i chwyth yn fryd i chwithau;
    Gweriwch eich ynni gorau – a'ch tegwch,
Wrthi lleferwch hygarwch geiriau.

Y 3ydd o Fai anfonodd Tomos – *Mabon fab Modron* oedd ei ffugenw – y gwaith gorffenedig at Enid. 'Ddoe,' ebe fe wrthi, gyda mwy na chyff-yrddiad o ramant, 'pan oeddech chwi yn un ar hugain oed, mi orffennais yr awdl fondigrybwyll.'

Yn onest, nid wyf yn credu yr enilla. Ond waeth befo. Cefais lawer o bleser wrth ei llunio – un o'r ddau bleser puraf mewn bywyd; ac y mae gennyf y cysur ddarfod imi wneud yr hyn a geisiech chwi gennyf, a'r hyn y bu mam yn rhyw led ddisgwyl imi ei wneud ers talwm. Ond y mae yng Nghymru amryw feirdd a fedrai wneud gwell awdl, a gorau oll os gwnânt un bob un ar gyfer Port Talbot.

'Wel, diawcs, feder neb guro hon!' oedd barn Defis; 'eithriadol' oedd barn Enid. Ei thasg nesaf oedd pacio a phostio tri chopi ohoni at ysgrifennydd yr Eisteddfod. Ai am na fynnai i hwnnw weld marc post Bangor ar yr amlen y mynnodd Tomos ei bod yn cael ei hanfon o Gaerdydd? Neu a fynnai fod gan Enid ran yn y cystadlu? Un gofid a lechai yng nghornel ei feddwl oedd ei fod, efallai, wrth gystadlu mewn cystadleuaeth yr oedd un o'i gefndryd, T. H. Parry-Williams, yn ei beirniadu, yn gwneud rhywbeth na ddylsai. Dywedwyd droeon er 1932 iddo dorri un o reolau'r Eisteddfod wrth gystadlu o dan berthynas iddo. Tybed? Hyd y gwn i ni bu erioed reol o'r fath. Sut allai unrhyw swyddog eisteddfodol sicrhau nas torrid? A pha mor bell y diffiniai neb 'berthynas'? – i'r nawfed ach? Na, y chwithdod moesol o gael ei adnabod fel awdlwr cadeiriog yn ennill o dan ei gefnder a boenai Tomos. Ac eto, am iddo gael ei ysbrydoli gan brofiad cwbl ddiangof i gyfansoddi awdl y gwyddai fod camp arni – er a ddywedodd yn y llythyr uchod – ni allai ymatal rhag cystadlu.

Ni wyddai Parry-Williams mai ef oedd *Mabon fab Modron*. Yn ei ddiniweidrwydd, ac yn ei frwdaniaeth, pan alwodd Tomos gydag ef yn Aberystwyth ychydig cyn yr Eisteddfod, trafododd rai o'r awdlau gorau gydag ef. Dywed R. Gerallt Jones yn ei gofiant i Fardd Rhyd-ddu ei fod wedi darllen 'dyfyniadau o'i awdl ei hun iddo', gan roi'r argraff gref mai honno oedd yr awdl y dymunai weld ei gwobrwyo. Yr oedd rhywun yn y ffatri glecs yn Aberystwyth lle cynhyrchai Prosser Rhys *Y Faner* wedi cychwyn si mai Caradog Prichard oedd enillydd Cadair Aberafan, a dichon bod Parry-Williams wedi'i choelio.

Ond wrth gwrs yr oedd dau feirniad arall ar yr awdl – y Parchedig J. J. Williams, gweinidog gyda'r Annibynwyr yn Nhreforys ac awdur awdlau cadeiriog 'Y Lloer' a 'Ceiriog'; a'r Parchedig J. T. Jôb, enillydd tair cadair ac un goron Eisteddfodol, emynydd a gweinidog gyda'r Methodistiaid Calfinaidd yn Abergwaun. Yn eu beirniadaethau ysgrifenedig (a roddwyd, gyda llaw, yn anrheg i Syr Thomas Parry yn 1978 gan Brinley Richards a'u cadwasai er 1932: ef oedd Ysgrifennydd Pwyllgor Llên y Brifwyl honno) dywedodd J. J. Williams a Jôb mai *Mabon fab Modron* oedd crefftwr gloywaf a meddyliwr cryfaf y gystadleuaeth, bod 'ei fyd yn wahanol' i bawb arall ynddi, ac mai ef o bawb a drawodd 'y tant dyfnaf'. O'r ochr arall barnai'r ddau fod yr awdl mewn mannau yn aneglur. 'Braidd nad ydyw'n ormod o enigma, i'n bryd ni', ebe Jôb. Ac ebe J.J., 'Rhoddais oriau lawer i geisio'i deall, ond i ychydig bwrpas.' Er bod yn un o'r awdlau eraill a oedd o dan ystyriaeth – awdl y *Bardd Tir Coch* – ambell beth aneglur, ac er nad oedd y gystrawen ynddi yn gwbl foddhaol bob amser, y mae'n amlwg bod ei phwnc yn apelio llawer mwy atynt na phwnc Tomos. Lle ceir ganddo ef 'helyntoedd cythryblus y dyhead a'r nwydau rhywiol', gan y llall yr hyn a geir yw hiraeth dwfn o golli mam weddw – sef y teimladrwydd disgwyliedig gan ymgeisydd ar y testun 'Mam', yr union beth na fynnai Parry-Williams ei gael. 'Y perygl mawr i fardd wrth geisio canu ar y testun "Mam", meddai ef, 'ydyw mynd i sentimentaleiddio heb wybod iddo'i hun, canu meddal-deimlad personol sy'n ddigon cywir, efallai, – y peth a deimlir gan bawb.' 'I allu creu awenyddiaeth o destun fel hwn,' meddai ymhellach, gan arddangos crebwyll beirniadol dyfnach nag a feddai ei gyd-feirniaid, 'rhaid i ddyn (ac arfer paradocs) fynd yn rhywun heblaw ef ei hun, yn ddeoledig, a chadw ei hunaniaeth er hynny; ac y mae'r dyn wedi iddo ddyfod ato'i hun yn synnu a rhyfeddu ato'i hun am iddo weld yr hyn a welodd.' A dyna'r union beth a gafwyd gan Tomos.

Na, ni swynwyd Parry-Williams gan awdl *Bardd Tir Coch*. Awdl 'eisteddfodol' ydyw, meddai, o ran ei dull a'i hymdriniaeth, awdl ac ynddi lawer o linellau anghelfydd, ac awdl y mae'r syniad o fam ynddi yn troi'n bethau eraill hefyd. A chan fod 'ôl fforsio ar y cyfan' hawdd dweud nad 'ymennydd barddonol sydd wedi ei llunio'. Ond fel y gwelwyd eisoes canmolodd *Fabon fab Modron*, a'i ddeall, fel y dengys yr ymdriniaeth fanwl o dair rhan yr awdl a geir yn ei feirniadaeth ysgrifenedig. Deallodd fod y 'ferch feichiog wedi ei chloi yn y maen gan y cerflunydd' yn y Rhan Gyntaf, deallodd sut y rhoddodd y bardd allu iddi symud ac ymadroddi yn yr Ail, a deallodd 'y synfyfyrdod, mwy tosturiol, ar y ddelw' a geir yn y Drydedd. Deallodd hefyd arwyddocâd y ffugenw. Wrth drafod y darn yn yr Ail Ran lle mae'r fam yn cyfarch y mab sy'n ei chroth, dywed Parry-Williams fod y cyfarchiad hwn

> yn llawn o ryw fath o 'aneglurder', ond o'i ystyried fel *apostrophe* 'Modron' amhwyllig i'w 'Mabon' embryonig, gellid cyfreithloni'r elfen anghyffwrdd ac annelwig sydd ynddo, a barnu nad i'w ddeall (yn yr ystyr arferol) y bwriadwyd ef.

Yna, wrth gloi'i feirniadaeth, dywed mai 'merthyr yr oesoedd' yw Modron, hanfod y syniad o fam, 'y busnes geni sy'n gwneuthur mam'. Gan mor arbennig ydyw, at yr awdl hon y mae ei dynfa ef, meddai, 'ac yr wyf yn gobeithio (petai fater am hynny) mai dechreuwr ydyw yn ceisio ymgael â'i gelfyddyd'. Ni wyddai eto pwy oedd ei ddewis fardd.

Yr oedd ei gefnder hŷn yn gwybod. Yr oedd Tomos wedi hen ddweud wrth Williams Parry ei fod yn cystadlu, ac wedi dangos yr awdl iddo. Ddechrau Awst cyn mynd ar ei wyliau gyda'i wraig i'r garafán a oedd ganddynt yn y Cwm ger Llanferres siarsiodd Williams Parry Tomos i anfon telegram ato – telegram mewn côd – pan gâi air gan awdurdodau'r Eisteddfod i fynd i gyrchu'i wobr – 'sylwch mai "pan" a ddywedais nid "os".'

Os byddwch yn gyrru gwifr, beth am 'Have found rooms for you, – Tom'? Dyna yrroedd Alafon i mi [yn 1910]. Wedyn ceisiaf gael hyd i Wm John [Parri] i ddathlu'r fuddugoliaeth mewn modd teilwng.

Yr oedd Caradog Prichard yntau i fewn yn y gyfrinach (os gellir sôn am gyfrinach a dyn papur newydd yn yr un gwynt), am fod Tomos wedi anfon copi o'r awdl ato drwy'r post yr wythnos cyn yr Eisteddfod. Yn hwyr nos Fawrth wythnos yr Ŵyl ysgrifennodd Caradog lythyr at Tomos i ddiolch am gael ei gweld ac i ddweud gair amdani fel petai'n feirniad eisteddfodol. Brawddeg agoriadol y llythyr hwnnw yw: 'Byddwch yn gwybod, erbyn y cewch y tipyn llythyr hwn mae'n debig, mai'r Parch D. J. Davies, Capel Als, biau'r gadair eleni.' A dyma'r ail frawddeg, yn ddiebychnod: 'Nid af i estyn i chwi gysur Job na dim felly.' Am fod Caradog yn gwybod yr oedd 'yr offis' hefyd yn gwybod, sef offis y *Western Mail*, a chan ei thad pan ddaeth adref o'i waith, fore'r 2il o Awst, y cafodd Enid y newydd siomedig. Er, mewn gwirionedd, *cadarnhad* o'r hyn a ofnai'n barod oedd y newydd hwnnw. Rhaid bod Tomos rai wythnosau ynghynt wedi cael achlust o'r ffaith na fynnai J. J. Williams a Jôb wobrwyo *Mabon fab Modron*, a'i fod wedi dweud hynny wrth Enid, achos yn ei lythyr ato y 14eg o Orffennaf y mae'n dweud y buasai 'yn hoffi saethu Job a J. J. Williams. Os nad yw pobl felly'n gwybod . . . beth yw gwir farddoniaeth, nid ydynt yn ffit i feirniadu.' Noson y cadeirio ysgrifennodd Caradog ail lythyr at Tomos i ddweud wrtho ei fod wedi penderfynu 'gwneud defnydd' o'r copi o'r awdl a gawsai ganddo mewn colofn yn y *Western Mail* drannoeth. Yr oedd dyn y *Daily Express* wedi dweud wrtho ei fod yn sicr mai Tomos neu Gwenallt oedd 'Mr Modron Junior!', a chan fod hwnnw'n mynd i redeg y stori ni fynnai fod yn ail i bapurau Llundain.

Yng Ngwastad-faes y treuliodd Tomos y rhan fwyaf o'r haf hwnnw, 1932. Yn ystod mis Gorffennaf efallai ei bod yn drugaredd fod ganddo bapurau arholiadau'r Bwrdd Canol i'w marcio. Ddiwrnod cadeirio D. J. Davies, i Wastad-faes yr ysgrifennodd Williams Parry ei nodyn o siom o'i garafán, ac i Wastad-faes yr ysgrifennodd Enid o Gaerdydd – i ddweud, ymysg pethau pwysicach, mai ail gafodd hithau am ganu'r ffidil yn Aberafan. Cawsai gam gan Vincent Thomas. 'Wel, yr hen ddyn,' ebe Bardd yr Haf, 'faswn i ddim balchach ar gydymdeimlad, betawn i yn eich lle chwi heddiw. Nid gwrthrych cydymdeimlad ydych: ond camwri: anfwriadol wrth gwrs.'

A dyna un o dri pheth a gododd o'r dyfarniad dadleuol yn Aberafan – y farn bod Tomos Parry wedi cael cam. Mewn nodyn ato, y mae O. Llew Owain, golygydd *Y Genedl*, braidd yn ormodieithol yn dweud bod '*llu mawr* yn disgwyl y cyhoeddwch eich awdl . . . nid fel protest, ond fel trysor cenedlaethol.' Yr ail beth a gododd oedd fod llawer yn ystyried ei awdl yn un astrus, aneglur. Y trydydd oedd y gred ymysg nifer o bobl na ddylsai fod wedi cystadlu o dan Parry-Williams.

Yn union-syth, o fewn llai nag wythnos wedi'r Eisteddfod, er mawr lawenydd i Lew Owain a'i lu, yr oedd y gerdd ar goedd. Gyda'i frwdfrydedd llenyddol-fasnachol arferol, o dan imprint Gwasg Aberystwyth, cyhoeddodd E. Prosser Rhys lyfryn 32-tudalen o'r enw *Cerddi'r Lleiafrif*, sef awdl 'Mam' ynghyd â'r bryddest gan Amanwy ar y testun 'A Ddioddefws a Orfu' y dymunasai Cynan ei choroni yn Aberafan. O'u darllen, prin y dywedai neb deallus fod awdl D. J. Davies druan yn rhagori ar awdl Tomos (dywedaf *druan* am fod yr helynt wedi bwrw cwmwl ar hyfrydwch y fuddugoliaeth iddo ef). Cafodd Tomos negeseuon lu i'w longyfarch arni, gan gynnwys cyfarchion oddi wrth ei hen gyfaill W. Roger Hughes (yntau'n un o'r ymgeiswyr am y gadair), Ffransis G. Payne (gŵr y canmolodd Tomos erthygl ddiweddar ganddo yn *Y Llenor*), G. J. Williams (na ddeallai sut y gallai neb a chanddo wybodaeth 'am deithi barddoniaeth . . . [r]oddi'r flaenoriaeth i awdl Davies Llanelli'), a Phrifathro Bangor (yr hwn a'i canmolodd am 'waith gwych').

Ym marn rhai, un o'r rhesymau dros astrusi'r awdl oedd y ffaith fod Tomos 'wedi cymryd gwaith artistig arall yn symbol' (geiriau Caradog Prichard) – gwaith artistig arall a oedd yn ddieithr i'r rhan fwyaf o ddarllenwyr. Dyna gŵyn Gwenallt yntau. Mewn llythyr hanner-piwis a anfonodd at Tomos ganol Medi 1932 dywed mai'r anfantais o safbwynt y darllenydd cyffredin oedd bod y bardd wedi cael gweledigaeth ar weledigaeth artist arall, 'a'r perygl yw bod y ddwy yn cael eu cymysgu'. Datganiad disynnwyr yw hwn: onid yw'r darllenydd yn adnabod y gwaith y seiliwyd yr awdl arno, sut all ef wybod am ei 'weledigaeth', a sut all y weledigaeth honno fysgu gyda'r weledigaeth sy'n yr awdl? Yna, y mae Gwenallt yn datgan y 'dylai barddoniaeth fod yn eglur heb fod yn amlwg', datganiad beirniadol oraclaidd arall y mae ei sŵn yn felysach na'i synnwyr. Barn wrthwyneb a gafwyd gan T. Hudson-Williams, Athro Groeg Coleg y Gogledd, a ddywedodd wrth ei gyd-weithiwr iau fod cystal 'deunydd cân mewn gwaith llaw ag sydd yng nghreadigaeth Natur ei hun'. Diau i Tomos gael pleser a chysur o'r geiriau hyn:

> Ni allai dim ond delw gerfiedig fynegi eich syniad chwi. Gwelais rywun yn eich beio am ddewis peth wedi ei wneud gan gelfyddyd yn lle gwaith Natur, gan awgrymu mai rhywbeth i feirniad ac nid i fardd yw darlun gwych neu ddelw. Ond pa beth arall a allsai ddangos eich meddwl chwi, enaid cynhyrfus wedi ei gloi am byth mewn carreg oer? Oni chlywodd eich beirniaid am Keats a'i *Ode to a Grecian Urn* [sic] a'r llanc a'r eneth wedi eu gosod dan hud ar yr ystên brudd, 'nid byth y'i deil y llanc | ni ddianc hi' (neu rywbeth fel yna).

Ac yna, dyna fater Parry-Williams. Er na chafwyd dadl fawr ynghylch y peth ym Mangor yn 1931, cofier bod yr Athro yno yn un o'r tri a gadeiriodd Gwenallt, cyd-weithiwr iddo ar staff yr Adran Gymraeg yn Aberystwyth. A dyma fe yn 1932 yn pleidio cadeirio'i gefnder. Barn ddeublyg Iorwerth Peate am hyn oedd (1) bod 'colli dan fendith Parry-Williams yn well nag ennill dan fendith y ddau arall', ond (2) 'y bydd eich cefnder yn "ei dweud hi" am ei roi yn y fath gornel!' Yr oedd hwnnw'n un o'r pwyntiau a wnaeth y Dr Thomas Richards hefyd, mewn llythyr bachog at Tomos yn ei feio 'am rigymu awdl i'r genedlaethol ... yn dda, ond dim digon da' ac am 'achosi profedigaeth i T. H. P.-W.' Y bai mwyaf a welai Doc Tom arno yn yr holl firi oedd ci fod wedi *'dweud ei fod yn gwneud'* – hynny yw, wedi datgan ei ymgeisyddiaeth i'r byd: 'tric y felltith oedd *dweud* am y peth!' Pe na bai wedi dweud, wrth Enid, wrth Bob, wrth Garadog yn enwedig, a thrwy Garadog wrth y byd, ni fuasai neb yn gwybod mai ef oedd *Mabon fab Modron*. Gwir. Ond petasai wedi ennill, buasai ei enw'n swyddogol hysbys, ac fe'i cyhuddid o hyd o gystadlu o dan ei gefnder. Er hyn, nid oes dim dau na chafodd cerydd Doc Tom effaith ar Tomos, ac iddo ysgrifennu at Parry-Williams yn syth. Ddechrau'r wythnos ganlynol derbyniodd epistol bychan yn ôl, yn cynnwys y geiriau hyn:

> Yn gyntaf, llongyfarchiadau lawer; yn ail, 'Na thralloder eich calon.' Deallaf yn llwyr eich anawsterau a'ch ofnau ... Wel, ni freuddwydiais am eiliad eich bod i mewn. Credaf fod J. J. W. yn tybied yn weddol gadarn mai Gwenallt oedd *M. ap M.* (campus o ffugenw). Yn wir, Gwenallt ei hun a'm sicrhaodd ar y cae ar ôl y cadeirio yn P. T. [= Port Talbot] mai chwi oedd M. ap M. Ac ofnaf i mi ddywedyd (ynof fy hun efallai) 'A------ mawr! Lwc onide?' Ond ebwch syndod y foment oedd hynny, wrth gwrs.

'A[rglwydd] mawr! Lwc, onide?' Lwc na chafodd Tomos y gadair? Lwc na chafwyd achos i'w gyhuddo ef, Parry-Williams, o ddylanwadu ar y ddau feirniad arall i'w wobrwyo? Anodd meddwl na bu'r gwron teneugroen sensitif hwn, ar ôl ebychu syndod y foment, yn myfyrio ar y ffawd a'i rhoes yng nghanol y picil hwn – ac yn dwyn i gof efallai ei ymweliadau â'r Gwyndy gynt a Brynawel gerllaw lle gwelsai'r meddyliwr myfyrdodus a'r cynganeddwr crefftus y tro cyntaf erioed yn hogyn bach mewn trowsus byr nad oedd yn fygythiad i enw da neb. Yn gweld hefyd mai dyma'i ran o dan y nef, mai dyma un o'r pethau a roddwyd yn brofiad onid yn brofedigaeth iddo yn haf 1932. Beth bynnag a fu'n mynd drwy ei feddwl yn gyfrin, rhyddieithol ddigon oedd datganiadau Parry-Williams a'i gwestiynau gohebol. Ynghylch y dyfarniad, dywedodd wrth Tomos mewn llythyr y 9fed o Awst ei bod yn dda ganddo fod 'Celt' yn y *Liverpool Daily Post* yn cyd-weld ag ef. A gofynnodd, 'A ydych chwi wedi clywed barn *rhywun o bwys* ar y peth bellach?' Pan ddangosodd Tomos iddo'r llythyron a gawsai, rhai D. Emrys Evans a T. Hudson-Williams yn arbennig, dywedodd Parry-Williams ei bod yn wir dda ganddo fod 'gwŷr trwm' yn cyd-weld ag ef. Ynghylch yr helynt, 'Os gwn i beth a ddywed y "wlad" am y cyfan?' oedd ei gwestiwn yn Awst. Ganol Hydref, gyda'r gwastadrwydd hwnnw a oedd yn nodweddu'i bersonoliaeth gyhoeddus ond nid ei bersonoliaeth gudd, y mae'n dweud: 'Fe dawelodd pethau ar ôl P. Talbot yn gynt nag y tybiais'.

Cwestiwn olaf Parry-Williams yn llythyr y 13eg o Hydref yw: 'A yw'r berth yn dal i losgi tua Chaerdydd?' O, ydyw. Ac os yw'r berth yn llosgi gellir dweud bod y mymryn yn fflamio – yn dal i fflamio ynghylch yr hyn a ddigwyddasai yn Aberafan. Un Sul cyn y gaeaf yr oedd gan y Parchedig J. J. Williams gyhoeddiad i bregethu yn Ebeneser Caerdydd, a rhwng difrif a chwarae dywedodd Enid ei bod yn bwriadu codi ar ei thraed yn un o'r oedfeuon i brotestio yn erbyn y cam a gawsai Tomos ganddo. 'Yr unig beth a geisiaf gennych,' ebe'i chariad yn bwyllog, 'yw peidio â lladd J. J. A pheidiwch â dweud dim wrtho ar goedd y capel.' Yr oedd gan yr awdur anfuddugol awgrym gwell o lawer iawn:

Fy awgrym i yw ichwi gymryd darn hir o edau ddu, clymu tipyn o glwt bach du ar un pen iddo, a gwm ar hwnnw. Wedyn o'ch sêt y tu ôl i'r pregethwr, teflwch y clwt gymedig ar ei ben, gadewch bum munud iddo lynu, ac yna tynnwch yn araf ar yr edau, ac fe ddaw ei wallt i ffwrdd, achos wig sydd ganddo, meddant hwy. Dychmygwch yr helynt yn y capel wedyn!

Ni chanodd Tomos awdl arall. Caradog Prichard mewn cywydd a gyhoeddwyd yn *Tantalus* (1957) biau dweud:

> Onid 'Y Fam' yw dy fost?
> A gweddw yw honno, gwyddost.[4]

---

4 Ychydig fisoedd ar ôl hyn, yn un o eisteddfodau'r Urdd yng Nghaernarfon, enillodd Gruffudd Parry'r wobr gyntaf ar 'y gân ddisgrifio' – o dan feirniadaeth ei frawd Tomos. 'Yr oedd y mwnci bach wedi cynnig heb sôn gair,' ebe fe wrth Enid, 'ac wedi teipio'r gwaith rhag i'r beirniad adnabod ei law.' Ond yr oedd Jane Parry'n gwybod, a Miss Owen, yr athrawes Gymraeg yn Ysgol Pen-y-groes. Yn wir, Miss Owen a berswadiodd Gruffudd i gystadlu, 'oherwydd ni buasai hynny ond yr un peth yn hollol ag a [wnaeth ei frawd] ym Mhort Talbot'.

PENNOD 3

Tom a Thomas Parry

I. *BALEDI'R DDEUNAWFED GANRIF* A PHYNCIAU ERAILL

YR ENW Tom Parry a geir ar ddalen deitl *Saint Greal* (1933), fel wrth awdl 'Mam' yn *Cerddi'r Lleiafrif* (1932), a dyna'r enw a ddefnyddiaf wrth gyfeirio ato yn rhannau cyntaf y bennod newydd hon. Enw'r teulu a Charmel a John Gwilym arno oedd Tomos; at Tomos – weithiau Tom – y cyfeiriai Enid ei llythyron; a 'Tomos ac Enid' gyda'i gilydd sy'n cael amau athroniaeth ac arddull lenyddol John Gwilym yn *Y Goeden Eirin* (1946). Ond ni phrintiwyd yr enw hwnnw erioed wrth yr un o'i erthyglau na'i lyfrau. Tom Parry a luniai ambell golofn i'r *Ddolen* yn Llundain, i'r *Genedl* yng Nghaernarfon ac i'r *Western Mail* yng Nghaerdydd, a dyna'r enw sydd wrth y gyntaf o'i gyfrolau gwir arhosol, *Baledi'r Ddeunawfed Ganrif*, 1935.

Helaethiad yw'r gyfrol hon o'r darlithoedd cyhoeddus a draddododd yng Ngholeg Bangor ym mis Chwefror 1934, y Darlithoedd Cymraeg y gwrthododd Williams Parry wahoddiad y Prifathro i'w traddodi. Am iddo ef wrthod, dyma ofyn i'r cefnder iau, a derbyniwr oedd hwnnw nid gwrthodwr. Diau iddo ystyried ei bod yn anrhydedd cael eu traddodi y flwyddyn yr oedd y Coleg yn dathlu ei hanner canmlwyddiant. Ond ar ba bwnc y traethai? Yr oedd eisoes wedi dechrau casglu ei ddefnyddiau ar Ddafydd ap Gwilym, ac wrth ddilyn y gwaith hwnnw yr oedd wedi dechrau myfyrio ar ddatblygiad y cywydd a ddaeth yn brif fesur canu Dafydd, ac ar ddatblygiad y gynghanedd a ddaeth yn ei haeddfedrwydd i harddu'r cywydd – dau bwnc tra phwysig. Gan fod yr ail bwnc wedi aeddfedu, ar hwn y traethodd gyntaf, mewn erthygl o dan y teitl 'Twf

104

y Gynghanedd' a gyhoeddodd yn *Trafodion Anrhydeddus Gymdeithas y Cymmrodorion* yn 1937, erthygl yn olrhain y modd y cyfunwyd cyseinedd ac odl yng ngwaith y beirdd cynnar i ddatblygu'r 'gwahanol fathau o gynganeddion a ddaeth yn ddiweddarach yn anhepgor pob prydyddiaeth benceirddaidd'. Yn 1940 y cyhoeddodd ar 'Ddatblygiad y Cywydd', eto yn y *Trafodion*. Yn 1933–34, pan oedd gofyn iddo feddwl am bwnc i'r Darlithoedd Cymraeg, gan mai ymdrin â chrefft yn tyfu yr oeddynt, y mae'n fwy na thebyg iddo ddod i'r casgliad fod y rhain yn bynciau rhy dechnegol i ddifyrru cynulleidfa Neuadd Bowis. Dewisodd yn hytrach draethu ar brydyddion caeth diweddarach o dipyn na Dafydd, beirdd llai o lawer na ddalient gannwyll iddo ef, sef prydyddion o'r ail ganrif ar bymtheg a'r ddeunawfed ganrif a geisiai yn eu ffyrdd eu hunain gynnal o hyd hen draddodiad cerdd dafod. 'Y syniad efo'r darlithiau hyn,' ebe fe wrth Enid, y 5ed o Hydref 1933, 'yw gwneud llyfr ohonynt . . . Felly rhaid cael rhyw bwnc go newydd.'

Ie, pwnc go newydd. Y mae'n rhaid fod Tom Parry wedi penderfynu'n gynnar yn ei yrfa y ceisiai adnabod holl gyfnodau hanes ein llên. Yn ddeg ar hugain oed yr oedd wedi traethu mwy nag ychydig ar lenyddiaeth pob cyfnod, o'r Hengerdd hyd at gynnyrch diweddaraf y dydd, ac wedi gwneud hynny'n raenus. Ar ôl i Saunders Lewis ddarllen ei sylwadau ar y nofel *Monica* yn *Yr Efrydydd* ddechrau 1931 ysgrifennodd ato i ddweud mai dyna'r unig adolygiad yn ystyr lythrennol y gair – 'golwg fel golwg yr awdur ar ei waith' – a gawsai o gwbl. Ni wyddys a ymatebodd yr awdur i adolygiad Tom Parry o'r *Braslun o Hanes Llenyddiaeth Gymraeg: Y Gyfrol Gyntaf: hyd at 1535* (1932) a gyhoeddwyd yn un o rifynnau'r *Traethodydd* yn 1933, ond dengys hwn eto sicrwydd barn ysgolheigaidd ac agwedd iach at feddylfryd anghonfensiynol Saunders Lewis. Y mae'n agor yr adolygiad drwy ddweud na fedd neb yr hawl i amau 'gweledigaeth bersonol' Saunders Lewis yr artist creadigol, 'ond pan dry'r bardd yn athronydd, ac yna yn hanesydd llên fel yn y llyfr hwn, y mae haerllugrwydd ffeithiau yn mynnu ymyrryd'. Y mae'n gwrthod thesis Saunders Lewis mai Platoniaeth Gristionogol yw sylfaen canu Beirdd yr Uchelwyr ('telerau eu bywyd a'u bwyd a barai i'r beirdd ganu eu delfryd', ebr ef), fel y mae'n gwrthod y ddamcaniaeth mai gan Einion Offeiriad y cawsant yr athoniaeth honno ac mai ef a ddiogelodd draddodiad y beirdd (ni ddysgodd Einion ddim iddynt, ebe Tom Parry). At hynny, y mae'n gwadu mai 'athroniaeth newydd Rhydychen' a roes i Siôn Cent ei syniadau ('yma eto rhaid imi ddweud na chredaf yn yr angen am athroniaeth'). Ond y mae'n canmol pennod Saunders Lewis ar ryddiaith y cyfnod, a'r bennod ar y 'ganrif fawr'. Ac er 'pob anghytuno' y mae'n diolch am y llyfr ac yn erfyn am ragor:

Gresyn na bai mwy o destunau safonol wedi eu cyhoeddi, inni gael mwy o weledigaeth Mr. Lewis arnynt. Ac yn hyn o beth, dichon iddo godi'n rhy fore. Eithr dyna, yn ôl Abad Glynegwestl, fai Owain Glyndŵr yntau, ac y mae hwnnw'n arwr cenedlaethol.

Ar gyfer Darlithoedd Cymraeg Bangor penderfynodd Tom Parry, fel rhyw arloeswr beirniadol, fynd i'r canrifoedd modern cynnar. 'Nid ymchwil am ffeithiau a dyddiadau mo'r drafodaeth,' ebe fe yn y rhagair i *Baledi'r Ddeunawfed Ganrif*, 'eithr yn hytrach ymgais i ddarganfod lle'r baledi yng ngwead y traddodiad barddol.' (Noder bod yr enw *baledi* yn derm a ddefnyddid i ddisgrifio cerddi'n trafod digwyddiadau a phrofiadau o bob math.) Trafodaeth feirniadol sydd ganddo, wedi'i seilio, wrth gwrs, ar astudiaeth fanwl. Yn ystod yr amser a dreuliodd yn paratoi'r darlithoedd hyn, darllenodd y farddoniaeth a geir yn llyfrau diweddar T. H. Parry-Williams, *Llawysgrif Richard Morris o Gerddi, &c.*, (1931) a *Canu Rhydd Cynnar* (1932), astudiodd gynnwys *Blodeugerdd y Cymry* (1759) Dafydd Jones Trefriw, porodd yn yr Almanaciau, bu'n ddwfn yn Llawysgrif Bangor 33, cafodd fenthyg *scrap-book* o eiddo Bob Owen Croesor, darllenodd Ddyddiaduron William Bulkeley, Brynddu, Môn, a Llythyron y Morrisiaid. Er mwyn adnabod Cymru'r cyfnod darllenodd lyfrau taith Henry Skrine ac S. J. Pratt. Lluniodd nodiadau manwl ar nifer o feirdd unigol. Ac yn arweiniad beirniadol ar y farddoniaeth dewisodd *The Popular Ballad* (1907) Francis B.

Gummere, prif bwynt yr hwn yw bod pob barddoniaeth yn dechrau mewn cân, a *Form and Style in Poetry* (1928) W. P. Ker, a wyddai ddigon am y Cymry i fedru dweud mai *courtly*, cwrtais a llysol, oedd eu chwaeth farddonol, a'u bod yn gwerthfawrogi 'the tricks of verse, the elaborate rules of alliteration and internal rhyme' – hynny yw, union nodweddion barddoniaeth gaeth.

Yn ystod yr haf a thrwy dymor y Nadolig 1933 y gweithiodd ar y darlithoedd. Erbyn diwedd Tachwedd yr oedd yn barod i ddechrau eu hysgrifennu. Dywedodd ar y pryd mai llunio 'rhyw fras nodiadau i gynorthwyo'r cof' y byddai – '"o'r frest" y siaradaf' – ond diau iddo yn y man gofio bod Williams Parry wedi dweud mai dim ond gwynt a ddaw o'r frest, ac erbyn dechrau'r flwyddyn fe'u hysgrifennodd bob un. Y 5ed o Chwefror 1935, flwyddyn union ar ôl iddo'u traddodi i gynulleidfa dra gwerthfawrogol o'i gamp, yr oedd wedi gorffen ei lyfr arnynt. Rhan fawr o hyfrydwch y llyfr hwnnw yw ei fod yn darllen mor rhwydd. Y mae'r awdur yn traethu fel un a ddaethai i adnabod y beirdd mor dda fel ei fod yn deall eu bwriadau; y mae'n traethu hefyd fel petai'r croeswyntoedd diwylliannol a ddaethai o Loegr i ddylanwadu arnynt hwy wedi dylanwadu arno yntau. Drwyddo i gyd y mae bwrlwm meddwl a choethder mynegiant beirniad da o Gymro, yn ymddwyn fel tirfeddiannwr a brynodd ystad newydd ac sy'n awr yn ymhyfrydu yn ei ddolydd llydanwedd.

Ym mhen blaen *Baledi'r Ddeunawfed Ganrif* y neges yw bod y prif ddysgedigion Cymraeg, Lewis Morris a'i frodyr a'i ddisgyblion, wedi ymagweddu at feirdd bas yr oes gyda chymysgedd 'o ddirmyg a thosturi a rhyw oddefgarwch ffroenuchel' am fod ganddynt 'eu syniad sefydlog parthed hanfodion llên' ac am ei bod 'mor amlwg â'r haul iddynt hwy nad prydyddiaeth' mo'r cerddi newydd a gyfansoddid gan eu cyfoedion. Yna â rhagddo i enwi'r cyfoedion hynny, gwerinwyr bron bob un yn gweithio wrth grefft – Hugh Lloyd yn wŷdd, Ellis Roberts yn gowper, Twm o'r Nant yn gariwr coed, ac yn y blaen – dynion yn hanu gan mwyaf o ran arbennig o'r wlad, 'y pedwar dyffryn, Dyffryn Conwy,

Edeirnion, Dyffryn Clwyd a Dyffryn Llangollen, a'u hystlysau'. Yr oedd rhai o'r prydyddion y darllenodd Tom Parry eu gwaith wrth baratoi'r darlithoedd yn dod o'r de, ond am eu bod yn canu'n ddigynghanedd ni fynnai mo'u trin. Y cerddi a'i diddorai oedd y cynganeddol diddanol-ddigrif a chrefyddol ar fesurau poblogaidd, cerddi a luniwyd gan werinwyr i ddifyrru ac i ddysgu'r bobl gyffredin. O Loegr y cafwyd llawer o'u patrymau, ond er mai Seisnig oedd y dylanwad pennaf arnynt dangosodd Tom Parry fod 'ynddynt weddillion hen lenyddiaeth y gwledydd oll'. Eithr ei bwynt mawr oedd bod cysylltiad cryf iawn rhwng y cerddi hyn a'r hen draddodiad barddol Cymreig.

Yn y bennod olaf un, 'Y Canu Caeth Newydd', y trafodir y cysylltiad hwnnw, ond dywedir wrth y darllenydd mor gynnar â thudalen 25 mai un o ddibenion y llyfr yw 'dangos mai ailgreu'r gorffennol, eithr mewn amgylchiadau anffafriol, a wnâi'r baledwyr'. Sut? Beth oedd nodweddion y creu a'r ail-greu hwnnw? Yn gyntaf, myn yr awdur mai beirdd yn dibynnu ar eu cymdeithas oedd Beirdd yr Uchelwyr gynt, ac mai beirdd eu cymdeithas oedd y baledwyr hwythau – beirdd wrth grefft yn ewyllysio llunio cân i'w chyhoeddi yn union 'fel petai dyn [arall] yn penderfynu mynd i blygu gwrych neu ganu piano neu ysgrifennu llythyr'. Dynion oeddynt a oedd wedi etifeddu stoc o syniadau eu cymdeithas ac a welai'n dda eu rhoi yn ôl iddi ar fydr mewn modd difyr, cofiadwy. 'Yr ail nodwedd ar brydyddiaeth gymdeithasol ymhob oes yw ei bod o dipyn i beth yn meithrin cywreinrwydd ffurf.' Fel y mae Tom Parry yn ystyried bod 'Huw Morus yn yr ail ganrif ar bymtheg yn gwneud yr un peth ag a wnaeth Dafydd ap Gwilym yn y bedwaredd ar ddeg' – sef 'rhoi i'r gynghanedd ei lle mewn mesurau neilltuol' – felly y mae'n ystyried bod cywyddwyr oes Tudur Aled yn cynrychioli uchafbwynt datblygiad y gynghanedd yn yr Oesoedd Canol a bod baledwyr y ddeunawfed ganrif 'yn cynrychioli uchafbwynt yr ail gyfnod caeth'. Yn ei farn ef, eu canu caeth hwy 'oedd ymgais olaf y traddodiad cymdeithasol cynhenid i fyw, y gwingo cyn dyfod angau'.

Ym mhennod olaf ond un *Baledi'r Ddeunawfed Ganrif* ceir trafodaeth ar agwedd y cyfnod modern cynnar at yr hen ganu caeth, trafodaeth yn yr hon y mae Tom Parry yn llym ei lach ar Ellis Wynne o'r Lasynys – am ei fod, yn ei farn ef, yn ddirmygus o 'bopeth llenyddol a hen'. I Ellis Wynne, meddai, yn un o'i wirebau cryfion, 'nid yw'r diwylliant Cymreig ond rhan o'r negyddol mawr'. Ond yr oedd eraill a syniai yn wahanol am y diwylliant hwnnw, pobl a fawrygai'r hen feirdd, ac a geisiai ganu yn eu dull, Lewis Hopcyn, er enghraifft (er ei fod o'r de), ac o'r gogledd, ganrif yn ddiweddarach, Twm o'r Nant. Er cyfaddef bod iaith cywyddau Twm yn 'fregus ddigon', ei gynganeddion yn 'anghywir droeon', 'y meddwl yn denau, a'r mynegiant yn llafurus', myn Tom Parry weld drwy'r ffaeleddau hyn 'lawer arwydd' o'u tras uchel. Y frawddeg fwyaf Saundersaidd a luniodd ef erioed yw hon ar ddiwedd un Pennod V *Baledi'r Ddeunawfed Ganrif*: 'Yn 1810 y bu farw'r olaf o feirdd yr uchelwyr, yr olaf o'r beirdd cymdeithasol, a Thwm o'r Nant oedd hwnnw, er amled y dywedir mai bardd y werin oedd.'

Er bod yr awdur (yn fy marn i) yn estyn tipyn o elastig i wneud y gymhariaeth rhwng beirdd y cyfnod modern cynnar a Beirdd yr Uchelwyr, cafodd y llyfr dderbyniad da iawn, am ei fod yn cynnig golwg newydd ar farddoniaeth weddol anghyfarwydd ac am y gallai pawb a'i darllenai 'ymglywed â'r hyn a alwai Emrys ap Iwan yn Gymraeg Cymreig'. Yn wir, byddai darnau ohono'n cymryd eu lle'n rhwydd mewn detholiad o ryddiaith orau'r Gymraeg fodern. Ddiwedd 1935, cyhoeddodd Idris Ll. Foster, a oedd newydd orffen fel myfyriwr ym Mangor, adolygiad arno yn *Y Brython*, a thua'r un pryd, yn rhifyn XIV *Y Llenor*, cyhoeddodd G. J. Williams adolygiad haeddiannol hael, nodweddiadol wybodus, arno. Fel Foster, rhoes G. J. Williams ganmoliaeth neilltuol i'r ddwy bennod olaf, ond gan ddewis anghytuno â'r driniaeth o Ellis Wynne. Ym mis Hydref derbyniodd Tom Parry lythyr oddi wrth H. Idris Bell, ceidwad un o adrannau'r Amgueddfa Brydeinig yn Llundain, ysgolhaig a ymddiddorai'n arw mewn llenyddiaeth Gymraeg, a ddywedodd wrtho ei fod wedi darllen y llyfr ar daith trên o Rufain i Baris – 'or rather such parts of it as were not light enough to watch the ever-changing beauty of the landscape' – ac wedi mwynhau pob tudalen ohono. Nid mor ddiamod y pleser a gafodd Iorwerth Peate o un o is-adrannau yr Amgueddfa Genedlaethol yng Nghaerdydd. Er iddo gael 'llawer iawn o fwynhad' o'r llyfr, mynnodd Peate godi dadl ar nifer o bwyntiau – er enghraifft, ar diffiniad Tom Parry o'r werin, ar ei honiad fod y werin yn cadw yn hytrach nag yn creu, ac ar union natur y *vers libre* – pwyntiau a atebwyd o Fangor gydag awch.

Defnydd y beirdd newydd o gynghanedd ar fesurau benthyg yw gwrthrych mawl llyfr 1935. Fel y mae'n digwydd, y flwyddyn honno dyfarnwyd Cadair yr Eisteddfod Genedlaethol yng Nghaernarfon am gerdd *vers libre* ar gynghanedd, ond nid enillodd na'i ffurf na'i chynnwys fawl Tom Parry. Ni allai weld sut y gallai neb alw cerdd fel honno'n awdl, ac yn ei golofn yn y *Western Mail* gofynnodd ym mhle 'y mae'r sawl a fyn warchod y traddodiad?' Y gŵr ifanc dwy ar hugain oed E. Gwyndaf Evans a gadeiriwyd, o dan feirniadaeth neb llai na T. Gwynn Jones (ffaith na châi neb a siaradai â'r bardd hyd yn oed ddeugain mlynedd yn ddiweddarach mo'i hanghofio). Yn ei groendeneurwydd ni faddeuodd Gwyndaf i Tomos Parry ei feirniadaeth, ac ni faddeuodd Tom Parry iddo yntau ei groendeneurwydd.

Yn ogystal â thraethu ar feirdd eraill, hen a newydd, dangosodd y gallai ef ei hun lunio penillion pert. Wrth gynllunio'i *Six Welsh Oxen Songs*, 1937, i Tom y gofynnodd Grace Williams lunio penillion ychwanegol i'r rhai gwreiddiol yr oedd hi wedi'u rhoi ar gerdd, er mai gogleddwr ydoedd – gogleddwr a oedd ers blynyddoedd wedi dynwared acen ddeheuol Picton Davies, a'i cyflwynodd y tro cyntaf i Grace Williams. Yr un flwyddyn cyhoeddodd Gwasg y Brifysgol ei gyfieithiad 'Yr Alarch Gwyn' i fiwsig Orlando Gibbons, a'r flwyddyn ganlynol ei gyfieithiad 'Geneth, pan welwyf i y Rhos' i gerddoriaeth fadrigal John Wilbye. Yr unfed ganrif ar bymtheg biau'r geiriau gwreiddiol Saesneg, ac y mae'n werth argraffu'r diweddariad ohonynt er mwyn gwerthfawrogi crefft y cyfieithydd yn eu trosi. Dyma'r gwreiddiol:

Lady, when I behold the roses sprouting,

Which, clad in damask mantles, deck the arbours,

And then behold your lips, where sweet love harbours,

Mine eyes present me with a double, double doubting,

For viewing both alike, hardly my mind supposes:

Whether the roses be your lips, or your lips the roses.

A dyma Gymreigiad Tom Parry (noder nad *your lips* a geir ganddo ond *dy rudd*):

Geneth, pan welwyf fi y rhos yn tarddu,

Yn hyfryd yn eu mentyll sidan hyblyg,

Ac yna gweld dy rudd, a serch i'w harddu,

Fe ddaw i'm meddwl i ryw amau, amau dyblyg;

O'u gweled hwy ynghyd nid hawdd yw gwybod wedyn:

P'run ai y rhosyn yw dy rudd, ai dy rudd yw'r rhosyn.

Yr oedd ym Mangor yn awr ddarlithydd ifanc a allai, petai raid, ddarlithio'n awdurdodol ac yn olau, yn feirniadol ac yn ddifyr, ar Aneirin ar ddydd Llun, ar ryddiaith yr Oesoedd Canol drannoeth, ar Dudur Aled drennydd, ar Ddafydd Jones Trefriw neu ar Dribannau Morgannwg dradwy, ac ar nofelau diweddar ar ddydd Gwener – ffenomen gymharol ddieithr ym myd ysgolheictod y Gymraeg. Gwir fod W. J. Gruffydd yng Nghaerdydd yn ehangfryd ei wybodaeth a'i ddiléit, ond nid oedd ef yn llefarydd deniadol – i'r gwrthwyneb; ac wrth gwrs yr oedd Saunders Lewis yn Abertawe yntau'n rhychwantu'r canrifoedd, ond prin fod ganddo'r cyffyrddiad gwerinaidd ynghyd â'r urddas swynol a nodweddai draethu Tom Parry. Y mae'r myfyrwyr a glywodd Tom Parry'n darlithio sydd o hyd yn fyw yn dal na chlywsant neb tebyg iddo am urddas ac eglurder deniadol ei draethu.

Ei eglurder dengar a'i barodrwydd i annerch cynulleidfa anacademaidd yn ddiau a barodd i'r BBC ofyn iddo yn 1935 baratoi darlithoedd radio ar gyfer plant ysgol, ac yna yn 1936 am sgriptiau ar 'Y Llenor a'i

Gefndir' ar gyfer oedolion. Ar gyfer yr ysgolion lluniodd ddarlithoedd ar gysylltiadau llenyddol dwsin o froydd yn ne a gogledd Cymru, darlithoedd a gyhoeddwyd yn union-syth wedyn yng nghyfrolau VIII a IX *Yr Athro*, cylchgrawn graenus Undeb Athrawon Cymru a olygid gan W. I. Jones o Ysgol Uwchraddol Gerddi Howard, Caerdydd. Yn y gyntaf o'r sgyrsiau a gyhoeddwyd yno, 'Bro Goronwy', y mae'r darlithydd yn adleisio un peth a ddywedodd yn *Baledi'r Ddeunawfed Ganrif*, sef mai Goronwy Owen a'r Morrisiaid a achubodd lenyddiaeth Cymru yn y cyfnod hwnnw. Yn y sgyrsiau eraill ceir pethau mwy newydd. Y mae mwy na thraean y sgwrs ar 'Gwm Rhondda' yn trafod y pontydd a gododd y gweinidog Annibynnol William Edwards ar draws afon Taf ym Mhont-y-pridd. Yna y mae'r darlithydd yn mynd 'mewn difri i fyny'r cwm, sy'n un llinyn o dai, a mwg y gweithfeydd glo'n codi i'r awyr. Lle diramant, medd pobl y Gogledd. Nid dyma'r lle i fagu beirdd a chantorion a phobl felly.' 'Ond peidiwch â gwrando arnynt,' ebe'r gŵr o Garmel. Tyn sylw at un bardd yn enwedig, sef at Ben Bowen, er mai 'ychydig iawn a ysgrifennwyd ganddo y buasai plant yn eu deall'. Yn Ninbych, er nodi mai enw'r bryn y cododd Edward y Cyntaf ei gastell arno a gymerodd y bardd a'r beirniad Caledfryn, y 'dyn mawr ac ardderchog' Thomas Gee sy'n cael ei sylw pennaf. Ac yn Llandeilo Fawr a'r Cylch, er cyfeirio at fuddugoliaeth Dafydd ab Edmwnd yn aildrefnu'r hen fesurau Cymraeg yn eisteddfod enwog Rhys ap Thomas yng Nghaerfyrddin, llenorion Saesneg sy'n denu'i fryd: John Dyer, awdur 'Grongar Hill', a Jeremy Taylor, a luniodd y ddau lyfr *The Rule and Exercises of Holy Living* (1650) a *Rule and Exercises of Holy Dying* (1651) yn ystod y cyfnod y bu'n trigo yn y Gelli Aur. Noda hefyd fod Ellis Wynne wedi cyfieithu'r naill o dan y teitl *Rheol Buchedd Sanctaidd*, ac i wneud iawn megis am ei sylwadau arno yn llyfr y *Baledi* dywed na 'bu neb erioed yn medru ysgrifennu'r iaith Gymraeg yn well nag Ellis Wynne'.

Ym misoedd cyntaf 1936 y darlithydd ifanc dihafal hwn a gywirodd broflenni *Traed Mewn Cyffion*, a enillodd i Kate Roberts y wobr gyntaf ar y cyd â Grace Wynne-Griffith yng nghystadleuaeth y nofel yn Eisteddfod

Genedlaethol Castell Nedd o dan feirniadaeth Thomas Richards ddwy flynedd ynghynt. (Ychydig fisoedd cyn yr Eisteddfod honno ysgrifennodd Kate Roberts at Tom Parry i ofyn a wyddai beth oedd barn Richards amdani!) Ef hefyd a olygodd un o nofelau Daniel Owen, *Gwen Tomos: Merch y Wernddu*, ar gyfer argraffiad newydd Hughes a'i Fab yn 1937. Hyd y gwyddys, ni newidiodd ddim ar nofel Kate Roberts. Ond gyda golwg ar *Gwen Tomos*, yn ogystal â chywiro'r orgraff a pharagraffu'n fwy rhesymol a rheolaidd na'r awdur, ar arch y cyhoeddwyr gollyngodd o'r testun lawer iawn o'r darnau myfyrdodus hynny sy'n rhoi min a sylwedd i sylwadau Daniel Owen ar ei fyd a'i bethau. Fel gyda'r *Saint Greal* ychydig flynyddoedd ynghynt canolbwyntio ar y stori y mae ei fersiwn ef o'r nofel. Purion iddo wneud hynny gyda'i gyfansoddiad ei hun. Eithr am fod syniadau barnol Daniel Owen a chryn dipyn o'i watwareg ddoeth – hynny yw, llawer o'i sylwadau difrifol ac ysmala ar fywyd – yn cael mynegiant yn y mannau hynny yn ei nofelau lle y mae'r stori megis yn myned i gilfan i orffwys dro, amhriodol hollol oedd ei olygu fel hyn. Ie, gwneud job o waith, cyflawni comisiwn, yr oedd Tom Parry wrth ei docio, ond y mae'r feri ffaith iddo dderbyn y comisiwn arbennig hwnnw yn dangos unwaith yn rhagor na roddai'r pwys dyladwy ar athronyddu.

Yr oedd yn dal i ymhél â phrydyddu. Canai ambell delyneg ac ambell soned i'w ddifyrru ei hun yn bennaf. Cododd Bethan Parri Evans i'w thraethawd MPhil sypyn piwr ohonynt a gadwyd, rhai yn llaw Enid, rhai yn llaw'r bardd ei hun, mewn llyfrau copi sydd bellach ym meddiant Mrs Kit Parry a'r teulu. Nid yw'r telynegion i'w cymharu gyda rhigymau Parry-Williams a thelynegion Williams Parry nac o ran gwreiddioldeb arddull na miniogrwydd meddwl, ac nid yw'r sonedau yn ffit i fod yn yr un ystafell â'u sonedau gogoneddus hwy. Er hynny, y maent yn tystio i awydd Tom Parry i greu. Mwy cofiadwy, mwy crafog, a mwy treiddgar yw gweithiau fel y gadwyn o ddwsin o englynion 'Marwnad beirdd heddiw' a luniodd ar y cyd â Roger Hughes ac R. Meirion Roberts yn 1936. Englynion chwareus ydynt, ond y maent yn feirniadaethau cryno o gynnyrch beirdd y genhedlaeth a'r hanner cenhedlaeth o'u blaen; y maent tua'r diwedd hefyd yn awgrymu bod hyd yn oed beirdd cenhedlaeth Tom Parry yn ymdeimlo â phwysau'r cewri hyn arnynt. Dyma flas arnynt:

Hedd i Ruffydd ŵr hoffus – a'i gethin
Frygowthan gorgraffus,
Daeth y gair, diwetha' gwŷs,
Droi hwn o "hud yr ynys."

I Ynys Afallon lonydd – aeth Gwynn,
Aeth ei gerdd yn efrydd;
Tros y don troes dihenydd,
"A bwlch ni ddengys lle bydd."

Ni bydd gwobr ond bedd gwyw – i Gynan
A'i ganu ond lledfyw;
Uwch ei fedd y daw heddyw
"Nico bach" yn eco byw.

Eco o'r Sowth fydd Crwys weithian – "a'i fethel
A'i fwthyn" yn simsan;
Uwch y llwch bydd "cloch y llan"
A thenciw'n sŵn ei thincian . . .

Hyn yw'r diwedd rhyfeddaf – i giwed
Y ffug awen lartsiaf;
Mwy, er eu bri, O mor braf
Rhoi'n "cewri" i'w tranc araf.

II. O BENYBERTH I'R RHYFEL

Ym Medi 1936 llosgwyd rhai o adeiladau'r Ysgol Fomio arfaethedig ym Mhenyberth yn Llŷn, gweithred a arweiniodd at garcharu Saunders Lewis, Lewis Valentine a D. J. Williams. Er bod ganddo ran yn sefydlu cangen Coleg Bangor yn y dauddegau, erbyn y tridegau nid oedd Tom Parry yn amlwg yng ngweithgareddau'r Blaid Genedlaethol. Yr unig gyfeiriad at weithredu drosti a welais yn ei lythyron at Enid yw hwnnw ynghylch mynd â rhai o genedlaetholwyr y Coleg yn ei gar un dydd Sadwrn i werthu'r *Ddraig Goch* ar strydoedd Llanrwst. *Chauffeura* yn unig a wnaeth. Ar ôl gollwng yr hogiau yn y dref, gyrrodd yn ei flaen i Fryneglwys ger Corwen i ymweld â W. Roger Hughes a'i deulu, a'u codi eilwaith ddiwedd y prynhawn. Ond tarfodd diswyddiad Saunders Lewis o Goleg Abertawe yn Chwefror 1937 arno'n enbyd, fel y tarfodd ar lawer o bobl eraill drwy'r wlad, a thorrodd ei enw ar lythyr a anfonwyd at Gyngor y Coleg i bwyso arno i newid ei feddwl. Yn Awst 1937 yr oedd yn un o'r 'nifer arbennig o wŷr a gwragedd' amlwg eu cydymdeimlad y ceisiodd O. M. Roberts ganddynt gyfrannu at gronfa o '£350 y flwyddyn hon' i gynnal Saunders Lewis a'i deulu.

Nid oedd pawb mor gydymdeimladol. O blith cyfeillion a chydnabod Tom Parry, y casaf ei lach ar y darlithydd diarddeledig oedd Iorwerth Peate, a fuasai'n fychanus o Saunders Lewis ers o leiaf 1931 pan luniodd adolygiad ffiaidd ar *Monica*. Y mae'n ymddangos mai eilio gelyniaeth ysbeidiol ei arwr mawr W. J. Gruffydd at Saunders Lewis yr oedd Peate, ac fel llawer eilydd aeth â'i elyniaeth i eithafion. Mewn llythyr dyddiedig yr 28ain o Ebrill 1937 dywedodd wrth Tom Parry ei fod yn synnu iddo arwyddo'r llythyr at Gyngor Coleg Abertawe. At hynny dywedodd ei fod o'r farn na fyddai colli Saunders Lewis 'o Gymru yn unrhyw golled i'n llenyddiaeth na'n beirniadaeth', ac at hynny eto 'y byddai llawer mwy o lewyrch ar y Blaid fel mudiad ysgubol petai S. L. yn Timbuctu'. Yn wir, ebe fe, '*purge* bendithiol' fydd ei fyned o'i swydd. Y mae llythyr ateb Tom Parry at Peate yn pwysleisio mawredd Saunders Lewis fel llenor a beirniad a pha mor anfad ac anfoesol oedd dedfryd cynghorwyr ei goleg arno.

Dau arall nad oeddent yn cydymdeimlo â Saunders Lewis oedd ei bennaeth adran yn Abertawe, Henry Lewis, ac Ifor Williams, pennaeth adran Tom Parry ym Mangor – a phennaeth adran Robert Williams Parry, wrth gwrs, a oedd yn ferw gwyllt o blaid gweithredu dros Saunders. Nid oedd y naill Athro na'r llall erioed wedi ymylu ar ymuno â'r Blaid Genedlaethol, nid oedd gan y naill na'r llall awydd i fod yn ddynion cyhoeddus o fath yn y byd y tu allan i'w colegau a'u capeli, ac ni symudodd hyd yn oed ysgelerder Penyberth hwy i amau awdurdodaeth y wladwriaeth na'r sefydliadau y perthynent iddi. Pan bwysodd rhai cenedlaetholwyr ar Ifor Williams i godi mater diswyddiad Saunders Lewis yn Llys Prifysgol Cymru, gwrthododd – a blotio'i gopi yn bur ddrwg gyda rhai o'i fyfyrwyr o'r herwydd. Ond chwarae teg i Tom Parry. Fel y safodd i fyny dros Saunders Lewis yn erbyn datganiadau maleisus a ffôl Iorwerth Peate, felly y safodd i fyny dros Ifor Williams. 'Pam gofyn i Ifor rhagor nag i eraill?' gofynnodd. 'Tric cas ydoedd' i'w ddal, ac yna'i ddifenwi. Yr oedd achos Saunders Lewis, ebe fe, 'yn fater yn ymwneud ag Adran ei gyfaill gorau ac yn fater nad oedd ganddo unrhyw gydymdeimlad ag ef'.

Yn ystod 1937 cafwyd cythrwfl arall, lled-gysylltiedig â Phenyberth, cythrwfl y tro hwn ynghylch dewis Ardalydd Londonderry yn un o Lywyddion Eisteddfod Genedlaethol Machynlleth. Gŵr â'i wreiddiau yn Sir Drefaldwyn oedd Londonderry, gŵr a ddaeth yn amlwg yng ngwleidyddiaeth y dydd hwnnw fel un o Weinidogion Rhyfel y llywodraeth a fynnodd godi Ysgol Fomio Penyberth. Gan mai ef oedd perchennog y tir y cynhelid yr Eisteddfod arno, a chan nad oedd unrhyw reol yn gwahardd siarad Saesneg o'i lwyfan, diau y credai'r swyddogion lleol mai mater o gwrteisi oedd anrhydeddu'r tirfeddiannwr teitlog. Y 31ain o Ionawr 1937 y mae W. J. Gruffydd mewn llythyr at Tom Parry yn dweud bod pedwar a oedd wedi cytuno i feirniadu ym Machynlleth wedi penderfynu ymddiswyddo 'fel protest yn erbyn penodi Saeson' – ef ei hun, Iorwerth Peate, Cassie Davies, a Mary Davies (ei feistres, er na nododd hynny). Ymhen yr wythnos yr oedd Tom Parry hefyd wedi ymddiswyddo o fod yn un o feirniaid yr awdl. Yr 11eg o Chwefror ysgrifennodd y Dr J. C. Ashton, Cadeirydd Pwyllgor Gwaith Machynlleth, ato, gan ddweud ei fod yn deall oddi wrth ysgrif Saesneg gan Meuryn yn y *Manchester Guardian* y diwrnod cynt 'fod rhyw ddrwg mawr ar gerdded', a'i fod yn pryderu bod y beirniaid 'sydd yn perthyn i'r Blaid Genedlaethol yn *sicr* o ddifetha y rhan Lenyddol o'r Eisteddfod'. Taerodd Gruffydd nad oedd a wnelo'i brotest ef ddim â'r Blaid Genedlaethol. Felly Tom Parry, na wyddai, meddai, a oedd 'yn rheolaidd yn perthyn i'r Blaid honno ai peidio erbyn hyn'. Wrth ateb y Dr Ashton dywedodd ei fod yn synnu na soniodd yn ei lythyr air am 'yr Iarll L.' [*sic*] –

Fy safle i yn syml yw hyn: y mae'n gas gennyf ryfel; y mae'n gas gennyf y dull mwyaf barbaraidd o ryfela, sef bomio o'r awyr; y mae'n gas gennyf bawb sy'n cefnogi'r barbareiddiwch hwnnw, a'r casaf o bawb gennyf yw'r gŵr a safodd gerbron cenhedloedd y byd i rwystro gwneud bomio o'r awyr yn anghyfreithlon. Pan yw Pwyllgor Eisteddfod Genedlaethol Cymru yn gwneud y Sais hwn (ofer sôn am gysylltiadau Cymreig ei nain, a rhyw lol felly) yn Llywydd un o'i chyfarfodydd, mae fy ngydwybod yn gwahardd imi wneud dim â'r Eisteddfod honno.

Un o ganlyniadau'r brotest hon oedd mabwysiadu'r Rheol Gymraeg i'r Eisteddfod. Er nas gweithredwyd tan 1950, ym mlwyddyn Eisteddfod Machynlleth y'i pasiwyd. Y peth mwyaf a rwystrodd ei gweithrediad cyn hynny oedd yr Ail Ryfel Byd, rhyfel a wrthwynebodd Tom Parry yn chwyrn. Pan dorrodd allan, gŵr pymtheg ar hugain mlwydd oed oedd ef, ac nid oedd tebygrwydd y pryd hwnnw y gelwid ar ddynion o'i oed ef i ymrestru. Ond penderfynodd yn gynnar wneud cais am gael ei gofrestru'n wrthwynebydd cydwybodol. Gerbron y Tribiwnlys a eisteddai o dan gadeiryddiaeth Ei Anrhydedd y Barnwr H. Walter

Samuel yng Nghaernarfon dywedodd: 'Ymddengys i mi fod ymwrthod
â rhyfel yn beth mor naturiol i'r neb a gais weithredu egwyddorion
Cristionogaeth, fel mai afraid ymhelaethu llawer i egluro fy safbwynt.'
Llwyddodd gyda'i gais a chafodd ganiatâd i barhau gyda'i waith yn y
Coleg.[5]

III. CYDOLYGU *COFION CYMRU*

Y flwyddyn ar ôl Eisteddfod helyntus Machynlleth, derbyniodd Tom
Parry wahoddiad Thomas Bassett o Hughes a'i Fab i olygu, ar y cyd ag
E. Curig Davies, gweinidog Annibynnol Pendref Bangor a Salem Hirael,
Gwybod: Llyfr y Bachgen a'r Eneth. Dymuniad Bassett oedd cyhoeddi
misolyn uchelgeisiol gloyw-wych ei wedd a fyddai, gobeithio, yn rhoi i
blant Cymru y math o wybodaeth arhosol a geid mewn cyhoeddiadau
addysgiadol tebyg yn Saesneg. Y mae'r rhifynnau o *Gwybod* a gyhoedd-
wyd rhwng Rhagfyr 1938 a Thachwedd 1939 yn cynnwys ysgrifau ar
bopeth o ryfeddodau'r cread i hanes Cymru; lluniau o weithiau Botticelli
a Giotto, Burne-Jones a Millais; cwpwrdd cornel yn llawn o chwaraeon a

---

5   Gan fod adroddiad uchod am Iorwerth Peate yn ymfalchïo yn niswyddiad Saunders
Lewis, cystal nodi yn y fan hon iddo ef yn 1941 gael ei ddiswyddo gan yr Amgueddfa
Genedlaethol am gyfnod, am iddo ddefnyddio'r sefydliad 'i osgoi gwasanaeth milwrol'
(ys mynnai'r awdurdodau). Ceir ei fersiwn ef o'r achos yn ei hunangofiant, *Rhwng Dau
Fyd*, 1976. Yr hyn *na* ddywed yno yw ei fod yn ystod ei drafferthion wedi crefu ar lawer
o'i gyfeillion a'i gydnabod, Ifor Williams, R. T. Jenkins a Tom Parry yn eu plith, i wrth-
wynebu penderfyniad yr Amgueddfa i'w ddiswyddo, sef i wneud yr union beth a gon-
demniodd yn achos S. L. yng Ngholeg Abertawe. Lle gynt y gwelai fod Ifor Williams yn
llygad ei le yn peidio â chodi mater S. L. yn Llys y Brifysgol, y mae'n awr yn cwyno wrth
T. P. mewn llythyr dyddiedig y 23ain o Fedi 1941 nad oedd Ifor hyd yn oed wedi mynychu
cyfarfod arbennig o Lys yr Amgueddfa 'er ei fod wedi cael adroddiad y Pwyllgor Brys ac
yn gwybod oddi wrth hwnnw mai eu bwriad oedd fy nghicio allan'. O leiaf yr oedd gan
Peate ddigon o ras i ddweud hefyd wrth T. P.: 'Cadwch hyn i chwi'ch hun a pheidiwch â
sôn gair wrth [Ifor].'

phosau; bywgraffiadau o ddynion mawr y byd, o Socrates a Chystennin Fawr hyd at Ieuan Gwynedd a J. C. Pattison; adran wyddonol o'r enw 'Sut a Phaham?'; disgrifiadau o offer cerdd; mapiau; diagramau; ac yn y blaen. Ni nodir pwy yw awdur unrhyw eitem, ond y tu fewn i glawr y gyfrol rwymedig o'r deuddeg rhifyn a gaed (cynhyrchu pedair cyfrol oedd y bwriad gwreiddiol) enwir yr awduron a fu'n cynorthwyo'r gol-ygyddion. Yn eu plith y mae eu gwragedd Enid Parry ac Enid Curig Davies, y Parchedig T. Eirug Davies, W. Mitford Davies, J. O. Williams (Bethesda), C. H. Leonard (Ysgol Sir Pen-y-groes), R. Elfyn Hughes, y Parchedig Gwilym Davies, Brynmor Davies a J. Anthony Thomas. Prin y cyhoeddwyd na chynt na chwedyn gylchgrawn mwy sylweddol-ddifyr ei gynnwys na chylchgrawn mwy deniadol ei weddluniad i blant Cymru, ond efallai ei fod braidd yn rhy soffistigedig i ddarllenwyr nad oeddynt yn gyfarwydd â chyhoeddiadau Arthur Mee yn Lloegr. Dyna pam, efallai, nad oedd y gefnogaeth a gafodd, o leiaf ar y dechrau, cystal â'r disgwyl, ond yr oedd 'argoelion y gellid mentro ymlaen', ebe'r golygyddion – tan y daeth y 'Rhyfel a'i amodau caethiwus i dagu ein gobeithion'.

Y mae'r ffaith iddo ymgymryd â'r gwaith hwn ar ben ei waith darlithio ac ymchwilio unwaith yn rhagor yn tystio i'r ffaith nad oedd yng nghyfansoddiad Tom Parry yr un asgwrn diog. Prin y gallai neb, hyd yn oed efe, hyd yn oed efe ar y cyd ag E. Curig Davies, olygu *Gwybod* fel hobi rhwng brecwast a the ddeg. Y mae ôl myfyrio mawr a chynllunio manwl ar y cylchgrawn, a graen ar bopeth ynddo, ar arddull ei Gymraeg fel ar linelliad ei luniadau.

Fel pe na bai'r gwaith hwnnw'n ddigon o waith ychwanegol iddo, yn 1938 yr oedd Tom Parry hefyd yn arloeswr radio. Yn ystod y flwyddyn honno y cadeiriodd y gyfres gyntaf o *Ymryson y Beirdd* i Sam Jones. Ei ddiddordeb mewn addysg a'i ddiddordeb yn y mesurau caeth a'r cynganeddion, a'i gas at anghywirdeb, a barodd iddo – eto yn y flwyddyn honno – lunio adolygiad llym i rifyn y 3ydd o Ragfyr o'r *Western Mail* ar *Odl a Chynghanedd* gan Dewi Emrys (David Emrys James), y lluniwyd rhagair iddo gan neb llai na Thomas Gwynn Jones. Gwelodd Tom

Parry rai pethau da yn y llyfr – a nifer o bethau cyfeiliornus, y barnodd fod yn rhaid iddo dynnu sylw atynt, am fod y gwaith wedi'i fwriadu 'ar gyfer ysgolion a dosbarthiadau'. Bwriodd iddi'n o arw. Dywedodd, er enghraifft, fod dull yr awdur o ddosbarthu'r pedair cynghanedd 'yn gwbl anwyddonol (er gwaethaf Rhagair Dr. Gwynn Jones), ac yn dueddol o beri mwy o drafferth nag o help i'r dysgwr'. Wrth drafod 'Gwant a Rhagwant', lle gwelir yr awdur 'yn pechu mwyaf yn erbyn y goleuni', dywedodd iddo fynd yn groes i'r *Pum Llyfr Cerddwriaeth*, un o ramadegau mawr Beirdd yr Uchelwyr, gan drin Simwnt Fychan fel petai'n 'rhyw gono ceidwadol a dibwys yn gwrthod symud gyda'r oes. Tybed nad yw Simwnt a John Morris Jones gyda'i gilydd yn ddigon o awdurdod i Mr. James?' Bwriodd iddi mor arw fel y penderfynodd Dewi Emrys, na fedrai dderbyn beirniadaeth, yn enwedig gan ysgolhaig, ei ateb. Ond nid amddiffyniad o'i lyfr oedd yr ateb hwnnw, eithr ymosodiad personol ar yr adolygydd, a gyhoeddwyd nid yn y *Western Mail* ond yn *Y Cymro*, yr 28ain o Ionawr 1939. A oedd y *Western Mail* wedi gwrthod ei gyhoeddi, tybed? 'Tipyn o gamp,' ebe Dewi Emrys, 'yw bod yn awdurdod ar *un* peth. Ond y mae Mr. Tom Parry wedi mynd yn awdurdod ar *bopeth* – y stori fer, y ddrama, gwyddoniaeth, hanes, a holl gynhyrchion yr Eisteddfod Genedlaethol.' 'Y mae gan y Sais', meddai wedyn, 'air da am y gŵr hwnnw a'i dewis ei hun yn awdurdod ar bob dim mewn celfyddyd heb fedru amlygu ei gymhwyster yn ei waith ei hun. Y gair hwnnw yw *charlatan*.' Ac fel pe na bai hynny o anair yn ddigon, dywed ymhellach nad rhyfedd fod Tom Parry 'a'i glic bach yn canu cymaint ar glychau ei gilydd. Ni siaradant yn eu cynhyrchion.'

Gwir nad oedd yr adolygydd yn fardd lluosog ei awdlau a'i bryddestau fel Dewi Emrys ei hun (awdl Dewi, gyda llaw, a ddyfarnwyd yn drydedd yn Aberafan yn 1932), a gwir ei fod yn awdurdodi ar lawer pwnc yn ei faes llydanwedd ei hun, ond prin ei fod yn ymhonnwr o fath yn y byd. Yma, yn syml, onid beirniad oedd – beirniad o ddyn diwyd dysgedig diflewyn-ar-dafod y troai llawer ato yn y sicrwydd y byddai'n cyflawni'n gydwybodol bob tasg a roddid iddo? Yn hynny o beth, oedd, yr oedd *yn* ddyn yn siarad yn ei gynnyrch, boed y cynnyrch hwnnw'n erthygl braff ar 'Sir Gaernarfon a Llenyddiaeth Gymraeg' yn *Trafodion Hanes* ei sir enedigol, yn ysgrif yn *Gwybod*, neu yn adolygiad ar lyfr gwallus ar y cynganeddion.

Gweithgarwch misoedd cyntaf yr Ail Ryfel Byd oedd golygu *Gwybod* a thynnu blewyn o drwyn Dewi Emrys. Gerbron y Tribiwnlys yng Nghaernarfon, pan gafodd ganiatâd i gofrestru fel heddychwr, dywedodd Tom Parry y byddai'n barod i wneud pob peth a allai i leddfu trueni'r miloedd a oedd yn dioddef 'yn anhaeddiannol yn yr adfyd presennol'. Fel y gwelir yn y man, fe wnaeth hynny. Ond ceisiodd hefyd ddylanwadu ar fechgyn ifainc i beidio ag ymuno â'r lluoedd arfog, a chefnogi'r rheini a wnaeth safiad yn erbyn y rhyfel. Ef a olygodd y degfed o Bamffledi Heddychwyr Cymru, pamffledi yr oedd Gwynfor Evans yn bennaf cyfrifol am eu comisiynu a'u dosbarthu. Llyfryn deuddeg ar hugain o ddudalennau bychain yw *Tystiolaeth y Tadau*, pamffledyn Tom Parry, a rannwyd yn bedair rhan o dan y penawdau 'Dyn a Chyd-ddyn', 'Rhyfel', 'Heddwch' ac 'Ymwared'. Ym mhob rhan yr hyn a geir yw darn o farddoniaeth neu ryddiaith ar y pwnc dan sylw – rhai darnau a dynnwyd o'r Oesoedd Canol o farddoniaeth Tudur Aled a Siôn Cent, rhai o weithiau Morgan Llwyd, Morgan John Rhys, John Jones Glan-y-gors a Iolo Morganwg o'r canrifoedd modern cynnar, Gwilym Hiraethog a John Jones Tal-y-sarn a chryn sypyn o waith Samuel Roberts Llanbryn-mair o'r bedwaredd ganrif ar bymtheg, a dyfyniadau niferus o'r *Deyrnas*, y cyfnodolyn a wrthwynebai'r Rhyfel Mawr genhedlaeth ynghynt. Yn 1942 y cyhoeddwyd ef.

Er mis Ebrill 1941 bu Tom Parry ar y cyd â Chynan yn golygu misolyn o'r enw *Cofion Cymru at ei Phlant ar Wasgar*, papur a gynhyrchid yn rhad ac am ddim er budd y gwŷr a'r merched ifainc o Gymru benbaladr a wasanaethai yn y lluoedd arfog yn Lloegr neu dros y dŵr. Yn symbolau o'r Gymru benbaladr honno ceir ar un ochr i *masthead* y papur lun o Dyddewi ac ar y llall lun o Eryri. Y Gynhadledd Genedlaethol er Diogelu Diwylliant Cymru, Undeb Cymru Fydd wedyn, a gafodd y syniad o gynhyrchu'r *Cofion*, a hynny fel 'dolen ymarferol' rhwng y gwasgaredig rai a'u mamwlad. Y mae'r rhestr o enwau a dorrwyd wrth y genadwri arbennig sy'n diffinio diben y *Cofion* ar ei ddalen-flaen gyntaf yn rhestr bwerus o brif swyddogion y rhan fwyaf o sefydliadau'r Hen Wlad, yn bawb o C. A. Green, Archesgob Cymru, hyd at Syr Wynn Wheldon, cyn-Gofrestrydd Coleg Bangor ac Ysgrifennydd Adran Gymreig y Bwrdd Addysg. Ond y gŵr a yrrai'r fenter ragorol hon yn ei blaen, y gŵr a grynhoai'r Pwyllgor Golygyddol ynghyd yn ystafell R. T. Jenkins yng Ngholeg Bangor, y gŵr a sicrhâi gyflenwadau o bapur *newsprint* mewn cyfnod o ddygn angen, y gŵr a ofalai am faich mawr yr ochr fasnachol, a'r gŵr a drefnai gylchredeg y papur drwy ei ddosbarthu i gapeli ac eglwysi'r Cymry ar wasgar neu ei bostio i bellafoedd, oedd yr arwrol ymarferol D. R. Hughes. Yn 1939, ar ôl treulio deugain a phump o flynyddoedd yn Llundain yn gweithio i gwmni United Dairies ac yn cyfrannu'n helaeth i fywyd crefyddol a diwylliadol Cymry Llundain, yr oedd wedi ymddeol i Fae Colwyn. *Fixer* glân oedd D. R. Hughes, y math o ddyn y byddai Cymru'n well ei byd petai wedi magu cant tebyg iddo. Ef oedd un o symbylwyr y cais i godi'r gofgolofn i Eifion Wyn yr aeth Tomos â'i fam a'i frawd iau i wylied ei dadorchuddio yn Chwilog yn 1934 (buasai'r bardd yn athro arno); ef oedd un o brif gynhalwyr eisteddfodau a chapeli Cymry Llundain; yr oedd yn gynheilydd hefyd i'r *Ddolen*, eu papur newydd achlysurol. Yn 1935 cafodd ei ethol i olynu Syr Vincent Evans fel Ysgrifennydd Cyffredinol Cymdeithas yr Eisteddfod Genedlaethol, ac yn y man yn gyd-Ysgrifennydd Llys yr Eisteddfod gyda Chynan.

Hwn, ynteu, y ceir ei enw wrth y papur fel ei gyhoeddwr, a wnaeth yn siŵr nad syniad marw-anedig oedd y *Cofion*. Y mae ei gynnwys yn tystio i'r ffaith mai papur i bobl y Pethe ydoedd yn bennaf – ac wrth nodi hynny rhaid cofio bod llawer mwy o Gymry yn bobl y Pethe yn 1941 nag yn ein hoes ni – papur yr oedd ei rifyn cyntaf, fel pob rhifyn ar ei ôl, yn cynnwys detholion o lenyddiaeth Cymru Fu a gweithiau llenyddol newydd. Cynhwysai hefyd golofn o newyddion eclectig a roid at ei gilydd gan Owen Picton Davies (yn cynnwys y ffaith fod y Parchedig D. Tecwyn Evans 'yn ymddeol eleni' a'i bod yn ganmlwyddiant marw John Elias ac yn ganmlwyddiant geni Dr Joseph Parry), storïau doniol, cerddi digrif, a chystadleuaeth. Yn rhifyn Ebrill 1941 cynrychiolid llenyddiaeth Cymru Fu gan ddarn allan o *Y Pentre Gwyn* gan Anthropos ac englynion gan Galedfryn a Robert ab Gwilym Ddu. Yn newydd neu'n weddol newydd ceir stori o'r enw 'Clecs' gan T. Hughes Jones; myfyrdod byr ar 'Beth yw Crefydd?' gan J. Morgan Jones, Coleg Bala-Bangor, a oedd ar y Pwyllgor Golygyddol; a limrigau gan Idwal Jones, W. R. Evans a W. D. Williams. Rhyw Babell Lên mewn print oedd y *Cofion*, yn sylweddol ac ysgafnfryd ar yn ail.

Yr oedd y rhifyn cyntaf mor boblogaidd fel y bu'n rhaid argraffu deuddeng mil o gopïau o'r ail rifyn, ac yr oedd milwyr lawer na chawsant afael arno eisiau gwybod sut i'w gael. Un milwr a ysgrifennodd at Tom Parry oedd y Corporal David Jenkins, Hull Camp, Thornton, myfyriwr ymchwil 'a geisiodd ddirwyn ychydig ar hanes Dafydd ap Gwilym' gynt: yn wir, pan ddaethai'r myfyriwr hwnnw ar ryw berwyl ymchwil i Lyfrgell Coleg Bangor yn niwedd y tridegau Tom Parry a gyfarfu ag ef yn yr orsaf ac a'i hebryngodd i'r llety a sicrhawyd iddo gan y Dr Thomas Richards. Ac nid gan filwyr yn unig y caed llythyron. Cafodd golygyddion *Cofion Cymru* lythyron hefyd gan lyfrwerthwyr yn holi a ellid cael copïau i'r cyhoedd. Gellid, am ddwy geiniog. Cymaint mwy wedyn oedd llwyddiant yr ail rifyn fel yr argraffwyd pymtheng mil o gopïau o'r trydydd. Rhaid bod y fformiwla y trawodd Tom Parry a Chynan arni wedi taro i'r dim. Wele yn y trydydd rhifyn hwn lythyron gan rai o'r milwyr a derbyniodd y rhifyn cyntaf a'i fwynhau, a 'Llythyr oddi wrth Twm o'r Nant o Fro'r Cysgodion' (o waith Tom Parry ei hun, tybed?). Fel yr âi'r misoedd yn eu blaen, denid mwy a mwy o awduron amlycaf a difyrraf y Gymru oedd ohoni i gyfrannu iddo, yn eu plith W. Ambrose Bebb, Elfed, Dyfnallt, John Aelod Jones, I. D. Hooson, Gwynfor a Gwynfor Evans, J. E. Meredith, Thomas Richards ac Ifor Williams, oll yn cyfrannu mewn modd a oedd yn cadw at y patrwm o gyfraniadau a sefydlwyd o'r dechrau un. Y mae'r stori 'Y Cap Sowldiwr' gan Alun T. Lewis yn y pedwerydd rhifyn yn amserol o berthnasol, fel y mae truth ar 'Addysg Gymraeg yn y Lluoedd Arfog'. Prin y cafwyd dim difyrrach yn rhifyn 17, Medi 1942, nag englynion W. D. Williams, awenydd ffraethaf Bangor gynt, i'r 'Hogia'. Wele ddau o'r chwech, yn troi hiraeth yn ddoniolwch a doniolwch yn ddisgwyliad:

> Mae'r hen Bob yn Nairobi, – Huw a Rhys
> Yn yr Aifft yn pobi;
> Sam El ym mro Somali,
> Now Rhyd Sarn yn y Red Sea.

> Ninnau yn Llan-y-mynydd – yn holi
> Am eu helynt beunydd;
> O, na ddôi yn fuan ddydd
> Y gwelem bawb ein gilydd.

Yn y rhifyn olynol cyhoeddwyd eisteddfod flynyddol gyntaf y *Cofion*, a'r mis Mawrth canlynol, ar ôl rhoi digon o amser i'r cynhyrchion gyrraedd o bedwar ban byd, cyhoeddwyd enwau a chyfansoddiadau'r buddugwyr. Felly y bu bob Hydref a Mawrth wedyn, a gwŷr a gwragedd amlwg yn beirniadu, un flwyddyn Williams Parry yn beirniadu'r soned, Caradog Prichard y delyneg, D. J. Williams yr ysgrif, R. T. Jenkins y traethawd, ac Enid Parry y gystadleuaeth cyfansoddi alaw. Yn rhifyn Ebrill 1943 y mae H. W. J. Trawsfynydd yn canu i'r 'Genod' fel y canodd W. D. o'r blaen i'r 'Hogia':

> Rhai'n y WAAF, rhai'n y NAAFI, – ac amryw
> A gymrwyd i'r Navy;
> Ym mhob ffarm mae land army,
> Pwt o WREN yw Nenn ni.

Ebrill arall, ac y mae Tom Parry yn rhoi'r gorau i fod yn gyd-olygydd. Ond parhau y mae llwyddiant y papur. Yn Ebrill 1945 dywed y cydolygyddion newydd, Cynan a Bebb a J. H. Williams Llanberis, i rifyn cyntaf y *Cofion* gael ei argraffu 'fel antur ffyddiog . . . a hynny heb geiniog mewn llaw'. Ond yn ystod y pedair blynedd a aeth heibio 'cododd y cylchrediad o 4,000 i 28,000 ac erbyn heddiw nid rhaid pryderu am gefnogaeth – ariannol nac arall'. Ni ddywedir yn unlle pwy oedd yn ei ariannu, ond gellir bwrw amcan fod D. R. Hughes wedi perswadio rhai o'i gydnabod ym myd masnach i'w noddi. Yr argraffydd a fu'n gyfrifol am bob rhifyn tan rifyn Ionawr 1945 oedd yr hen gyfaill John Hwfa Thomas, Porthaethwy a Bangor, printar *Hedda Gabler* gynt. O hynny ymlaen, Evans a'i Fab, Gwasg y Brython, Lerpwl, a'i printiodd. Er i'r rhyfel yn Ewrop ddod i ben yn ddiweddarach yn 1945, mynd rhagddo a wnaeth y *Cofion* tan fis Mehefin 1946, pan gyhoeddwyd yr ail rifyn a thrigain. Yn hwnnw ceir llythyron gwerthfawrogol gan y Gwilym Prys Davies a'r Dillwyn Miles ifainc, y ddau'n dweud mai'r 'rhagoraf o bob balm' oddi cartref oedd derbyn y papur i'w dwylo. Ond y *pièce de résistance* yn y rhifyn olaf hwn yw'r ganig a roddodd Cynan yng ngenau milwr o Gymro, canig o'r enw 'Y Ddau Binacl'. Dyma'i phennill cyntaf:

> Pan welais gynta'r 'Cofion'
>   A minnau 'mhell o dre
> – Tŷ Ddewi ar yr aswy,
>   Eryri ar y dde –
> Gwelais binaclau heulog
>   Y wlad sydd imi'n fam,
> – A thros y mil filltiroedd
>   Y rhoes fy nghalon lam.

Yn ogystal â gwneud ei ran fawr yn comisiynu, yn casglu ac yn golygu'r deunydd ar gyfer y *Cofion* bob mis drwy flynyddoedd canol y Rhyfel, rhwng 1943 a 1945 gweithiodd Tom Parry ei siâr ar gyfres o lyfrynnau a gyhoeddwyd fel 'Cyfres "Y Cofion"', sef pum *Llyfr Anrheg i Blant Cymru ar Wasgar*, y dosbarthwyd 25,000 o gopïau o bob un ohonynt i dderbynwyr y papur. Detholion o gerddi a rhyddiaith ac emynau yw'r tri chyntaf, math o almanac yw'r pedwerydd, a chasgliad o storïau yw'r olaf. A marchogion yr un ford gron, Tom Parry a Chynan ac R. T. Jenkins, nid hwyrach ar arch D. R. Hughes unwaith yn rhagor, a fu'n gyfrifol yn 1943 am baratoi llyfryn ar hanes a seremonïaeth *Eisteddfod y Cymry*, sefydliad y llwyr ddiwygiwyd ei reolaeth a'i drefn yn niwedd y tridegau, ond a gornelwyd i neuaddau mewn trefi a phentrefi drwy gyfnod y Rhyfel ac a gynhaliwyd unwaith fel Eisteddfod Radio yn unig. Pan gynhaliwyd hi ym Mangor yn 1943 yr oedd gan y Parrïaid rannau ynddi: Tom oedd yn beirniadu'r delyneg, a chyfieithodd Enid 'Emyn Mawl' Mendelssohn o'r Almaeneg i'r Gymraeg. Dywedodd y *Western Mail* drannoeth perfformio'r oratorio fod y geiriau newydd nid yn unig wedi rhoi rhyw ffresni iddi ond eu bod hefyd wedi'i gwneud hi'n haws i'r gynulleidfa werthfawrogi ei grym a'i phrydferthwch.

Tan i'r Ail Ryfel Byd dorri allan, yr oedd Tom Parry, ac Enid yn aml iawn gydag ef, bob gwyliau yn crwydo'r llyfrgelloedd i ddarllen a chopïo gwaith Dafydd ap Gwilym. Ond o ddiwedd haf 1939 ymlaen rhoes dogni petrol a chau'r llyfrgelloedd ac amgylchiadau yn gyffredinol stop ar hynny. Er nad oedd Tom Parry, ddim mwy na neb arall, yn gwbl ddisymud, am na thybiai fod llawer o ddiben i'w gadw a phetrol wedi'i ddogni, gwerthodd ei gar, a phrynodd bob o feic iddo ef a'i wraig, beiciau y byddent yn eu marchogaeth cyn belled â Charmel uchel. 'Pam na ddowch chwi i fyny 'ma yr wythnos hon?' ebe Robert Williams Parry ar gerdyn post o Goetmor: 'Fe wna nos Fercher y tro yn burion os bydd yn braf ichwi seiclo, a chewch olau lloer ar y ffordd yn ôl.' Yng ngolau'r haul, rhoddai Tom sylw mawr i'r ardd sylweddol a oedd ym Mheniarth. Yng ngwanwyn 1941 gwnaeth gynllun pensil-ac-inc manwl ac artistig o'r drefn y dymunai ei rhoi ar ei phedair rhan, gan enwi pob llysieuyn a gwreiddlysieuyn y bwriadai ei blannu yn rhes ar ôl rhes. Os plannodd y gwanwyn hwnnw hanner yr hyn sydd yn y plan, yr oedd ganddo erbyn yr haf ddigon o datws a rwdins i fwydo Bangor Uchaf, a chidnabêns a nionod ddigon i'w clymu wrth far ei feic i'w gludo i Fardd yr Haf a'i wraig a hanner Bethesda gael swpera'n harti arnynt. Os

126

oedd yn feistr garddwriaethol, nid oedd mor ffetus gyda simneiau. Pan fethodd Enid â dod o hyd i swîp, pwy a ddaeth i Lôn Meirion i helpu ond Dafydd Ap-Thomas y darlithydd mewn Hebraeg, gŵr ifanc enwog am ei ddeheurwydd gyda phob math o declynnau. Ond torrodd coes ei frwsh yn un o'r simneiau, a bu Ap-Thomas a gŵr y tŷ wrthi am oriau yn ceisio'i gael yn rhydd. R. J. Jones, gweinidog Minny Street Caerdydd, a gyhoeddodd ar gân:

> Rhyw olwg ddu luddiedig oedd ar y ddau ŵr gradd
> A fu ar hyd y bore â'r ysgub yn ymlâdd.

Y mae'r ychydig gerddi a ganodd Tom Parry ei hun yn y cyfnod hwn o ansawdd dipyn gwell na'r cwpled hwn. Cyfeiriaf at yr enwocaf yn y man. Yn y blynyddoedd 1940–41 yr oedd ef ac Enid yn dysgu Almaeneg dan gyfarwyddyd Fräulein Anita Blümell (Mrs D. R. Williams Aberystwyth wedyn), ac fe'i dysgodd yn ddigon da i farddoni ynddi. Telyneg ar thema *la donna è mobile* – y ferch gyfnewidiol – yw'r gerdd hon, y mesur yn ôl y Dr Angharad Price 'yn agoffa dyn o Heine . . . ond ansawdd y canu efallai'n nes at waith beirdd gwlad'. Y mae'n werth ei phrintio os yn unig i ddangos medr yr ieithgi-fardd:

> Wankelmütig sind die Frauen,
> Das ist wahr, und das ist gut:
> Auf den Regen folgt die Sonne,
> Welche gute Sachen tut.
>
> Unbedeutend sind die Stürme
> In den Augen einer Frau:
> Wenn die schwarzen Wolken fliegen,
> Ist der helle Himmel blau.
>
> Jeder Mann kann immer schweigen,
> Wenn die Worte scheltend sind,
> Weil sie immer hurtig gehen,
> Wie die Blätter mit dem Wind.

Yn Gymraeg y mae ei hystyr (ond nid ei hawen) rywbeth yn debyg i hyn: 'Oriog oriog ydyw merched, | Mae hynny'n wir, mae hynny'n dda: | Wedi'r glawddwr fe ddaw heulwen | Sydd yn gwneuthur pethau da. || Dibwys hollol yw'r ystormydd | A disytyr i'r ferch hon: | Ond pan ffy y du gymylau, | Bydd yr awyr las yn llon. || Gall pob dyn roi taw ar dafod | Pan fo'r geiriau'n llym ddi-ail, | Am eu bod yn mynd yn fuan, | Fel o flaen y gwynt y dail.'

Newidiodd y rhyfel amgylchiadau'r mwyafrif o bobl, wrth gwrs, gan gynnwys rhai o'r cyfeillion coleg yr oedd Tom Parry mewn cysylltiad agos â hwy o hyd. Ddiwedd haf 1941, am na allai ci flaenoriaid ddioddef ei wrthwynebiad i ryfel, ymddiswyddodd Huw Roberts (Afagddu) o fod yn weinidog gyda'r Hen Gorff yng Nghorwen a symud i fyw i Ddyffryn Ogwen. Sut ymatebodd Tomos? Drwy ysgrifennu, ar y cyd â Meirion Roberts, gywydd iddo, 'Rhyw ddoniol gywydd moliant | I druan ŵr Adwy'r Nant'. Dyma ran ohono:

> Y bod hyglod dieglwys,
> Ar dda'r banc rhodder ei bwys.
> Er nad yw ef ddigrefydd,
> Di-sêt-fawr, di-seiat fydd.
> Rhag sen ac afrywiog sôn
> Diaconiaid a'u cwynion,
> I ryw ddiddan fan o'i fodd
> Wedi ing y dihangodd.

Yn unol â'r traddodiad cawsant gywydd ateb. Fel hyn y mae hwnnw'n gorffen:

> Di-sêt-fawr? Ni'm dawr, myn dyn,
> Ceidwadaeth mewn coed ydyn' . . .
> Di-seiat? Od oes awydd,
> Ber yw'r ffordd i lwybrau'r ffydd:
> Ond nid RHAID; mynd neu BEIDIO,
> Dyna fy rhawd yn y fro.

Aeth Meirion Roberts yn gaplan i'r fyddin, ac yn awr wele gywydd ar y cyd gan Tomos ac Afagddu iddo ef, 'Cywydd i anfon y Bwch Gafr yn Llatai'. Yn hytrach na bod yn fwch dihangol y mae hwn yn cael bod yn fwch ymchwilgar, a'i dasg yw dod o hyd i'r athronydd-bregethwr yn Swydd Efrog a'i annog i ganu awdl neu ei annog i roi tro am Fangor i fwynhau cwmnïaeth y beirdd a'i deulu o bedwar o blant (a enwir ac a ddisgrifir bob un). Fel hyn y daw'r cywydd hwn i ben:

> Hwi bellach, rho wib allan,
> Hwyl i ti ar fynd fel tân.
> Dy bedwartroed nac oeda –
> Wele daith ar berwyl da.
> Rho i'r gŵr genadwri
> Dan gêl, yna dychwel di.
> Dychwel â llwyth o dychan,
> O fwch gafr, neu faich o gân.

Fel y newidiodd y rhyfel arfer Tomos ac Enid o grwydro'r llyfrgell-oedd, ac fel y newidiodd fywyd eu cyfeillion, newidiodd bethau yng Ngholeg Bangor hefyd. Yn 1939 daeth yn agos i ddau gant o fyfyrwyr Coleg Prifysgol Llundain a dau ar bymtheg o aelodau'i staff megis *evacuees* i gartrefu yno (a chan i adeiladau'r Coleg yn Llundain gael eu difrodi yno y buont tan 1945). Er bod y berthynas rhwng y Bangoriaid a'r bobl ddŵad yn berthynas gynnes, yr oedd sicrhau lle, lletyau a gweith-leoedd iddynt yn bwysau ar ysgwyddau'r Prifathro D. Emrys Evans a'i swyddogion. Er 1933 y Cofrestrydd ym Mangor oedd E. H. Jones, mab yr athronydd Syr Henry Jones, gwas sifil a fuasai'n gwasanaethu yn yr India ac a gawsai brofiadau rhyfedd ac ofnadwy yn ystod y Rhyfel Byd Cyntaf, profiadau yr ysgrifennodd amdanynt yn *The Road to Endor* (1919). Yn 1940 bu farw un o'i feibion ar faes y gad, profedigaeth a gafodd effaith mor enbyd arno fel y rhoddwyd blwyddyn sabothol iddo. Ond ni ddychwelodd i'w swydd: ymddeolodd yn ffurfiol ganol 1942, a bu farw'r 22ain o Ragfyr y flwyddyn honno. Rhannodd y Prifathro ei ddyletswyddau rhwng aelodau eraill y staff, ac er nad oedd yn aelod ohono cynt gofynnodd i Tom Parry weithredu fel Ysgrifennydd Senedd y Coleg. Gyda chymorth W. O. Hughes neu Wil Bach fel y'i gelwid, clerc yn yr Adran Addysg a oedd yn teipio iddo, rhwng 1943 a 1945 Tom Parry a drefnai holl gyfarfodydd prif bwyllgor mewnol y Coleg, ef a gymerai ei gofnodion, ac ef a sicrhâi fod ei benderfyniadau yn cael eu gweithredu. Rhoddodd y swydd brofiad gwerthfawr iddo o'r ffordd yr oedd echelau sefydliad academaidd yn troi, a chyfle i gydweithio'n agos â D. Emrys Evans, a hefyd, ond nid mor agos, â'r Arglwydd Harlech, a gawsai ei ethol yn Llywydd Llys Coleg Bangor yn 1940.

Yr un brofedigaeth bersonol a brofodd yn y cyfnod hwn oedd colli'i dad. Bu Richard Edwin Parry farw yr 20fed o Fawrth 1942, a'r deyrnged orau a luniwyd iddo oedd marwnad ardderchog Tomos iddo, marwnad yn gwneud defnydd trosiadol da o'r galwedigaethau y bu'n eu dilyn, fel llongwr, chwarelwr a thyddynnwr, marwnad yn disgrifio'i gymeriad tawel, marwnad yn mawrygu'i aberth dros ei feibion, a marwnad yn nodi cryfder ei gred ddigymundeb. Dyma 'Fy Nhad':

> Côstio am dipyn, wedyn hwylio ar led,
> Yn ifanc, yn llawen, ac yn gryf dy gred.
> Troi'n ôl i'th fryniog fro a chroeso'i chraig,
> A'i charu a'i choledd, megis gŵr ei wraig –
> Dringo i'r bonc; datod y clymau tyn
> A roed pan blannwyd y mynyddoedd hyn;
> Rhoi rhaw yn naear ddicra'r Cilgwyn noeth,
> A phladur yn ei fyrwellt hafddydd poeth –
> Troi dy dawedog nerth, aberth dy fraich,
> Yn hamdden dysg i ni, heb gyfri'r baich.
>
> Ni thorraist fara nac yfed gwin y Gwaed,
> Ond cyfarwyddodd Ef dy drem a'th draed.
> Difyrrwch pell dy fore, byd nis gŵyr,
> Na diddan ludded d'orfoleddus hwyr.

Ni chanwyd cnul na llaesu baner chwaith
Pan gododd llanw Mawrth dy long i'w thaith,
Ond torrodd rhywbeth oedd yn gyfa o'r blaen
Mewn pedair calon chwithig dan y straen,
Wrth iti gychwyn eto i hwylio ar led,
Yn hen, yn hynaws, ac yn gryf dy gred.

IV. *HANES LLENYDDIAETH GYMRAEG HYD 1900*

O bob peth a wnaeth Tom Parry rhwng ei briodas a diwedd yr Ail Ryfel Byd, ei lyfr *Hanes Llenyddiaeth Gymraeg hyd 1900*, a gyhoeddwyd adeg y Nadolig 1944, yw ei gamp fwyaf. Pan ymddeolodd fel un o olygyddion *Cofion Cymru* y mis Ebrill cynt, dywedwyd mewn nodyn o werthfawrogiad a ffarwél iddo mai 'gŵr prysur yw ef' a bod cryn edrych ymlaen at ddarllen 'y llyfr newydd ar "Hanes Llenyddiaeth Gymraeg" sy'n hawlio cymaint o'i amser y dyddiau hyn'. Ymddengys fod ei fwriad i lunio'r llyfr hwn yn wybyddus o Abergwyngregyn i'r Aifft. 'Sut mae'r llyfr ar lenyddiaeth Cymru'n ffynnu?' yw cwestiwn R. Meirion Roberts, a oedd ym Mai 1943 yn ysgrifennu ato o'i gaplaniaeth ym mhencadlys yr Wythfed Fyddin yng ngogledd Affrica. Yn ystod blynyddoedd canol y Rhyfel y gweithiodd ar y llyfr. Gyda'r hyder hamddenol hwnnw sy'n nodweddu'r dyn llwyddiannus ffraeth, dywedodd unwaith iddo'i lunio i 'wneud iawn' am y ffaith fod y llyfrgelloedd cyhoeddus ar gau, a'i fod yn rhywbeth y gallai 'ei wneud wrth y tân gartref' – a'r simne'n tynnu'n o lew, y mae'n siŵr, er gwaethaf coes brwsh Dafydd Ap-Thomas. Ddiwedd Hydref neu ddechrau Tachwedd 1943 aeth ar y trên i Gaerdydd a llawysgrif y llyfr gydag ef, gyda'r bwriad o fynd i'r Coleg yno i'w drafod gyda W. J. Gruffydd, ei gyn-bennaeth, ac, fel y cofir, awdur dau lyfr ar hanes llenyddiaeth y cyfnod rhwng 1450 a 1600. Erbyn hynny Gruffydd oedd yr Aelod Seneddol dros Brifysgol Cymru. Ddechrau'r flwyddyn daethai allan fel ymgeisydd yn lliwiau'r Blaid Ryddfrydol, yn bennaf i atal Saunders Lewis rhag ennill y sedd yn enw'r Blaid Genedlaethol. Gyda'r cenedlatholwr yr oedd Tom Parry wedi ochri yn yr isetholiad hwnnw, a phan ysgrifennodd at Gruffydd i'w longyfarch ar ei fuddugoliaeth dywedodd wrtho ei fod yn gobeithio y byddai'n dychwelyd i'r Blaid ryw ddiwrnod. 'Ni ddeuaf byth yn ôl,' atebodd yr AS, 'tra bo ei daliadau sylfaenol yn gwbl groes i bopeth a gredid gan ein tadau a'n mamau chwi a minnau.' Ond ni allai dim, na godineb na gwrthBleidiaeth, leihau'r parch mawr a oedd gan Tom Parry at ysgolheictod a beirniadaeth y Rhyddfrydwr newydd, a'r parch hwnnw a barodd iddo fynd â llawysgrif ei *Hanes* gydag ef i Gaerdydd i gael barn Gruffydd arno.

Nid yn y Coleg y'i cafodd ond yn wael yn ei wely yn ei gartref yn Erw'r Delyn ym Mhenarth. Aeth yno ar y bws, trafod y llyfr, a chychwyn yn ôl i'r gogledd o Gaerdydd 'ar ddechrau cyrch awyr'. Rhaid ei fod wedi gadael y gwaith gyda'r Athro gorweddol, achos y 18fed o Dachwedd y mae Gruffydd yn dweud mewn llythyr ato ei fod

> yn dal i gael mawr bleser wrth ddarllen y llyfr, ac yn barnu wrth agwedd rhai o'm cydathrawon Cymraeg y dylwn fod yn jelws gythreulig wrthych am wneud yr hyn y dylaswn i fod wedi ei wneud eisoes! Ond coeliwch fi, llawenydd mawr a *gollyngdod* i mi yw cael y llyfr hwn.

Y mae'r geiriau hyn yn pwysleisio arbenigrwydd y llyfr, ac yn nodi'n glir pa mor hunanhyderus oedd Tom Parry i *ystyried* ei ysgrifennu heb sôn *am* ei ysgrifennu. Fel y dywed Gruffydd, rhywun fel ef a ddylasai ei ysgrifennu, ysgolhaig cadeiriog canol-oed neu hŷn a chanddo hir flynyddoedd o ddarllen helaeth a myfyrio dwfn yn gynhysgaeth iddo, nid darlithydd 38/39 oed. Ond fel y gwelwyd eisoes yn y cofiant hwn nid dyn i ddisgwyl i eraill gydio yng nghyrn yr aradr oedd Tom Parry. Drwy'i flynyddoedd ar y staff ym Mangor bachodd ar bob cyfle i aredig rhyw ran o bob maes yn hanes ein llenyddiaeth. Erbyn diwedd y tridegau yr oedd ganddo ddigon o ddeunydd a digon o afael awdurdodol arno i lunio i gylchgrawn *Yr Athro* gyfres wych o benodau o dan y teitl cyffredinol 'Holwyddoreg ar Hanes Llenyddiaeth Gymraeg'. Gan mor rhagorol ydyw o ran ei modd a'i mynegiant, bron na ellid galw'r 'Holwyddoreg' honno yn *Hanes Llenyddiaeth Gymraeg i Blant.*

Yr oedd ysgrifennu hanes llenyddiaeth i oedolion, i efrydwyr difrif aeddfed, yn waith anos, wrth reswm, yn enwedig pan ystyrir mai cymharol ifanc o hyd oedd ysgolheictod modern y Gymraeg. Dywed Tom Parry ym mrawddeg gyntaf y rhagair i'r llyfr 'na ddaeth yr amser eto i ysgrifennu llyfr boddhaol' ar y pwnc. Ond gan fod cymaint o waith pwysig wedi'i wneud 'yn ystod yr ugain mlynedd diwethaf' gan yr ysgolheigion John Morris-Jones, Ifor Williams, W. J. Gruffydd, T. Gwynn Jones, T. H. Parry-Williams, Henry Lewis, G. J. Williams a'r beirniad llenyddol Saunders Lewis – dyna'r pantheon – penderfynodd roi 'cynnig petrusgar' ar yr orchwyl. Yr oedd ychydig o'i gyfoeswyr hŷn wedi rhoi cynnig arni o'i flaen, yr offeiriad Anglicanaidd J. C. Morrice a luniodd yn 1909 *A Manual of Welsh Literature* (o'r chweched i'r ddeunawfed ganrif) yn seiliedig ar gwrs o ddarlithoedd a roesai yng Ngholeg Caerdydd, a'r addysgydd David James ('Defynnog') a gyhoeddodd yn 1913 *A Primer of Kymric Literature*, traethawd a enillodd iddo wobr yn Eisteddfod Genedlaethol 1901. Yn 1926 cyhoeddodd David James hefyd *Hanes Llên Cymru at Wasanaeth Ysgolion ac Efrydwyr.* Enwyd llyfrau W. J. Gruffydd a Saunders Lewis o'r blaen, a phriodol enwi *Llenyddiaeth y Cymry: Llawlyfr i Efrydwyr* Thomas Gwynn Jones (1915) – er, hanes llenyddiaeth cyfnodau arbennig a draethir yn y tri hyn.

Y mae llyfr Tom Parry – na, llyfr *Thomas* Parry, canys dyna'r enw ar y ddalen deitl[6] – yn wahanol i'w llyfrau hwy oll, o ran ei fod, ys dywed

---

6   Y mae Robin Williams yn ei golofn 'Wrth Edrych Allan' yn *Yr Herald Cymraeg,* y 13eg o Fai 1985, yn adrodd bod ym Mangor yn y pedwardegau fyfyriwr o Lerpwl o'r enw Henry Aethwy Jones, 'brawd a feddai gyflawnder tra helaeth o hunan-hyder', a aeth at yr awdur i ofyn iddo pam 'mai Thomas Parry sy ar y tu allan i'ch llyfr, ac nid Tom Parry'. 'Wel, Mr. Jones,' meddai T. P. wrtho, 'neith o ddim llawer o wahaniaeth be sy y tu allan i'r llyfr yma. Ei du mewn o fydd o bwys i chi!'

Helen Fulton, 'yn hirach, yn fwy cynhwysfawr, yn fwy ysgolheigaidd ac yn fwy awdurdodol nag un o'i ragflaenwyr'. Yn syml, dyma'r hanes llenyddiaeth mwy neu lai cyflawn cyntaf a ysgrifennwyd gan ysgolhaig Cymraeg wrth ei broffes erioed (dywedaf 'fwy neu lai cyflawn' am ei fod yn dod i ben yn 1900 yn hytrach na 1939). Yn y ddeunawfed ganrif y dechreuwyd ysgrifennu hanes llenyddiaeth fel y cyfryw. Evan Evans (Ieuan Brydydd Hir) oedd y Cymro cyntaf i'r maes mewn print, gyda'i lyfr *Some Specimens of the Poetry of the Antient Welsh Bards* (1764), yn yr hwn y cafwyd 'ymgais drefnus a hynod lwyddiannus', chwedl Aneirin Lewis, 'i ddehongli gwaith beirdd cyfnod y Tywysogion ac i roi syniad am hanes barddoniaeth Gymraeg' o'r chweched ganrif tan yr unfed ar bymtheg. Yn ystod y bedwaredd ganrif ar bymtheg y daeth hanes llên i fri mawr. Dau Gymro o'r ganrif honno a gyhoeddodd draethodau helaeth ar y pwnc oedd R. J. Pryse (Gweirydd ap Rhys) a Charles Ashton, y naill awdur yn wehydd a'r llall yn blismon – yn 'anelu at ysgolheictod cyn cael Prifysgol', chwedl Thomas Parry. Ond yr hanes gorau yn Oes Victoria oedd *The Literature of the Kymry* (1849) Thomas Stephens, 'y gŵr rhyfeddol hwnnw o Ferthyr Tudful'. Er y dywedir ar y ddalen deitl mai traethawd ar hanes iaith a llenyddiaeth Cymru yn ystod y cyfnod rhwng 1100 a 1400 ydoedd, ceir ynddo ymdriniaeth helaethach na hynny, ymdriniaeth a sefydlodd sawl tybiaeth neu ddamcaniaeth a ddaeth yn nodau amgen pob llyfr ar hanes llenyddiaeth Gymraeg a ddaeth ar ei ôl.

'Tybiaeth neu ddamcaniaeth', meddaf. Yn y rhagair i'w *Hanes*, myn Thomas Parry nad amcanodd ef at ddim 'ond disgrifio, heb olrhain dim o'r dylanwadau a fu ar na bardd na chyfnod. Ni ddamcaniaethwyd ychwaith,' meddai, 'na phrofi cysylltiad dim a'i gilydd.' Ond ebe fe ymhellach:

> Ymhelaethwyd ychydig weithiau i egluro ansawdd math arbennig o lenyddiaeth, ac ymdrechwyd i ddangos cynnyrch y canrifoedd fel mynegiant o brofiad artistig un genedl, yn hytrach na phrofiadau

134

nifer o ddynion unigol – dangos y parhad hir a rhyfedd hwnnw sy'n nodwedd ar lenyddiaeth Gymraeg.

A ellir 'ond disgrifio'? Yn y weithred o ddewis *beth* i'w ddisgrifio, onid yw'r hanesydd yn nesáu at ddamcaniaethu? Ac onid yw'r neb sy'n dymuno 'dangos y parhad hir a rhyfedd hwnnw sy'n nodwedd ar lenyddiaeth Gymraeg' – y traddodiad mawl a llywodraeth cerdd dafod arno sydd dan sylw – o raid a thrwy ddiffiniad yn fath ar ddamcaniaethwr? Canys y *mae* modd dangos i'r gwrthwyneb, sef nad yw'r 'parhad hir' hwnnw'n bod oddi eithr yn nehongliad ceidwadwr chwarter dall. A gofynnaf gwestiwn arall. Ai disgrifiwr biau dweud y gellir 'dangos cynnyrch y canrifoedd fel mynegiant o brofiad artistig un genedl, yn hytrach na phrofiadau nifer o ddynion unigol'? Onid yr hyn a geir yma yw datganiad gan un a lyncodd y ddamcaniaeth fawr ac ardderchog a gyflwynodd Saunders Lewis yn *Braslun o Hanes Llenyddiaeth Gymraeg*, sef fod beirdd y traddodiad mawl megis y seiri maen a gododd eglwysi cadeiriol Gothig Ewrop wedi cysegru eu doniau i'w crefft gytûn yn hytrach nag i roi mynegiant i'w personoliaethau eu hunain? Y gwir amdani yw bod pawb sy'n ysgrifennu ar bwnc fel hwn yn ysgrifennu o safbwynt neilltuol, safbwynt a bennir gan ei bersonoliaeth, gan ei ddiddordebau proffesiynol a chan ei werthoedd ef ei hun. Nid rhyfeddu bod gan Thomas Parry farn neu ragfarn neu ddamcaniaeth yr wyf, ond rhyfeddu na welodd – neu na chyfaddefodd – fod ganddo'r cyfryw bethau. Flynyddoedd lawer yn ddiweddarach, mewn cyfweliad gyda Gwilym Rees Hughes yn *Barn* yn Awst 1973, yr oedd fel petai'n gweld o'r diwedd fod ganddo ragfarn neu ddamcaniaeth, achos yr hyn a ddyfyd yno yw ei fod wrth 'ysgrifennu hanes llenyddiaeth Gymraeg ... yn cael ailadeiladu'r traddodiad barddol Cymreig o Daliesin i Dwm o'r Nant'.

Cyn ymhelaethu ar y mater beirniadol pwysig hwn, y mae'n hanfodol ein bod yn gweld beth yw cynnwys *Hanes Llenyddiaeth Gymraeg hyd 1900*. Y mae un rhan o dair o'r testun, chwech o'r tair pennod ar ddeg, yn trafod llenyddiaeth yr Oesoedd Canol hir o'r chweched ganrif hyd at draean cyntaf yr unfed ganrif ar bymtheg. Rhoddir dwy bennod i farddoniaeth a rhyddiaith newydd cyfnod y Dadeni, pennod yr un i'r ail ganrif ar bymtheg a'r ddeunawfed, a thair pennod i ganrif dra chynhyrchiol Victoria. Un awdur yn unig a gaiff bennod iddo'i hun, sef Dafydd ap Gwilym. Fel y dywedwyd, ni chafwyd gan yr un hanesydd llenyddiaeth Cymraeg o'r blaen drafodaeth feirniadol a oedd mor helaeth ei hamgyffrediad – a honno'n drafodaeth feirniadol glir a synhwyrgall, yn symud o un pwnc i'r llall ac o un pwynt i'r llall gyda rhwyddineb sydd mor orchestol awdurdodol. Nodwedd wych arall ar y gwaith yw'r ffordd y mae'r awdur yn darlunio'i ddatganiadau drwy ddyfynnu detholion o'r gweithiau a drafodir ganddo, detholion, mewn ugeiniau o enghreifftiau, y diweddarodd ef ei hun eu hieithwedd yn gampus. Gan mor gyfareddol y cyfarwyddyd trefnus dibennol di-lol hwn, nid rhyfedd bod cenhedlaeth ar ôl cenhedlaeth o astudwyr y Gymraeg wedi gwerthfawrogi'r gwaith, a'i gael nid yn unig yn arweiniad angenrheidiol i'n llên eithr hefyd yn hyfrydwch ac yn fwynhad.

Yr oedd yr ymateb iddo yn 1944–45 yn eithriadol glodforus, yn haeddiannol felly. T. J. Morgan oedd un o'r cyntaf i'w ganmol, yn *Y Llenor*, XXIII. A chofio'r hyn a ddywedais eisoes, noder mai honiad cyntaf T. J. Morgan yw nad oes gan 'Mr. Parry . . . ragfarn neu orduedd at ddim'. Yn ail, y mae'n honni nad yw Thomas Parry yn perthyn i 'unrhyw "ysgol" neilltuol o feirniadaeth lenyddol' (Saunders Lewis sy'n ei chael hi, heb os). At hyn, i fwrw'r pwynt adref, noder bod T. J. Morgan hefyd yn dweud nad oes gan Thomas Parry 'athroniaeth i'w gweithio allan nac i'w gwthio arnom'. Tybed? Nac oes, ebe'r adolygydd, ond y mae ganddo 'rywbeth pwysicach, sef amgyffred o undod organig y corpws llenyddol a'r dychymyg disgybledig a all, drwy synthesis, wneuthur corff cyfan o'r aelodau a'r esgyrn sychion sydd ar chwâl a pheri i'r corff hwnnw gael enaid'. Bid a fo am addasrwydd y trosiad a ddefnyddia T. J. Morgan yn y fan hon, yr hyn sy'n drawiadol yw na wêl – ddim mwy na Thomas Parry ei hun – mai athrawiaeth 'i'w gweithio allan ac i'w gwthio arnom' yw'r 'undod organig' honedig hwn sy'n un o brif themâu'r llyfr. Y mae'r cyflwyniad o hanes ein llên fel peth a ddatblygodd yn unedig dros y canrifoedd yn rhwym o'n harwain i'w ystyried fel drych o ddatblygiad y genedl, y genedl sydd mor ymwybodol o'i thras a'i thraddodiad. Ac yn peri bod hanes llên hefyd yn dod yn hanes rhywbeth arall, yn hanes seicoleg gwlad. Dichon bod y Cymry er dyddiau'r Morrisiaid, o leiaf er dyddiau'r *Myvyrian Archaiology* a'i lwyth enfawr o'n llenyddiaeth, wedi dymuno hawlio'r hanes adlewyrchol hwnnw, i ddangos drwy ein llên ein bod yn genedl amgen i'n cymdoges nerthol y drws nesaf. Yn 1944–45, pwy ddywedai nad daionus i Gymreictod fod *Hanes* Thomas Parry yn damcaniaethu yn yr un modd, er nad yw'n cydnabod hynny? Yn bendifaddau nid hanes llên diddamcaniaeth mohono.

Sefydlu neu ailsefydlu barddoniaeth yr Oesoedd Canol fel *y* peth canolog yng nghanon llenyddiaeth Gymraeg y mae'r hanesydd wrth danlinellu ei hunoliaeth. Mawryga hefyd ei hynafrwydd. Yr oedd y farddoniaeth hon yn bod yn yr Hen Ogledd ym mabandod y Gymraeg, datblygodd yn farddoniaeth gyfoethog gymhleth i foli a diddanu tywysogion pan oedd y rheini'n teyrnasu ar dir a daear Cymru, a datblygodd eto yn farddoniaeth foliannus symlach yn Oes yr Uchelwyr, bron na ddywedir yn fynegiant o artistri aruchel y Cymry mewn cyfnod o fygythiad gwleidyddol parhaus. Y telcologrwydd hwn (maddeuer y gair), y ffordd y mae'r naratif yn adlewyrchu datblygiad y genedl, yw un o nodweddion pwysicaf ac amlycaf *Hanes Llenyddiaeth Gymraeg cyn 1900*. Nodwedd amlwg arall arno yw'r sôn am yr ysgolheictod sy'n gynhaliaeth i'r undod organig y sonia amdano. Ys dywed T. J. Morgan eto: 'Y mae rhyw "ysgol farddol" yn anhepgor i lenyddiaeth Gymraeg ym mhob cyfnod.' I'r Gogynfeirdd, yr Hengerdd ydoedd; i Feirdd yr Uchelwyr, y ddysg a dderbynient gan eu hathrawon barddol ydoedd, y ddysg a ddiffiniwyd wedyn mewn gramadegau; i wŷr y Dadeni, y gramadegau a'r farddoniaeth a geid mewn llawysgrifau ydoedd; i'r ddeunawfed ganrif, Cylch y Morrisiaid ydoedd; i'r bedwaredd ganrif ar bymtheg, Dafydd Ddu Eryri ydoedd; ac i'r ugeinfed, Syr John Morris-

Jones ydoedd. Rheol oedd yn bwysig i'r athrawon hyn ym mhob cyfnod, am ei bod yn gosod ar feirdd ddisgyblaeth, disgyblaeth ffurf, disgyblaeth mesur, disgyblaeth ieithwedd.

Sy'n dod â ni at drydedd brif nodwedd yr *Hanes*. Sef ei glod i addurniant, gair a ddefnyddiaf i olygu cyfoeth iaith a hyfrydwch arddull, y gweddau technennig ar rethreg, 'y gelfyddyd ar gywraint ymadrodd' chwedl Charles Edwards yn *Y Ffydd Ddi-ffuant*. Dyma nodwedd ar ein llên a gaiff lawer mwy o sylw gan Thomas Parry na nodweddion eraill arni. Eled y darllenydd drwy'r *Hanes* ac fe wêl ym mhob rhan ohono fod Thomas Parry yn rhoi pwys mawr ar ysgrifennu gofalus ac ar addaster arddull. Caiff hyn lawer mwy o sylw a chlod na syniadaeth wreiddiol neu feirniadaeth gymdeithasol, neu athroniaeth neu ddiwinyddiaeth. Wrth drafod Morgan Llwyd o Wynedd, y rhyfeddaf ei ddychymyg o bawb a gyhoeddodd draethawd Cymraeg rhwng 1500 ac 1850, pregethwr nerthol y mae plygiadau ei ddiwinyddiaeth yn cuddio ac yn amlygu cymysgedd o athrawiaethau pur anghyffredin, ac awdur ymfflamychol gwirioneddol wreiddiol, y peth pwysicaf a ddyfyd Thomas Parry amdano yw mai ef yw'r 'mwyaf personol ei arddull' o bawb yn ei gyfnod, ond na ellir 'ei galw yn arddull llenor' am na cheir ynddi 'ddim o'r ymhyfrydu mewn ymchwydd brawddegau a geid gan y dyneiddwyr, na dim ychwaith o'r ddisgyblaeth ewyllysiol sydd gan ysgrifenwyr mawr y ddeunawfed ganrif'. Dyna'r gair yna eto: *disgyblaeth*. Y mae'r farn a fynegir yma yn dangos cystal â dim fod Thomas Parry yn tybied bod yn rhaid i bob llenor gydymffurfio â rhywun neu rywbeth a ddaethai o'i flaen, a bod norm a phatrwm delfrydol na wiw arddullio'n groes iddo.[7]

A bwrw tros gof yr ystyriaeth amlwg fod arddulliau'n amrywio, y mae'r pwys hwn ar addurniant ar draul syniadaeth a damcaniaeth yn

---

7   Mater arall nad af ar ei ôl yma yw bod Morgan Llwyd yn 'ymhyfrydu mewn ymchwydd brawddegau' ac na all Thomas Parry weld hynny. Ar dudalen 195 o'r *Hanes* y mae'n dyfynnu darn o *Sôn am Sŵn*, gan ddweud ei fod 'yn bedestrig a diawen', er ei fod yn swnio'n gyffrous dros ben i mi.

tystio eto i'r hyn a alwyd o'r blaen yn ddiffyg diddordeb Thomas Parry mewn meddylwaith, athrawiaeth crefydd neu seicoleg neu eneideg. O, oes, y mae ganddo ddiddordeb yng nghyfundrefn feddyliol y beirdd wrth eu swydd, ond y gyfundrefn sydd o bwys iddo nid y meddwl. Wrth drafod llenyddiaeth yr unfed a'r ail ganrif ar bymtheg pan oedd Protestaniaeth benben â Chatholigiaeth drwy holl wledydd Gorllewin Ewrop, gan gynnwys Cymru, y mae Thomas Parry yn cyfrif rhai o lyfrau'r pabyddion yn glasuron nid am fod eu cynnwys diwinyddol fel-a'r-fel ond am y rheswm addurniannol fod ynddynt 'iaith raenus'. Am iddo anafu ac anharddu'r iaith Gymraeg caiff William Owen Pughe sylw am ddau dudalen yn yr *Hanes*, sylw ceryddol y mae'n wir, ond sylw er hynny. Ni chaiff y Cymreigiwr campus Ellis Wynne ddim ond traean paragraff. A phaham? Am y byddai trin *Gweledigaetheu'r Bardd Cwsc* yn gorfodi Thomas Parry i ddisgrifio atgasedd Ellis Wynne tuag at gelwydd y farddoniaeth fawl y mae ei *Hanes* yn ei mawrygu, ac i drafod natur y Brotestaniaeth a oedd yn ffieiddio'r ddelfrydiaeth ddibechod a oedd yn sail iddi. Mewn geiriau eraill, buasai i Thomas Parry drafod Ellis Wynne yn golygu ymgodymu â beirniadaeth Galfinaidd o dwyll hanfodol y gwareiddiad Cymreig y prisiai ef ei artistri mor aruchel.

Gyda meddwl beirniadol rhan olaf yr ugeinfed ganrif a rhan gyntaf yr unfed ganrif ar hugain y gwelir beiau fel hyn ar agweddau ar yr *Hanes* mawr a roddodd Thomas Parry inni yn 1944 – ie, gyda meddwl a fu'n ystyried rhai o'r pwyntiau a wnaethpwyd ynghylch hanes llenyddiaeth *per se* gan ddamcaniaethwyr llenyddol diweddar. A gellir yn deg dweud bod y feirniadaeth yn anacronistig. Wedi'r cyfan, gŵr ei oes oedd Thomas Parry, gŵr o greadigaeth Forris-Jonesaidd yn rhoi i'w ddarllenwyr yng nghanol yr ugeinfed ganrif adnabyddiaeth dda o'u gorffennol llenyddol na feddent o gwbl gynt. Er cydnabod hyn, a'i werthfawrogi, noder bod y math o feddylfryd y porthwyd ef arno wedi'i arwain i drafferthion dehongliadol weithiau, trafferthion nad yw ef fel petai'n ymwybodol ohonynt, neu drafferthion y mae yn ei ehofndra nodweddiadol yn eu hanwybyddu.

139

Noder dau amlwg. Gyda golwg ar undod organig y farddoniaeth ganoloesol, noder bod llawer iawn o'r farddoniaeth honno nad ydyw'n ffitio'r ddamcaniaeth. Byddai'r sgeptig mwyaf yn derbyn bod unoliaeth weddol amlwg yn themâu ac yn arddulliau y rhan fwyaf o farddoniaeth Gymraeg y cyfnod hwnnw, ond ar yr un pryd byddai'n rhwym o nodi nad yw'r corff o ganu a berthyn i Lywarch Hen a Heledd, na'r Canu Gwirebol na'r Canu Natur, ddim yn debyg o gwbl i'r canu Taliesinaidd. Wedyn, wrth drafod barddoniaeth y cyfnod rhwng 1320 a 1500, ar ôl ymdrin â Dafydd ap Gwilym mewn pennod ar ei ben ei hun, y mae Thomas Parry'n dweud ei fod yn dychwelyd 'i briffordd yr hyn a elwir yn draddodiad barddol Cymru' – ac yn dweud hynny heb roi'r rhithyn lleiaf o argraff ei fod yn ymwybod ag eironi'r ffaith iddo dreulio deunaw tudalen mewn gwlad ddieithr, sef yn athrylithwlad un o'r beirdd ardderchocaf a welodd yr Oesoedd Canol drwy Ewrop achlân, bardd y mae ef ei hun yn nodi bod gwahaniaeth dybryd rhyngddo 'a holl feirdd eraill Cymru o'i flaen ac ar ei ôl, nid gwahaniaethau testun a mynegiant yn unig, ond gwahaniaeth hanfodol mewn anian'. Ffordd arall o ddweud hyn yw nad yw Dafydd (ac eithrio'r Dafydd sy'n moli Ifor Hael a rhai uchelwyr eraill) ddim yn rhan o'r undod organig y sonia'r *Hanes* o hyd amdano.

Erbyn yr ail ganrif ar bymtheg – y mae Thomas Parry ym mhenodau VII, VIII a IX yr *Hanes* yn adleisio rhai pethau a ddywedodd yn *Baledi'r Ddeunawfed Ganrif* – yr oedd y traddodiad a gynhaliai'r undod hwnnw 'wedi mynd yn rhy hen', ac er cymaint y ceisiodd y carolwyr ei adfywhau cael a chael oedd hi. Ganrif yn ddiweddarach, yr oedd Goronwy Owen a'r to o feirdd a grynhoai o gwmpas Lewis Morris, meddir, yn ailddarganfod 'adnoddau'r iaith Gymraeg' a 'gwir athrylith yr awen Gymreig' (addurniant eto), ac o ganlyniad yn gwneud barddoniaeth Gymraeg 'eto yn beth artistig'. Er ei fod yn datgan hyn gyda balchder, nid yw Thomas Parry yn rhoi'r un enghraifft o artistri atgyfodedig yr awen Gymreig, nac yn dweud beth yw gwerth cynnal hen awen yn oes newydd y ddeunawfed ganrif. Na gwerth ei chynnal yn y bedwaredd ganrif ar bymtheg chwaith. Wrth fawrygu Dafydd Ddu Eryri am lynu wrth 'y traddodiad Cymraeg mewn iaith a mesur', y mae'n dweud ar yr un gwynt na chynhyrchodd 'ef na'i gywion ddim gorchestwaith'. Beth gan hynny yw gwerth glynu wrth y traddodiad? Ni ofynnodd Thomas Parry'r cwestiwn, heb sôn am ei ystyried a'i ateb.

A dyma ddod at ail drafferth yr *Hanes*. Oherwydd ei dueddfryd at draddodiadaeth, y mae Thomas Parry'n methu'n lân â chydnabod gwerth llenyddiaeth annhraddodiadol. Y mae'n cyfaddef bod Williams Pantycelyn, un o feirdd diamheuol fawr Cymru'r cyfnod modern, yn 'ffenomen gwbl anesboniadwy' iddo. I'r sawl a gais olrhain twf llenyddiaeth Gymraeg, ebe fe, 'y mae'n annichon ffitio Williams fel bardd i unrhyw gynllun na ffrâm, oherwydd . . . nid ymddengys bod dim perthynas o gwbl rhyngddo a chefndir diwylliadol ei wlad.' Gwir bod ganddo gyffyrddiad o gynghanedd yn ei emynau cynnar, ebe Thomas Parry ymhellach, ond anodd fuasai 'i neb gweddol ddiwylliedig beidio â gwybod rhywbeth am gynghanedd yn y ddeunawfed ganrif'. Paham y mae'n rhaid ffitio Williams i unrhyw ffrâm? Onid bardd chwyldroadol o newydd ydoedd? Gwyddai Thomas Parry o'r gorau fod Williams yn awdur cannoedd ar gannoedd o emynau a roddodd fynegiant trydanol i brofiadau crefyddol degau o filoedd o Gymry ei gyfnod ac i Gymry'r ddwy ganrif ddilynol, emynau â'u hieithwedd yn gyfuniad o'r Ysgrythur Lân a thafodiaith Sir Gaerfyrddin, a'u profiad yn codi o seicoleg y Diwygiad Mawr. Ond ni thrafododd na'i grefft na'i estheteg – ac eithrio i'r graddau y dywedodd fod gan Williams 'awen mewn ystyr na wybu hen feirdd Cymru ddim amdani'.

Ie, gweld rhai ffaeleddau dehongliadol yn *Hanes Llenyddiaeth Gymraeg hyd 1900* a wnaethpwyd yn awr – gweld ffaeleddau mewn llyfr sydd, oblegid ei rychwant, ei ysgolheictod, ei awdurdod a'i fynegiant, heb os yn un o glasuron mawr ysgolheictod y Gymraeg. Yr oedd ac y mae yn waith cwbl angenrheidiol, yn yr ystyr bod iddo swyddogaeth anhepgor yn ein hadnabyddiaeth o'n hanes ac yn ein profiad o'n llenyddiaeth.

141

Pan gyhoeddwyd ef yr oedd pawb yn unfryd unfarn ynghylch ei ragoroldeb. Er na chafodd ei feirniadu gan neb, fe dynnodd rhai adolygwyr sylw at fân gamgymeriadau a honiadau amheus a geid ynddo. Yr ysgolhaig cydwybodol G. J. Williams a ofynnodd i Thomas Parry a oedd ganddo 'brawf pendant' mai gŵr o Forgannwg oedd Hywel ap Dafydd (t.127), a'r hanesydd lleol Evan Roberts o Landderfel a ddywedodd wrtho ei fod yn cyfeirio ar dudalen 205 at Forris ap Robert, Ellis Cadwaladr a John Cadwaladr fel 'tri bardd o'r Bala er nad oes yr un o'r tri yn feirdd y Bala'. Ond yr oedd G. J. Williams ac Evan Roberts fel ei gilydd yn cyfrif y llyfr 'yn gaffaeliad rhyfeddol' ac 'yn drysor amhrisiadwy'. Y clasurydd Jenkin James, Ysgrifennydd Bwrdd Gwasg Prifysgol Cymru, oedd un o'r cyntaf i'w ganmol. 'Y mae'r arddull mor loyw a'r farn a fynegir mor aeddfed ac mor gydbwys . . . Bron na thybiaf y gellwch yn awr ddywedyd: "Exegi monumentum aere perennius".' Llinell o un o Ganiadau Horas yw hon, yn golygu 'Yr wyf wedi creu cofadail mwy parhaol na phres'. Cadeirydd Bwrdd y Wasg y pryd hwnnw oedd Ifor L. Evans, Prifathro Coleg Aberystwyth. Yn ei farn ef yr oedd y llyfr yn 'gampwaith godidog'. Drwy Chwefror a Mawrth 1945, a'r tri chan copi cyntaf a gawsai'r Wasg gan yr argraffwyr wedi'u gwerthu bob un, cafodd Thomas Parry lwyth o lythyron yn ei ganmol, gan gyd-weithwyr a chynfyfyrwyr, gan gydnabod a dieithriaid. Llythyr, er enghraifft, oddi wrth Henry Lewis yn diolch (ac, wrth gwrs, dyfynnu y mae) am 'wledd o basgedigion breision a gloyw win puredig'. Yn y llythyr dywedodd fod 'Steve a Ben Bowen', sef Stephen J. Williams a Ben Bowen Thomas, wedi dod i fewn i'w ystafell pan oedd yn gorffen darllen y bennod ar yr ail ganrif ar bymtheg, a'u bod hwythau'n canmol. Dywedodd H. Ellis Hughes, prifathro Ysgol Ganolraddol Penygelli, Coed-poeth, iddo brynu'r llyfr fore Sadwrn yr 2il o Chwefror a'i orffen nos Lun y 4ydd: 'Ni ddarfu imi fwynhau dim erioed yn fwy na'r llyfr hwn.' Yr un yw byrdwn neges Bob Owen Croesor: 'Diolch lonaid y cwm yma i chwi, am y gyfrol na ddarllenais ei godidoced mewn Cymraeg erioed o'r blaen.' Yr ydych, meddai wedyn, 'yn traethu synnwyr drwy'r gyfrol drwyddi –

heb na rhagfarn na mympwy ar eich cyfyl' (a dyna ni'n ôl at ragair yr *Hanes* ac at adolygiad T. J. Morgan arno). Ebe T. Rowland Hughes cyn diwedd y mis: 'Dyma'r llyfr y bûm i a'm tebyg yn hiraethu amdano ers blynyddoedd.' Ar ran cyfarfod undebol o gymdeithasau llenyddol Pen-y-groes, ysgrifennodd y Parchedig Trebor Lloyd Evans i ddweud pa mor falch oeddynt mai hen ddisgybl o'r Ysgol Sir yno 'biau'r clod amdano'. Mynnodd Jack Evans, prifathro ysgol gynradd Rhydaman, mai dyma'r llyfr Cymraeg pwysicaf er cyhoeddi Beibl William Morgan. Dywedodd adolygydd *Y Llan* mai un o beryglon adolygu yw taeru'n ystrydebol mai'r llyfr a'r llyfr yw'r 'pwysicaf a gyhoeddwyd yn ystod y rhyfel yma' neu mai 'dyma'r llyfr y bu disgwyl mawr amdano' neu eto fyth bod 'y llyfr hwn yn gyfraniad i lenyddiaeth ein cenedl'. Wel, ebr ef, 'am unwaith gadewch i mi groesawu llyfr y gallaf yn onest ddweud yr holl bethau hyn amdano'.

Ymhlith y llu cyfarchion a gyrhaeddodd Beniarth (ac a gadwyd) yr oedd llythyr o Lundain oddi wrth y dramodydd J. O. Francis – 'one of the benighted people who have had to learn some Welsh following upon a monoglot upbringing in English' – yn holi faint o ddramâu a ysgrifennwyd yn y Gymraeg hyd 1900, a faint wedyn; cerdyn post oddi wrth Keidrych Rhys, yn gofyn am gyfraniad i'w gylchgrawn *Wales* ac yn dweud ei fod yn gobeithio y ceir cyfieithiad o *Hanes Llenyddiaeth Gymraeg* cyn bo hir: 'it's something that shd. have been published in both languages simultaneously'; a nodyn oddi wrth H. Idris Bell, yntau hefyd yn dweud y carai ei weld yn cael ei gyhoeddi yn Saesneg, ac yn mynd gam ymhellach ac yn dweud: 'indeed I have been wondering whether I should offer to translate it.'

V. RHAGOR O GYNNYRCH PENIARTH

Os mynnwch gael rhywun i wneud rhywbeth, ebe'r gair, ewch ar ofyn dyn prysur. Ddiwedd Awst 1943 anfonodd Thomas Bassett o Hughes a'i Fab ddail *Rhys Lewis* i Tom Parry. Gobeithio yr oedd y byddai'r derbynnydd yn gwneud yr un gwaith ar hwnnw ag a wnaethai ychydig flynyddoedd ynghynt ar *Gwen Tomos*, sef tynnu'r llyfr i lawr i ryw gan mil o eiriau 'heb golli gormod o'i bethau gorau', chwedl yntau – ymadrodd go ryfedd. A dyma ymadrodd rhyfedd arall: 'Y mae eich gwaith campus ar "Gwen Tomos" wedi profi bod Daniel Owen yn well o'i gwtogi (pwy ohonom nad yw?) ar gyfer darllenwyr heddiw.' Prin fod Tom Parry'n disgwyl y parsel na'r comisiwn. Onid oedd yn cydolygu *Cofion Cymru* ac yn ysgrifennu *Hanes Llenyddiaeth Gymraeg hyd 1900*? Yr oedd hefyd yn helpu'i wraig i gyfieithu llyfr ar gerddoriaeth yng Nghymru y gofynnwyd i Idris Lewis ei lunio ar gyfer Cyfres Pobun Gwasg y Brython o dan olygyddiaeth gyffredinol E. Tegla Davies. Daethai Enid Parry i adnabod Lewis drwy ei gwaith yn cyfrannu'n rheolaidd, fel cyfeilydd, fel aelod o bedwarawd ac fel beirniad, i raglenni cerdd y BBC: ef oedd cyfarwyddwr cerdd y Gorfforaeth yng Nghymru. Rhaid nad oedd yn hyderus o'i Gymraeg ysgrifenedig nac o'i ddawn i gynllunio cyfrol. Dywedodd wrth Enid yn hydref 1944 ei fod bellach wedi addasu'r braslun cyntaf o'r llyfr yr oedd wedi'i ddangos iddynt gynt, ac wedi'i ddatblygu 'somewhat on the lines which Mr. Tom Parry suggested when we discussed it in Bangor some time ago'. Pan gyhoeddwyd *Cerddoriaeth yng Nghymru* yn 1945, ef, wrth gwrs, a enwyd fel ei awdur, ond dywed y ddalen deitl ei fod 'wedi ei drosi i'r Gymraeg gan Enid Parry'.

O gymryd yn llythrennol yr hyn a ysgrifennwyd amdanynt mewn un stori, yr oedd gan Tomos ac Enid – ac wrth yr enwau hyn y cyfeirir atynt – ran mewn trafod, onid mewn paratoi, llyfr arall a oedd ar y gweill yn y cyfnod hwn, llyfr a gyhoeddwyd yn Rhagfyr 1946, sef *Y Goeden Eirin*, llyfr o straeon byrion gan John Gwilym Jones – yr hen gyfaill o ddyddiau ysgol a fu'n gyd-letywr gyda Tomos ym Mangor, a'r hwn a oedd, ar ôl pedair blynedd ar ddeg yn dysgu yn Ysgol Ganol Llandudno, yn awr yn athro ym Mhwllheli ac yn byw yn y Groeslon yn ei ôl. Yn y lletty yn Park Street John Gwilym (fel y cofir) oedd yr unig un o'r frawdoliaeth farddol na allai gynganeddu. Yn ei fan, ym marn y cynganeddwr cryfaf ohonynt, aeth y John hwnnw 'ymhell bell y tu hwnt' i neb ohonynt 'fel llenor creadigol ac fel beirniad llenyddol' ac erbyn hyn yr oedd yn awdur nofel a dwy ddrama gyhoeddedig. Byddai'n ymwelydd cyson ar aelwyd Peniarth, ac yn aml yn dwyn i'w ganlyn gydag ef ei ysgrifeniadau diweddaraf. Straeon dieithr eu dychymyg, cordeddog eu cymeriadaeth, a chymharol gymhleth eu mynegiant yw straeon *Y Goeden Eirin*. Wrth wrando ar yr awdur yn eu darllen, diau y dywedai'r ddau a oedd yn gynulleidfa iddo beth a feddylient ohonynt. Un tro ar ôl gwrando ar eu hymatebion aeth ef ymaith a llunio ffuglen newydd i'w disgrifio. Yn 'Cerrig y Rhyd' Enid yw'r beirniad mwyaf llafar; caiff Tom ei anwybyddu, fwy neu lai. Dyma agoriad y stori honno:

"'Rwyf wedi ysgrifennu stori," ebe Absalom wrth Tomos ac Enid.

"Do?" ebe Tomos yn ei lais chwarae-teg-iddo-fo, a bod yn barod i rywbeth.

"Gobeithio bod yna blot iawn ynddi hi," ebe Enid. "'Rydw' i wedi hen flino ar y straeon yma heb gynllun ynddynt, sy'n synio bod syniad a dadansoddi à la Freud yn ddigon i greu llenyddiaeth."

Ac nid hyhi oedd yr unig un a ysai am stori ac iddi gynllun. Wrth geisio cywiro proflenni'r *Goeden Eirin* yng Ngwasg Gee cafodd Kate Roberts ei llun yn y fath ddryswch – 'Ni wyddwn i ar wyneb daear Duw ym mha le y gorffenna un meddwl ac y dechreua'r llall siarad a *vice versa*' – fel yr anfonodd hwy at John er mwyn iddo ef gael eu cywiro'i hun: 'nid oedd neb ond ef ei hun a allai roi'r dyfyn-nodau *&c*.' Mewn llythyr wedi'i gyfeirio at *Enid* y cyfaddefodd Kate Roberts hyn.[8]

Unwaith y gorffennodd Thomas Parry ei *Hanes Llenyddiaeth Gymraeg hyd 1900*, bwriodd iddi'n syth i lunio llyfr ar lenyddiaeth Gymraeg yr ugeinfed ganrif i Gyfres Pobun a olygid gan E. Tegla Davies. Y mae'r ohebiaeth rhyngddynt yn awgrymu'n gryf fod Ifor Williams wedi hen

---

8   Yr un flwyddyn, 1946, cyhoeddodd Gwasg Gee gyfrol gan gyfaill arall i T. P., cyfrol o farddoniaeth gan R. Meirion Roberts yn dwyn yr enw *Plant y Llawr*.

addo llyfr ar hanes llenyddiaeth y canrifoedd cynt i'r gyfres – yn wir, ei fod wedi dweud yn bendant y câi Tegla ef i law yn 1946 – ac yr ystyrid llyfr Thomas Parry ar yr ugeinfed ganrif a'i lyfr ef 'yn un cyfanwaith'. Ond ar ôl i *Hanes* tra sylweddol y darlithydd weld golau ddydd yn 1944, tybed na feddyliodd yr Athro y byddai unrhyw astudiaeth ganddo ef ar yr un pwnc yn ymddangos braidd yn bitw, ac iddo fynd yn ôl ar ei air?

Yn haf 1945, fel 'math ar atodiad' i'w 'lyfr mawr' y gwelai Tegla lyfr bychan newydd Thomas Parry – hanner cant a dau o dudalennau ydyw – ond nid felly y gwelai ei awdur ef, ac nid felly y mae'n darllen. Nid llyfr hanes fel *Hanes Llenyddiaeth Gymraeg hyd 1900* mohono, ond llyfr beirniadol. Rhannodd Thomas Parry *Llenyddiaeth Gymraeg 1900–1945* yn dair rhan – 'Fel y Bu', 'Fel y Mae' a 'Fel y Bydd' – ac er bod yn y Rhan Gyntaf grynodebau o beth o'r hanes canonaidd a geir yn y llyfr mawr, y mae'r feirniadaeth a geir ynddo, yn y rhan fer gyntaf fel yn yr ail ran fwy sylweddol, yn olwg fwy cymharol ar lenyddiaeth, ac y mae'r ymdriniaeth ohoni'n llawer mwy rhydd. Yn wir, y mae fel petai awdur *Hanes Llenyddiaeth Gymraeg hyd 1900* wedi agor botymau'i wasgod ac wedi diosg ei dei, wedi ymlacio drwyddo, ac o ganlyniad yn fwy parod i ddarlunio'n lliwgar ac i wirebu'n ffraeth. Cymerer fel enghraifft o'r ddawn ddiffrwyn hon y gymhariaeth a wnaiff wrth drafod safonau'r bedwaredd ganrif ar bymtheg a bersonolir gan Lewis Edwards, a safonau Edmwnd Prys o'r unfed ganrif ar bymtheg:

> Dyma ddau ddyn a gafodd addysg orau'r dydd mewn prifysgolion; dau a wnaeth gyfraniadau pwysig i agwedd newydd ar grefydd, y naill â'r Beibl a'r Salmau Cân, a'r llall â'i ddiwinyddiaeth a'i goleg; dau a wybu hanes syniadau yn y gwledydd y tu allan i Gymru a Lloegr, Prys am ddyneiddiaeth ac Edwards am athroniaeth yr Almaen; dau hefyd a geisiodd gymhwyso'r syniadau newydd at lenyddiaeth yng Nghymru, yr Archddiacon yn ei ddadl enwog â Wiliam Cynwal, y Methodist trwy ysgrifau yn *Y Traethodydd*. Dau ddigon tebyg, ac eto'n gwahaniaethu'n hanfodol. Y gwahaniaeth yw bod Prys yn

hen gyfarwydd ag arferion llenyddol traddodiadol ei wlad, a Lewis Edwards heb wybod ond am ryw bedwar neu bump o'r prif ddynion.

Y mae'r drafodaeth fer hon o feddylfryd Lewis Edwards a'r gymdeithas yr oedd ei air yn ddeddf i lawer ynddi yn arwain Thomas Parry at lunio rhai o'r myrdd gwirebau sy'n britho *Llenyddiaeth Gymraeg 1900–1945*. Wele ddwy neu dair:

Gobaith y bedwaredd ganrif ar bymtheg oedd ei diffyg traddodiad.

Ceisiodd [y genedl fywiog hon] ysgrifennu rhyddiaith lenyddol gain, heb ddim yn batrwm ond y Beibl a llenyddiaeth y genedl fawr dros y ffin, a dyna'r methiant mwyaf o'r cwbl, oherwydd y mae gan werin bob amser lai o glem ar ryddiaith nag ar farddoniaeth.

. . . treuliodd ei hegni a'i hamser ar ddadleuon diwinyddol nad oeddynt yn lles i grefydd na llên na llwyddiant bydol na dim arall.

Yn Ail Ran y llyfr y mae'n trafod barddoniaeth a rhyddiaith ar wahân, ac yn trin yr awduron mwyaf blaenllaw yn unigol, gydag adnabyddiaeth awchlym o'u gweithiau a chyda brafado dweud sydd weithiau yn mynd â gwynt dyn. Y 'stynt sentimentalaidd honno' yw ei ddisgrifiad o 'Sionyn' W. J. Gruffydd, bardd y dywed 'mai llawenydd o chwith a welir yn ei brydyddiaeth . . . Edrych ef ar hyfrydwch byw o'r pwynt lle mae'n darfod', sef angau. Y mae'n barnu mai ei 'chwe cherdd hanes' – 'Madog', 'Tir na n-Og', 'Broseliawnd', 'Anatiomaros', 'Argoed' a 'Cynddilig' – 'yw camp Gwynn Jones, a champ anfarwol ydyw'; ond y mae ar yr un pryd yn barnu bod y condemniad ysgubol ar ei oes ei hun a gynrychiolir gan y cerddi hyn yn profi nad oes gan Gwynn Jones mo'r 'cydymdeimlad â dynoliaeth gyfan sy'n hanfod beirniadaeth'. Y mae triniaeth Thomas Parry o'u gefndryd yr un mor graff, ond yn garedicach. Y rhinwedd fawr a wêl ym marddoniaeth Williams Parry yw hydeimledd ei feddwl a'i ddawn ryfeddol i roi ffurf iddo: 'Odid fod yr un bardd Cymraeg â chanddo gymaint dawn i lwytho geiriau ag ystyr ac awgrym, ac i lunio'r fath ddillynder caboledig mewn cerdd'. Am y llall, myfyr, meddai, yw 'prif ysgogydd barddoniaeth Parry-Williams' – 'nid myfyr hir-barhaol yr athronydd, nid myfyr gwastad, rhesymegol, pryddestol', ond yn hytrach, ac y mae'r *bon mot* yma eto'n taro deuddeg, 'myfyr plyciog y bardd'.

Ar ôl trafod beirdd mwyaf yr ugeinfed ganrif yn unigol, try Thomas Parry wedyn i edrych ar dueddiadau cyffredinol barddoniaeth y cyfnod. Wrth drafod ei ganu telynegol, unwaith yn rhagor y mae'n defnyddio cymhariaeth i gyfleu ei feddwl. Wrth gymharu Edmwnd Prys a Lewis Edwards, ffeithiau a roddodd. Yn y gymhariaeth rhwng Ceiriog a John Morris-Jones, darluniau sydd ganddo:

Llifa ffrwd Ceiriog yn sionc dros y graean, heb ynddi'r un pwll dwfn na throbwll, na'r un rhaeadr ewynnog. Ar ei glannau mae adar a blodau a bro plentyndod llawer iawn o feirdd, a rhyw nifer anhygoel o fythynnod hen wŷr a gwragedd. A heb fod ymhell y mae bob amser fynydd. Tuedda ffrwd Morris-Jones i ymloywi'n llynnoedd bach tawel, ac y mae yno sêr a blodau a nos a llu o bethau sy'n atgoffa'r bardd am ei gariad.

Y mae'r ymdriniaeth o ryddiaith yr ugeinfed ganrif yn fwy catalog-aidd, ac yn hynny o beth yn tystio eto mai barddoniaeth oedd cariad mawr Thomas Parry; y mae'n tystio hefyd i'w ymlyniad ysgolheigaidd wrth y traddodiad barddol. 'Nid oes i'r nofel neu'r stori fer neu'r ysgrif draddodiad yng Nghymru,' meddai'r awdur, 'ac os am batrwm rhaid i ysgrifenwyr heddiw gadw un llygad ar gynnyrch ieithoedd eraill.' At hyn, dywed ei bod 'yn ddwbl anodd' i feirniad llenyddol drafod rhyddiaith: lle mae 'pob barddoniaeth . . . yn amcanu at fod yn llenyddiaeth . . . mewn rhyddiaith y mae digon o enghreifftiau o lyfrau wedi dod yn glasuron na fwriadwyd mohonynt gan eu hawduron fel cyfraniad i lenyddiaeth o gwbl, fel *Taith y Pererin* neu *Ddrych y Prif Oesoedd*'. Y mae'r anhawster hwn yn arwain Thomas Parry i ailadrodd ambell syniad ac agwedd a welsom yn yr *Hanes* mawr – y pwys ar arddull er enghraifft ('Y mae

Morgan Llwyd yn glasur oherwydd ei arddull, a Daniel Owen yn glasur er gwaethaf ei arddull') – ond y mae ei driniaethau o waith nofelwyr a storïwyr gorau'r cyfnod, gweithiau Kate Roberts a D. J. Williams yn enwedig, yn gwbl befriog. Trafoda eraill gyda'r un feistrolaeth, ond y drafferth yw nad oes gan y mwyafrif o awduron ddigon o ddefnyddiau iddo'u hiawn bwyso. Fe gyhoeddodd Daniel Owen 'bedair nofel gorffol mewn pedair blynedd ar ddeg,' ebe fe, 'ac y mae hynny'n fwy nag a wnaeth neb sy'n fyw heddiw.' Yna, y mae'n gwneud y sylw tra phryfoclyd hwn, a gellir gweld ei fwstásh bychan twt yn lledu'n llawen:

Ymddengys fod ynom fel cenedl ryw annhueddrwydd at ddim hir; nid ysgrifennir cerdd hir ond at gystadleuaeth. Ni fynnwn ddweud, fel Saunders Lewis, mai agwedd ar ein hathrylith yw hyn; agwedd ar ddiogi efallai.

Rhoddir naw tudalen olaf y llyfr i drafod y rhagolygon i lenyddiaeth Gymraeg. Cyfle i Thomas Parry fynd ar gefn ei geffyl yw'r adran hon – i gloriannu ymdrechion a diffyg ymdrechion ein hawduron; i ddwrdio'r bobl hynny sy'n beirniadu beirdd a llenorion nad ydynt yn cyfansoddi i'r 'werin'; i bregethu 'goddefgarwch ac changrwydd' mewn beirniadaeth; ac i gystwyo'r cyfeillion hynny sy'n ordueddol i ddwyn y gair 'adwaith' i mewn i bob beirniadaeth lenyddol: 'y mae rhywbeth cibddall ofnadwy mewn cymryd eich barn boliticaidd i fesur barddoniaeth', ebe'r marchog yn ei gyfrwy, ac y mae rhywbeth rhagfarnllyd tost mewn darllen gwaith awdur neilltuol gyda meddwl sy'n gwybod ei fod yn 'hunandybus, neu'n arfer yfed cwrw, neu'n Biwritanaidd, neu wedi mynd i gae'r Eisteddfod heb docyn'. At hyn, y mae Thomas Parry'r academydd yn gofyn yn ddifrifol beth ddylai dyletswydd Adrannau Cymraeg y Brifysgol fod at lenyddiaeth. Er rhestru'r anawsterau sy'n llesteirio datblygiadau yn y maes, myn nad yw Prifysgol Cymru 'ond yn dechrau dod i ystyried astudio llenyddiaeth yn eang a rhyddfrydig fel peth cyfwerth ag astudio iaith'. A myn fod yn rhaid symud o'r lle y tueddir i 'ystyried bod y sawl a ddatrys broblem ieithegol yn fwy dyn na'r sawl a ddehongla gyfnod mewn hanes neu agwedd ar lenydda' a gwahodd i'r Brifysgol '[y] gŵr o chwaeth lenyddol' drwy'r hwn y gwneir 'astudiaeth o'r Gymraeg yn ysbrydiaeth i fyfyriwr'. Y ple a wnaeth gerbron Ifor Williams dro ar ôl tro ar ôl iddo ddychwelyd o Gaerdydd bymtheng mlynedd ynghynt yw'r ddadl hon, a rhan o'r weledigaeth y byddai yn ceisio'i gwireddu pan ddeuai i olynu Ifor.

Yn ei adolygiad o *Llenyddiaeth Gymraeg 1900–1945* yn *Yr Eurgrawn*, un o'r pwyntiau a wnaeth D. Tecwyn Evans oedd nad oes cyfeiriad ynddo o gwbl at Ifor Williams. Nac oes, ebe'r awdur mewn llythyr ato, nac at gyfieithiadau 'pwysig a rhagorol' Tecwyn Evans ei hun, nac at gyfieithiad J. T. Jones o *The Shropshire Lad*, nac at gyfieithiadau D. Emrys Evans o'r Roeg. 'Gofynnwyd yr un peth imi gan Fethodist amlwg arall . . . ac y mae'n edrych yn debyg i ryw fath o gynllwyn.' Yr ateb syml yw nad ysgrifennodd 'yr Athro na barddoniaeth na nofel nac ysgrif na stori fer' ac nad oedd ei sgyrsiau radio, *Meddwn I*, 1946, wedi'u cyhoeddi pan ysgrifennwyd y llyfr. Y mae'n amlwg fod Thomas Parry wedi cymryd ato am i bobl ei gyhuddo o anwybyddu Ifor Williams. 'Afraid imi ddweud nad oes neb yn y byd sy'n edmygu mwy ar yr Athro fel ysgolhaig na mi,' meddai – a phrawf o hynny yw'r *Mynegai i Weithiau Ifor Williams* a gyhoeddodd yn 1938, gweithred o bietas os bu un. Ond ni ellir osgoi'r farn fod paragraffau olaf llyfr bychan 1945 yn feirniadaeth union-gyrchol ar gynlluniau dysgu Ifor a'i deip.

Ifor a'i deip? Tybed? Ni wn beth oedd barn Ifor Williams ei hun ar y llyfr, ond am y teip, clod mawr oedd gan Henry Lewis iddo. 'Os yw'ch bodlonrwydd chi ar eich Llyfr Pobun o fewn "naw perth a hewl" i'r blas a gefais i wrth ei ddarllen', meddai, 'yr ydych ar ben eich digon.' Yr un oedd barn y clasurydd llengar D. Emrys Evans: 'Y mae'r bychan, yn ei ffordd ei hun, mor wych â'i frawd mawr sydd dipyn yn hŷn.' Llyfr bach ei faint ond mawr ei gynnwys yw disgrifiad Ll. Wyn Griffith ohono. Yntau eto'n canmol. Fel Iorwerth Peate. Ond dim ond i raddau. Ar ôl dweud mewn llythyr dyddiedig y 6ed o Chwefror 1946 iddo'i ddarllen 'gyda blas', y mae Peate yn mynd rhagddo i anghytuno'n 'ffyrnig' â'r awdur ar 'bedwar neu bump o bethau'. Yn eu plith y mae darlun Thomas Parry o'r Oesoedd Canol fel oes sefydlog; ei ddisgrifiad o Gwynn Jones fel bardd y bedwaredd ganrif ar bymtheg ('pengamrwydd llwyr'); ei driniaeth o W. J. Gruffydd; ei glod i Saunders Lewis a'i ddarllen eang; ac, fe ellid mentro, ei feirniadaeth o'r rheini a ddisgrifiai lenyddiaeth S. L. ac eraill fel llenyddiaeth yr adwaith. Ebe fe wrth Thomas Parry: 'tybed na ddisgynnodd eich politics arbennig chwi "yn dawch" arnoch wrth i chwi ddisgyn ar y gair *adwaith*[?]'[9]

VI. 1945–1947

Ac ystyried amgylchiadau'r cyfnod, yr oedd y llwyth gwaith a gyflawn-odd Thomas Parry yn ystod yr Ail Ryfel Byd yn enfawr. Ac nid ydys wedi sôn am ei waith beunyddiol yn darllen, darlithio, ac yn marcio; nac am y gwaith cenhadol a wnaeth ar y cyd â phobl fel Thomas Bassett, Jenkin James, E. Prosser Rhys ac Alun Talfan Davies, sefydlydd ifanc Llyfrau'r Dryw, i geisio hybu gwerthiant llyfrau Cymraeg; nac am ei gyfraniad i drefniadaeth yr Eisteddfod Genedlaethol a'i waith yn beirniadu ynddi; nac am y cymorth a roddodd i ysgolheigion eraill. Un o'r rheini oedd W. H. Gardner, Llundain, Natal wedyn, a oedd yn gweithio ar drydydd argraffiad estynedig o'r gyfrol o gerddi gan Gerard Manley Hopkins a

---

9   Flynyddoedd lawer yn ddiweddarach derbyniodd Thomas Parry gerdyn post dydd-iedig yr 2il o Fawrth 1981 oddi wrth y Canon R. D. Roberts, Llwyngwril. Arno yr oedd englyn yn dilorni arferiad cyson Peate o ysgrifennu i'r wasg i nodi ei 'safbwynt', englyn gan Waldo Williams, a'i lluniodd pan oedd yn gyd-athro gyda Gruffudd Parry ym Motwnnog:

> Diarbed ydyw'r Dewrbeate – ym mhob stŵr,
>   Ym mhob storm Cadarnbeate;
> Cignoeth, chwilboeth Uchelbeate,
> Fy 'safbwynt' ydyw pwynt Peate.

gyhoeddwyd y tro cyntaf o dan olygyddiaeth Robert Bridges yn 1918. Ym mhapurau Hopkins daethai Gardner o hyd i ddwy gerdd Gymraeg ganddo, cyfieithiad o 'O Deus, ego amo Te' (y dywedid ei bod yn eiddo i Sant Ffransis Xavier), a chywydd annerch i'r Tra Pharchedig Ddr Thomas Brown ar ddathlu ohono bum mlynedd ar hugain fel Esgob yr Amwythig. Drwy Idris Bell y cyfeiriwyd Gardner i Fangor, ac o Fangor cafodd gymorth hawdd, haelionnus. 'I hope you will name a fee for the "professional services" which you have had so unceremoniously thrust upon you,' ebe Gardner. Wrth ymateb i'r cais hwnnw cyfeirio at 'the freemasonry of scholarship' a wnaeth Thomas Parry. Ac ebe Gardner wedyn: 'all the *masonry* has been on your side.'

Ysgolhaig arall y bu'n gohebu gydag ef am flynyddoedd (tawodd Gardner yn 1946) oedd Edouard Bachellery, aelod o'r École Pratique des Hautes Études yn y Sorbonne ym Mharis, a oedd yn gweithio ar olygiad o waith Gutun Owain, ac a gafodd gymorth mawr yn 'ddirwgnach' gan Thomas Parry er gwaethaf ei 'holl brysurdeb' – cymaint fel yr anfonodd ambell anrheg iddo, blychau pren o'i waith ei hun Nadolig 1946, blychau yr oedd eisiau eu farneisio 'i roi gwedd fwy trwsiadus arnynt!' Dros y blynyddoedd dilynol anfonodd Thomas Parry anrhegion yn ôl i Baris, pecynnau o lyfrau o Wasg y Brifysgol ac o Siop Griffs Llundain. Yn y man, aeth yn fasnachu rhyngddynt, Bachellery yn trefnu i gyhoeddwyr yr *Études Celtiques* anfon i Beniarth set gyfan o'r rhifynnau 'a gyhoeddwyd hyd yn hyn' – gwerth 4,215 ffranc, sef £3/19/6 – a Thomas Parry yn trefnu i anfon gwerth hynny o lyfrau Cymraeg i Baris, rhai llyfrau a enwir gan Bachellery ac eraill y gad i'w ohebydd eu dewis trosto. Merch o Fangor oedd gwraig Bachellery, a hynny efallai a gyfrif am ragoroldeb ei Gymraeg. O'i phlegid hi hefyd, neu yn hytrach oblegid y clefyd cryd cymalau a gydiodd ynddi ar ôl genedigaeth ei hail fab, y cynydda'r ymdeimlad o drasiedi sydd drwy'r ohebiaeth rhyngddynt, yn enwedig ar ôl marw Eluned Bachellery yn 1952, ac yntau'r gwidman tlawd na fwynhâi iechyd da ei hun yn ceisio magu dau fachgen bach yn ddigymorth.

152

Gohebai Thomas Parry ag ysgolheigion Celtaidd eraill yn ogystal – gyda Taldir (François Jaffrennou), er enghraifft, y cenedlaetholwr Llydewig amlwg; a thrwy Anna Wyn Richards o Benmachno, a fu'n fyfyrwraig yn Rennes ar ôl y rhyfel, bu'n trafod gydag ambell ysgolor gyfieithu *Hanes Llenyddiaeth Gymraeg hyd 1900* i'r Llydaweg. Yr oedd hefyd mewn cysylltiad agos ag ysgolheigion Gwyddeleg: am flynyddoedd piwr ef oedd arholydd allanol y cwrs gradd Cymraeg yng Ngholeg y Brifysgol, Dulyn.

Dechreuasai yr ohebiaeth rhyngddo ag Idris Bell rai blynyddoedd ynghynt, pan oedd Bell a'i fab David yn gweithio ar eu cyfieithiadau o gywyddau Dafydd ap Gwilym a ymddangosodd yn gyfrol yn 1942, cyfieithiadau a elwodd lawer o sylwadau Thomas Parry arnynt. Yn Nhachwedd 1938 y llythyrodd y Belliaid ag ef gyntaf, pan ofynnodd David iddo a fyddai yn barod i'w helpu pan fyddent, 'fel Dafydd [ap Gwilym], ar goll mewn niwl neu'n eu cael eu hunain mewn pwll mawn'. Ym mis Mai 1942 anfonodd Idris Bell gyfieithiad o 'Monastîr' Cynan ato, a dwy stori fer Saesneg gan ei fab arall, Rhys, storïau o'u cyfieithu y gallai Tom Parry ystyried eu cyhoeddi yn y 'soldiers' periodical', ys galwodd Bell *Cofion Cymru*. O Crouch End, Llundain, yr ysgrifennai bryd hynny. Er 1929 ef oedd Ceidwad y Llawysgrifau yn yr Amgueddfa Brydeinig, ac er 1935 yr oedd yn Ddarllenydd er Anrhydedd mewn Papuroleg ym Mhrifysgol Rhydychen. Y mae'r ffaith iddo gael ei godi yn Llywydd yr Academi Brydeinig yn 1946 yn hen ddigon o brawf o'r bri oedd ar ei ysgolheictod. Er mai yn Lloegr y'i maged, ystyriai ei fod 'o ran gwaed yn gymaint o Gymro ag o Sais', ac fel ei dad o'i flaen a David ar ei ôl magodd ddiddordeb bywiol yn y Gymraeg a'i llenyddiaeth, er na fentrai ei siarad na'i hysgrifennu. Ar ei ymddeoliad o'r Amgueddfa Brydeinig yn 1944 symudodd i fyw i Iorwerth Avenue yn Aberystwyth, i dŷ y rhoddodd yr enw Bro Gynin arno, er coffadwriaeth i Ddafydd ap Gwilym. Oddi yno ar yr 31ain o Hydref 1945 yr anfonodd at 'Dear Parry' – 'May we … mutually drop the formal method of address?' – i ddweud wrtho fod Bwrdd Gwasg Prifysgol Cymru wedi rhoi caniatâd iddo gyfieithu *Hanes*

Llenyddiaeth Gymraeg hyd 1900 i'r Saesneg, a bod Dirprwywyr Gwasg Prifysgol Rhydychen yn barod i gyhoeddi'r cyfieithiad. Y mae'n dilyn yn y llythyr hwnnw drafod ymysg pethau eraill y breindal (awgryma 4% iddo ef ei hun a 6% i'r awdur gwreiddiol) a'r cyfaddasiadau y rhaid cytuno arnynt cyn cychwyn ar y gwaith. Er enghraifft – 1. 'When *cynghanedd* is first mentioned . . . an explanation of the system may be provided': ei awgrym yw y dylai T. P. lunio'r esboniad, ac y byddai ef yn ei gyfieithu. 2. Bydd yn rhaid rhoi cyfieithiadau o'r dyfyniadau o lenyddiaeth sydd yn y gwaith gwreiddiol, ond a ddylid rhoi'r gwreiddiol yn ogystal? 3. Awgrymodd rhywun, ebe Bell – naill ai R. T. Jenkins neu T. H. Parry-Williams, ni chofiai b'run – y dylid cynnwys yng nghynffon y gwaith gyfieithiad o *Llenyddiaeth Gymraeg 1900–1945*. Ond wrth gwrs nid oedd y trafod rhagarweiniol hwn ond dechrau'r dasg. Nid tan 1955 y gwelwyd *A History of Welsh Literature* mewn print.

O safbwynt hanes ysgolheictod Cymraeg, yr ohebiaeth bwysicaf yn 1945 oedd honno rhwng Thomas Parry a John Ellis Caerwyn Williams, un o fyfyrwyr disgleiriaf Adran Gymraeg Coleg Bangor yn y tridegau, ac un a fu am gyfnod, wedi iddo fod yn Iwerddon yn meistroli'r Wyddeleg ac wedi iddo orffen ei radd BD, yn ddarlithydd llanw ynddi. Llwyddodd yn ddigon da yn y ddarlithyddiaeth lanw i feddwl y câi fod yn ddarlithydd llawn ryw dro. Pan ysgrifennodd John Ellis at Thomas y 29ain o Fawrth 1945 ymgeisydd am y weinidogaeth gyda'r Methodistiaid Calfinaidd ydoedd, ar ganol ei gwrs bugeiliol yng Ngholeg y Bala, myfyriwr mewn cyfyng gyngor yn ceisio cymorth ei fentor i roi trefn ar ei yrfa. Ers hydref 1944, yr oedd Williams Parry, yn drigain oed, wedi ymddeol, ac yn falch o fod wedi ymddeol. Ond am fod y rhyfel o hyd yn stwmbwl, a'r sefyllfa ariannol ym Mangor yn aneglur, nid oedd y Coleg wedi hysbysebu am olynydd iddo. Neges John Ellis oedd fod hierarchi'r Hen Gorff yn awyddus iddo wneud gwaith ymchwil, ei fod ef ei hun hefyd yn awyddus i wneud hynny, ond yr hoffai gael hefyd, os yn bosibl, eglwys gerllaw Bangor i'w gweinidogaethu – Capel y Graig Penrhosgarnedd, efallai – am ei fod yn awyddus i adennill ei gysylltiad â'i hen Adran. *Cri de cœur* sydd yma, mewn gwirionedd, gan ymgeisydd am y weinidogaeth yn dweud heb ddweud mai cael darlithyddiaeth brifysgol oedd ei bennaf ddymuniad, ac yn holi heb holi sut obaith oedd ganddo amdani. Nid oedd, meddai, wedi llwyddo i siarad â'r Prifathro David Phillips yn y Bala am y peth, ond fe lwyddodd i gael gafael ar weinidog Capel Tegid, y Parchedig D. Francis Roberts (a fu ei hun yn ddarlithydd, yn Glasgow), a ofynnodd iddo pwy a gâi le Williams Parry. Ni wyddai John Ellis; ond dywedodd y tybiai y byddai ganddo gyfle pe hysbysebid y swydd. Pwy arall fyddai'n debyg o gynnig amdani? oedd ail gwestiwn Francis Roberts. A. O. H. Jarman, ebe John Ellis. 'A fuoch yn siarad ag Ifor Williams am y peth?' oedd trydydd cwestiwn Francis Roberts. 'Naddo.' Am ryw reswm, efallai am na ddisgwyliai gael ateb ganddo ar ei ben, nid at Ifor y trodd John Ellis, er mor fawr oedd yn ei olwg, eithr at ddarpar-olynydd Ifor, at ddyn a wyddai ei feddwl ac a arferai ateb cwestiynau ar eu pen. Cyn pen blwyddyn yr oedd J. E. Caerwyn Williams yn ei briod le. Ac yr oedd Thomas Parry – a Choleg Bangor – wedi rhwydo gŵr a ddatblygodd yn un o bennaf ysgolheigion Cymraeg yr ugeinfed ganrif.

Am bob ennill y mae colli. Ddechrau haf 1945 bu farw W. J. Parry, y wilijohnparri ffraeth a brwd y mwynhaodd Thomas Parry ei gyfeillgarwch a'i gwmni yng Nghaerdydd ddiwedd y dauddegau a'i ymweliadau ag ef yn yr Wyddgrug ddechrau'r tridegau, dyn a wnaeth 'ymddiddan yn gelfyddyd ac yn gamp', ys dywedodd mewn teyrnged iddo yn *Y Goleuad*. Yn ystod y rhyfel ef oedd Dirprwy Gomisiynydd yr Amddiffyniad Gwladol yng Ngogledd Cymru, ac yn ystod y rhyfel hefyd yr oedd yr hen lanc hwn (a oedd, fel y cofir, yn 1929 wedi cymhennu Tomos am beidio â bachu Enid ynghynt) wedi cwrdd â'i ddelfrydferch yntau, ac wedi'i phriodi. Bu farw'n sydyn yn chwech a deugain oed gan adael ei wraig, Menna, yn weddw ifanc, a mab ychydig fisoedd oed, Wyn. Yn ei 'Atgofion' dywedodd Thomas Parry mai marw sydyn W. J. Parry oedd un o 'ergydion creulonaf' ei fywyd.

Ymhen hanner blwyddyn bu farw cyfaill arall iddo – cyfaill nad oedd mor agos â W. J. Parry o bell ffordd, ond un y bu yn ei gwmni droeon, sef Morris T. Williams, gŵr Kate Roberts, cyd-berchennog Gwasg Gee a *Baner ac Amserau Cymru*, ac argraffydd *Tystiolaeth y Tadau*. Yn Ebrill 1945, yn fuan ar ôl cyhoeddi *Hanes Llenyddiaeth Gymraeg hyd 1900*, ysgrifennodd Morris Williams at Thomas Parry i ddweud ei fod yn ystyried cyhoeddi cylchgrawn 'heb fod yn "uchel ael" ond eto o safon a rydd siawns i bobl ddi-goleg yn ogystal â'r academiaid, ac a rydd farn ar lyfrau'. Ar ddechrau'r rhyfel cyhoeddasai Gwasg Gee gylchgrawn o'r enw *Y Ganllaw*, na welwyd ond un rhifyn ohono, ac yn awr fod y rhyfel yn dod i ben yr oedd y wasg wedi cael caniatâd y Paper Control i'w atgyfodi. Cwestiwn ffwr-bwt Morris Williams i'r ysgolhaig ifanc toreithiog ym Mangor oedd: 'Beth am ei gyhoeddi fel cylchgrawn llenyddol ac i ti fod yn olygydd arno?' Er iddo ar y cyd â T. Rowland Hughes fwy nag ystyried ymgymryd â thasg fel hon bymtheng mlynedd ynghynt, prin y cytunai i weithio ar gylchgrawn o'r fath yn awr. Onid oedd Dafydd ap Gwilym yn dal i ddisgwyl wrtho? Ac oni wyddai'n dda am fuchedd ddiotgar y cyhoeddwr yn Ninbych? Ymhen wyth mis yr oedd Morris Williams yn ei fedd, ac alcohol wedi'i ladd. Wyth mis eto ac yr oedd Thomas ac Enid Parry yn croesawu ei weddw i'w cartref am egwyl fechan o wyliau. 'Cael egwyliau bychain fel yna sy'n fy nal yn fy synhwyrau y dyddiau yma,' ebe Kate Roberts wrth ddiolch iddynt, Kate Roberts a dybiai yn ei thrallod na byddai hi chwaith byw yn hir. 'Mae arnaf eisiau gwneud fy ewyllys,' ebe hi wrth Thomas Parry yn ddiweddarach yn 1946, 'ac fe hoffwn adael fy llawysgrifau i chwi a G. J. Wms wneud fel y mynnoch â hwynt wedi i mi farw – eu taflu, neu eu hanfon i'r Llyfrgell Genedlaethol, neu gyhoeddi rhai ohonynt. Fe adawaf arian i chwi am eich trafferth.' Hyn, er y gwyddai erbyn hynny pa mor enbyd oedd dyledion ei diweddar ŵr a pha mor brin o arian oedd hi. Y mae'n eironig mai Thomas Parry ymhen ychydig flynyddoedd a sicrhaodd iddi bensiwn o'r Civil List.

Yn ystod blynyddoedd olaf y rhyfel bu Enid Parry yn adolygu rhaglenni radio mewn colofn yn *Y Cymro*, colofn 'Alun Trygarn'. Y 26ain o Orffennaf 1945, a'r rhyfel yn dirwyn i ben, dywedodd ei bod yn edrych ymlaen yn awr at raglenni hirach a mwy sylweddol. Y flwyddyn wedyn yr oedd hi a'i gŵr, ynghyd â thri phâr priod arall amlwg ym Mangor, y Bebbiaid, Dafydd a Menna Ap-Thomas, ac O. V. Jones y gynocaelegydd a'i wraig, Gwyneth, yn ymgiprys â'i gilydd mewn cwis ar y radio – y gwŷr yn erbyn y gwragedd – gydag Ernest Roberts yn y gadair. Ceir yr hanes yn y *North Wales Chronicle*, ond nid yn llawn, achos ni ddywedir pwy oedd yn fuddugol. Ganol 1946 yr oedd Enid yn un o'r cyfansoddwyr Cymreig y gofynnwyd iddynt drafod eu dull o gyfansoddi ar y rhaglen fisol *Music in Wales* a gynhyrchid gan Elwyn M. Evans. Ddiwedd 1946 cafodd ei phenodi yn un o aelodau Cyngor Ymgynghorol cyntaf y BBC yng Nghymru o dan gadeiryddiaeth T. H. Parry-Williams, cyngor a oedd yn cynnwys Esgob Llanelwy, Syr Wynn Wheldon, D. R. Grenfell AS, Eluned Bebb, Huw T. Edwards, Llwyd o'r Bryn a Kate Roberts. Enid oedd yr aelod ifancaf arno. Wrth edrych yn ôl ar waith y Cyngor hwnnw dros ysgwydd y blynyddoedd, nododd mai un o'r pethau a wnaeth oedd sicrhau bod y BBC yng Nghymru yn gorffen rhaglenni'r nos nid â recordiad o 'God Save the King' ond â recordiad o 'Hen Wlad fy Nhadau'.

Y flwyddyn honno ei thasg galetaf oedd trefnu symud tŷ. Penderfynasant adael y tŷ a godasant ddeng mlynedd ynghynt a mudo i dŷ hŷn yn Victoria Avenue, Bangor Uchaf, a mynd â'r enw Peniarth gyda hwy. Er mor fodern oedd, tŷ cymharol fychan oedd hwnnw yn Lôn Meirion. Dichon bod helaethder y tŷ yn Victoria Avenue a'i ehangder golau wedi apelio atynt. Yr oedd – ac y mae – yn dŷ nobl solet ystafellog braf, gydag atig enfawr a modurdy – ac yr oedd ganddynt gar unwaith eto, Morris 8 trafferthus y talwyd cymaint â £22/3/3 i'r Sackville Engineering Works ym Mangor am ei drin a'i drwsio rhwng Tachwedd 1945 a Medi 1946.

Ar gynnydd o hyd oedd gwaith y gŵr. Yn 1947 yr oedd Ifor Williams yn bump a thrigain mlwydd oed, ac er mai ei ddymuniad ef oedd parhau yn y Gadair Gymraeg am ddwy flynedd arall, yn rhannol i sicrhau gwell pensiwn, mynnodd Cyngor y Coleg ei fod yn mynd. Digiodd mor ofnadwy wrth yr awdurdodau fel y penderfynodd beidio â mynychu'r cyfarfod ffarwél a drefnwyd gan yr Adran i'w anrhegu, er bod Thomas Parry wedi paratoi anerchiad arbennig iddo ac wedi cael pob darlithydd a myfyriwr i roi ei lofnod arno. Gweithred fychanus oedd cadw draw. Nid oedd dim oll yn fychan yn y dyn a gaed i'w ddilyn. Pan ofynnodd Thomas Parry i G. J. Williams, a oedd wedi olynu W. J. Gruffydd yn y Gadair Gymraeg yng Nghaerdydd yn 1946, fod yn ganolwr iddo, yr ateb a gafodd oedd na fyddai'r hysbyseb am y swydd 'ond defod, oherwydd ni bydd neb yn ddigon haerllug i ddyfod i'r maes yn eich erbyn'. Ffefryn Ifor Williams o blith ei gyn-fyfyrwyr, heb os, oedd deiliad darlith-yddiaeth Geltaidd Prifysgol Lerpwl, Idris Ll. Foster, a wnaethai MA odano ar 'Gulhwch ac Olwen', ac a dreuliasai'r rhyfel yn gweithio gydag un o'r gwasanaethau cudd. Ond gan dybied na lwyddai Idris Foster mewn cystadleuaeth gyda Thomas Parry ym Mangor D. Emrys Evans yr oedd Ifor Williams wedi'i gefnogi'n gryf i lenwi Cadair Gelteg Coleg yr Iesu, Rhydychen, pan ddaeth yn wag yn 1946. G. J. Williams eto biau dweud mewn llythyr at Thomas Parry: 'Y mae penodiad Foster yn destun rhyfeddod i bawb yma. Dyma ŵr wedi cael un o'r prif Gadeiriau heb unrhyw fath o brawf ei fod yn wir ysgolhaig . . . Y mae'n sicr mai Ifor Williams sy'n gyfrifol.' Dengys yr ohebiaeth hon a llythyron y cyfeirir atynt eto fod cryn dyndra rhwng o leiaf ddau o Athrawon y Gymraeg ym Mhrifysgol Cymru a deiliad Cadair Syr John Rhŷs yn Rhydychen.

Ddydd Mercher y 25ain o Fehefin 1947 y penodwyd Thomas Parry i Gadair Bangor. Yr unig beth a allai fod wedi rhwystro'r penodiad y diwrnod hwnnw oedd problem fecanyddol a gawsai gyda'r Morris 8 yn Aberystwyth y noson gynt. Buasai yno am ddeuddydd yn pwyllgora, meddai mewn llythyr at y Pictoniaid, y 27ain o Fehefin, a phan oedd ar fin cychwyn tua thref nos Fawrth 'aeth rhywbeth o le ar *clutch* y car, a bu raid mynd ag ef i garage a'i adael yno, ac yno y mae'. Nid oedd dim amdani ond cymryd trên yn blygeiniol fore Mercher a mynd yn syth o'r stesion ym Mangor i'r cyfweliad. Y diwrnod hwnnw yr oedd Enid yng Ngharmel, yn ymgeleddu'i mam-yng-nghyfraith a gawsai *bilious attack* go ddrwg. Yn union ar ôl i'r pwyllgor penodi orffen ei waith aeth

Bleddyn Jones Roberts â Thomas Parry yno yn ei gar i roi'r newyddion da disgwyliedig i'w wraig a'i fam. A'r nos drannoeth gyda Bleddyn a'i wraig, Miriam, a Glyn Roberts, yr hanesydd a oedd bellach yn Gofrestrydd y Coleg, bu'r Parrïaid yn ciniawa yn y Bull ym Miwmares i ddathlu (bu'n rhaid i Viva, gwraig Glyn Roberts, aros gartref i warchod ei mam-yng-nghyfraith – hithau, fel mam Thomas, yn sâl).

Wrth ei longyfarch dywedodd J. Lloyd-Jones wrtho nad oedd ei gymar i'r swydd ac y byddai'r 'traddodiad yn ddiogel yn [ei] ofal. Maged chwi ynddo . . .' Do, ond traddodiad i adeiladu arno oedd y traddodiad hwnnw i'r Athro newydd, fel y dangosodd ym mharagraffau olaf *Llenyddiaeth Gymraeg 1900–1945*. Yr oedd G. J. Williams eisoes wrthi'n ail-lunio'r cwrs anrhydedd yng Nghaerdydd, er bod yr hen gwrs, fel y nodwyd o'r blaen, gryn dipyn yn fwy blaengar na chwrs Bangor. Bwriad Thomas Parry yn awr oedd rhoi dewis i'r myfyrwyr ddilyn astudiaethau manwl o dri chyfnod yn hanes llenyddiaeth neu ddilyn cwrs manylach mewn iaith. Yr oedd gan G. J. Williams lawer o gynlluniau eraill yn ymwneud â gwella'r ddarpariaeth i astudwyr y Gymraeg. Gynt, meddai mewn llythyr at Thomas Parry lai nag wythnos ar ôl ei benodi ym Mangor, ni bu llawer o gyfathrach rhwng yr Athrawon Cymraeg 'ond gwelaf gyfnod newydd yn ymagor yn awr . . . Pa bryd y byddwch yn dyfod i Gaerdydd? Carwn gael sgwrs i drafod llu o bwyntiau – ynglŷn â'r cwrs Cymraeg, y Geiriadur, y *Bulletin*, a llawer o faterion eraill'. Yr oedd y materion eraill hyn yn cynnwys neilltuo adran yn *Bwletin y Bwrdd Gwybodau Celtaidd* i gyhoeddi testunau ac i ymdrin â hanes llenyddiaeth, a threfnu i gyhoeddi detholion o ryddiaith Gymraeg y cyfnod modern cynnar mewn cyfres o gyfrolau.

Mwy mentrus na'r ailgynllunio academaidd hwn oedd ymdrech yr Athro newydd i gael ar ei staff ym Mangor y math o ŵr 'o chwaeth lenyddol' y soniodd amdano yn llyfr 1945, 'athro llenyddol' a fyddai'n 'edrych ar y diwylliant Cymreig, nid fel peth sefydlog gorffenedig mewn oesoedd a fu, ond fel tyfiant bywydol trwy bob oes yn hanes y genedl', gan gynnwys yr 'oes hon'. Fel y gwelsom, cafodd J. E. Caerwyn Williams ei benodi i ddarlithyddiaeth ym Mangor yn 1946. Y pryd hwnnw hefyd y penodwyd Enid Pierce Roberts, un arall o gyn-fyfyrwyr siarp Bangor. Mwya'r trueni, ymhen llai na blwyddyn yr oedd Caerwyn mor wael ei iechyd fel y bu'n rhaid iddo fynd yn orweiddiog i Sanatoriwn Gogledd Cymru yn Llangwyfan. Un o dasgau cadeiriol cyntaf Thomas Parry oedd ceisio rhywun yn ei le dros dro – tro go hir, fel y digwyddodd pethau. Gan nad oedd yn swyddogol yn rhoi'r gorau i'w swydd tan ddiwedd y flwyddyn academaidd 1946–47, gellid dadlau mai tasg i Ifor Williams oedd hon. Ond am mai ef oedd biau'r dyfodol, barnaf fod Thomas Parry wedi gofyn am law rydd i benodi ei ddewis ddyn ei hun – sef oedd hwnnw neb llai na Saunders Lewis, y disgleiriaf o holl feirniaid llenyddol y Gymraeg, ffigur dadleuol yn y byd a'r betws (fel y gwyddys), ond gŵr llên a oedd er dechrau'r dauddegau wedi newid ffordd llawer o Gymry llengar o edrych ar eu hetifeddiaeth lenyddol, ac a allai ym Mangor fel yn Abertawe gynt ysbrydoli efrydwyr. Os cywir y dyddiad ar un o'r llythyron gan Saunders Lewis sydd yng nghasgliad y Parrïaid ym Mangor – y 7ed o Fehefin 1947 – yr oedd T. P. wedi bod mewn cysylltiad ag S. L. ynghylch y swydd *cyn* iddo gael ei benodi i'r gadair – oblegid y mae'r ychydig dystiolaeth sydd ar gael yn awgrymu iddo geisio gan y Prifathro Evans gyllid i gyflogi Saunders Lewis yn barhaol, i'r cais hwnnw fethu, ac i Saunders Lewis wedyn wrthod y gwahoddiad i ddod i Fangor dros dro. O Westy William and Mary yn Stratford-upon-Avon lle'r oedd ef a'i wraig 'am wythnos o wyliau ac yn dilyn y dramâu bob nos' ysgrifennodd nodyn i ddweud wrth Thomas Parry na allai fod wedi gwneud 'yn amgen': 'Nid oes dim siom yn hyn i mi, gan na feddyliais o gwbl am ddyfod i Fangor.'

Ond yr oedd yn siom i G. J. Williams a D. J. Williams. 'Yr oedd yn dda gennyf glywed am eich cynnig i Saunders,' ebe G. J. Williams mewn llythyr ato y 7fed o Orffennaf. Onid da o beth yn awr, ychwanegodd, fyddai sefydlu cronfa i'w 'benodi'n fath o Ddarlithydd mewn Llen-yddiaeth . . . i ymweld â'r pedwar Coleg'? Wedi clywed achlust o rywbeth yr oedd D. J. Williams, y mae'n amlwg, ac yn ei fawr hir awydd i sicrhau swydd i'w hen gyfaill ysgrifennodd lythyr at Thomas Parry y 25ain o Awst. Ddeuddydd yn ddiweddarach, ar ôl darllen ateb Thomas Parry iddo, ysgrifennodd ato yr ail waith, gan ddweud gyda'i optimistiaeth arferol: 'Dyna resyn enbyd na fuasai Saunders yn derbyn y swydd a gynigid iddo, am y tro. Fe gâi ei gyflawn le wedyn, mewn dim o amser, unwaith yr agorid y drws iddo.' Yna, fel rhyw ochenaid o ôl-nodyn, y mae D. J. Williams yn dweud mai Saunders Lewis a Waldo Williams yw'r 'ddau fwyaf anodd o bawb y bûm i'n ceisio, yn fy ffordd fach fy hun, gwneud rhywbeth i'w helpu'.

Yr oedd myned o Idris Foster i 'Gader Idris' (chwedl R. Williams Parry) yn Rhydychen wedi creu lle gwag yn yr hyn a elwid yn Adran Gelteg yn Lerpwl. 'Ni wn a wyddoch i Saunders Lewis gynnig' amdani, ebe G. J. Williams mewn llythyr diddyddiad at Thomas Parry. O, gwyddai. Y 13eg o Fedi 1947 cafodd lythyr oddi wrth J. F. Mountford, Is-Ganghellor Prifysgol Lerpwl, yn dweud wrtho fod y pwyllgor penodi yn mynd i gyf-weld tri, sef H. Meurig Evans (fy nghyn-athro Cymraeg i yn Nyffryn Aman, gyda llaw), Melville Richards (a benodwyd i'r swydd wag a adawodd Saunders Lewis yn Abertawe yn 1937), a Saunders Lewis ei hun (myfyriwr yn Lerpwl o dan Oliver Elton chwarter canrif ynghynt). Y mae natur y cwestiynau a'r sylwadau a geir yn llythyr yr Is-Ganghellor yn nodi'n glir pwy y carai ef ei benodi. Yr olaf o'r sylwadau yw hwn:

> I should like to know whether in your judgement the appointment of S. L. to Liverpool would be generally regarded in Wales as an egregious error, an interesting but understandable gamble, or as a decent recognition of admitted merit.

I brofi nad yw Prifathro bob amser yn cael ei ffordd – 'the committee was rather divided' – i Melville Richards y rhoddwyd y swydd, am y gallai ef ddysgu Gwyddeleg yn ogysal â Chymraeg. Ebe'r gwrthodedig wrth Thomas Parry ddeufis yn ddiweddarach: 'Yr unig reswm sy gennyf dros fod yn siomedig . . . yw fy mod yn ddig wrthyf fy hun am anfon cais am y swydd.'

Gellir dweud mai paragraff yn mynd â'r cofiant hwn acha wew yw'r uchod. Nage. Paragraff ydyw sy'n dangos y bri anghyffredin a oedd ar Thomas Parry yn y cylchoedd academaidd er ifanced oedd yn ei swydd newydd. Yr oedd *rhywun* – ai D. Emrys Evans yn un o gyfarfodydd Pwyllgor yr Is-Gangellorion a'r Prifathrawon, tybed? – wedi cynghori Mountford mai ei farn *ef* y dylai'i cheisio, nid barn Parry-Williams (a fuasai'n Athro ers chwarter canrif a rhagor), na barn Henry Lewis (am reswm amlwg), ac nid barn G. J. Williams chwaith, ond barn glir gytbwys Thomas Parry.

I orffen y brif stori yma, noder mai Brinley Rees, un o'r myfyrwyr o Gymru a aethai i Goleg y Brifysgol Dulyn, ar ôl graddio yn Aberystwyth, a benodwyd ym Mangor, gŵr ifanc gwylaidd a thra pheniog a oedd wedi meistroli Hen Wyddeleg a Gwyddeleg Fodern – gŵr gwahanol iawn i Saunders Lewis o ran ei bersonoliaeth (er nad o ran ei benderfynoldeb), ond cofier mai pennaf angen yr Adran ym Mangor oedd rhywun i wneud gwaith Caerwyn am flwyddyn. Fel y digwyddodd pethau, arhosodd Brinley Rees ar y staff weddill ei yrfa.

PENNOD 4

Yr Athro Thomas Parry

I. YR ATHRO CADAIR

Y MAE'N AMLWG oddi wrth rai cyfeiriadau yn ei lythyron caru at Enid ac oddi wrth ambell gyfeiriad arall fod esgyn i Gadair John Morris-Jones yn uchelgais gynnar gan Thomas. Ganol haf 1947 y mae Caradog Prichard yn dweud wrtho na all beidio ag edrych yn ôl at y dyddiau hynny yng Nghaerdydd ugain mlynedd ynghynt 'pan ragwelwn yr Athro Thomas Parry yn gorlifo'n gigog dros ymylon y Gadair ym Mangor'. Bellach, ebe fe, dyma'r darlun yn ffaith, 'er nad mor flonegog ag yr ofnem'. Gan iddo fod yng nghanol bywyd academaidd a chymdeithasol Coleg Bangor er pan ddychwelodd o Gaerdydd, a dod yn gyfarwydd iawn â gwaith Senedd y Coleg rhwng 1943 a 1945, nid oedd ei safle na'i ddyletswyddau newydd yn ddieithr nac yn ddychryn iddo. I'r gwrthwyneb. Yr oedd dewrder moesol, parodrwydd i ymgymryd â thasgau trymion, eiddgarwch i reoli a llywodraethu, ymwybyddiaeth â'r angen i gadw safonau uchel, yn rhan o'i natur, mor gadarn â'r mynyddoedd y naddwyd ef ohonynt. Fel y gwelsom gyda golwg ar ei wrthwynebiad cydwybodol i ryfel, nid oedd yn anwadalwr. Ond fel y gwelsom gyda golwg ar ei wleidyddiaeth, er nad oedd wedi cefnogi yr un blaid oddi gerth y Blaid Genedlaethol, ers canol y tridegau nid oedd yn aelod cofrestredig ohoni, sy'n golygu bod ganddo'i farn ei hun. Y creadur cenedlgarol ag ydoedd, yr oedd hefyd yn stans ei unigolyddiaeth yn gweld nad teg na da cefnogi pob peth a ddigwyddai o dan un faner neilltuol. Credai mewn dynion mawr – yr oedd Morris-Jones wastad yn y pantheon, Ifor Williams yn amlach na heb, W. J. Gruffydd yr un

163

modd, Griffith John Williams yn bur gyson (ar ôl 1936: rhwng 1929 a 1936 digiodd Tomos wrtho ef a'i wraig am beidio â chynnwys Enid ar eu haelwyd), a Saunders Lewis (ar gorn ei feirniadaeth lenyddol yn fwy nag ar gorn ei wleidyddiaeth) – ond ar yr un pryd disgwyliai fod gan yr holl bobl a oedd yn ei fyd, crefftwyr Llŷn a chwarelwyr Arfon fel academyddion y Brifysgol ac awduron llyfrau, ddealltwriaeth dda o'u cyfrifoldebau ac awydd ddifrifol i'w cyflawni orau y gallent. Er ei fod yn mynychu'r moddion, ni ellir dweud ei fod yn grefyddwr tanbaid, ond yr oedd moeseg Cristionogaeth yn cyfrif iddo ac yr oedd yn yr ystyr hanesyddol yn wirioneddol biwritanaidd, yn selog, yn hoffi caledwaith, yn ffyrnig o onest, yn llym ei safonau – ac eto'n fwrlwm o hiwmor, ac yn ddyngar hyd at ei wraidd.

Os ffafriai rywun neu rywbeth, ymladdai drosto'n daer. Os anghymeradwyai rywun neu rywbeth, condemniai ef heb ofn. Goddefer un enghraifft o'i falm ac un enghraifft o'i feirniadaeth, y ddwy bedair blynedd oddi wrth ei gilydd, ond yn eu ffyrdd eu hunain yn siamplau da o ffordd Thomas Parry o ymddwyn.

Yn 1947 yr oedd yn beirniadu cystadleuaeth y Goron yn yr Eisteddfod Genedlaethol ar cyd â Wil Ifan, a oedd yn hen law ar feirniadu ynddi, a Gwilym R. Jones, a oedd yn feirniad cymharol ddibrofiad. Am bryddestau ar y testunau 'Jonah' neu 'Glyn y Groes' y gofynnwyd, a chystadleuaeth bur wan a gafwyd. Pan gysylltodd Gwilym R. gyda Thomas Parry ddiwedd Mai ei farn oedd bod y rhan fwyaf o'r pryddestau 'yn anobeithiol'. Anfonodd Thomas air yn ôl i'w gymell i ystyried gwobrwyo bardd yn dwyn y ffugenw *Bened*. Gwnaeth yr un modd gyda Wil Ifan. Erbyn dechrau Mehefin yr oedd Gwilym R. wedi ailddarllen *Bened* ac wedi'i chael 'cystal â'r un' – 'ond', meddai, 'rhyw *period-piece* yw hi'. Y mae'n gwneud yr un pwynt yn ei feirniadaeth gyhoeddedig yn y *Cyfansoddiadau a'r Beirniadaethau*. Condemniai ef a Wil Ifan eirfa anghyfarwydd *Bened*, ei orhoffter o hen eiriau, ei ganu i hen gyfnod. Ond daliai Thomas Parry i'w ffafrio, ac yn ei feirniadaeth gyhoeddedig y mae'n mynd ati'n fanwl i gyfiawnhau defnydd y bardd o eirfa hen, anghyfarwydd. O'r hyn sy'n dywyll imi, tybiaf mai ailadrodd y mae yma yr hyn a ddywedodd wrth Wil Ifan a Gwilym R. pan ddaethant at ei gilydd i gloriannu'r beirdd. Erbyn canol Mehefin cytunai Gwilym R. mai *Bened* oedd bardd gorau'r gystadleuaeth i ddigon graddau fel ag i ofyn 'A wnaem gam ag ef trwy beidio â choroni?' Hyd wythnos yr Eisteddfod ei hun nid oedd Wil Ifan yn barod i daeru 'bod *Bened* yn drech bardd' na'r *Proffwyd Unig* a ganasai 'gerdd dawel . . . tawel ei harddull a'i geirfa', ond yr oedd yn barod i roi'r Goron iddo am iddo ganu 'i'w bwnc gosodedig'. Y Parchedig G. J. Roberts, rheithor Nantglyn, Sir Ddinbych, ar y pryd, oedd y buddugol. Beirniadaeth 'braidd yn llugoer' ar ei waith a gafwyd gan Wil Ifan o'r llwyfan, rhywbeth sydd bob amser yn siom i enillydd am ei fod yn tynnu oddi ar wefr y fuddugoliaeth. Rhwng diwrnod y coroni a chanol Awst y mae'n amlwg bod G. J. Roberts wedi cael hanes y dadlau a fu o'i blaid ac yn ei erbyn, oblegid ar yr 21ain, o Lasgoed, Morfa Nefyn, cartref ei dad- a'i fam-yng-nghyfraith, anfonodd lythyr at Thomas Parry i ddiolch iddo am 'beri i'r ddau feirniad arall fod yn llai condemniol' o'i bryddest nag oeddynt ar y dechrau, ac am eu cael i gytuno 'ar ei theilyngdod'. Dyna enghraifft o falm Thomas Parry.

Symuder ymlaen at 1951, ac at enghraifft o'i feirniadaeth. Erbyn hyn yr oedd wedi bod yn bennaeth adran am bedair blynedd – yn bennaeth adran â'i staff yn gymharol ddibrofiad ac yn bennaeth adran a osodai arno'i hun lwyth gwaith darlithio trwm (y mae Enid Pierce Roberts yn dweud bod ganddo bedair darlith ar ddeg yr wythnos) a llwyth gwaith cyfarwyddo myfyrwyr ymchwil. Gan un o'r myfyrwyr ymchwil hynny, Eurys Rolant (Rowlands gynt), y ceir y disgrifiad harddaf o'i ddarlithoedd. 'Trefn,' meddai, 'oedd pennaf nodwedd darlithoedd Tom Parry':

trefn geiriau'r mynegiant, trefn ddisgybledig cynnwys pob darlith unigol, trefn gytbwys y cwrs cyfan gyda'r ddarlith olaf mor gymen ei thraddodiad ac arwyddocaol ei defnydd â'r gyntaf, ac yn cyflawni cylch o gyfres mor grefftus ei unoliaeth ddatblygedig ag unrhyw un o awdlau beirdd yr uchelwyr.

At hynny, erbyn 1951, yr oedd wedi bwrw tymor fel Deon Cyfadran y Celfyddydau yn y Coleg, 1947–49, ac ef er dechrau'r sesiwn academaidd newydd ym mis Hydref 1950 oedd yr Is-Brifathro. Gellir dweud mai ef i bob pwrpas oedd wedi rhedeg y lle ers dechrau'r haf, oherwydd yr oedd y Prifathro i ffwrdd ym mhen arall y byd yn ymweld â cholegau yn Awstralia a Seland Newydd. Y 13eg o Fedi 1950 ysgrifennodd Emrys Evans ato oddi ar fwrdd y *Strathnaver*, un o longau P&O, i ddymuno'n dda i'r 'Is-Brifathro newydd . . . ac i'r Coleg'. Diau bod Thomas Parry yn ddiolchgar am y neges honno, ond prin y gwerthfawrogai glywed bod ei Brifathro yn Sydney wedi gweld y Llewod Prydeinig yn curo Awstralia o 24 i 3, na bod aelodau'r tîm hwythau'n hwylio ar y *Strathnaver* a bod y clasurydd tal o Gwm Tawe 'yn cael ambell ymgom ddifyr â nhw'. Beth bynnag am ddiffyg diddordeb yr Is-Brifathro mewn rygbi, at hyn y deuir yn awr – at ei ffordd o drin cyd-weithiwr academaidd yr oedd yn anghymeradwyo ei agwedd a'i ymddygiad.

Athro Athroniaeth Coleg Bangor y pryd hwnnw oedd Hywel D. Lewis, a godwyd o ddarlithyddiaeth i'r Gadair Athroniaeth yr un flwyddyn ag y penodwyd Thomas Parry i'r Gadair Gymraeg. Un o feibion y mans ydoedd, ysgolhaig galluog iawn a chanddo BLitt Prifysgol Rhydychen ar ôl ei enw yn ogystal ag MA Prifysgol Cymru, awdurdod cydnabyddedig ar athroniaeth crefydd ymhlith pynciau eraill – ond dyn nad oedd blodau gwyleidd-dra yn tyfu yn ei ardd ffrynt. Y 7fed o Orffennaf 1951 anfonodd lythyr hir cwynfanus, y cyntaf o dri yr haf hwnnw, at Thomas Parry – at Thomas Parry yn rhinwedd ei swydd fel aelod blaenllaw o Fwrdd Gwasg Prifysgol Cymru, ac yn rhinwedd ei swydd fel Is-Brifathro (achos y mae'n gofyn iddo drafod y mater gyda'r Prifathro). Ei gŵyn oedd fod y Wasg wedi anfon llawysgrif llyfr o'i eiddo at ddarllenydd y mynnai ef nad oedd 'nag athronydd na diwinydd', a'i bod gan hynny wedi gohirio'i gyhoeddi am ychydig fisoedd. O'r herwydd, meddai, ni allai na chysgu'r nos gan siom a gofid, na gweithio ar ddim arall. 'Yr ydych yn dechrau colli golwg ar gyfartaledd pethau,' ebe Thomas Parry yn ei lythyr ateb ato:

Yn hollol deg rŵan, a oes rhyw gyfiawnhad i ddyn, sydd wedi cyhoeddi dau lyfr a gydnabuwyd gan yr holl fyd athronyddol fel campweithiau, golli ei gwsg am ei fod yn gorfod aros ychydig fisoedd i gael llyfr bychan, cymharol gyfyng ei apêl, allan o'r wasg?

Yr 28ain o Orffennaf dyma gŵyn arall gan Hywel D. Lewis, sef oedd honno fod gwaith y Coleg mor drwm fel nad oedd yn cael digon o amser i annerch a phregethu ar led fel y dymunai. Os do fe! Bron na ellir gweld gwrychyn mwstásh yr Is-Brifathro'n codi:

Os oes gennych, fel y dywedwch, genadwri i'ch oes a'ch gwlad, a bod gwaith y Coleg yn rhwystr ichwi ei chyflawni, gallwn feddwl mai'r peth rhesymol i'w wneud yw ymddiswyddo ... Ond oni ellir cyfuno'r genadwri â gwaith Coleg?

Yna ceir ganddo lith sy'n faniffesto'r gweithiwr mawr moesol ag ydoedd. Nid edrychwn ar ein hymrwymiad i'n gorchwyl yn yr un modd, ebe Thomas Parry wrth Hywel D. Lewis:

Fy marn i yn syml yw hyn: yr wyf wedi ymgyfamodi â'r Coleg i fod yn athro ac i wneud popeth a berthyn i'r swydd, pa mor ddiflas neu anhwylus bynnag fo hynny. Dyna pam, bedair blynedd yn ôl, y cymerais y swydd o Ddeon (dan ddiawlio yng ngwaelod fy mol) ... Ond eich barn chwi ... yw bod swydd mewn Coleg yn gyfle i wasanaethu cylch ehangach, ac os bydd gwrthdrawiad rhwng y cylch cyfyng a'r cylch eang, y cylch cyfyng sydd i ddioddef. Gwn am o leiaf ddau ŵr sy'n synio'n union fel hyn. Ond yr wyf i'n gwbl bendant nad yw'r safbwynt hwnnw yn deg. Fy nyletswydd i, beth bynnag, yw gwasanaethu'r Coleg, a gwneud pethau eraill fel y bo'r cyfle. Ac y *mae* cyfle, ond i ddyn drefnu ei bethau yn weddol gytbwys.

Rhesymol, rhesymegol a rhuadrol![10]

---

10   Yn 1979, blwyddyn y Refferendwm Cyntaf ar Ddatganoli, yr oedd fy ngwraig yn cydfeirniadu'r Fedal Ryddiaith yn Eisteddfod Genedlaethol Caernarfon ar y cyd ag Islwyn

II. YR HANESYDD LLÊN A'R DRAMODYDD

Uchod gwelsom fod Thomas Parry yn ei feirniadaeth ar bryddestau Bae Colwyn wedi amddiffyn defnydd G. J. Roberts o hen eiriau. Yn yr un flwyddyn y mae'n nodi fod beirdd eisteddfodau'r bedwaredd ganrif ar bymtheg 'yn credu bod raid cael geiriau hen ac anghyffredin mewn barddoniaeth' ac yn eu collfarnu – eu collfarnu am nad oeddent, yn wahanol i Goronwy Owen o'u blaen, yn 'adnabod y geiriau' ac yn 'gwybod eu hystyron yn briodol', ac am eu bod yn hytrach yn cloddio yng Ngeiriadur William Owen Pughe i chwilio amdanynt. Yn ei lyfr newydd *Hanes ein Llên: Braslun o Hanes Llenyddiaeth Gymraeg o'r Cyfnodau Bore hyd Heddiw* y ceir y feirniadaeth hon, llyfr y gorffennodd ei lunio yn 1947 ac a gyhoeddwyd y flwyddyn ganlynol. 'Ar ôl cyhoeddi *Hanes Llenyddiaeth Gymraeg hyd 1900* tybiwyd y buasai ymdriniaeth fwy cryno â'r pwnc yn dderbyniol gan rai,' ebe'r awdur yn y rhagair, 'a dyna yw'r llyfr hwn.' Ni ddywed bwy a dybiai hynny, ond fe ddywed ei fod yn hyderu y bydd y llyfr yn ddefnyddiol i ysgolion ac i ddarllenwyr a garai ragarweiniad 'syml i hanes llenyddiaeth eu gwlad'. Barn G. J. Williams, a'i darllenodd ar ran Gwasg Prifysgol Cymru, oedd fod yr awdur wedi cael 'hwyl ryfeddol' ar ei ysgrifennu ac y buasai o 'wasanaeth mawr i'r ysgolion ac i'r colegau hyfforddi ac i'r dosbarthiadau allanol'.

Llyfr cryno o 113 o dudalennau ydyw, yn cynnwys wyth bennod, y tair pennod gyntaf yn adrodd hanes ein llên o Daliesin hyd at Ddafydd ap Gwilym a Beirdd yr Uchelwyr, a'r pum pennod arall yn ymdrin â llên y cyfnod dilynol fesul canrif. Gwelir yn syth fod yma rai pethau

---

Ffowc Elis ac Alun T. Lewis, brawd Hywel D. Yr oedd yr athronydd wedi hen adael Bangor: yn 1955 aethai i Gadair yng Ngholeg y Brenin, Prifysgol Llundain. Yn ystod ei gyfnod yno ac ar ôl ymddeol yn 1977 treuliai lawer o'i amser yn ddarlithydd gwadd ymhell bell o dref. Yn ein tŷ ni y cyfarfu'r beirniaid i dafoli gweithiau'r Fedal. Dros ginio, pan aeth y sgwrs at bwnc y Refferendwm, dyma Alun Lewis yn dweud ei fod wedi alaru cael telegramau oddi wrth ei frawd yn ystod yr wythnosau'n arwain ato, telegramau a ddeuai bron bob dydd o bedwar ban byd yn holi sut oedd pethau'n mynd yn yr Ymgyrch Ie. 'Yn y diwedd,' meddai Alun, 'anfonais delegram yn ôl ato yn dweud "Câr dy wlad a thrig ynddi", ac mi ges lonydd wedyn.'

gwahanol i gynllun yr *Hanes* mawr – er enghraifft, gosodir Dafydd ap Gwilym gyda'i gyd-gywyddwyr, a Huw Morus yn ei gyfnod yn hytrach nag mewn pennod ar wahân gyda'r prydyddion eraill a geisiodd adfywhau'r canu caeth yn yr unfed a'r ail ganrif ar bymtheg. At hynny, y mae'r ysgrifennu'n symlach, neu efallai ei bod yn decach dweud bod yma lawer llai o fanylion a llawer mwy o ddatganiadau cyffredinol, fel y gwedda, wrth gwrs, i lyfr o'i faint. Yn wir, y mae ynddo symlder eglur sydd bron yn herfeiddiol – fel yn y frawddeg 'Y mae ym marddoniaeth Taliesin lawenydd, yng nghanu Aneirin dristwch' (t. 3) ac yn y frawddeg 'Mewn gair, cadw'r hen, nid creu dim newydd, fu cymwynas fwyaf yr ail ganrif ar bymtheg' (t. 51). Pe gosodid y ddau ddatganiad hyn yn bynciau trafod mewn papur arholiad, yr wyf yn mawr obeithio y byddai hyd yn oed yr efrydydd mwyaf dwl yn dadlau bod tristwch marwolaeth yn Nhaliesin fel yn Aneirin, ac na ellir honni am hanner eiliad mai llenyddiaeth gadwriaethol yw llyfrau mewnwelecigaethol Morgan Llwyd. Ond am fod yn *Hanes ein Llên* herfeiddiwch beirniadol, y mae ynddo wir wefr.

Ac ychydig o wae yn ogystal. Gwae yn yr ystyr bod perygl i'r darllenydd cyffredin unwaith yn rhagor, fel gyda *Hanes Llenyddiaeth Gymraeg hyd 1900*, dderbyn golwg Thomas Parry ar hanes ein llenyddiaeth fel un cwbl awdurdodol, heb sylweddoli mai natur ei weledigaeth neu ei ragfarn sy'n peri iddo ddatgan y pethau y mae'n eu datgan a phwysleisio'r pethau y mae'n eu pwysleisio. Ai teg rhoi un paragraff i Bedair Cainc y Mabinogi a dau i 'Dywysogion yn prydyddu'? Ai doeth rhoi mwy o ofod i Eben Fardd na Williams Pantycelyn? Gellir amlhau enghreifftiau. Ond rhaid ymatal. A datgan fel cynt yn achos yr *Hanes* mawr fod yr arweiniad a rydd Thomas Parry i'r darllenydd cyffredin yn rhyfeddol loyw ac yn bleser pur i'w ddarllen.

Gwelodd 1948 hefyd gyhoeddi'r golygiad o *Rhys Lewis* y gofynnodd Thomas Bassett amdano bedair blynedd ynghynt. Y mae'n werth nodi bod Thomas Parry wrth drafod Daniel Owen yn *Hanes ein Llên* ar y naill law yn ei fawrygu fel 'gwir nofelydd' sydd 'ymhell ar y blaen i neb arall a fu'n ysgrifennu nofelau yn Gymraeg' ac ar y llaw arall yn gweld beiau arno. Y pennaf bai, meddai, yw na sylweddolodd 'bwysiced peth yw cynllun trefnus, ac y mae yn ei nofelau lawer o ddarnau nad oes a wnelont ddim â rhediad y stori'. Y rhain a hepgorwyd o'i fersiwn ef o *Rhys Lewis*, sef sylwadau'r nofelydd ar ei fyd, ei farn ddoeth a doniol arno, a'i feddyliau – y darnau a eilw Thomas Parry yn gwbl anghywir yn 'bregethu'. Ac wrth reswm pawb nid *Rhys Lewis* Daniel Owen yw *Rhys Lewis* hebddynt. Da iawn y dywedodd Llygad Llwchwr (W. Anthony Davies) yn ei golofn wythnosol yn y *News Chronicle* y 7fed o Hydref 1948 ei bod yn anffodus fod Hughes a'i Fab wedi cyhoeddi'r fersiwn hwn o'r nofel. Er bod ei chael mewn orgraff ddiweddar yn gaffaeliad, meddai, 'larger type and up-to-date spelling do not atone for the ruthless handling of a classic novel'.

Heblaw'r gwaith ar Ddafydd ap Gwilym a oedd yn llenwi'r rhan fwyaf o'r gwyliau colegol i'w ddarpar olygydd a'i wraig, yr oedd dau waith arall ar y gweill yn y Peniarth newydd (aethant â'r enw gyda hwy i Victoria Avenue) yn 1948. Y naill oedd y casgliad *Wyth Gân Werin* a drefnwyd gan Enid Parry ac a gyhoeddwyd gan Hughes a'i Fab yn 1949, a'r llall oedd y cyfieithiad o *Murder in the Cathedral* T. S. Eliot. Buasai Enid yn casglu penillion a chaneuon gwerin o leiaf er y tridegau cynnar pan ofynnodd Sam Jones iddi baratoi rhaglen radio arnynt, ac ar hyd y blynyddoedd bu'n cyfrannu'n weddol gyson i *Cylchgrawn Cymdeithas Alawon Gwerin Cymru* a sefydlwyd gan J. Lloyd-Williams. O'r cylchgrawn hwnnw y detholodd y mwyafrif o'r caneuon sydd yn *Wyth Gân Werin*, ond cofnododd 'Bachgen Bach o Dincer' 'o glywed ei chanu gan Mrs. Jane Parry, Carmel, Caernarfon.' Un pennill oedd ar gof Jane Parry, ond yn y cyhoeddiad newydd cynhwyswyd dau bennill newydd ychwanegol a ysgrifennwyd gan ei mab hynaf. Y mae'n werth dyfynnu'r tri phennill er mwyn gweld rhwydded y rhed y stori o'r dechrau i'r diwedd dan law fedrus Thomas Parry. Fe gofir y pennill traddodiadol:

> Bachgen bach o dincer
>> Yn myned hyd y wlad,
> Cario'i becyn ar ei gefn
>> A gweithio'i waith yn rhad;
> Yn ei law 'roedd haearn
>> Ac ar ei gefn 'roedd bocs,
> Pwt o getyn yn ei geg
>> A than ei drwyn 'roedd locs.

A dyma'r penillion a ychwanegwyd ato – y naill yn technegol ddarlunio'r tincer ifanc wrth ei waith, a'r llall yn hiraethu ar ei ôl, ac yn cyfeirio'n bert at nifer o'r pethau a geir yn y pennill gwreiddiol fel ag i wneud ei stori'n drasiedi gron:

> Cydio yn y badell,
>> Y piser neu'r ystên;
> Taro'r haearn ar y tân,
>> A dal i sgwrsio'n glên;
> Eistedd yn y gongol,
>> Un goes ar draws y llall,
> Taenu'r sodor gloyw glân
>> I gywrain guddio'r gwall.

> Holi hwn ac arall
>> Ple'r aeth y tincer mwyn,
> Gyda'i becyn ar ei gefn
>> A'i getyn dan ei drwyn.
> Bachgen bach o dincer
>> Ni welir yn y wlad;
> Ow, mae'n golled ar ei ôl
>> I weithio'i waith yn rhad.

Ychwanegodd benillion digon o ryfeddod i nifer o'r caneuon gwerin eraill a geir yn y llyfr hefyd, a chafwyd geiriau Saesneg iddynt gan David

Bell. Ddwy flynedd ynghynt yr oedd wedi llunio geiriau Cymraeg i'w canu ar y dôn 'Greensleeves', geiriau a gyfieithwyd i'r Saesneg y tro hwnnw gan Idris Bell.

Mesur o feistrolaeth Thomas Parry ar rethreg barddoni yw ei fod un diwrnod yn llunio penillion syml i ddarlunio tincer wrth ei waith a thrannoeth yn rhoi geiriau grymus yng ngheg archesgob canoloesol parod-i'w-angau. Yn *Lladd wrth yr Allor*, fel hyn y mae Thomas Becket T. S. Eliot gerbron y Côr yn adrodd am a ddaw yng Nghymraeg Thomas Parry:

> Gwn y bydd yr hyn a erys o'm hanes i
> Yn edrych ar ei orau yn oferedd i chwi.
> Dyn lloerig yn ei ynfyd ddifa'i hun,
> Dyn penboeth yng ngafael rhyfygus wŷn.
> Mi wn fod haneswyr bob amser yn tynnu
> Casgliadau rhyfedd heb reswm am hynny.
> Ond am bob drwg a phob halogi,
> Pob trosedd, cam, gorthrwm a chrogi,
> Pob difrawder a thrais, fe'ch cosbir chwithau hefyd.
> I mi ni bydd gwneuthur na goddef mwy
> Nes dyfod y cleddyf.
> Tithau, f'angel gwarcheidiol, y rhoed iddo'r grym
> I'm cadw, ymdrô goruwch y cleddyfau llym.

Ni wyddys a geisiodd Thomas Parry weithio drama wreiddiol yn ystod yr ugain mlynedd cynt ai peidio – ei gyfieithiad o *Hedda Gabler* yn 1930 oedd yr unig ddrama'n dwyn ei enw a gyhoeddwyd – ond y mae ym mhlith ei bapurau rannau o gyfieithiadau o ddwy ddrama arall: llawysgrif hir o gyfieithiad (diddyddiad) a elwir yn 'Priodas Arian' na lwyddwyd i'w lleoli, a theipysgrif wyth tudalen hirgul o gyfieithiad (diddyddiad eto) o ran o *Saint Joan* George Bernard Shaw, 1923. Y mae'n amlwg iddo gael hwyl ar y ddwy ymgais. Dyn yn mwynhau defnyddio'i eirfa gyfoethog a'i ddoniau cerdd dafod a roddodd y frawddeg Gymraeg hon yng ngenau Robert de Baudricourt, yr hwn yn *Saint Joan* sy'n gwthio'i stiward ymhellach at y wal gyda phob ansoddair:

Nid yn unig yr wyt ti'n cael yr anrhydedd o fod yn stiward i mi, ond 'rwyt ti hefyd yn cael y fraint o fod yr ynfytyn salaf, y mwyaf diamcan, lloerig, glafoeriog, cegog, clebrog o bob stiward yn Ffrainc i gyd.

Tybiaf fod Thomas Parry wedi dechrau ar y gwaith o gyfieithu Shaw er mwyn ei berfformio ym Mangor, ond am ryw reswm rhoes y gorau iddo. Y mae'n sicr mai gyda golwg ar berfformio'r ddrama yn y Coleg y gofynnodd i Sean O'Casey yn 1942 a gâi ei ganiatâd i gyfieithu *Juno and the Paycock*, achos at 'Thomas Parry, Treasurer Welsh Dramatic Society, Bangor' y cyfeiriodd O'Casey ei lythyr ateb. 'If you want to, go ahead,' meddai o'i gartref yn Totnes, 'I shall be delighted.' Ond yn y frawddeg nesaf dywed ei fod yn gweld rhwystr, sef iddo werthu'r 'world amateur rights' i'r Mri Samuel French pan oedd yn dlawd arno dro byd yn ôl ac y gallai'r cwmni bennu ffioedd hallt am bob perfformiad yn y Gymraeg. Ni welais hyd yn oed ddarn o gyfieithiad o *Juno and the Paycock*.

'Nid oes gennyf gof pam yr ysgogwyd Tomos i drosi *Murder in the Cathedral*,' ebe John Gwilym Jones yn 1985. 'Am fod John Gwilym wedi gofyn,' ebe Thomas Parry yn 1973. Drama ar gyfer Cymdeithas Ddrama Coleg Bangor oedd hi, y fwyaf dirdynnol ei phwnc ac aruchelaf ei mydryddiaeth a luniasai T. S. Eliot, her i'r myfyrwyr ei chwarae a her i John Gwilym ei chyfarwyddo. Yr oedd ef erbyn hynny – 1948 – wedi gadael Pwllheli ac ar ôl treulio blwyddyn yn dysgu yn ei hen ysgol ym Mhen-y-groes wedi cael ei benodi'n gynhyrchydd radio gyda'r BBC ym Mangor. Yr oedd y darpar droswr wedi ysgrifennu at T. S. Eliot i ofyn ei ganiatâd i'w throsi mor gynnar â 1942. 'I am much pleased with your desire to translate *Murder in the Cathedral* into Welsh,' meddai'r barddddramodydd mawr yn ei lythyr ateb ato, ac er ei fod yn dweud na wêl unrhyw wrthwynebiad i'r cais y mae ar yr un gwynt yn nodi mai Faber and Faber biau'r hawlfraint ar destun y ddrama ac mai Ashley Dukes biau'r hawliau perfformio. Ni chafwyd yr un sill rhyngddynt wedyn tan

1948, o leiaf yr un sill ysgrifenedig a gadwyd. Y mae'n fwy na thebyg iddynt siarad â'i gilydd pan ddaeth Eliot i Goleg Bangor yn 1944 i draddodi darlith gyhoeddus ar 'Johnson as Critic and Poet', darlith nad oedd yn un o'i oreuon yn ôl ei gofiannydd Peter Ackroyd – prin y collai Thomas Parry gyfle i wrando arno. Yn 1944 hefyd y cafodd gan un o'i gyn-fyfyrwyr, D. Tecwyn Lloyd, ddarnau o'r corawdau sydd yn *The Rock*, pasiant gan Eliot y bu'n 'ceisio eu cyfieithu'. A wyddai Tecwyn Lloyd fod yr Athro ym Mangor wrthi'n ceisio cyfieithu Eliot yn ogystal? Siŵr o fod. Ac ai er mwyn cymharu nodiadau yr anfonodd ei Gym-reigiadau ef ato? Efallai. Efallai hefyd y dymunai ddangos pa mor naturiol y gallai Eliot swnio yn y Gymraeg. Pa'r un bynnag, yr oedd y cyfieithiad o *Lladd wrth yr Allor* wedi'i gwblhau erbyn hydref 1948, a'r penderfyniad wedi'i wneud i lwyfannu'r ddrama yn Neuadd Prichard-Jones y Chwefror canlynol.

Aeth Thomas Parry ati'n ddiymdroi i geisio cyhoeddwr i'r cyfieithiad, ond am na ellid trefnu dim heb gael cytundeb ar y telerau gyda Faber and Faber yn araf y trodd olwynion y printwasg. Am fod Eliot yn yr Unol Daleithiau pan ysgrifennodd Thomas Parry ato ddiwedd Hydref 1948, Peter du Sautoy, rheolwr enwog y ffyrm, a'i hatebodd. Ei gynghori a wnaeth i ddod o hyd i gyhoeddwr yng Nghymru, fel y gallai hwnnw wedyn drafod telerau argraffu gyda Faber a thelerau perfformio gyda Dukes – tasg, y mae'n amlwg, na ddymunai Thomas Bassett o Hughes a'i Fab mohoni, am yr ofnai yr hawliai Faber and Faber dâl am bob copi a werthid ('os llyfr i'w ddarllen fydd'), ac os 'fel peth i'w lwyfannu y disgwylir iddo dalu' y byddai'r cyfieithydd fel 'cynrychiolydd Mr. T. S. Eliot' a Faber and Faber a Hughes a'i Fab 'yn disgwyl gwneud eu ffortun'. Oes, y mae darpar gyhoeddwr ysmala yn y fan hyn, ond y mae yma fasnachwr amheus hefyd. Nid mor amheus Aneirin Talfan Davies, a ofynasai bythefnos ynghynt a gâi Llyfrau'r Dryw gyhoeddi'r cyfieithiad. Yr oedd ganddo gais arall hefyd: 'Os nad wyf yn rhy hyf, oherwydd fy niddordeb yn Eliot, a'm meddwl mawr o'ch cyfieithiad, carwn gael y fraint o sgrifennu rhagymadrodd ar ddramâu Eliot wrth ei chyhoeddi.

A wnewch chi feddwl dros y peth, os gwelwch yn dda?'

Wel, fe ddaeth yn amser rihyrsio *Lladd wrth yr Allor*, John Gwilym yn cyfarwyddo, Wilbert Lloyd Roberts yn helpu ac yn cymryd y brif ran, a Thomas Parry yn aml yn eistedd yn yr awditoriwm yn edrych ac yn gwrando ar gast o fyfyrwyr dawnus – bechgyn o unigolion a chôr o ferched – yn dysgu sut i lwyfannu drama yr oedd ei barddoniaeth a'i rhyddiaith trymlwythog yn ddieithr i'r theatr Gymraeg, a drama na ddisgwylid i'r gwyliwr cyffredin o raid gael ei fodloni ganddi, er iddi fod yn llwyddiant ysgubol yng Nghaergaint ac yn Llundain pan berfformiwyd hi gyntaf yn 1935. Gan Lygad Llwchwr, condemniwr *Rhys Lewis* 1948, y cafwyd un o'r adolygiadau mwyaf canmoliaethus arni. Fflyrtio â'r theatr a wnaeth beirdd Cymru ac eithrio Saunders Lewis hyd yn hyn, meddai, yn wahanol i W. B. Yeats a J. M. Synge, a chan y gellir canfod dylanwad T. S. Eliot ar *Buchedd Garmon* y mae'n weddus cyfieithu *Murder in the Cathedral* i'r Gymraeg: 'And let it be said without any ado . . . that this translation is one of the finest pieces of work created in Wales during this century.' A ddarllenasai Eliot yr adolygiad hwn yn y *News Chronicle*, tybed? Mewn llythyr at Thomas Parry ddeufis wedi'r llwyfaniad ym Mangor dywed iddo weld adroddiad mewn papur newydd 'from which I gathered that the production . . . was highly successful . . . I should have liked to have seen it especially because of the chorus: I should expect a chorus of women speaking or chanting in Welsh would be magnificent'.

Nid oedd y cyfieithydd eto wedi penderfynu ar gyhoeddwr i'r gwaith. Yn yr un llythyr ag y dyfynnais ohono'n awr, llythyr dyddiedig yr 2il o Ebrill 1949, dywedodd Eliot y byddai gan Faber and Faber ddiddordeb yn ei gyhoeddi 'if they were assured of the sale'. Ond ar ôl dadl ffyrnig ymhlith y cyfarwyddwyr ('the question has been hotly debated around the Boardroom'), er bod rhai ohonynt yn eiddgar i gyhoeddi'r cyfieithiad eu hunain, penderfyniad y mwyafrif (ni phleidleisiodd Eliot ei hun) oedd y trinnid ef yn well gan gyhoeddwr o Gymru. At Lyfrau'r Dryw yr aeth Thomas Parry yn y diwedd, ond ni adawodd i Aneirin Talfan Davies lunio ysgrif ar ddramâu Eliot fel rhagymadrodd iddo.

Y mae'r cyfieithiad, fel y disgwylid gan ysgolhaig a oedd yn fardd coeth dyfeisgar, yn ysgubol dda. Weithiau, lle mae gan Eliot y math o odl a chyflythreniad sy'n diffinio cynghanedd sain, y mae Thomas Parry yn bodloni ar gyfleu'r ystyr lythrennol. Lle mae'r gwreiddiol wrth gyfeirio at y gwanwyn andwyol yn dweud 'Root and shoot shall eat our eyes and our ears', yr hyn a geir yn y cyfieithiad yw bod 'Gofalu am wraidd a brig yn flinder i'r cnawd'. Ond mewn llefydd eraill y mae'r Gymraeg yn euro'r gwreiddiol gyda chynghanedd. Pan yw'r Offeiriad Cyntaf yn holi ynghylch diogelwch Thomas Becket, yn y Saesneg yr hyn a geir yw:

> Does he come
>
> In full assurance, or only secure
>
> In the power of Rome, the spiritual rule,
>
> The assurance of right, and the love of the people?

Y mae cyflythrennu'r *r* yn nerthol yma, ond nid mor nerthol reolaidd â chynganeddion y Cymreigiad gwawdodynnaidd:

> Ai diwyrni gwbl gadernid yw'r eiddo?
>
> Ai rhyddid yn unig
>
> Dan adain Rhufain a rheol crefydd,
>
> A'i hawlio diwyro, a chlod y werin?

Er bod y rhan fwyaf o'r rhai a aeth i Neuadd Prichard-Jones i weld *Lladd wrth yr Allor* yn cydnabod iddynt gael blas ar yr arlwy ryfeddol, gan ei dieithred nid oedd pawb wedi'i mwynhau. Er yn gwerthfawrogi'r farddoniaeth a phregeth Becket yn enwedig, cyfeiriodd un gohebydd at ddilyniannau statig yr agoriad 'and the anti-climax of the explanations after the killing'. Dros wyliau'r Nadolig 1949 cynhyrchodd Dafydd Gruffydd – mab W. J. Gruffydd y gwelsom ef ddiwethaf ddeunaw mlynedd ynghynt yn swancio yn Saesneg yn ei *plus-fours* – y ddrama ar y radio, a'i chynhyrchu gyda thempo mor gyfaddas fel y datganodd Gwilym Roberts yn y *Liverpool Daily Post* ei fod wedi newid ei feddwl amdani, a'i fod yn awr yn cydnabod *Lladd wrth yr Allor* fel 'un o ddramâu mawr Rhanbarth Gymreig' y BBC: 'And I still think the cathedral sermon . . . is one of the most exquisite passages we have heard on the Welsh air.' Hugh Griffith oedd Becket ar y radio.

Y mae'n amlwg fod Thomas Parry wedi cael ei ysbrydoli gan ei brofiad yn ysgrifennu *Lladd wrth yr Allor* i'r fath raddau ag i ddymuno ysgrifennu drama fydryddol wreiddiol. Ar ôl iddo'i drwytho'i hun yn nhestun *Murder in the Cathedral* aeth ati i astudio dramâu mydryddol eraill, *Thor, with Angels* (1949) a *Venus Observed* (1950) gan Christopher Fry, a drama ddiweddaraf Eliot, *The Cocktail Party* (1950), y dywedwyd amdani ei bod yn ddrama ryddiaith mewn ffrâm fydryddol. Iddo ef dramâu a oedd yn llenyddiaeth yn hytrach na dramâu a oedd yn ddifyrrwch oedd y rhain, dramâu yn dweud rhywbeth am fywyd wrth apelio at y meddwl a'r deall, dramâu yr oedd ynddynt y math o farddoniaeth sydd yn llawn o ffigyrau ymadrodd ffraeth, annisgwyl, syfrdanol weithiau, ac a oedd ar yr un pryd yn gredadwy fel ymddiddan. Ffrwyth yr astudio hwn oedd *Llywelyn Fawr*, a ysgrifennwyd yn unswydd ar gyfer Cymdeithas Ddrama'r Coleg ac a berfformiwyd yr 2il a'r 3ydd o Chwefror 1951.

'Nid drama gytbwys, ag iddi blot yn datblygu o olygfa i olygfa yw'r ddrama hon,' ebe'r awdur wrth sgwrsio amdani ugain mlynedd yn ddiweddarach, ond yn hytrach drama lle dangosir 'cymeriad Llywelyn mewn dau argyfwng yn ei hanes'. Yr argyfwng cyntaf yw'r argyfwng yn 1211 pan fu'n rhaid iddo ar ôl blynyddoedd o lwyddiant milwrol dderbyn gan y Brenin John o Loegr, ei dad-yng-nghyfraith, amodau heddwch a'i gwaradwyddodd, a ffoi i Eryri. Dehongliad Thomas Parry yw mai'r digwyddiad hwn a benderfynodd ogwydd meddwl Llywelyn ac a barodd iddo fod o hynny i maes, er yn ddewr yn ei drafferth, nid yn frwydrwr ond yn ddiplomat, nid yn goncwerwr ond yn gynghreiriwr. Yr ail argyfwng oedd hwnnw adeg y Pasg 1230 pan ddarganfu ei wraig Siwan yn caru gyda Gwilym Brewys. Nid oedd modd i'r tywysog ymarfer diplomatyddiaeth yn y cyfwng hwn, a gweithredodd unwaith yn rhagor yn benderfynol ddiymatal, gan ddienyddio'r hwn a'i gwnaethai'n gwcwallt. Yn y ddrama y mae'r argyfwng cyntaf yn argyfwng gwleidyddol ac iddo bwysigrwydd personol, ac y mae'r ail argyfwng yn argyfwng personol ac iddo arwyddocâd gwleidyddol.

Dyna'r stori, dyna'r hanes, neu yn hytrach dyna'r ddau hanesyn a wewyd yn un thema yn nehongliad yr awdur ohonynt. Sylwadaeth ar ymateb y prif gymeriad a'i lys i'r ddeubeth hyn yw corff y ddrama. Ac i roi llais i'r sylwadaeth honno defnyddia Thomas Parry nifer o gonfensiynau theatrig traddodiadol yr oedd Eliot a Fry fel rhai o'u rhagflaenwyr wedi eu defnyddio. Ymhlith y confensiynau hynny y mae cymeriadau stoc di-farn a gynrychiolir yn *Llywelyn Fawr* gan yr offeiriaid diwerth; y mae gwrthwynebydd sy'n anghytuno â safiad y prif gymeriad, yr hwn yma yw Gruffydd, y mab a aned i Lywelyn cyn iddo briodi Siwan; y mae taeog sy'n cael dweud ei farn, weithiau'n ddoeth weithiau'n ddoniol, ac sydd, fel pob tlotyn, yn gorfod wynebu diflastod pethau; ac y mae côr, côr yn cynrychioli'r werin ddibynnol na ŵyr 'ai da ai drwg yw dim'. Confensiynau hefyd yw'r dulliau o ymadroddi sydd yma, areithio awenyddol y prif gymeriadau, y *repartee* doniol rhwng y taeog a phwy bynnag sydd yn cadw cwmni iddo ar y llwyfan, a sylwadau gwrthgyferbyniol y côr. Gan mai digyfnewid yw'r gymeriadaeth, yn yr ymddiddan farddonol y mae grym y ddrama.

Cymerer yn enghraifft o hyn ymateb deublyg y côr i'r ffaith fod Llywelyn wedi derbyn yr amodau a osododd y Brenin John arno. Y mae hanner y côr yn dweud mai 'Ynfyd yw'r sôn am dderbyn amodau'r Sais', y mae'n gofyn cwestiynau sy'n fwy na chwestiynau rhethregol, ac yna y mae'n ymbil ar eu harglwydd i sefyll. Fel hyn:

> Ynfyd yw'r sôn am dderbyn amodau'r Sais.
> A ddarfu am lewder Gwynedd? A drengodd ei dewrion oll?
> A laddwyd pob chwifiwr cleddyf? Ai meirwon y llurugogion i gyd?
> A barlyswyd dwylo dialedd? A oes crawn ymhob llygad craff?
> Y mae gwaed ein cyndadau'n galw, yn galw o giliau'r mynyddoedd,
> Yn llefain o'r eigion llafar, o'r doldir a deildo'r fforestydd,
> Yn ymbil ar eu hepil hwy.

Arglwydd Llywelyn, erglyw

Y lleisiau hen sy'n arllwys eu hynni

I galonnau a gewynnau dy wŷr.

Saf, arglwydd, saf,

Saf yn dy nerth.

Mewn gwrthgyferbyniad, y mae hanner arall y côr yn tynnu sylw at ganlyniadau enbyd pob brwydr a fu – gwaed ar wynebau pawb, cleifion anafus ym mhobman, a llanciau yr ystumiwyd eu cyrff ac y baeddwyd eu natur i'r fath raddau nes eu gwneuthur yn fudion glafoeriog 'hyd y llechweddau'. Neges yr hanner hwn o'r côr yw:

Ni bydd yng Ngwynedd a chwifio gleddyf,

Ni bydd llurugog nac un arfog ŵr,

Onid ystyria'r doeth mor dost yw'r dydd

Ac mor fradwrus agos yw ein nos ni.

Arglwydd Llywelyn, erglyw

Leisiau prudd yfory a thrennydd, a thro

Drem dirion ar dy weision di.

Plyg, arglwydd, plyg,

Plyg yn dy nerth.

Yr un awen grefftus lcd-gynganeddol a greodd yr areithiau hyn ag a greodd areithiau'r tywysog, cyffesion Siwan, ymbiliadau Gruffydd, ac a roes fin doethineb ar y gwirebau lawer sy'n britho'r gwaith. A diolch amdani. Hebddi, ni fyddai'r fath fri ar *Llywelyn Fawr*, oblegid prin yw'r cyffro dramatig ynddi, prin y digwyddiadau, prin y symud anochel o'r naill beth i'r llall. '"Llywelyn Fawr" could do with a bit more action' yw dyfarniad teg gohebydd y *Liverpool Daily Post*, Gwilym Roberts, y dyfynnwyd ei farn ar *Lladd wrth yr Allor* eisoes: 'We would not . . . expect a metrical work to move with the exuberance of a back-kitchen comedy, or to have the pliability of a drawing-room piece, but it must respect the tradition of the drama.' Ar gyfer ei llwyfaniad yng Ngholeg Bangor – a

John Gwilym a gynhyrchodd hon fel ei rhagflaenydd – cyfansoddodd Enid Parry gerddoriaeth iddi, a threfnu bod cerddorfa yn cynnwys offerynnau llinynnol, tympani, tri thrombôn, dau ffliwt, dau obo, dau glarinét, dau gorn, dau drwmped ac un bas, yn gyfeiliant i wahanol rannau ohoni. Yn bendifaddau, yr oedd yn gynhyrchiad cofiadwy, os ychydig yn flinderus.

Yn ddiweddarach yn 1951 cafwyd tri pherfformiad pellach mewn chwaraedy yn Llanrwst wythnos yr Eisteddfod Genedlaethol gan gwmni'r BBC. Pur feirniadol oedd John Eilian yn *Y Llenor* o'r cyn-hyrchiad fel y cyfryw, ac o'r gwaith: 'cyfres o *episodes* ydyw . . . heb wir ddatblygiad dramatig ynddo, ac yn dibynnu am ei undod ar y moesoli gan y *chorus*.' Y mae John Eilian hefyd yn gwneud y pwynt y buasai'r gyn-ulleidfa ar ei hennill pe ceid yng Nghymru, fel yn yr Almaen, 'ddarllen drama'n ofalus cyn ei gweld ac ar ôl'. Ond nis cyhoeddwyd tan 1954, pan ymddangosodd mewn print o dan enw Gwasg y Brython, Lerpwl.

III. DYLETSWYDDAU MAWR A MÂN

Pan ddywedodd Thomas Parry wrth Hywel D. Lewis fod modd creu cyfleon i wneud tasgau eraill ond i ddyn drefnu'i bethau, siarad o brofiad rhyfeddol yr oedd. Rhwng 1947 ac 1951 golygodd *Rhys Lewis*, dygodd *Hanes ein Llên* o'r wasg, parhaodd gyda'i waith enfawr ar Ddafydd ap Gwilym, daliodd swyddi Deon ac Is-Brifathro, beirniadodd lawer yn y Genedlaethol, paratôdd ail argraffiad o'r llyfryn ar yr Eisteddfod a gyhoeddwyd gyntaf yn 1943, ac ysgrifennodd ddwy ddrama lwyfan hir. Yn yr Adran, am fod Caerwyn Williams yn wael drwy'r flwyddyn academaidd 1947–48, ni lwyddodd i ddiwygio'r cyrsiau dysgu a'r maes llafur fel yr oedd wedi dymuno. Er i Gaerwyn ddychwelyd yn hydref

1948 yr oedd ymhell bell o fod yn holliach, ac yn haf 1951 bu'n rhaid iddo fynd eilwaith i'r sanatoriwm yn Llangwyfan, lle bu'n gorwedd ar ei stumog am dri mis 'mewn gwely plastr'. Mewn llythyr dyddiedig y 29ain o Fehefin dywedodd wrth ei bennaeth ei fod yn falch ei fod yn cael help yn yr Adran i 'ysgafnhau ychydig ar y baich' yr oedd ef a Brinley Rees yn ei gario gyda'r cyrsiau Anrhydedd (gyda'r Flwyddyn Gyntaf a Dosbarth y Radd Gyffredin y gweithiai Enid Roberts), help hefyd a fyddai'n rhoi cyfle i'r Athro 'gyflawni'r arbrofion' y bwriadai eu gwneuthur fel y caffai'r myfyrwyr ddewis 'rhwng cwrs ieithyddol a chwrs llenyddol'. Help neu beidio, erbyn dechrau'r pumdegau ef ei hun a ddarlithiai ar fwy na hanner y cwrs cyfan i'r Dosbarth Anrhydedd. Yn ôl Bedwyr Lewis Jones, a aethai i Fangor yn 1950, Thomas Parry a ddarlithiai ar Ganu Aneirin, ar Lyfr Du Caerfyrddin, ar Ddafydd ap Gwilym, ac ar holl hanes llenyddiaeth. Traethai hefyd ar farddoniaeth T. Gwynn Jones ac R. Williams Parry. Yn wir, traethai ar bopeth heblaw Canu Llywarch hen, chwedlau'r Oesoedd Canol a gramadeg hanesyddol. Cruglwyth a hanner!

Y tu allan i'r Coleg yr oedd ei fri yn cynyddu gyda phob cyhoeddiad a phob penodiad, a deuai pobl ato gyda'u gofidiau diwylliadol a'u prob-lemau materol am mai ef ydoedd. Ond cyn sôn am rai o'r rheini, noder un neu ddau o bwyntiau'n ymwneud â phethau a phobl a fuasai'n rhan o'i fywyd er ei fachgendod. Barddoniaeth a John Gwilym, er enghraifft. Yn y cyfnod hwn nid cyflwyno gyda'i gilydd brydyddiaeth aruchel *Lladd wrth yr Allor* a *Llywelyn Fawr* yn unig a wnaethant. Darfu iddynt hefyd sgriptio a darlledu sgyrsiau radio ar feirdd gwerin digoleg a ganai nid i'r math o egwyddorion enaid-rwygol a boenodd Thomas Becket nac i'r math o argyfyngau gwleidyddol a phersonol a brofodd Llywelyn Fawr, ond i'r amgylchiadau cyffredin yr oeddynt yn byw ynddynt, i *spring-cleaning* a diwrnod lladd mochyn a'r wraig yn golchi llestri a'r ymbarél yn mynd gyda'r gwynt – pynciau na ellid 'gwneud barddoniaeth fawr' ohonynt. A dyna'r pwynt. Pwynt mawr Thomas Parry a John Gwilym Jones yn y gyfres sgyrsiau i'r BBC yw bod lle a gwerth 'i farddoniaeth ail-raddol', lle a gwerth i ddeheurwydd ymadrodd, er enghraifft, megis i ddeheurwydd yr hyn a ddywedodd William Griffith Hen Barc am *spring-cleaning*: 'Yn brysur bydd raid brwsio | Y pared, a'i bapuro.' Clec cynghanedd sy'n cyfrif am y deheurwydd hwn, ebe'r sgriptwyr. Ceir clec arall, clec syniad. 'A phan ddigwydd y glec cynghanedd a'r glec syniad efo'i gilydd, dyna englyn', englyn fel englyn William Roberts Trefor i'r 'Pistyll':

> Bu nain, a bu nain honno – a'i phiser
> Hen ffasiwn o dano;
> Er rhoi fel hyn er cyn co,
> Rhed atom yn rhad eto.

Trafodasant yn ogystal yn y sgriptiau hyn bwysigrwydd canu mawl i barau cyffredin yn priodi a marwnadau i'r ymadawedig. 'I mi,' meddai Thomas Parry, 'y mae'r beirdd gwlad yn un o'r pethau mwyaf cysurlon yng Nghymru heddiw' am eu bod yn parhau 'y traddodiad Cymreig', am eu bod 'yn dilyn yn llinach y beirdd hynny yn y ddeunawfed ganrif oedd yn canu baledi . . . dynion fel Elis y Cowper a Thwm o'r Nant a llu o rai eraill llai adnabyddus', ac am eu bod fel 'disgynyddion hen feirdd yr uchelwyr . . . yn feirdd cymdeithasol'. 'Nid canu i'w blesio ei hun yn unig y mae['r bardd gwlad], ond canu i blesio'i gyd-ddynion hefyd.'

Bardd cenedlaethol a blesiodd ei gyd-ddynion yn fawr oedd R. Williams Parry. Ei unig gyfrol gyhoeddedig ef oedd *Yr Haf a Cherddi Eraill*, 1924. Fel y nodwyd o'r blaen, gwrthododd adael i Wasg Gregynog gyhoeddi cyfrol o'i eiddo yn y tridegau. Ond drwy'r blynyddoedd, am fod y bardd ei hun yn anymarferol, yr oedd rhai pobl, gan gynnwys Thomas Parry, yn casglu'r cerddi a gyhoeddai yma ac acw yn *Y Llenor* a'r *Ford Gron* a'r *Western Mail* a'r *Faner* a mannau eraill, gyda mwy na hanner bwriad i'w cywain yn gasgliad. Ddiwedd gaeaf 1948 daeth yn amlwg fod Gwilym R. Jones â'i fryd ar gyhoeddi ail gyfrol o weithiau Williams Parry gyda Gwasg Gee. Am iddo fethu â dod o hyd i gerdd goll o'r enw 'Y Llong', cerdd y tybiai iddi gael ei hargraffu yn y *Western*

Mail, yr oedd wedi gofyn i Owen Picton Davies chwilio'r ffeiliau yng Nghaerdydd ar ei ran. Am na ddaethai Picton Davies o hyd iddi holodd ef yn ei dro ei gyfaill T. Rowland Hughes amdani. Ni chlywsai Rowland Hughes sôn amdani chwaith. Ac am ei fod yn drwgdybio gallu Gwilym R. i wneud cyfiawnder â barddoniaeth Williams Parry, anogodd Rowland Hughes Picton Davies i ysgrifennu at ei fab-yng-nghyfraith i ddweud mai ffolineb fyddai gadael i olygydd *Y Faner* argraffu'r gyfrol newydd heb ymgynghori â'r Athro bob cam o'r daith. Bedwar gaeaf yn ddiweddarach y cyhoeddwyd *Cerddi'r Gaeaf,* ac er mai Gwasg Gee a'i cyhoeddodd yr unig rai y diolchodd y bardd iddynt am eu cymorth gyda'r gyfrol oedd Gwilym Evans, J. O. Williams, ac yn olaf 'Yr Athro T. Parry, M.A.'.

Gwelir ar yr un tudalen yn *Cerddi'r Gaeaf* fod Williams Parry hefyd yn diolch i'w 'annwyl wraig, Myfanwy, am gydymddŵyn â chreadur mor anystywallt â bardd'. Gallai, fe allai fod yn anystywallt, yn anhydrin weithiau, ac ar dro yn boen byw. Nid oedd fel pawb arall, ac yr oedd bron pawb arall yn deall hynny. Yn 1949 bu Enid Parry yn wael yn ei gwely am gyfnod, o dan ofal arbenigwr. Wrth gydymdeimlo â hi mewn llythyr dyddiedig y 13eg o Fedi y mae T. H. Parry-Williams yn cyfeirio at Fardd yr Haf yn y dôn beth-wnawn-ni-ag-ef-dywedwch hon: 'Ac y mae'r Efe dan annwyd eto. Y mae'n syn fel y mae'n ei gael o hyd, onid yw?' Yr 17eg o Ionawr 1952 anfonodd yr Efe lythyr at Thomas Parry gyda'r llythrennau SOS ar ei frig. Ynddo adroddodd fel y ceisiodd gan 'y Prinny' – sef Prifathro'r Coleg, D. Emrys Evans – rai blynyddoedd ynghynt godiad yn ei bensiwn. O gael y cais, yr hyn a wnaeth y Prifathro oedd gofyn i Thomas Parry ddarganfod beth oedd sefyllfa economaidd y bardd, ac anfonodd Thomas air i lygad y ffynnon – 'sef ataf i fy hun'. Yn y man cafodd Williams Parry air gan 'y Prif, er mawr syndod, i'r perwyl fod rhyw Bwyllgor yn y Coleg' wedi penderfynu rhoi canpunt y flwyddyn 'i chwanegu . . . at swm fy mhensiwn Bwrdd Addysg'. Dyma ddyfod yn awr, ebe fe ymhellach, at ystyr yr 'S.O.S. ar frig y llythyr hwn' –

sef ei bod yn wasgfa arnaf eilwaith. Y mae Myfanwy yn chwilio am le mewn siop (*Milliner* oedd M. cyn priodi, ond *milliner* go eithriadol), ac yr wyf finnau yn trefnu i werthu'r tŷ yma a'r car bach . . . Gwir a ddywetsoch ryw dro mai gresyn ofnadwy oedd imi ymneilltuo o'r Coleg yn 60 yn lle 65.

Atebodd Thomas Parry gyda'r troad, gan ofyn sut y cawsai ei gefnder ei hunan yn y fath argyfwng. Dyma lythyr arall o Goetmor, eto gyda'r troad: 'Meddwl yr oeddwn pan ddarllenais eich llythyr eich bod yn tybied fy mod *on my last legs*. Ond nid fclly hyd yma, diolch am hynny.' Noda fod ganddo £2,000 yn y banc, swm go lew, fel y mae ef ei hun yn cyfaddef. Dywed mai'r rheswm pam fod ganddo gelc mor dda oedd na bu'n '*rifflo* fy arian (gair Dyffryn Nantlle am wario'n ofer) . . . Na, *bad luck* nid *bad management* a barodd imi yrru fy llythyr cyntaf atoch.' Nid yw'n dweud beth oedd y ffawd ddrwg honno, eithr y mae'n dweud nad yw'n ceisio canpunt arall y flwyddyn: 'Buasai £50 yn gaffaeliad mawr i mi.'

Ni chariodd Thomas Parry'r neges hon at y Prifathro fel y disgwyliai Williams Parry iddo wneud. Diau y byddai'n chwith iawn ganddo wneud hynny o wybod nad oedd hi'n dlawd o gwbl ar y cefnder – fel yr oedd yn chwith ganddo feddwl bod y llythyr SOS gyda'i sôn am Fyfanwy yn chwilio am waith mewn siop hetiau ac yn chwilio am brynwr i 3 Coetmor Estate a'r car yn arwydd o ddirywiad colledus ym meddwl y bardd, bardd a oedd, yn ddiymwâd, yn heneiddio ac yn gwanio'n feddyliol ymhell cyn pryd. Beth *a* wnaeth Thomas Parry oedd ceisio pensiwn o'r Civil List iddo, a recriwtio corfflu go bwerus i'w gefnogi, Thomas Jones CH, y darlledwr Alun Oldfield Davies, yr undebwr llafur Huw T. Edwards, Syr Wynn Wheldon (yr hwn a ddywedodd wrtho na fyddai 'yn arwyddo pethau fel hyn yn arferol – am y bydd Downing St. yn aml yn anfon ataf am fy marn – ond credaf y gallaf neidio i hwn'), ac Idris Bell a David Hughes Parry. Gyda'r fath rym yn hawlio, prin y gallasai Downing Street wrthod.[11]

---

11   Yn ei lythyr ef at T. P. dywedodd David Hughes Parry ei fod yn cofio'n dda 'i Alafon

Fel yr oedd ganddo ran yn nedwyddwch cyllidol newydd Williams Parry, yr oedd gan Thomas Parry hefyd ran ym mhenderfyniad Prifysgol Cymru i roi gradd DLitt er anrhydedd i Kate Roberts yn 1950. Os bu agos iddi 'gael gwasgfa' pan fynegwyd y peth iddi, bu agos iddi fynd i Abertawe i gael ei hurddo yn gloff ac yn fantach: yr oedd wedi syrthio ac wedi cael pwythi yn ei choes, ac at hynny yr oedd wedi tynnu chwe dant o'i phen ac wedi cael 'gosod y dannedd newydd i mewn ymhen pum munud' fel y gallai fynd gyda cheg 'ac nid ogof' i'r seremoni. Yn ei llythyron nid oedd Dr Kate byth yn brin o adrodd ei helyntion.

Yr un haf, ar gais G. J. Williams, anfonodd Thomas Parry lythyr at Anthony Steel, Prifathro Coleg Caerdydd – 'yr union fath o lythyr i'w gyflwyno i Sais diwylliedig' – ynghylch cymwysterau Saunders Lewis i lenwi'r ddarlithyddiaeth Gymraeg a oedd yn wag wedi myned o T. J. Morgan yn Gofrestrydd Prifysgol Cymru. Ni fynnai S. L. gynnig amdani, ond dymunai G. J. weld ei benodi. Ac ar ôl iddo bledio drosto gerbron Cyngor y Coleg ar y 19eg o Hydref penderfynodd yr awdurdodau gadarnhau'r penodiad. Diolch, Thomas Parry, ebe G. J. Williams: 'arnoch chi a Bell y dibynnwn wrth siarad â'r Saeson.' Y flwyddyn ganlynol, a T. H. Parry-Williams yn paratoi i ymddeol, yr oedd Coleg Aberystwyth yn hwylio i benodi olynydd iddo, a gofynnodd y ddau brif ymgeisydd, Gwenallt a Thomas Jones, i Thomas Parry fod yn ganolwr iddynt. Thomas Jones a gafodd y Gadair ac yr oedd Athro Bangor yn cytuno gant y cant â'r penderfyniad, ond am ei fod o'r farn fod Gwenallt wedi cyfrannu'n sylweddol i lenyddiaeth Gymraeg fel ysgolhaig yn ogystal ag fel bardd ysgrifennodd at y Prifathro Ifor L. Evans i ofyn 'a ellid rhoi iddo, dyweder, y teitl o "Reader"' ac ychwanegiad o ryw ganpunt at ei

---

[Owen Griffith Owen] roddi parti i Leila Megane ac R. W. P. ym Mhwllheli i ddathlu eu llwyddiant yn Colwyn Bay [yn 1910] a'm gwahodd innau yno oherwydd i mi fedru pasio'r Higher yr un amser! Parti cynnes ond diniwed a diddorol'. Y mae Hughes Parry hefyd yn dweud ei fod yn synnu bod eisiau gofyn i awdurdodau'r Civil List am nawdd i'r bardd, oherwydd 'y mae gan brifysgolion hawl i wneud pensiwn i fyny i £600 y flwyddyn mewn amgylchiadau neilltuol'. Dichon mai barn T. P. oedd nad oedd amgylchiadau R. W. P. mor neilltuol â hynny cyn belled ag yr oedd y Coleg yn y cwestiwn.

gyflog . . . Ni wn a fuasai ef ei hun yn rhoi pris ar hynny, ond yr wyf yn sicr y buasai llu o'i edmygwyr, fel finnau, yn bendithio eich enw, pe gwnelid rhywbeth felyna.'

Ddiwedd 1951 a dechrau 1952 tynnwyd Thomas Parry i fewn i helynt difodiant *Y Llenor*, cylchgrawn llenyddol pwysicaf y Gymraeg yn hanner cyntaf yr ugeinfed ganrif. O'i ddechreuad 'dan nawdd Cymdeith-asau Cymraeg y Colegau Cenedlaethol' yn 1922 W. J. Gruffydd a fu'n ei olygu, ond o 1946 ymlaen, â Gruffydd yn dal yn y Senedd, penodwyd T. J. Morgan yn gyd-olygydd ag ef. A T. J. Morgan yn 'Nodiad y Golygydd' yn rhifyn Gaeaf 1951 sy'n cyhoeddi 'mai hwn, efallai, fyddai rhifyn olaf *Y Llenor*'. Yr oedd ei gyhoeddwyr, Hughes a'i Fab, a oedd ers tro yn eiddo i Gwmni Woodalls, Croesoswallt, wedi penderfynu na allent mwyach gwrdd â'r golled oedd wrtho. 'Hyn fydd diwedd y *Llenor*', ebe Gruffydd wrth Thomas Bassett, ac 'yr wyf yn meddwl mai'r peth gorau yw iddo ddiflannu.' I'r gwrthwyneb, dywed T. J. Morgan fod yn rhaid chwilio am gyhoeddwyr newydd ac nid hwyrach am olygydd newydd, a bod yn rhaid cynnull cyfarfod o gynrychiolwyr Cymdeithasau Cymraeg y pedwar Coleg Prifysgol i drafod y materion hyn, er mor anodd gwneud hynny o ystyried na ofynnwyd i neb ohonynt gydgyfarfod o'r blaen. Rhaid bod T. J. Morgan wedi ysgrifennu llythyr at bob un o Athrawon Cymraeg y Brifysgol, ond yr unig un i'w gydnabod erbyn yr 20fed o Rhagfyr 1951 oedd Thomas Parry. Penderfynwyd cael cyfarfod yng Nghaerdydd ar y 1af o Chwefror ('gan fod Cymru'n chwarae Sgotland drannoeth'). '*Débâcle* o gyfarfod' oedd hwnnw am sawl reswm. A Thomas Parry wedi methu mynd iddo nid oedd yno ond chwech – A. O. H. Jarman, a oedd yn ddarlithydd Cymraeg yng Nghaerdydd er 1946 (ni chyffyrddai G. J. Williams ben ei fys â dim byd Gruffyddaidd ar ôl Etholiad y Brifysgol yn 1943), pedwar myfyriwr, a T. J. Morgan ei hun – ac ni chafwyd yno benderfyniad cadarn ar ddim, nac ar olygydd newydd na chyhoeddwr newydd. Gyda golwg ar gyhoeddwr, yr oedd Lewisiaid Llandysul wedi dweud beth amser ynghynt yr ymgymerent hwy â'i gyhoeddi: yn awr yr oeddynt wedi tynnu eu cynnig yn ôl ond eto'n fodlon ei argraffu. Er i Alun Talfan Davies ffonio T. J. Morgan 'i ddweud ei fod ef yn fodlon bod yn gyhoeddwr' a bod y telerau yn y post nid oeddynt wedi cyrraedd. A chyda golwg ar olygydd, er bod T. J. Morgan eisiau rhoi gerbron y cyfarfod enw Hugh Bevan, darlithydd Cymraeg yng Ngholeg Abertawe, cynigiodd Jarman Saunders Lewis, ac aeth y bleidlais o blaid yr olaf.

Trodd pethau'n ffars yn y man. Pan glywodd Gruffydd fod cynrychiolwyr y Cymdeithasau Cymraeg wedi enwi Saunders Lewis yn olynydd iddo, anfonodd lythyr ato'n syth, i ddweud yn gyntaf ei fod yn synnu at hynny, yn ail ei fod ef ei hun *'heb ymddiswyddo'*, ac yn drydydd i'w wahodd i fod yn gyd-olygydd ag ef. Barnai T. J. Morgan fod 'blas mawnog Peate' – pennaf ganlynwr Gruffydd – 'ar yr holl fusnes'. Yn y cyfamser, rywsut neu'i gilydd yr oedd Saunders Lewis a Hugh Bevan wedi cytuno i fod yn gyd-olygyddion. Mewn llythyr at yr Athro Parry yn diolch iddo am ei gefnogaeth y mae Bevan yn nodi bod Saunders Lewis ac yntau 'eisoes yn trafod syniadau a threfnu pethau ynghyd'.

Ond pa bethau? A chyda pha awdurdod? Onid Woodalls, Croesoswallt, perchenogion y Caxton Press a'r *Cymro*, oedd biau'r teitl o hyd? Y 26ain o Chwefror 1952 anfonodd Rowland Thomas, cadeirydd y cwmni, lythyr seiclosteiledig at nifer o wŷr llên blaenllaw yng Nghymru, gan gynnwys 'Prof. T. Parry, M.A.', yn dweud bod Woodalls wedi penderfynu cyhoeddi atodiad llenyddol misol wyth-tudalen i'r *Cymro* o dan y teitl 'Y Llenor' o dan gyfarwyddyd Dr W. J. Gruffydd. Dywedodd hefyd fod John Roberts Williams, golygydd *Y Cymro*, yn hapus iawn i gydweithredu â Gruffydd. Dywedodd hefyd iddo roi gwybod i 'Prof: Saunders Lewis' fod y cwmni'n cadw'i hawl ar enw'r cylchgrawn. Yn olaf gofynnodd i Thomas Parry, fel i bawb a gafodd ei lythyr, y mae'n debyg, am ei gefnogaeth '[and] for the favour of your observations'. Ni welais sylwadau Thomas Parry, ond y mae llythyr personol Rowland Thomas ato y 5ed o Fawrth yn awgrymu iddo gynnig y gellid ymddiried yr hawlfraint ar enw'r *Llenor* i Fwrdd Gwasg y Brifysgol. Pe gwireddid hynny, ebe Rowland Thomas, byddai Hughes a'i Fab yn barod i barhau'n gyhoeddwyr iddo, 'ond na soniwch am hyn wrth Gruffydd'.

Yr oedd popeth drwy'r trwch, yr oeddid wedi codi nyth cacwn, ac yr oedd syniadau ac awgrymiadau ynghylch cylchgrawn llenyddol pwysicaf y Gymraeg yn ehedeg ddwywaith yr wythnos i nunlle. Bu beirniadu fan hyn, bu bygylu fan draw. Y 13eg o Fawrth cyhoeddodd Rowland Thomas femorandwm newydd yn yr hwn y cynigiodd sefydlu Bwrdd Golygyddol i'r *Llenor* 'Cymroaidd', bwrdd yn cynnwys W. J. Gruffydd, Thomas Parry, T. J. Morgan ac Iorwerth Peate. Bum diwrnod yn ddiweddarach, ysgrifennodd Eric Thomas, mab Rowland, at Thomas Parry i ddweud wrtho mai eu dymuniad pennaf oedd gweld y pedwar ohonynt yn cytuno ar ffordd ymlaen a fyddai'n codi'r *Llenor* o'r llanast yr oedd ynddo ac yn sicrhau dyfodol iddo. Ond gyda T. J. Morgan yn drwgdybio Peate o wrthSaundersiaeth ('pa mor wrthwynebol bynnag oeddwn i ddewis Saunders Lewis yn olygydd, y mae fy ngwrthwynebiad i Peate . . . yn anhraethol fwy') ac yn beirniadu Gruffydd o esgeulustod hir ('er 1946 . . . enw ar y clawr yn unig fu Gruffydd'), a chyda Peate yn bychanu T. J. Morgan am anfon llythyr '*impertinent*' ato, yn difrïo'r 'corff annelwig' a elwir yn Gymdeithasau Cymraeg y Colegau, ac yn twt-twtio amharodrwydd Thomas Parry i fynd i gadair y golygydd, prin y gallent gytuno ar odid ddim. Yn gant ac ugain o rifynnau oed bu farw *Llenor* Gruffydd, a thri mis yn ddiwedd-arach bu farw'r *Llenor* 'Cymroaidd' yn y bru.

IV. *GWAITH DAFYDD AP GWILYM*

Ludwig Christian Stern, Ceidwad y Llawysgrifau yn Llyfrgell Frenhinol Berlin, yn y flwyddyn 1910 a ddywedodd y byddai sefydlu testun barddoniaeth Dafydd ap Gwilym 'yn orchwyl oes' i unrhyw un ac am hynny 'yn dasg go anobeithiol'. Wrth adolygu *Peniarth 49* yn y *Revue Celtique* aeth Joseph Vendryes ymhellach, a dweud y cymerai 'fwy nag oes un dyn'. Yr oedd Stern mewn lle da i farnu, oblegid treuliodd nifer o flynyddoedd yn paratoi ei waith ei hun ar Ddafydd, gwaith a ymddangosodd yn 1908. Yn 1911 daeth Ifor Williams i'r maes gydag erthygl bwysig ar 'Ddafydd ap Gwilym a'r Glêr', a thair blynedd yn ddiweddarach cyhoeddodd 64 o gywyddau Dafydd yn y gyfrol *Dafydd ap Gwilym a'i Gyfoeswyr*. Ond gan iddo roi ei fryd ar olygu'r Canu Cynnar ni fynnai Ifor Williams astudio Dafydd ymhellach, achos ar ôl i Tom Parry orffen ei MA a dychwelyd i Fangor, dair blynedd ar ôl cyhoeddi *Recherches sur la Poésie de Dafydd ab Gwilym* Theodor M. Th. Chotzen, pwysodd arno 'mai casglu gwaith Dafydd ap Gwilym [fyddai'r] peth doethaf a mwyaf buddiol' iddo ymgymryd ag ef. Gwyddai Tomos anferthed y dasg. Yr wythnos gyntaf yr aeth i edrych y llawysgrifau yn y Llyfrgell Genedlaethol, o'i lety yn Loveden Road Aberystwyth y 23ain o Fawrth 1930 ebe fe mewn llythyr at Enid: 'Dyma fi wedi dechrau ar y gwaith enbyd hwn, a'r nefoedd a ŵyr pryd y gorffennaf.' Yn 1952 y gwelwyd y gwaith gorffenedig, mewn cyfrol glawrwyrdd drom drwchus o wyth can tudalen, y dylid bod wedi anrhydeddu pob un o'i chysodwyr gyda gwisg wen yng Ngorsedd y Beirdd. Dwy flynedd ar hugain a gymcrodd iddo gwblhau'r gwaith, am mai gwaith hanner oes ydoedd i ddyn o stamina anhygoel Thomas Parry. Ys dywedodd Idris Ll. Foster yn *Lleufer* y flwyddyn honno: 'i unrhyw un heb amynedd, dycnwch ac ysgolheictod yr Athro Parry buasai'r gwaith wedi diflannu i gysgodion anobaith ymhell cyn hyn.'

Yn ystod yr ugain mlynedd ar ôl Rhyfel 1914–18 darparodd y to llŷn o ysgolheigion Cymraeg destunau o weithiau nifer o feirdd pwysig yr Oesoedd Canol, Iolo Goch, Tudur Aled, Guto'r Glyn, a thestunau o'r chwedlau rhyddiaith gorau, ond yr oedd y bardd Cymraeg mwyaf adnabyddus drwy Ewrop, yr un a fawrygid fel y gorau oll gan ei genhedlaeth ei hun a chan y bymthegfed ganrif, a'r un y ceid y casgliadau helaethaf o'i waith gan wŷr y Dadeni Dysg, wedi ei esgeuluso. A rheswm da paham. Gan mor boblogaidd oedd, cadwyd nifer mawr o'i gerddi ar dafod leferydd yn ei oes ei hun a thrwy'r oesoedd dilynol, ac yna dechreuwyd eu rhoddi ar glawr, a'u copïo a'u copïo a'u copïo hyd onid oedd ar hyd y wlad lawer iawn iawn o lawysgrifau a oedd yn cynnwys o leiaf rywfaint o waith Dafydd ap Gwilym. O blith y dyneiddwyr, yr oedd gan Thomas Wiliems, Jaspar Gryffyth, David Johns a John Davies Mallwyd gasgliadau o'i waith, ac o blith ysgolheigion a chasglyddion yr ail ganrif ar bymtheg a'r ddeunawfed gallai Samuel Williams, Iaco ap Dewi, Lewis a William Morris, ac Owain Myfyr hawlio'r un fel. Owain Myfyr ynghyd â William Owen Pughe oedd golygyddion y casgliad cyntaf o waith Dafydd ap Gwilym a argraffwyd, a hynny yn Llundain yn 1789. Am chwe ugain mlynedd ar ôl ei gyhoeddi y casgliad hwn ac adargraffiad Isaac Foulkes ohono dan olygyddiaeth Cynddelw yn 1873 oedd yr unig ffynhonnell brintiedig o waith Dafydd ap Gwilym a oedd ar gael. Fel y dywed Thomas Parry yn ei erthygl arno yn *Journal of the Welsh Bibliographical Society* VIII, dyfynnodd John Morris-Jones yn helaeth ohono yn ei *Welsh Grammar* ac arno ef i raddau helaeth y seiliodd Stern a Chotzen eu trafodaethau hwy ar Ddafydd. Ond yr oedd ysgolheigion wedi sylweddoli ers blynyddoedd nad oedd y testun yn ddibynadwy. Chwarae teg i Owain Myfyr a W. O. Pughe, yr oeddynt yn ymwybodol o wendidau eu casgliad wrth ei gyhoeddi: yr oeddynt wedi deall bod 'trosglwyddo'r cerddi o genhedlaeth i genhedlaeth wedi llygru llawer ar y testun' ac wedi ystyried rhestru'r darlleniadau amrywiol ohono a geid yn y llawysgrifau, ond yn herwydd 'eu hanferth rifedi' ni wnaethant hynny. I greu testun gwell i fyfyrwyr ac ysgolheigion eraill yr ymgymerodd Ifor Williams â'r gwaith a gyhoeddodd yn 1914, ond wrth gwrs rhan yn unig o gorff barddoniaeth Dafydd a gafwyd yno.

Cyhoeddi holl waith dilys Dafydd oedd amcan Thomas Parry. Ond beth oedd hwnnw? Sut ellid ei ddiffinio? Pan aeth ati gyntaf i chwilio'r *Mynegai i Farddoniaeth y Llawysgrifau* a gwblhawyd gan Elizabeth Louis Jones yn 1928 ac i bwyso ar gyngor arbenigwyr eraill megis E. D. Jones o'r Llyfrgell Genedlaethol cafodd fod ar glawr yn agos i ddau gant a phedwar ugain o lawysgrifau a oedd yn cynnwys cannoedd ar gannoedd o gerddi a briodolid i Ddafydd. O'r wythnos gyntaf honno pan aeth i Aberystwyth yn ystod gwyliau'r Pasg 1930 tan yn hwyr yn y pedwardegau bu'n pori ynddynt oll. Am fod ffotostats yn rhy ddrud ac am na cheid microffilm tan ar ôl yr Ail Ryfel Byd, yr oedd yn rhaid teithio i Aberystwyth a Chaerdydd – rheswm da dros fynd yno i garu, meddai yn 1931 – a Rhydychen a Llundain i weld a darllen pob llawysgrif, gan dreulio wythnosau lawer ar y tro yn yr amrywiol lyfrgelloedd. Y mae'n hawdd dweud 'a darllen pob llawysgrif'. Anos o lawer gwneud na dweud, nid yn unig am fod cynifer o lawysgrifau i'w chwilio ac nid yn unig am fod rhai llawysgrifau yn ddychrynllyd o anodd i'w darllen, ond yn fwy sylfaenol na hynny am fod yn rhaid i'r ysgolhaig ddygymod â'r holl anawsterau a oedd ynglŷn â hwy – ynglŷn â'u hynafiaeth a dilysrwydd eu cynnwys ac ynglŷn â'u perthynas â'i gilydd.

Y mae a wnelo'r broblem gyntaf nid â'r llawysgrifau eu hunain, ond â'r ffaith na cheid llawysgrif yn cynnwys gwaith Dafydd tan o leiaf ganrif ar ôl ei farw. Beth, gan hynny, yw perthynas y cerddi fel y'u ceir ar glawr yn y llawysgrifau yn enw Dafydd a thestun y cerddi a ddatganwyd ganddo genedlaethau ynghynt? Yr oedd gofyn i Thomas Parry benderfynu pa lawysgrifau oedd bwysicaf, pa rai y mwyaf dibynadwy, ac yr oedd gofyn iddo ddirnad perthynas y llawysgrifau â'i gilydd, a cheisio deall pwy a gopïodd bwy. Fel yr oedd gofyn iddo adnabod camddarlleniadau o farddoniaeth Dafydd ac adnabod cyfnewidiadau a wnaed yn fwriadol iddi. Ceisio datrys y problemau hyn wrth fynd rhagddo a wnâi Thomas Parry. Fel y nodwyd o'r blaen, âi Enid yn aml gydag ef i'r llyfrgelloedd, ac yn ei llaw hi y mae nifer o'r cywyddau sydd yn y llyfrau gwaith a gadwyd. A ddysgodd ef iddi sut i ddatrys y prif anawsterau llawysgrifol? Neu a eisteddai ar ei phwys a'u datrys ei hun? Sut bynnag y gweithient, gwnaethant dwrn rhyfeddol. Yr oedd darllen a chopïo a chymharu'r llawysgrifau oll, a hynny am gyfnodau meithion ar y tro, yn waith 'arbennig o ddeir a diflas . . . mecanyddol a blinderus', chwedl D. J. Bowen. Pan roddodd yr Ail Ryfel Byd stop ar y teithio a'r casglu a'r copïo, am fod Tomos yn dirfawr ofni y collid drwy fomio y defnyddiau yr oedd ef ac Enid eisoes wedi'u casglu, treuliodd y pedwar mis o fygythiad Hitleraidd rhwng Medi a Rhagfyr 1939 yn gwneud 'ail gopi o'r miloedd o ddarlleniadau amrywiol (gwaith deng mlynedd)' a mynd ag ef i ddiogelwch y mynydd yng Ngharmel, a chadw'r copi gwreiddiol mewn *suitcase* o dan y grisiau gartref ym Mangor.

Er pwysleisio trymder a blinder y gwaith, o ongl arall teg nodi pa mor afieithus y swnia'r stori: mor anturus y teithio o Fangor i'r Amgueddfa Brydeinig ac i'r Bodleian, mor felys-fendithiol gwmni Enid, mor flasus y ciniawa mewn Lyons Corner House yn Llundain neu'n fwy moesaidd fyth y swpera yng ngwesty'r Mitre yn Rhydychen, mor ddifyrrus y theatr neu'r neuadd gyngerdd wedyn, ac mor feunyddiol foddhaol y cynhaeaf cynganeddol. Do, dywedodd Tomos mai 'gorchwyl llafurus a chwbl ddieneiniad' oedd y gwaith darllen a chopïo a chymharu llawysgrifau o ddydd i ddydd, flwyddyn ar ôl blwyddyn. Ond gwyddai'n iawn pa mor arwrol bwysig oedd y gwaith yr oedd wedi ymgymryd ag ef – golygu am y tro cyntaf yn hanes ysgolheictod waith y bardd Cymraeg mwyaf a fu erioed, y cywyddfardd arloesol, rhyfeddol ei dechnegau awenyddol, aruthrol athrylithgar ei gân a drydanodd yr awen Gymraeg yn y bedwaredd ganrif ar ddeg ac a dra-arglwyddiaethodd arni ym mhob canrif wedyn. Yn ystod y blynyddoedd maith a dreuliodd yn paratoi testun y farddoniaeth hon, yr oedd hefyd o raid yn myfyrio ar ei newydd-deb a'i harwyddocâd yn hanes llên, myfyrdod a fynnai fod yr ysgolhaig yn meddwl drwy'r adeg nid yn unig fel golygydd testun ond fel hanesydd llenyddiaeth a beirniad llenyddol yn ogystal – gwaith gwefreiddiol.

Ceir ymdriniaeth Thomas Parry ag anawsterau'r llawysgrifau mewn erthygl yn y *Bwletin* yn 1937. Ac erthygl seml drefnus wylaidd ydyw. O'i deutu ysgrifennodd ddwy ymdriniaeth arall y cyfeiriais atynt eisoes, ymdriniaethau pwysicach a chymhlethach o safbwynt beirniadaeth, y naill ar 'Dwf y Gynghanedd' a'r llall ar 'Ddatblygiad y Cywydd', a gyhoeddwyd yn *Trafodion Anrhydeddus Gymdeithas y Cymmrodorion*

NADOLIG LLAWEN
A
BLWYDDYN NEWYOD DDA.

Pisgah Road, Carm... "J. H. Series.

Cyfarchion y Tymor o Garmel
ddechrau'r ugeinfed ganrif

Y Gwyndy: hen gartref tadau
R. Williams Parry, T. H. Parry-
Williams a Thomas Parry

Jane a Richard Edwin Parry,
rhieni Thomas Parry

Gwastad-faes a rhan
o'r pentref

General View, Carmel

Syr John Morris-Jones   Yr Athro Ifor Williams   R. Williams Parry, Bardd yr Haf

Y *XXX Club* yng Ngholeg Bangor

Tomos Parry yn ifanc

Cyfeillion coleg: T. P. yn y gadair, ac o'i gwmpas Guto Davies,
Hywel W. Elias Jones, J. T. Jones a John Gwilym Jones

R. Meirion Roberts, cyfaill arall

D. Emrys Evans, Prifathro Coleg Bangor, 1927–1958

Dosbarth Anrhydedd Cymraeg, Caerdydd 1929:
Yr Athro W. J. Gruffydd biau'r *mortarboard*,
a G. J. Williams (yr eisteddog ar y dde) biau'r difrifolder mawr

Enid gyda'i mam a'i thad,
Jane ac Owen Picton Davies

Llythyr caru cyntaf Tomos at Enid

Gwastad faes,
Groeslon,
Sadwrn, 27 Goff. 1929 Ger Gaernarvon.

F'annwyl Enid,

Rhag ofn imi anghofio, diolchwch yn gynnes iawn i'ch tad am y 'Western Mail' hwnnw. Credaf mai dwy giniog yw cyfanswm y bil, gan gynnwys y cludiad, a chan fod fy nyled i'ch tad yn fwy nag y medaf obeithio ei thalu'n llawn, ofnaf na buasai'n edrych yn ffafriol iawn ar ddau stamp giniog. Ond o ddifri, gofynnwch iddo a ydynt yn codi mwy na'r pris arferol am yr hyn a elwir yn 'back numbers'.

Wel rwan, am ein busnesion ni'n dau. Bu bron imi â neidio dros ben mam pan ddaeth hi â'm llythyrau imi i'r gwely fore Gwener (sef ddoe). Diolch o galon am eich llythyr. Yr oedd yn dra gwych. Peidiwch chwi â rhedeg ar eich Cymraeg byth eto. Yr wyf yn dweud o hyd fod gennych syniad rhy sâl o lawer ohonoch eich hun. (wrth gwrs mae hynny'n anhraethol well na'r gwrthwyneb!) Nid fel gweniaith y bwriadaf yr hyn a ddywedaf rwan, ond yn hytrach fel tipyn o galondid: y ffaith amdani yw, mi gefais lythyrau oddiwrth rai wedi graddio gyda'g

Y cyfaill pennaf, John Gwilym Jones, a llawysgrif rhai englynion a luniwyd amdano

Y Maes, Caernarfon: tua'r canol gwelir y *fountain* lle cadwodd Tomos ac Enid yr oed y tro cyntaf yn y gogledd

Enid wrth glwyd ffrynt 25 Roath Court Place

W. J. Parry, *alias* Gwilym Iechyd

Tomos ac Enid gyda John Hwfa
Thomas yr argraffydd

Tomos yn arddangos ei ddoniau
peirianyddol

Tomos ac Enid a Charadog Prichard ym Mhenmaen-mawr, 1930

Richard Edwin a Jane Parry

Y tri brawd, Tomos a Dic a Gruffudd

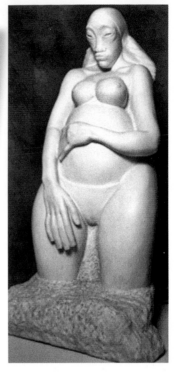

Delw *Genesis* gan Jacob Epstein

Llythyr Caradog Prichard at Tomos wythnos y cadeirio yn Aberafan

Lluniau pen-ac-inc David Bell o T. H. Parry-Williams, Thomas Parry ac Idris Bell

Llun priodas Mr a Mrs T. Parry

Enid a'i mam-yng-nghyfraith
o flaen Brynawel

GPO
Greetings Telegram

| OFFICE OF ORIGIN | LONDON | SERIAL No. 14 |
| OFFICE OF RECEIPT | CARDIFF | DATE 2p/5/36 |

PARRY 25 ROATH COURT PLACE CARDIFF
OUR TOM THE LOVER TIMID NOW HAS WON HIS
ANNWYL HIS ENID
HE HAS DONE WHAT ONCE I DID DUW MAWR
HE HAS GOT MARRIED MAY NO TEAR COME AND
HARRY TWO SO FAIR NO CARE MAY YOU CARRY
ALL THE HAPPIEST BEST NOW BE POURING UPON THE
PARRY = CARADOG AMATI +

Y telegram a anfonodd
Caradog a Mattie Prichard at
y pâr priodasol

Peniarth, Lôn Meirion, a
gododd Thomas Parry
yn 1935–36

Cart achau tylwyth
y Gwyndy, Carmel ▶

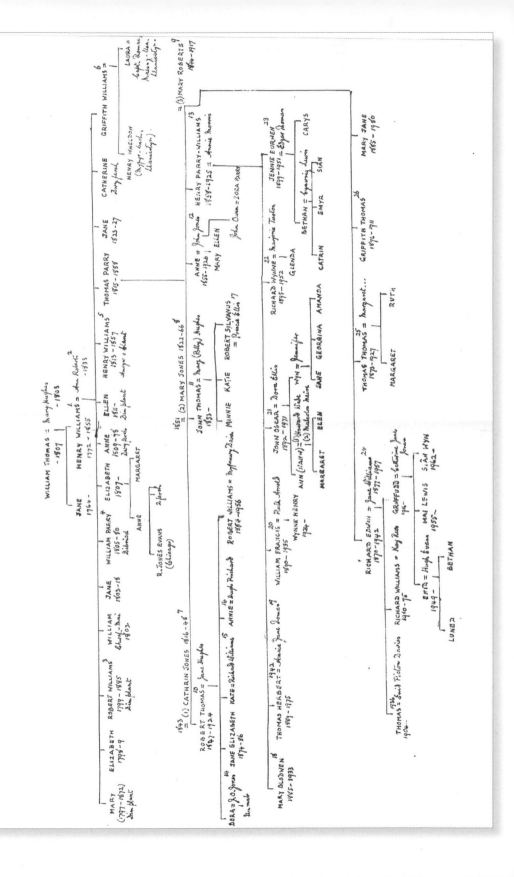

D. R. Thomas, tad
Cofion Cymru, 1941–1946

Dic Parry a'i wraig Kay yng ngardd gefn Peniarth

Priodas Gruffudd Parry a Kit

Cartŵn Tegwyn Jones
yn nodi anferthedd
Gwaith Dafydd ap Gwilym

Tomos ac Enid o flaen drws
ffrynt Peniarth, Victoria Avenue

Y Llyfrgellydd Cenedlaethol newydd gyda'i ysgrifenyddes,
Beatrice Davies

Jane Parry'r fam yn ei chanol
oed.

Y Frenhines a Dug Caeredin yn dathlu cwblhau Prif Adeilad
y Llyfrgell Genedlaethol

Y Prifathro Parry gyda'i wraig
a'i fam-yng-nghyfraith ar
ddreif Plas Pen-glais

Llythyr Saunders Lewis gyda'i awgrymiadau am ychwanegiadau i'r *Oxford Book of Welsh Verse*

Idris Foster ac Elwyn Davies adeg cyflwyno Medal y Cymmrodorion i T. P.

Y Prifathro gyda Dug Caeredin ar Gaeau'r Ficerdy, Aberystwyth, 1963

Llythyr caru hwyr o Bellagio yn yr Eidal

Y Prifathro ac eraill, Fergus Johnson, Francis Jones a T. Arfon Owen, yn cyflwyno *The Prince and the Principality of Wales* i'r Tywysog Charles, 1969

Syr Ben Bowen Thomas,
Llywydd Coleg Aberystwyth

. . . ac olynydd Syr David
Hughes Parry yn y swydd

Syr Goronwy Daniel, olynydd
T. P. fel Prifathro Aberystwyth

Y Dr Thomas Jones, CH,
rhagflaenydd pwerus Syr David

*Tynnwyd y portread o Syr Ben
gan Ceri Richards, Syr David gan
Kyffin Williams, Syr Goronwy
gan Thomas Rathwell, Thomas
Jones gan Ernest Perry, a Thomas
Parry gan Alfred Janes. Diolch
i Brifysgol Aberystwyth am roi
caniatâd i'w cynnwys yma.*

Y portread swyddogol o'r Prifathro Parry ar ei ymddeoliad

Portread swyddogol Kyffin Williams o'r Dr Parry ar ei ymddeoliad o Lywyddiaeth y Llyfrgell Genedlaethol. Mrs Menna Jenkins, gwraig y Llyfrgellydd, sydd ar y dde

Llawysgrif y cywydd mawl a luniodd T. P. i Gwenallt, Mai 1966

Enid yn ei chanol oed urddasol

Thomas yn heneiddio'n urddasol . . .

. . . a'r un Thomas gyda'i lyfrau lawer

yn 1937 ac 1940. Y mae'r ddwy yn dangos pa mor drylwyr oedd adnabyddiaeth yr awdur o farddoniaeth fwriadus-gymhleth y Gogynfeirdd, rhagflaenwyr Dafydd ap Gwilym, a'i feistrolaeth ar yr hyn a eilw'n addurniadau allanol y farddoniaeth honno, cyseinedd ac odl, y ddeubeth o'u cyfuno a ddaeth 'yn anhepgor pob prydyddiaeth benceirddïaidd'. Yn 'Twf y Gynghanedd' y mae'n manylu ar y patrymau sain a ddatblygodd y Gogynfeirdd, gan ddangos sut y cafwyd yn y man y 'cyfuniad o gytseiniaid a elwir yn gynghanedd draws a chynghanedd groes', ac yna'r modd drwy gyfuno sain ac odl y cafwyd y gynghanedd sain. Trwy fanylu'n dechnegol fel hyn dywedodd ddigon i brofi mai tyfu a wnaeth y gynghanedd 'trwy reddf ac arfer, yn hytrach na thrwy ddeddf a gorchymyn'. Digwyddodd hyn, meddai, yn y cyfnod a elwir gan John Morris-Jones yn 'gyfnod y gynghanedd rydd', ond 'rywbryd o'r pryd hwnnw ymlaen . . . peidiodd y gynghanedd â thyfu, a myned yn beth sefydlog, digyfnewid, yn beth a reolid gan gyfraith, a hefyd yn beth anhepgor i gerdd dafod'. Yn yr erthygl hon ac yn 'Natblygiad y Cywydd' dengys yr awdur hefyd sut y dycpwyd y gynghanedd 'i mewn i fesurau na bu hi yn rhan ohonynt cyn hynny' – i'r cywydd deuair hirion yn enwedig. Dichon, ebe Thomas Parry, 'mai gyda dyfod y cywydd yn hoff fesur y beirdd y daeth y gynghanedd yn beth digyfnewid'. Ie, ond am fod y cywydd 'yn offeryn rhy gywrain a chaboledig' yn nwylo Dafydd ap Gwilym a'i gyfoeswyr rhaid nad hwynt-hwy a'i defnyddiodd gyntaf. Dyna ymchwilio wedyn i'r ffordd y datblygodd y cywydd o'r traethodl a ddefnyddid gan feirdd o ddosbarth is na'r dosbarth o feirdd wrth eu swydd a wasanaethai ac a ddiddorai lysoedd yr uchelwyr.

Yn y broses o feddwl am y pynciau hyn, myfyriodd Thomas Parry am addysg y beirdd fel am eu technegau, gan draethu'n olau ar y gramadegau canoloesol lle trafodid mesurau cerdd dafod ynghyd â phethau eraill perthnasol i'r gyfundrefn farddol. Un o'r pethau a ddywed amdanynt, am Ramadeg Einion Offeiriad fel am Bum Llyfr Simwnt Fychan, yw na cheir ynddynt wybodaeth am ddosbarthiad y gynghanedd na'r enwau technegol sydd ar gynganeddion. Y mae'n bwysig sylweddoli dau beth, ebr ef: y naill yw 'na fwriedid i neb ddysgu'r gynghanedd oddi wrth yr hyn a ysgrifennwyd amdani mewn llyfrau', a'r llall yw na ddarganfuwyd 'egwyddor sylfaenol y gynghanedd nes i Syr John Morris-Jones ei gweld yn y blynyddoedd diwethaf hyn'.

Gwybodaeth eang, beirniadaeth ddofn, ymwybod da ag awen a gramadeg, synnwyr o hanes llên a'i rawd – yr oedd yr holl rinweddau hyn gan yr ysgolhaig hwn. Yr oedd hefyd o raid yn eithriadol drefnus. Mewn llyfrau copi trwchus y ceir y copïau a wnaeth ef a'i wraig o gywyddau'r llawysgrifau, llyfrau â'u dalennau wedi eu rhannu'n golofnau: ar y chwith, lle gellid, yr oedd cywydd fel y'i ceir ym Mheniarth 49 a llawysgrifau cynnar eraill, ac i'r dde o hwnnw amrywiadau fel y'u ceir mewn llawysgrifau diweddarach. Yr oedd gan Thomas Parry hefyd lyfrau nodiadau llai, yn cynnwys nodiadau ar lefydd a phobl, llyfr copi bach clawr caled du i restru geirfa Dafydd ap Gwilym, a llyfr arall yr ysgrifennwyd ynddo linellau cyntaf yr holl gywyddau sydd yn *Barddoniaeth Dafydd ab Gwilym,* 1789, a nod gerllaw pob un, nod 'I.W.' (sef cywydd wedi'i gynnwys yn *Dafydd ap Gwilym a'i Gyfoeswyr* Ifor Williams, 1914) neu 'Amheus'.

A dyma ddod at graidd y mater. Y mae'r gŵr ehangfryd dwfn ei ddysg y ceir ei enw ar ddalen deitl *Gwaith Dafydd ap Gwilym* yn 1952 yn mynnu nad 'anfuddiol pwysleisio . . . mai astudiaeth destunol yn unig' oedd y llyfr mawr hwnnw. Wrth reswm ni fuasid wedi cael yr astudiaeth destunol fanwl a chyfewin honno heb yr ymchwil arloesol i'r pynciau technennig y cyfeiriwyd atynt yn awr, perthynas y llawysgrifau â'i gilydd, hanes y gynghanedd, cysylltiadau'r cywydd, ac yn y blaen, nac ychwaith heb i'r golygydd adnabod awen Dafydd yn ei chyfoeth a'i chymhlethdod, achos i gryn raddau ei adnabyddiaeth o natur y farddoniaeth a oedd yn ei alluogi i farnu mewn achosion amheus pa gerddi oedd yn eiddo iddo a pha rai oedd yn annilys. Ond ymarferiad mewn ataliaith yw dweud mai astudiaeth destunol *yn unig* oedd *Gwaith Dafydd ap Gwilym.* Y mae'n werth ailadrodd yma bwynt pwysig a wnaeth D. J. Bowen wrth deyrngedu Thomas Parry yn y rhifyn coffa o'r *Traethodydd* yn 1986, sef fod golygydd Dafydd ap Gwilym cyn penderfynu ar ei destun – cyn penderfynu ar ei ganon – wedi gorfod dadansoddi pob un o'r tri chant a rhagor o'r cerddi a dadogwyd iddo yn y myrdd llawysgrifau. Dim ond ar ôl eu hadnabod hwy bob un y gellid penderfynu pa gerddi oedd yn ddilys a pha gerddi oedd yn annilys. Dyna un o'r ymarferion campus hir sy'n gwneud yr astudiaeth hon yn astudiaeth mor aruthrol arwrol.

Y mae'n werth canolbwyntio am funud ar yr astudiaeth destunol. Yr oedd llawer iawn o gerddi annilys yn *Barddoniaeth Dafydd ab Gwilym*, 1789, rhagredegydd cyntaf *Gwaith Dafydd ap Gwilym*. Dyna wendid pennaf y llyfr arloesol hwnnw a olygwyd gan Owain Myfyr a William Owen Pughe. 'Ond fel un a ŵyr yr anawsterau ac a brofodd y llafur,' ebe Thomas Parry, 'mi garwn roi gair o deyrnged i'r ddau ŵr hyn am a wnaethant. Yr oeddynt o leiaf wedi sylweddoli pwy oedd bardd mwyaf Cymru, ac ymroesant yn ôl eu goleuni i ddwyn ei waith i'r amlwg.' Dywed iddo fwriadu unwaith gynnwys yn ei lyfr ei hun ymdriniaeth â *Barddoniaeth Dafydd ab Gwilym*, ac ailargraffiad Cynddelw ohono (1873), 'ond gan y buasai hynny'n draethawd sylweddol ynddo'i hun' rhoes y bwriad heibio. Olynydd i Owain Myfyr a William Owen Pughe oedd O. M. Edwards, a gyhoeddodd ychydig dros drigain o gywyddau Dafydd yng Nghyfres y Fil, yn eu plith gywyddau annilys eto. Olynydd arall iddynt na chyflawnodd ei fwriad oedd J. Gwenogvryn Evans, ysgolhaig annibynnol a oedd yn rhywbeth rhwng athrylith a *maverick*. Gadawodd Gwenogvryn ei gopïau 'o bob dim' a oedd gan Ddafydd 'mewn MS' i ysgolhaig lled-gynhennus anuniongred arall, sef Timothy Lewis, a dybiai ei fod yn yr olyniaeth. Pan glywodd yn 1933 fod Tom Parry yn gweithio ar Ddafydd, ysgrifennodd ato fel hyn: 'Rhag i ni ein dau weithio ar yr un llwybr diau y bydd yn dda gennych gael gwybod fy mod i yn darparu testyn newydd ers tro.' Yr wyf yn pwysleisio'r olyniaeth, ac yn pwysleisio pwnc y cerddi annilys, am fod astudiaeth destunol 1952 wedi alltudio cynifer o'r cywyddau y tybid gynt eu bod yn waith Dafydd. Yr oedd yng nghyfrol 1789 246 o awdlau a chywyddau ac un ar bymtheg o gywyddau yn yr Ychwanegiad (cywyddau Iolo

Morganwg, fel y dangosodd G. J. Williams yn 1926); yng nghyfrol 1952 150 o awdlau a chywyddau a geir, a dau ar hugain o 'Gyfansoddiadau Amheus eu Hawduraeth'.

Y mae'n amlwg oddi wrth hyn mai un o'r prif drafodaethau yn y rhagymadrodd o ddau can tudalen sydd i *Gwaith Dafydd ap Gwilym*, 1952, yw'r drafodaeth ar y ffordd yr aethpwyd ati i ddethol y cerddi sy'n eiddo iddo mewn gwirionedd – nage, y cerddi sy'n eiddo iddo ym marn y golygydd. O'i chymharu â'r drafodaeth ar wehelyth a chartref ac einioes y bardd a geir yn Rhan I y rhagymadrodd, lle hawlir yn herfeiddiol wych nifer o bethau tra dadlennol, megis mai merched o gig a gwaed oedd Morfudd a Dyddgu, a nifer o bethau tra dadleuol, megis nad Dafydd oedd bardd Ifor Hael, y mae'r hyn a geir yn Rhan II yn drafodaeth dechnegol anodd a chymhleth. Ond o leiaf ceir trafodaeth. Fel y dywed Peredur I. Lynch mewn erthygl olau yn *Cyfoeth y Testun* (2003), yr oedd 'bron pob golygydd arall' a olygodd lyfrau barddoniaeth gan Feirdd yr Uchelwyr rhwng y ddau Ryfel Byd – T. Gwynn Jones, Ifor Williams, Thomas Roberts, Henry Lewis – 'yn cyflwyno canon ei gywyddwr fel pe bai'n undod diwnïad', ond 'gan iddo drafod problemau canon Dafydd ap Gwilym yn agored' saif Thomas Parry 'ar ei ben ei hun'. Gwir nad yw'n rhoi'r ystyriaeth angenrheidiol a roddodd ysgolheigion rhan olaf yr ugeinfed ganrif i'r berthynas neu'r amherthynas rhwng y cywyddau a gynhyrchwyd 'mewn amgylchiadau llafar' a'r 'fersiynau ysgrifenedig ohonynt' a geir mewn llawysgrif ac yna mewn print, ond y mae'n diffinio ac yn trafod saith maen prawf a ddyfeisiodd ac a ddefnyddiodd i geisio dilysu Dafydd – sef tystiolaeth y llawysgrifau, priodoliad cerdd i fwy nag un awdur, arddull ac iaith, crefft y cywydd, themâu cyffredinol, cywyddau ar yr un testun, a thystiolaeth fewnol. Wrth eu trafod, i'r casgliad hwn y daw:

> Gorau po fwyaf o'r profion a ellir eu cymhwyso at gywydd a fo'n amheus; prin yn wir fod un ohonynt yn ddigonol ar ei ben ei hun. A'r hyn sy'n ddiddorol yw y gellir bron bob amser gymhwyso mwy

nag un ohonynt, h. y. os yw tystiolaeth y llsgrau., dyweder, yn wan, siawns fawr na welir hefyd fod iaith y cywydd neu ei arddull neu ei grefftwaith neu rywbeth arall yn cadarnhau ein hamheuaeth . . . Ond er cymhwyso pob praw y gellir ei ddychmygu, ac er bod weithiau'n rhyfygus o fentrus a phryd arall yn wyliadwrus iawn, ni ddeuir byth bellach i wybod yn gwbl sicr pa awdlau a chywyddau a ysgrifennodd Dafydd ap Gwilym. Diau fod yn y casgliad sy'n dilyn rai cerddi na ddylasid mo'u cynnwys, a diau hefyd ddarfod imi, trwy gyfeiliorni mewn barn, adael rhai allan a ddylai fod i mewn.

Pan gyhoeddwyd ef cafodd y *magnum opus Gwaith Dafydd ap Gwilym* groeso a oedd, chwedl Saunders Lewis, yn 'foliant cyfiawn' iddo. Cafodd adolygiadau brwd brwd ym mhob man. Teg dweud iddo gael y math o gydnabyddiaeth reiol a roddir i waith ysgolheigaidd unwaith neu ddwy mewn cenhedlaeth, sef y gydnabyddiaeth ei fod yn un o'r gweithiau hynny sydd ynddo'i hun yn golofn fawr o ddysg safadwy, ac sydd ar yr un pryd – a goddefer imi newid y trosiad – yn fwynglawdd i eraill weithio ynddo am genedlaethau. Yr oedd pawb a ysgrifennodd amdano yn cydnabod gyda rhyfeddod y modd yr oedd Thomas Parry wedi trafod y swm enfawr o lawysgrifau a ddarllenodd ac a nithiodd, y ffordd y defnyddiodd ei wybodaeth ddofn o lenyddiaeth Gymraeg i roi Dafydd yn ei gyd-destun, a'i ddeheurwydd pragmatig wrth ddethol a golygu ei destun. Canlyniad hyn o fawrwaith oedd llyfr sydd yn un o gerrig milltir mwyaf arwyddocaol ysgolheictod Cymraeg yr ugeinfed ganrif, clasur ysgolheigaidd.

Er bod y llyfr wedi amddifadu rhai llengarwyr o'u hen safonau i fesur y bardd – yr oedd colli cynifer o'i ffefrynnau o ganon Dafydd wedi digaloni a drysu David Thomas, golygydd *Lleufer* – molawd fan hyn a mawlgan fan draw a gafwyd. 'Eich llyfr ar Ddafydd ab Gwilym yn odidog tra rhagorol,' ebe Bob Owen Croesor, yr 11eg o Fawrth 1953: 'Darllenais y llyfr drwyddo ddwywaith, a rhyfeddu mewn syndod a wneuthum i.' Gan yr hen gyfaill W. Roger Hughes o ficerdy Bryneglwys yr hyn a gafwyd ar ôl darllen y rhagymadrodd oedd englyn anghyffredin yn crynhoi 'Y modd i benderfynu dilysrwydd unrhyw gywydd a briodolir i Ddafydd ap Gwilym, yn ôl yr Athro Thomas Parry':

> Annilys yw oni weli – iaith hen,
> A thorymadroddi,
> Aml i "sain" gloff ni hoffi – a'r cwpled
> Heb wneud uned na bend ohoni.

'A masterpiece of meticulous scholarship,' ebe Idris Bell am y llyfr yn y *Western Mail*, y 9fed o Hydref 1952, 'the work must have entailed a quite Germanic patience and power of concentration of often minor details . . . Professor Parry has given elsewhere ample proof of his powers as a fine and sensitive literary critic; in this volume, with the self-abnegnation of the true scholar, he has concentrated entirely on his main task of establishing a trustworthy text.' Yn *Llên Cymru* y mae Saunders Lewis yr un mor ganmoliaethus yn datgan ei 'edmygedd diball o'r gwaith aeddfed, cynhwysfawr, amlochrog' hwn, 'cynnyrch ugain mlynedd o lafur ysgolhaig a fu hefyd, fel y dengys pob adran ohono, yn llafur cariad'. Bu'n darllen ac yn myfyrio yn y gyfrol am oriau bob dydd ers pedwar mis, meddai, ac ni fedrai ddweud 'maint fy niolch i'r Athro am y wledd o ysgolheictod ac am agor inni ddôr palas mor ysblennydd o farddoniaeth'.

Ar yr un pryd yr oedd gan Saunders Lewis, fel eraill yn y man, amheuon ynghylch nifer o'r casgliadau y daethai Thomas Parry iddynt. 'Gwych a chadarn a chwyldroadol' yw'r profion 'fod Morfudd a Dyddgu'n gig a gwaed', ebe fe, ond nid mor wych y profion cynganeddol ac arddulliol a ddefnyddiwyd i brofi dilysrwydd neu annilysrwydd nifer mawr o'r cywyddau. Diarddelodd Thomas Parry gant a rhagor o'r cywyddau a gafwyd yn *Barddoniaeth Dafydd ab Gwilym* ac un ar hugain o'r rhai a gafwyd yn *Dafydd ap Gwilym a'i Gyfoeswyr*. Myn Saunders Lewis hawlio 'Cywydd y Sêr' ac un neu ddau arall o hyd i Ddafydd. A chyda golwg ar yr amheuaeth a fwriodd Thomas Parry ar berthynas y bardd gydag Ifor Hael a Morgannwg deil 'mai diogelach ar hyn o bryd yw dal mai Dafydd ap Gwilym yw'r Dafydd a gysylltir yn gynganeddol ag Ifor'. Un arall a ddadleuodd yn gryf ac yn argyhoeddiadol dros gadw perthynas draddodiadol Dafydd ac Ifor oedd D. J. Bowen, y mwyaf meistraidd o ysgolheigion Beirdd yr Uchelwyr a arddiodd iddo'i hun faes ymchwil ar ystad *Gwaith Dafydd ap Gwilym*. Mynnai ef hefyd gadw 'Cywydd y Sêr' yn y canon, fel 'Cywydd yr Eira' a 'Saith Gusan' – ac yr oedd ei resymau dros hynny y cyfryw fel y dychwelodd Thomas Parry i'r gad i ddadlau ag ef. Mewn llythyr preifat ym mis Awst 1953 yr ymatebodd i'r pwyntiau a wnaeth Saunders Lewis yn *Llên Cymru*, llythyr a atebwyd rai dyddiau'n ddiweddarach ac a oedd yn cynnwys y frawddeg hon: 'wedi'r rhes o adolygiadau addolgar, yr oedd yn hyfryd cael brath i mewn yn ddwfn i'ch gwaith, a dyna a geisiais i, a dyna'r deyrnged orau i chithau.' Fis eto, ar gais Saunders Lewis, cyhoeddwyd yr ohebiaeth yn *Y Faner*, am fod 'diddordeb mawr yn y mater' ac 'er mwyn dangos y geill ysgolheigion a llenorion anghytuno'n llwyr a hynny'n hapus a chyfeillgar'.

Er bod y gwaith rhagorol a wnaeth Helen Fulton ar Apocryffa Dafydd y tu allan i ffiniau'r cofiant hwn – yn 1996 y cyhoeddodd ei *Selections from the Dafydd ap Gwilym Apocrypha* – am mai ganddi hi y cafwyd y feirniadaeth lemaf ar ddull Thomas Parry o ddethol y cywyddau y mae'n bwysig ei nodi. Ddeugain a phedair o flynyddoedd ar ôl cyhoeddi *Gwaith Dafydd ap Gwilym*, a elwir ganddi yn 'great work of editorial scholarship', y mae'r Athro Fulton yn dweud: 'It is perhaps time to remind ourselves that Parry's line between canon and apocrypha is largely artificial and convenient rather than absolute.' Nid ei bwriad, meddai, yw herio'r canon, ond awgrymu ei bod yn amhosibl ystyried yr apocryffa heb ystyried y canon hefyd, a *vice versa*. Os 'canon Parry yw canon Dafydd ap Gwilym, yna apocryffa Parry yw'r apocryffa' – oherwydd ef a ddiffiniodd y ffiniau. Y mae'r ffaith fod ysgolheigion fel Saunders Lewis a D. J. Bowen wedi'i herio yn dangos pa mor anodd yw creu canon. Fel Lewis a Bowen, y mae Helen Fulton hithau'n gofyn ym mhle mae canu maswedd Dafydd a'r englynion o Lyfr Hendregadredd. Y mae ganddi bwyntiau sylweddol eraill – ynghylch yr hyn a elwir gan Thomas Parry 'yn waith gwreiddiol y bardd' ac ynghylch ei feini prawf. Ac ar gorn y pwyntiau hynny y mae'n holi yn hollol deg beth yw ystyr 'gwaith gwreiddiol y bardd' yng nghyd-destun diwylliant llafar y bedwaredd ganrif ar ddeg ac yn absenoldeb llawysgrifau o'r cyfnod, ac y mae'n honni mai dadl gylch a ddefnyddiai Thomas Parry, sef, yng ngeiriau Dafydd Johnston, 'bod cerddi'r canon yn cael eu defnyddio i sefydlu'r meini praw sydd i fod i benderfynu hyd a lled y canon'. Y casgliad y daw Helen Fulton iddo yw hwn: 'The poems are, in fact, the product of the modern editor rather than of the renaissance scribe, still less of the medieval poet.'

Ond beth arall a geid? Yn rhifyn Awst 1973 o *Barn* cyfaddefodd Thomas Parry mai ei amcan 'oedd defnyddio'r hen lawysgrifau i geisio adfer cerddi'r bardd fel y lluniwyd hwy ganddo ef ei hun, ac yr oeddwn fel petawn yn cyfansoddi gyda Dafydd'. Yfflwn o ddweud mawr arwyddocaol. Yr oedd yn rhaid cael testun, ac os testun golygedig oedd yr unig un dichonadwy, diolch mai Thomas Parry a'i creodd – ysgolhaig herfeiddiol o hyderus, cwbl gartrefol ym maes cerdd dafod, cydnabyddus â'r holl lawysgrifau, hollol sicr o'i farn ei hun. Da odiaeth y dywedodd Peredur Lynch fod yr un hyder ag a welir yng ngwaith ysgolheigion o Oes Victoria yn nodweddu *Gwaith Dafydd ap Gwilym*, 'ac ymglywir ynddo â'r un optimistiaeth wyneb yn wyneb ag anawsterau testunol yr ystyriai rhai eu bod yn gwbl anorthrech'. Ei gamp oedd rhoi inni yr hyn a eilw Idris Bell yn 'composite text . . . too little followed hitherto in Wales', y math o destun y mae'n rhaid ei gael os yw ein llenyddiaeth ganoloesol yn mynd i fod yn etifeddiaeth fyw i'r Cymry.

A'r testun hwn yn garn iddynt, aeth nifer sylweddol o ysgolheigion iau i astudio gweddau lawer ar farddoniaeth Dafydd, nes dyfod ohoni'n ddiwydiant ysblennydd, yn cynnal y Cymry gartref ac yn sicrhau allforion. Hyd ei fedd cadwodd Thomas Parry olwg ar eu gweithiau i gyd, gan ganmol yn felys pan gâi flas arnynt a chan feirniadu'n hallt pan welai fai. Wrth gwrs, ac yntau'n caru barddoniaeth mor fawr, nid diddordeb testunol yn unig oedd ganddo yn ei fardd – nage, o bell bell ffordd. Traethodd gryn dipyn yn feirniadol wych arno, yn Saesneg ym mhumed gyfrol *Yorkshire Celtic Studies* (1949) ac yn Gymraeg saith seithwaith. Yn y traethiadau afieithus ac awdurdodol hyn byddai'n amlach na heb yn pwysleisio athrylith Dafydd fel difyrrwr gwŷr a gwragedd diwylliedig cylchoedd cymdeithasol da eu byd y bedwaredd ganrif ar ddeg, difyrrwr yr oedd ei lwyddiant yn dibynnu ar gynnwys ei act ac ar ei ddawn feistrolgar fel perfformiwr. Y mae'r dyfyniad nesaf hwn o ddarlith boblogaidd ar Ddafydd o'i eiddo yn tystio i'r ffordd yr oedd yn dymuno addysgu cynulleidfa fodern i ddeall diben y farddoniaeth ddifyrrus hon. Cwestiwn oedd ganddo, sef 'Beth oedd amcan Dafydd ap Gwilym wrth gyfansoddi?' Dyma'i ateb nodiadol negyddol:

> *Nid* cyfiawnhau ffyrdd Duw i ddynion na chymodi ffyrdd dynion â Duw.
> *Nid* enaid dethol yn ymdywallt neu'n anelu at hunanfynegiant.
> *Nid* oes i farddoniaeth na phroblem na phregeth na phropaganda.
> *Nid* adeiladu'r Jerusalem newydd.
> *Nid* Carlyle yr arwr fel bardd.

Nid y pethau hyn, nage, diben y bardd yn ei farddoniaeth oedd diddanu. Cynnwys 'meddyliol neu ystyrol' ei act oedd troeon trwstan ei anturiaethau serch, lle câi Dafydd ddifyrrwch weithiau ar draul gŵr y ferch y dymunai ei chael yn gariad iddo ac weithiau ar ei draul ef ei hun. Am ei berfformio, yr oedd ei gampau yn cynnwys ei orchestion mydryddol rhethregol, ei ddawn ddyfaliadol ddisglair (enghraifft gyson yn sgyrsiau Thomas Parry amdano yw'r modd y gwelai niwl fel 'rhol o femrwn, rhidyll wedi rhydu, rhwyd i ddal adar . . . gwisg pen mynach . . . dallineb ar yr holl fyd,' *&c.*), cyfaddaster ei drosiadau unigol, a'i ffordd o gynnal ymddiddanion. Byddai Thomas Parry hefyd yn tynnu sylw at athrylith dychymyg a meddwl Dafydd, athrylith a oedd mewn llawer o'i gywyddau yn ffraeth a ffilosoffig ar yr un pryd. Gwyddom fod Thomas Parry yn uchelbrisio cyfundrefn fawl y Canol Oesoedd a'i barddoniaeth, ond wrth ddarlithio ar Ddafydd cywyddau fel 'Morfudd fel yr Haul' a 'Merch yn Ymbincio' oedd y cywyddau y dyfynnai ohonynt amlaf, cywyddau a oedd drwy eu dyfaliadau yn troi ffenomenau natur yn fyrdd o bethau eraill. Ai Morfudd neu Mrs Caradog Prichard a welai yn ymbincio yma, tybed? –

> Mair! Ai gwaeth bod y mur gwyn
> Dan y calch, doniog gylchyn,
> No phe rhoddid, geubrid gŵr,
> Punt er dyfod o'r peintiwr
> I beintio'n hardd, bwyntiau'n hoyw,
> Lle arloes â lliw eurloyw,
> A lliwiau glân ychwaneg
> A lluniau tarianau teg?

Am fod ffenomenau natur yn troi'n bethau eraill yr hoffai Thomas Parry ddyfynnu hefyd o gywydd rhyfeddol Dafydd i'r 'Gwynt'. Dyma agoriad y cywydd hwnnw yn ei olygiad ef:

> Yr wybrwynt helynt hylaw
> Agwrdd drwst a gerdda draw,
> Gŵr eres wyd garw ei sain,
> Drud byd heb droed heb adain.
> Uthr yw mor aruthr y'th roed
> O bantri wybr heb untroed,
> A buaned y rhedy
> Yr awron dros y fron fry.
> Nid rhaid march buan danad,
> Neu bont ar aber, na bad.
> Ni boddy, neu'th rybuddiwyd,
> Nid ei ynglŷn, diongl wyd.

V. GADAEL BANGOR

Chwe blynedd y bu Thomas Parry yn Athro ym Mangor. Yn 1953 penderfynodd ymadael. Ac yntau wedi cyhoeddi ei *Hanes Llenyddiaeth* a'i olygiad o waith Dafydd ap Gwilym cyn ei fod yn hanner cant (wyth a deugain ydoedd pan ddaeth *Gwaith Dafydd ap Gwilym* o'r wasg), efallai ei fod o'r farn na allai gyflawni dim byd rhagorach ym maes ysgolheictod ac y byddai perygl iddo – a defnyddio berf a ddefnyddiodd ef ym marwnad ei dad – gôstio drwy weddill ei yrfa ped arhosai yn ei Gadair. Yn sicr, ni allai anelu at uchafbwynt trech na *Gwaith Dafydd ap Gwilym*. O, yr oedd digon o bethau eraill i'w gwneud, ac fe'u gwnâi, gyda blas. Ailwampio, er enghraifft, draethawd synhwyrgall ar 'Hanes yr Awdl' yr oedd wedi'i lunio o'r blaen i'w roi ar flaen *Awdlau Cadeiriol Detholedig 1926–1950* a gyhoeddwyd gan Gyngor yr Eisteddfod Genedlaethol. Neu fynd ar y trên i Fanceinion yn unswydd i weld y copi o Lyfr Gweddi Gyffredin 1567 a oedd yn Llyfrgell Rylands yn y Brifysgol yno, er mwyn adolygu'n awdurdodol yr atgynhyrchiad ohono a gyhoeddwyd gan Melville Richards a Glanmor Williams yn 1953. Yr oedd yn werth y trip. Yn ei adolygiad yn y *Manchester Guardian* y mae Thomas Parry'n ei dwcud hi'n ofnadwy am esgeulustod y ddau olygydd:

> one gets the impression that the reprint has not been prepared with that close attention to detail due to a text which is of paramount importance for the study of the Welsh language and the history of Welsh prose and which is not without significance in the story of the advancement of the Protestant faith in these islands.

Rhaid ei bod hi'n flwyddyn am adolygu'n flinllym. Yn 1953 y cyhoeddwyd y gyfrol fawr fendithiol a elwir *Y Bywgraffiadur Cymreig hyd 1940*. O'r tri a fu ynglŷn â'i golygu, John Edward Lloyd, William Llewelyn Davies, ac R. T. Jenkins, adeg ei chyhoeddi yr olaf oedd yr unig un ar ôl ar dir y byw. Nid arbedodd y ffaith ei fod yn un o gyfeillion agosaf

Thomas Parry ddim ar y watwareg y bu'n rhaid iddo'i dioddef ganddo mewn adolygiad ar *Y Bywgraffiadur* a gyhoeddwyd ar dudalennau *Lleufer*. Ar ôl cydnabod bod y gwaith yn un 'eangfrydig iawn', hyn sydd yn dilyn:

Ni welais hanes yr un llofrudd, ond y mae yma amryw o ladron pen ffordd a phaffwyr, y math o ddyn sy'n enwocach am ei rysedd na'i reswm. Y mae'r erthygl ar John Jones (Shoni Sgubor-fawr) . . . yn fwy na dwbl maintioli'r erthygl ar John Jones Tal-y-sarn. Os nad yw hyn yn eangfrydedd, ni wn i ddim beth sydd. Yn gyffelyb, y mae hanes L. R. Roose y peldroediwr gymaint ddwywaith â hanes Michael Roberts Pwllheli . . . Y mae dyn yn gofyn iddo'i hun pa fodd y mae ymgymhwyso ar gyfer yr atodiadau i'r *Bywgraffiadur*. Nid yn unig drwy fyw'r bywyd da, mae'n amlwg, na thrwy fod yn ddiramant o bechadurus chwaith. Nid drwy ddiwyllio'r meddwl a'r ymennydd yn unig, ond drwy hyfforddi'r traed a'r dyrnau hefyd. Y sawl a fynno ymgymhwyso, penderfyned drosto'i hun.

Câi Thomas Parry flas o hyd ar gyfeillachu ac ar ddarlledu, ac weithiau ar y ddeubeth ynghyd. Un noson o haf yn 1953, 'wedi curo, mwrdro Môn' yn un o ornestau sirol *Ymryson y Beirdd* ar y radio, aeth tîm Sir Ddinbych, W. Roger Hughes, Gwilym R. Tilsley, Mathonwy Hughes ac R. J. Huws, am swper i Beniarth, lle bu hwyl fawr iawn o gylch y bwrdd tan i'r hen lanc yn y cwmni (a pherchennog y car) ddatgan tua deg o'r gloch fod yn rhaid iddo'i chychwyn hi am adref am ei fod wedi addo gwneud cymwynas â rhywun yn nhref Dinbych. Mathonwy Hughes oedd hwnnw; a thybiai'r brodyr mai mynd i gadw oed â'i ddarpar wraig yr oedd, oed hwyr iawn, y mae'n wir, ond oed er hynny. Ebe'r gwesteiwr yn yr olaf o chwe englyn a ysgrifennodd ar yr achlysur:

Cael gweled wynebau'r pedwar – a'u gwên,
    Ac yna eu gwasgar;
  Piti i'r cewri'n y car
  Ei gwanu-hi mor gynnar.

'Ie gresyn,' atebodd Rhosier:

> Ie gresyn, o'r fath groeso – fuaned
> Fu inni ymado;
> Ac o lathr gwmni'r Athro
> A geiriau sionc ei sgwrs o.

A chafwyd englyn 'P. S.' gan Tilsli i Enid:

> Os perais, Misys Parri, – roi y clod
> I'ch gŵr clên, a'i foli,
> Llai na dim ei nawdd imi
> Wrth eich hael ddarpariaeth chwi.

Fel yn nyddiau eu hefrydiaeth ym Mangor flynyddoedd ynghynt, rhaid mai mewn englynion y gohebai'r Athro Thomas Parry a'r Periglor Roger Hughes. Y gwanwyn cynt, ar ôl ymweld ag ef a'i deulu ym Mryneglwys, anfonodd gerdyn o ddiolch at bawb ohonynt ac arno gadwyn o dri englyn syml. Dyma'r cyntaf – i wraig Rhosier a'i ddwy ferch (yr oedd y meibion, Dewi, y bachgen a aned yn 1930, a Gruffydd, oddi cartref wrth eu gwaith):

> Gan Mabli, Nest a Nia – yn hyfwyn
> Mi gefais fy ngwala:
> Sirioldeb gwedd a gwledda
> A roed im, a phob dim da.

Erbyn hyn yr oedd yn gwybod nad arhosai ym Mangor, oherwydd yr oedd wedi cael gwahoddiad i fod yn Llyfrgellydd y Llyfrgell Genedlaethol yn Aberystwyth ac wedi'i dderbyn – er dirfawr ofid i'r rhan fwyaf o aelodau Coleg Bangor, yn llywodraethwyr, staff a myfyrwyr. Dywedodd y Cofrestrydd, Kenneth Lawrence, olynydd Glyn Roberts, fod y Cyngor wedi'i siarsio i ddweud wrtho pa mor ymwybodol yr oeddynt o'i wasanaethau eithriadol ragorol i'r sefydliad. Y cof sydd gan J. Gwynn Williams yw i Thomas Parry ddweud wrtho unwaith fod D. Emrys

Evans, a oedd yn 62 oed yn 1953, wedi'i gynghori i fynd i Aberystwyth er mwyn dychwelyd i Fangor i'w olynu ef fel Prifathro ymhen tair neu bedair blynedd. Y cof sydd gan rai o'i ddisgyblion yw eu bod yn teimlo bod y byd ar ben. Cofia Nansi ac Elfyn Pritchard i holl fyfyrwyr yr Adran Gymraeg gael eu gwysio ynghyd i un ystafell wythnos gyntaf Tymor y Pasg y flwyddyn honno, i dderbyn cerydd yr Athro am eu bod oll wedi gwneud yn sâl yn arholiadau'r Nadolig, arholiadau nad oedd yn cyfrif dim ond arholiadau yr oedd Thomas Parry yn eu cymryd o ddifrif. Dyma ddisgrifiad Elfyn Pritchard o'r cwrdd hwnnw ac o'r ceryddwr hwnnw:

> Y fo oedd ein Duw, a'i gyfrol *Hanes Llenyddiaeth* . . . oedd y Beibl. Roedden ni'n ei ofni . . . rhyw barchedig ofn, gan ei fod yn bersonoliaeth mor gref, yn ddyn mor urddasol gyda'i gerddediad unionsyth. Gallai fod yn hynod finiog ei eiriau, ac wrth feirniadu yr oedd rhyw dro gwawdlyd braidd yn ei geg a'i fwstásh . . . Treuliodd dri chwarter awr gyfan yn cystwyo holl fyfyrwyr yr adran, gan ddannod inni ein cyfrifoldeb tuag at y genedl, ein diffygion fel myfyrwyr, a'i dristwch o weld Cymru yn mynd i ddwylo rhai mor ddi-glem a didoreth â ni. Dyna grynswth ei araith, ond cofiwn ein dau un frawddeg o'i eiddo, air am air. 'Maen nhw'n dweud i mi,' meddai'n goeglyd, 'mai chi yw hufen Cymru. Wel, y cyfan ddeuda i yw, os chi yw'r hufen, druan o'r sgim.'

Y mae'n bwysig nodi i John Gwilym Jones gael ei benodi'n ddarlithydd yn yr Adran Gymraeg pan ymadawodd Thomas Parry â hi. Wele, ar ei ymadawiad y gwireddwyd un o'i freuddwydion, sef cael llenor dawnus i draethu ar lenyddiaeth a beirniadaeth mewn adran academaidd.

PENNOD 5

Y Dr Thomas Parry

I. Y LLYFRGELLYDD CENEDLAETHOL

THOMAS PARRY DLITT a aeth i Aberystwyth, a mynd yno *via*'r Fenni. Yr Athrawon Ifor Williams a J. Lloyd-Jones oedd darllenwyr ei gais am Ddoethuriaeth mewn Llên. Y mae darllen eu dyfarniadau yn peri i ddyn feddwl nad oedd gan y naill na'r llall – y naill yn enwedig – y ddawn ehedog honno i godi uwchlaw gofynion fformiwläig y drefn adrodd oedd ohoni. Yn rhyddieithol y dywedodd Ifor Williams fod yn *Hanes Llenyddiaeth Gymraeg hyd 1900* a *Gwaith Dafydd ap Gwilym* ddigon 'o ymchwil a llafur . . . i'r ymgeisydd gael y radd y mae'n cynnig amdani, a bod yma gyfraniad gwirioneddol ynddynt i wybodaeth Gymraeg'. Ym marn Lloyd-Jones, 'a well-balanced and consummate study' yw'r *Hanes*, ac er ei fod yn dweud ei fod yn mawrygu *Gwaith Dafydd ap Gwilym* myn ychwanegu nad yw'n cytuno â phopeth ynddo. Meddylier beth a ddywedasai Saunders Lewis ac Idris Bell am y llyfrau a'u lle yn llenyddiaeth ein hysgolheictod petaent hwy wedi cael dyfarnu'r DLitt!

Buasai swydd y Llyfrgellydd Cenedlaethol yn wag er Tachwedd 1952, pan fu farw Syr William Llewelyn Davies, a fuasai ynddi er 1930 ac ar staff y Llyfrgell yn ddirprwy i Syr John Ballinger, y Llyfrgellydd cyntaf, er 1919. Gan iddo fod yn wael ei iechyd ers cetyn Gildas Tibbott y Dirprwy-Lyfrgellydd a fu'n gweithredu fel Llyfrgellydd drwy 1952. Y mae David Jenkins yn ei gyfrol *A Refuge in Peace and War: The National Library of Wales to 1952* yn dweud bod penodi olynydd i Syr William wedi cael ei gymhlethu gan y ffaith fod y Coleg yn Aberystwyth hefyd yn chwilio am bennaeth newydd wedi marwolaeth ddisyfyd Ifor L. Evans ddiwedd Mai yr un flwyddyn, a hynny am fod rhai o flaenoriaid y Llyfrgell hefyd yn eistedd yn sêt fawr y Coleg, y Dr Thomas Jones CH yn un a Syr Ifan ab Owen Edwards yn un arall. Fel ambell un arall yr oedd Bob Owen Croesor yn grediniol fod Thomas Parry wedi ceisio am y Brifathrawiaeth, ac mewn nodyn ato yn ateb y 'cernodiad' a gafodd ganddo am ladd ar John Davies Mallwyd mewn rhyw erthygl neu ddarlith neu'i gilydd y mae'n dymuno'n dda iddo ynglŷn â'i ymgeisiaeth 'er eich ffyrnigrwydd'. Os mynd i Aberystwyth er mwyn dychwelyd i Brifathrawiaeth Bangor yr oedd, prin y ceisiai am Brifathrawiaeth y Coleg ger y Lli.

Fel y dywedwyd, ei wahodd i'r Llyfrgellyddiaeth a gafodd, gan y Llywydd, sef y pedwerydd Arglwydd Harlech a oedd yn Llywydd Coleg Bangor pan ymgymerodd Thomas Parry â chyfran o ddyletswyddau'r Cofrestrydd ddeng mlynedd ynghynt. A oedd Harlech wedi cadw'i olwg arno, tybed, ac wedi'i edmygu yn ei waith, er o hirbell? O hirbell tan 1952, canys yn y flwyddyn honno cafodd Thomas Parry ei ethol yn aelod o Gyngor y Llyfrgell. Tebycach na bod Harlech wedi cadw golwg arno yw bod aelodau eraill o'r Cyngor hwnnw wedi hen weld rhinweddau amlwg Athro Cymraeg Bangor, pobl fel Syr Ifan ab Owen Edwards ei hun, Syr Idris Bell, T. I. Ellis, Henry Lewis, i enwi ychydig, ac wedi pwyso ar Harlech i'w gynnwys.

Ond pam gwahodd Thomas Parry? Nid oedd ganddo brofiad fel llyfrgellydd, na gwybodaeth am yr hyn a alwodd ef ei hun yn 'grefft a rheolau llyfrgellyddiaeth'. Cofier, y pryd hwnnw ni cheid astudiaethau llyfrgellyddol mewn prifysgolion, a chan hynny gellir dweud nad oedd yr un llyfrgellydd yn cael hyfforddiant proffesiynol y tu allan i furiau'r sefydliad y gweithiai ynddo. Rhaid cydnabod bod Thomas Parry yr ysgolhaig yn un o ddefnyddwyr cyson y Llyfrgell Genedlaethol, ei fod yn gwbl gynefin â'i threfn a'i thrysorau, ac yn llwyr ddeall ei 'swyddogaeth a'i gwasanaeth . . . i ysgolheictod Cymreig'. Yn ei erthygl fanwl a gloyw ar ymgyrch fawr Syr Herbert Lewis i ymorol amdani a'i sefydlu y gwelir y ddealltwriaeth honno orau, erthygl a gyhoeddwyd yn y gyfrol am ei thad a olygodd Kitty Idwal Jones ar ganmlwyddiant ei eni yn 1958. Ynddi y mae Thomas Parry unwaith yn rhagor yn canu clodydd yr hynafiaethwyr hynny o'r ddeunawfed ganrif yr oedd eu hymwybyddiaeth o arwahanrwydd Cymru yn rhywbeth gweithredol, ac yn awgrymu mai un o'i hetifeddion hwy a phersonoliad o'r hyder Victorianaidd a'u dilynodd oedd Herbert Lewis – Cymro amlwg a welsai fod angen prifysgol, amgueddfa a llyfrgell genedlaethol ar Gymru, i hybu ei dysg, i gadw'i gorffennol yn fyw, i ddiffinio'i hunaniaeth hanesyddol a diwylliadol; a Chymro a oedd yn barod i ymladd, doed a ddelo, i sicrhau'r adnoddau materol i'w sefydlu. Er pan basiwyd penderfyniad i geisio llyfrgell genedlaethol yn Eisteddfod Genedlaethol yr Wyddgrug yn 1873 ni wnaeth neb fwy nag ef i wireddu'r freuddwyd honno. Mi ddywedwn i fod Thomas Parry yntau yn meddu ar rai o ddoniau Syr Herbert – pendantrwydd, dycnwch, y diofnadwyedd hwnnw sy'n gwneud dyn yn ddadleuwr effeithiol (yn breifat ac yn gyhoeddus) dros lwydd ei sefydliad, urddas, ymddangosiad pendefigaidd, y ddawn i draethu ac areithio, y gallu i weinyddu'n dda ddiffwdan, a'r rhith-ddawn honno i beidio â rhoi'r argraff fod problemau yn ei ddigalonni. Yn 1953 yr oedd gwir angen gŵr felly ar y Llyfrgell.

Galan Mai y flwyddyn honno – fis cyn y penodiad swyddogol – rhoddodd y *Western Mail* fynegiant mor bendant i'r si am ei benodi 'a fu'n cyniwair ers wythnosau' yn Aberystwyth fel y teimlodd E. D. Jones, Ceidwad y Llawysgrifau, yn rhydd i ysgrifennu at Thomas Parry i'w longyfarch a'i groesawu, ac i ddweud wrtho'n blaen mai 'angen pennaf y Llyfrgell Genedlaethol ers dros ugain mlynedd yw Llyfrgellydd.' 'Ffolineb', meddai, 'fyddai cau llygaid ar ganlyniadau trychinebus diffyg barn ac arweiniad cyfeiliornus y gorffennol, ond rwy'n siŵr y cewch chwi gydweithrediad teyrngar a chydymdeimlad deallus y staff yn y gwaith anodd sy'n eich aros.' Ni fanylir yn y llythyr hwnnw ar y beiau a fu, ond gwyddys fod y Trysorlys yn nyddiau Syr William Llewelyn Davies wedi dymuno gweld clymu'r Llyfrgell wrth gynffon Coleg Aberystwyth, clymiad a fuasai'n andwyol onid yn farwol iddi fel sefydliad cenedlaethol. Yr oedd Syr William yn un rhagorol am gadw cysylltiad gyda sefydliadau perthynol i'r Llyfrgell, Comisiwn y Llawysgrifau Hanesyddol, er enghraifft, a'r mudiad i gadw archifau busnes Prydain Fawr, ond prin y dywedid ei fod yn amlwg ym mywyd diwylliadol Cymru. A pheth arall, llai pwysfawr o lawer, ond pwysig serch hynny i ysbryd y lle, yr oedd yr hen lyfrgellydd yn rhedeg y Llyfrgell nid yn ogymaint fel sefydliad dysgedig ag 'fel ffatri', a'r staff yn clocio 'i mewn ac allan bob dydd'. Dyfynnu o hunangofiant Alun Llywelyn-Williams, a fu'n gweithio yno am ysbaid yn niwedd y tridegau, yr wyf yma. O dan Syr William ni châi'r staff hyd yn oed gystadlu yn yr Eisteddfod Genedlaethol, ac nid gwaharddiad proffesiynol i sicrhau na chaent fantais ar eraill mewn cystadlaethau traethodol a oedd yn gofyn am waith ymchwil oedd hwnnw, nage, ni chaent gystadlu ar unrhyw beth.

Yn y Fenni yr 22ain o Fai 1953 y cyfarfu Llys y Llyfrgell pan benodwyd Thomas Parry yn bennaeth arni. Nid oedd yr Arglwydd Harlech yno. Er i'r Llyfrgellydd newydd ddweud ymhen blynyddoedd fod y Llywydd yn cymryd gwir ddiddordeb yn y Llyfrgell, am fod ei ddyletswyddau fel Cadeirydd Banc y Midland a Chadeirydd Banc Prydeinig Gorllewin Affrica, ymysg eraill, yn mynd ag ef i bedwar ban byd, yr oedd yn aml yn absennol o gyfarfodydd ei llywodraethwyr. Syr Ifan ab Owen Edwards, a godwyd yn Is-lywydd yng nghyfarfod y Fenni, a gadeiriodd y rhan fwyaf o gyfarfodydd y Cyngor tra bu Thomas Parry yn Llyfrgellydd. Er hynny, daeth y Llyfrgellydd newydd a Harlech, a oedd yn hanu o deulu John Owen Clenennau a Brogyntyn, brenhinwr blaenllaw yn ystod Rhyfel Cartref yr ail ganrif ar bymtheg, i barchu ei gilydd yn arw. Yr oedd y naill yn falch o'i dras a'i drysorau, a'r llall yr un mor falch o'i dras ac yn awr yn ymdynghedu i ofalu am rai o drysorau pwysicaf ei genedl. Da fuasai gan John Owen – a'r Arglwydd Harlech nid hwyrach – glywed mai un o'r pethau a ddywedodd y Llyfrgellydd newydd wrth Lys y Llywodraethwyr yn y Fenni oedd nad oedd yn chwyldrowr, ac na raid i neb ofni newidiadau chwyldroadol.

Geiriau diplomataidd oedd y rheini. Fe gafwyd newid. Yn gyntaf, yn y berthynas rhwng y Llyfrgellydd a'i staff. Yn 1977 dywedodd David Jenkins wrth Thomas Parry – yr un David Jenkins ag a ysgrifennodd ato gynt o Gatraeth i holi am *Cofion Cymru* – ei fod yn cofio'n dda fore cyntaf ei ddyfodiad i'r Llyfrgell, a'r staff yn ceisio cael gan 'yr annwyl J. J. Jones', Ceidwad y Llyfrau Print, ieithydd rhyfeddol, ond gŵr yr oedd ei fyddardod wedi'i wneud yn encilgar, 'fynd allan i'ch croesawu ac yntau ŵr mwyn ymron yn rhy swil!' Y bore hwnnw fe aeth allan. Caiff David Jenkins barhau â'i stori:

> Ar hanner bore ymhen ychydig ddyddiau daeth [J.J.] i lawr ataf i Adran
> Hawlfraint – fel hogyn ysgol, ei ddagrau'n glyowi gan lawenydd, am
> fod y Llyfrgellydd newydd wedi'i wahodd i'w stafell am gwpaned o de
> a mygyn ac i drafod ei waith yn cyfieithu Mahāvastu! Mae sôn yn y
> Testament Newydd am 'estyn capanaid o ddŵr oer' – 'rwy'n siŵr na
> feddylioch chwi erioed mai dyna'n union a wnaethoch y bore hwnnw
> i un o'r cymeriadau brafiaf ac un sicr un o'r ysgolheigion mwyaf – a
> mwyaf diymhongar – a welodd y Llyfrgell . . . a Chymru.

Ebe'r Llywydd mewn llythyr at y Llyfrgellydd newydd y 9fed o Ebrill 1954: 'I have had recent letters from Sir Ifan and others telling me of the new "elan" in all members of the Library under your leadership.' Bedwar mis ynghynt cawsai lythyr o Gaeredin eto'n canmol ei ffordd gyda'r staff: yr ydych eisoes, meddid, 'wedi rhagori ar y disgwyliadau mwyaf gobeithlon ac wedi llwyddo i greu ysbryd hapus dros ben'. D. Myrddin Lloyd oedd awdur y llythyr hwn, ysgolhaig tra llengar a ffraeth o Abertawe a fuasai'n gweithio yn y Llyfrgell er deunaw mlynedd, ond a benderfynasai dderbyn swydd uwch yn Llyfrgell yr Alban 'ar drothwy'r cyfnod mwyaf diddorol' yn hanes Llyfrgell Cymru ychydig fisoedd cyn i Thomas Parry gael cyfle i'w berswadio i beidio. Enghraifft arall o'r bri a roddai Thomas Parry ar ei staff yw'r modd y cyflwynodd Carl August Hanson am radd MA er anrhydedd gan Brifysgol Cymru yng Ngorffennaf 1955. Erbyn hynny yr oedd Hanson,

Norwyad a ddaethai i fyw i Gymru, yn dair a phedwar ugain mlwydd oed, ac wedi hen ymddeol, ond gwelodd rhywrai'n dda i gydnabod y cyfraniad amhrisiadwy a wnaeth dros ddeugain mlynedd 'i gadwraeth y llawysgrifau sydd yn y Llyfrgell', a gwelodd y Llyfrgellydd newydd yn dda i adrodd amdano yn y seremoni raddio yn union fel petai'n arwr mewn chwedl ganoloesol: 'Now he had a wonderful gift of making old things new and commonplace things beautiful, and there was none so skilled as he in working in gold, so that all those who came to see his work marvelled greatly.'

Yn ail, yr oedd Thomas Parry – gweler rhifyn y 29ain o Fai 1953 o'r *Cymro* – am wneud popeth a fedrai i beri bod y Llyfrgell yn fwy adnabyddus drwy Gymru gyfan fel y byddai'r wlad yn falch ohoni. Ceisiai wahoddiadau i fynd yma ac acw i siarad amdani, croesawai bobl newydd gymwys i weithio ynddi, a chyn diwedd ei dymor cymharol fyr yno gwnaeth yn siŵr fod tripiau o blant ysgol yn ymweld â hi. Yr oedd o'r farn mai 'sefydlu a chasglu a wnaed, gan mwyaf, hyd yn hyn' ac mai gwaith mawr y Llyfrgell i'r dyfodol 'fydd trefnu'r defnyddiau fel y byddant yn hwylus ac yn hylaw i ysgolheigion'. Wrth gwrs, ni ellid pallu gyda'r gwaith o grynhoi iddi ddogfennau newydd. Yn ei gyfnod ef y soniwyd gyntaf am y bwriad i drosglwyddo i'r Llyfrgell gofysgrifau Llysoedd y Sesiwn Fawr o'r Public Record Office yn Llundain. Wrth anfon gair ato i ddweud ei fod yn edrych ymlaen at ei weld 'yn eistedd yn yr ystafell grand honno . . . gyda'i charpedi a'i chwafrau' lle gweithiai'r Llyfrgellydd, heriodd Bob Owen Croesor ef i gael gafael ar ddogfennau a gweithredoedd hen blasau'r hen ysweiniaid, yn enwedig rhai'r Arglwydd Mostyn, dogfennau a gweithredoedd y methodd Thomas Richards a Syr William Davies â'u cael. A chyda golwg ar ei drysorau ef ei hun, ebe Bob Owen, 'efallai' mai yng nghyfnod Thomas Parry y daw *Yr Awstralydd* a'r *Ymwelydd* (papur Melbourne) o Groesor i Aberystwyth, 'ond rhaid i'r angau agoshau cyn i rheiny gael eu gollwng o'm dwylo'. Gyda'r cyfarchiad hwn y mae Bob Owen yn dwyn llythyr y 23ain o Fai 1953 i ben: 'Hir oes i chwi, o Frenin.'

Y diwrnod y coronwyd y brenin, adroddodd Gildas Tibbott wrth y Llys fod llawysgrifau a berthynai i Iolo Morganwg newydd gael eu rhoddi i'r Llyfrgell gan ei ororwyr, Iolo Aneurin Williams, bardd a newyddiadurwr, cyn-ymgeisydd seneddol Rhyddfrydol, ac ychydig bach o bolymath a oedd wedi dysgu digon o Gymraeg i ddarllen cofiant G. J. Williams i'w hynafiad. Yn ddiweddarach yn 1953 ac 1954 darganfu I. A. Williams flycheidiau o gannoedd o lythyron at Iolo, gan W. O. Pughe, Owain Myfyr ac eraill, a'u rhoddi eto i'r Llyfrgell. Yn y man daeth yn aelod o'i Chyngor. Ef a anogodd y Llyfrgellydd i ymuno â chlwb yr Athenæum yn Pall Mall, a sefydlwyd yn wreiddiol i fod yn fan cyfarfod i ddynion a fwynhâi fywyd y meddwl. Pan fu farw yn 1962 Thomas Parry a luniodd y marwgraffiad iddo a gafwyd yn y *Times*; canodd ei glodydd hefyd yn *Lleufer*.

Ond nid gan deuluoedd dawnus o hil gerdd yn unig y denai'r Llyfrgell ddefnyddiau. Yn ei Bapurau cadwodd Thomas Parry gywydd o waith y Dr Gwilym Pari Huws o Fae Colwyn, cywydd annerch i'r Llyfrgellydd a luniodd yn 1954 i hebrwng rhai pethau o'i dŷ y dymunodd i Aberystwyth eu cael. Arwydd o'r amserau (ym mhob rhyw fodd) yw bod y Llyfrgellydd wedi llunio cywydd ateb iddo. Dyma ran o gywydd Pari Huws:

> 'Rwy'n anfon rhyw bostmon bach
> I gario'r tipyn geriach . . .
> A oes iod o dda'n y sach?
> Seithug fai anfon sothach . . .
> Gwylia'n ddwys, os gweli'n dda,
> I chwythu i'r t'wllach eitha'
> Y sbwrial a phob rhyw sbarion
> A fo'n y god hynod hon.
> O chwilir wedi'r chwalu,
> Siawns na ddaw i law rhyw lu
> O fanion ddifyrion fydd
> Yn faelion dihefelydd.

A dyma ran o gywydd ateb y Llyfrgellydd:

> Daeth y pecyn tordyn tau,
> A daeth dy gywydd dithau . . .
> Doeth oedd dy waith, haeddi dâl
> Rywfodd am dy fawr ofal;
> A dioer pan adewi
> Yn ddiau tâl ddaw i ti.
> Oes rhagor o drysorau
> Yn llechu yn y tŷ tau?
> Rhes o feirdd rhyw oes a fu
> A'u henddail yn felynddu;
> Hanes byd rhyw ddiwyd ddau,
> A thwr o hen lythyrau;
> Cowntiau y meddyg cyntaf
> A fu yn coleddu claf
> Yng Ngholwyn Bay; englyn bach
> Moethus, neu rywbeth maethach:
> Hen lyfr siop, neu hen gopi
> Roed i'th ran yn Standard Three;
> Hen ewyllys feallai,
> Teitl neu weithredoedd tai,
> Llyfr anrheg, pwt o bregeth
> Ar hen bwnc; unrhyw hen beth.

A fu gohebiaeth debyg yn hanes y sefydliad? Go brin.

Y trydydd peth a wnaeth Thomas Parry oedd gwneud yn siŵr y byddai'r Llyfrgell Genedlaethol yn cael 'yr un manteision ag a fwynheid gan y llyfrgelloedd eraill ag yr oedd a wnelo'r Ddeddf Hawlfraint â hwy'. Unwaith, pan ddeallodd fod cyhoeddwr blaenllaw yn Llundain yn gyndyn o anfon ei gyhoeddiadau i Aberystwyth fel y disgwylid iddo yn ôl cyfraith gwlad, aeth ag ef i lys ac ennill yr achos yn ei erbyn.

A'r pedwerydd peth oedd sicrhau'r £30,000 a oedd yn angenrheidiol i gwblhau prif adeilad y Llyfrgell, y blocyn canol ys gelwid ef. Yr 8fed o Awst 1955 daeth y Frenhines Elizabeth II a Dug Caeredin i'w agor yn swyddogol, seremoni a aeth rhagddi'n rhagorol. Ni chlywsai Syr Austin Strutt o'r Swyddfa Gartref yn Llundain ddim ond 'glowing reports' amdani. Do, aeth popeth yn dda iawn, ebe Thomas Parry wrth ei ateb. Gwir i'r Llyfrgell gyflwyno aberthged y dref i'r Frenhines ac i'r dref gyflwyno aberthged y Llyfrgell, a gwir bod yr Arglwydd Harlech, yr unig un yr oedd gofyn iddo ddarllen dim o bwys, wedi colli ei sbectol – 'But as such eventualities are unforeseeable, I do not find any cause for self criticism'. Ychydig yn ddiweddarach gwelwyd *bod* lle i feirniadu'r *London Gazette*. Wrth gyhoeddi'r anerchiad teyrngar a gyflwynwyd i'r Frenhines fe gamenwodd y swyddogion a'i rhoes: yn ôl y *Gazette* William Llewelyn Davies oedd y Llyfrgellydd o hyd. Ond buan y sicrhaodd Thomas Parry rifyn diwygiedig o'r papur. Canmoliaeth a gafwyd gan Syr Michael Adeane, Ysgrifennydd Preifat ei Mawrhydi, hefyd, yr hwn a ysgrifennodd lythyr ar ei ran i ddiolch am drefniadau'r dydd oddi ar fwrdd HMY *Britannia*, ac a ysgrifennodd eto ddiwedd y mis, o Balmoral y tro hwn, i ddiolch am y gyfrol o Wasg Gregynog o ddramâu Euripides yng nghyfieithiad Gilbert Murray a anfonwyd at Elizabeth i'w hatgoffa am ei hymweliad â'r Llyfrgell. Margaret Davies, un o chwiorydd enwog teulu Llandinam, a roddodd y gyfrol, fel y rhoesai flwyddyn neu ddwy ynghynt rodd hael iawn i'r Llyfrgell i gwrdd â'r gost o gwblhau'r oriel y daethpwyd i'w hadnabod fel Oriel Gregynog. Am eu bod yn rhannu'r un diddordebau llyfryddol a chelfyddydol a cherddorol deallai hi a Thomas Parry ei gilydd yn burion, a phan oedd ef yn Is-Ganghellor Prifysgol Cymru y trosglwyddodd ystad Gregynog i ofal y Brifysgol.

Er dywedyd o'r Llyfrgellydd fod angen ychwaneg o staff arno, a bod angen ystorfa newydd yng nghefn yr adeilad, ym mlwyddyn ei jiwbilî yn 1957 yr oedd y Llyfrgell yn gymharol ffyniannus, ei statws fel Llyfrgell Genedlaethol wedi'i amddiffyn, y prif adeilad wedi'i gwblhau, y saith a thrigain a weithiai yno gan mwyaf yn parchu eu pennaeth, ac am y tro cyntaf yn ei hanes yr oedd cofnodion cyfarfodydd ei Chyngor a'i

Llys yn cael eu cadw yn y Gymraeg yn ogystal â'r Saesneg. I ddathlu'r hannercanmlwyddiant cafwyd atodiadau arbennig yn y *Western Mail* a'r *Cymro,* arddangosfeydd pwrpasol (chwedl cofnodion y Cyngor), 'a chyngerdd Cymraeg o safon uwchraddol' a drefnwyd 'gan Mrs. Amy Parry-Williams a Mrs. Enid Parry'.

II. GWEITHGAREDDAU ANLLYFRGELLYDDOL

Bu ar Thomas Parry hiraeth yn Aberystwyth ar y dechrau, hiraeth am ei gyfeillion ar y staff yng Ngholeg Bangor ac am ei berthynas â myfyrwyr yn arbennig. Er iddo ddweud wrth *Y Cymro* yn y cyfweliad a gafodd gydag un o'i ohebwyr ym Mai 1953 nad oedd ganddo ddim byd ysgolheigaidd ar y gweill, yr oedd hi'n rhy gynnar iddo ddweud bod arno hiraeth am waith academaidd. Kenneth Jackson oedd yr unig un a'i siarsiodd i beidio â rhoi'r gorau i ymchwilio ac ysgrifennu. Wrth ei longyfarch ar ei benodiad, ebe fe: 'if it means that you are going to be diverted from Welsh scholarship and research, I shan't congratulate anyone, yourself or the electors.' O bellter yr Alban yr ysgrifennai ef; nid oedd neb yng Nghymru'n ddigon dewr i osod deddf i Thomas Parry, neu efallai cymerent yn ganiataol y byddai'n dal i ysgolheica fel o'r blaen. Ond yr oedd hi'n 1955–56 cyn y dechreuai ar lyfr mawr arall.

Mynegodd ei hiraeth am fywyd coleg yn yr araith a roes i Gangen Caerdydd o Gyn-fyfyrwyr Coleg Prifysgol Cymru, Aberystwyth, mewn cinio yn 1954. Ar ôl cymharu a chyferbynnu rhai o nodweddion Coleg Aberystwyth a Choleg Bangor, cyferbynnodd ei brofiad fel Llyfrgellydd ac fel Athro. Y peth cyntaf a'i trawodd, meddai, oedd

> the dignified and perpetual silence of the Library as compared to the bustle and clatter of a College at the end of every hour. Then, since

talk is the essence of human companionship, it follows that a Library is a far less companionable place than a College.

Er nad oes a wnelo'r ail beth â'i trawodd ynghylch y gwahaniaeth rhwng y Coleg a'r Llyfrgell ddim â hiraeth Thomas Parry am fywyd ymhlith myfyrwyr, y mae'n werth sôn amdano, yn rhannol am ei fod yn ddiddorol ynddo'i hun ac yn rhannol hefyd am ei fod yn ddarlun o'r Llyfrgellydd wrth ei waith. Yn y cyfnod hwnnw Pwyllgor Grantiau'r Prifysgolion oedd yn gyfrifol am ddyrannu eu cyllid i'r prifysgolion, a hynny bob pum mlynedd. Ond yr oedd y Llyfrgell Genedlaethol yn trafod ei chyllid yn uniongyrchol gyda'r Trysorlys, a hynny bob blwyddyn. Ebe'r areithiwr wrth Aberystwythiaid Caerdydd:

> You can well imagine my mental state when, as a Librarian of less than two months' standing, I was invited to the Treasury to defend my estimates.

Gŵr o Goleg yr Iesu, Rhydychen, oedd yr uchel was sifil wyneb yn wyneb ag ef yno, gwas sifil clên ddigon:

> He was courteous and sympathetic, but he would have his pound of flesh, which meant that the estimates had to be pared down somewhat. I needn't trouble you with the details. My conviction was, and is, that the figure to be allocated to the Library was determined not so much by the Library's need as by the over-riding principle that nobody should be given all that he asks for. In other words a civil servant is a civil servant of the civil service, not of the public, and however cultured a civil servant may be, his thoughts and his actions arc as uniformly marginal as those of a loyal party member in Parliament.

'I have given you,' meddai wrth gloi, 'what may appear to be a recital of my troubles.'

Un o'i drafferthion oedd fod ei ddydd gwaith yn brin o dasgau – ac i ddyn heb asgwrn diog yn ei gorff trafferth oedd hynny nid bendith.

'Wales knows what a glutton for work Professor Parry is,' ebe Wil Ifan yn ei golofn 'Here and There' yn y *Western Mail* pan benodwyd ef i'r Llyfrgell. Yr 21ain o Fawrth 1957 rhoddodd *Y Cymro* ddalennau dwbwl i ddathlu Jiwbilî'r Llyfrgell, ac ar waelod tudalen 13 y mae llun o Thomas Parry wrth ei ddesg, a Beatrice Davies ei ysgrifenyddes, a fu'n ysgrifenyddes i John Ballinger a William Llewelyn Davies yn ogystal, yn sefyll gerllaw iddo (y mae'r llun hefyd yn *Bro a Bywyd Syr Thomas Parry 1904–1985* a olygwyd gan Branwen Jarvis, rhif 103). Yn y llun y mae dwylo'r Llyfrgellydd ym mhleth, y mae gwên anaemig annigonol o dan ei fwstásh brith, y mae ei lygaid yn alarus. Ai ei gofiannydd yn unig sy'n meddwl mai llun o ddyn rhwystredig anfodlon lonydd ydyw? Dywedodd unwaith mai un pwyllgor yr wythnos oedd ganddo y rhan fwyaf o'r flwyddyn pan oedd yn Llyfrgellydd, a dau yr wythnos yn Awst a Rhagfyr. Ac er bod Cyngor y Llyfrgell yn cyfarfod bob chwarter a'r Llys ddwywaith y flwyddyn, nid oedd paratoi ar eu cyfer yn waith caled i ddyn fel efe.

Gan nad oedd ganddo ddim gwaith ysgolheigaidd o bwys i'w wneud, trodd at bethau llai, ond pethau llai oedd y rheini y buasai'n eu gwneud ynghyd â'i weithiau mawr yn nyddiau Bangor. Arholi'n allanol, er enghraifft: ef oedd yr arholwr Cymraeg yng Ngholeg y Brifysgol Dulyn, ers blynyddoedd, a daliodd ati ym mlynyddoedd y Llyfrgell. Cynghori gyda phenodiadau, er enghraifft arall. Yn 1954 cynghorodd J. S. Fulton, Prifathro Coleg Abertawe, i benodi Stephen J. Williams i olynu Henry Lewis yn y Gadair Gymraeg er bod Lewis yn ei wrthwynebu. Y mae un ochr o Henry Lewis yn swynol a chariadus, ond edrychwch ar yr ochr arall iddo 'and you will find blazing hatred carried to the point of utter ruthlessness'. Y mae cas Henry Lewis at Stephen J. Williams, meddai, wedi'i wreiddio mewn eiddigedd, eiddigedd o lwyddiant academaidd ei blant. O oes, y mae gan Stephen J. hefyd ei wendidau: 'he is often stodgy and unimpressive, but he is capable of hard work'. Yn ddiweddarach y flwyddyn honno aeth i bentref genedigol Stephen J. Williams i draddodi araith Llywydd y Dydd yn Eisteddfod Genedlaethol Ystradgynlais yng

Nghwm Tawe, cwm 'sydd wedi rhoi mwy o ddynion defnyddiol i fywyd ein cenedl ni heddiw na'r un cwm arall yng Nghymru (heb eithrio Dyffryn Nantlle!)' (Thomas Parry ei hun biau'r ebychnod).

Rhoddai ei enw wrth ambell lythyr. Ganol Mehefin 1956 yr oedd yn un o ddeuddeg gwrda a roddodd eu henwau wrth lythyr at Olygydd y *Times* yn pleidio newid y rheol ynghylch ernes mewn etholiad cyffredinol. Dymuniad yr awduron, a gynhwysai Compton Mackenzie a Donald Soper, oedd gweld pasio deddf i sicrhau na chollai ymgeisydd seneddol mo'i ernes o £150 oni fethai â chael pump y cant o'r bleidlais (yn hytrach na'r deuddeg a hanner y cant fel ag yr oedd pethau). Ynghyd â blaenoriaid eraill y diwylliant Cymraeg yr oedd yn ymgyrchydd i gael gwell gwasanaeth darlledu i Gymru. Yn y pumdegau canol daethai hefyd yn aelod o Gyngor Darlledu Cymru, a oedd er 1953 o dan gadeiryddiaeth yr Arglwydd Macdonald o Waenysgor. Yr oedd bellach yn ffigur cyhoeddus pwysfawr yn ogystal ag yn ysgolhaig campus.

Ymhlith y pethau eraill llawer llai a wnaeth yn ystod blynyddoedd cynnar ei lyfrgellyddiaeth, y mae dau yn ymwneud â Dylan Thomas, nid ei hoff fardd. Y 25ain o Ionawr 1954 darlledodd y BBC *Under Milk Wood* ar y Drydedd Raglen, drama y buasai'r bardd yn gweithio arni yn ystod tair blynedd olaf ei fywyd. Ar ôl gwrando ar ymddiddan doniol-ddwl ei chymeriadau rhyfedd ar y radio, dyma Thomas Parry yn ysgrifennu llythyr at Bennaeth y Drydedd Raglen, gan gymryd arno mai gŵr o'r enw Roger Elmstrom o Ludvike yn Sweden ydoedd. Ar ôl dweud iddo fwynhau'r ddrama dywedodd rywbeth arall hefyd. 'Here in Sweden,' meddai,

> we do not know plenty about the peoples of the country of Wales. We had heard that these peoples are primitive and without learning. But we did not know the peoples in many habits are worser than peoples in Africa and far countries . . . We hope that England will soon bring education into the country of Wales.

Tua'r un pryd ysgrifennodd yn ei enw'i hun bapur neu ddarlith ar greawdwr y bobl gyntefig ddi-ddysg hyn, darlith o'r enw 'The Limitations of Dylan Thomas' yn yr hon y manylodd gryn dipyn ar ddigwyddiadau a chymeriadau *Under Milk Wood*. 'Such are the inhabitants of Llaregyb, an amusing and tremendously funny lot, paraded not by a writer of parodies or light verse, but by that very serious, introvertive poet, Dylan Thomas.' Sut mae cyfrif am y ddeuoliaeth hon? Fe'i ceir, ebe Thomas Parry, am mai dyn digymdeithas oedd Dylan Thomas, er hoffed ganddo gwmni. Nid pobl Talacharn yw pobl Llaregyb, na phobl unrhyw bentref arall yng Nghymru. Na, yr hyn a greodd Dylan Thomas oedd rhyw wladwriaeth les a threfedigaeth ynddi yn rhywle i ddau fath o ddynion yn unig, sef dihirod a phobl wan eu meddwl. Pobl seiliedig ar ddata hunangofiannol ydynt, ebe Thomas Parry, pobl y dociau a'r tafarnau yn Abertawe. Nid oes yn un ohonynt unrhyw rinwedd, nid oes gan neb ohonynt gryfder cymeriad, nid oes un ohonynt yn hoffus.

Y mae'r darlithydd yn mynd rhagddo wedyn i ddweud ei fod yn gwrthwynebu ysgrifennu o'r math hwn am ddau reswm. Y rheswm cyntaf – a myn nad gorsensitifrwydd sy'n cyfrif amdano – yw: 'I resent the implication that all my fellow-countrymen are half-witted, perfidious and lecherous, and I resent this implication being spread abroad . . . It libels a whole nation.' Wele Roger Elmstrom yn codi'i ben ac yn llefaru eto. Yr ail reswm yw mai llenyddiaeth ffug ydyw. Fel arfer, 'an author's impression should always be checked with actualities', ond awdur yw Dylan Thomas sy'n debyg i'r teithwyr hynny a ddaethai i Gymru ers llawer dydd i chwilio am yr hynod a'r anarferol – am y *quaint* – a'i gael lle nad oedd. Yna y mae'r darlithydd yn cyferbynnu *Under Milk Wood* gyda *Hen Wynebau* a *Hen Dŷ Ffarm* D. J. Williams Abergwaun (newydd ei gyhoeddi yr oedd *Hen Dŷ Ffarm*). Lle ceir gan Dylan Thomas chwerthin maleisus, ebr ef, ceir gan D. J. Williams gydymdeimlad a thrueni. 'Dylan Thomas is gay and irresponsible,' meddai wedyn; 'D. J. Williams is like that too, but he can also be majestically angry.' Y gwahaniaeth dyfnaf rhyngddynt yw bod gan bawb yn llyfrau D. J. gefndir, ac nad yw Dylan yn gwybod am ddim y tu hwnt i'r hyn a wêl. A lle mae D. J. yn adnabod

Cymru'n drylwyr, y mae Dylan, ys mynnai ef ei hun, yn 'unnational'. Daw'r ddarlith i ben gyda'r datganiad mai prentis oedd Dylan Thomas drwy'i yrfa: 'His preoccupation with eccentrics . . . his romantic high seriousness when dealing with nature . . . and his frivolous treatment of his fellow-men, all this points to an immaturity and a lack of adult responsibility'. I fwrw'r neges adref y mae Thomas Parry yn newid llinell gyntaf *Y Gododdin* ac yn dweud am y bardd o Gwmdonkin: 'A man in years, a youth in achievement.'

Ni wn bwy gafodd y fraint o glywed y papur piwritanaidd tra disglair hwn a ysgrifennodd ar Dylan Thomas, ond fe wyddai pobl amdano. Un bore, beth a ddaeth drwy'r post i gartref y Llyfrgellydd yn Hengwrt, Ffordd Llanbadarn, ond amlen ac ynddi gerdd deipiedig o'r enw 'Dylan Rides Again – A Fragment' gan fardd a'i galwai ei hun yn Danny de Lanwad, cerdd yn agor gyda'r llinellau

> I am too old to sing of death,
> for now . . .

Ebe Thomas Parry wrth agor ei feirniadaeth ddadansoddol arni yn 'A Poem Analysed': 'The first two lines of this poem are unusually lucid for de Lanwad, and one suspects a trap.' Tybed ai D. Tecwyn Lloyd oedd Danny de Lanwad a bod Thomas Parry yn gwybod hynny?[12]

Er na wyddys faint o bobl a glywodd ei bapur ar Dylan Thomas, oblegid y glaw diddiwedd gwyddys i Thomas Parry gael llond pafiliwn go dda i wrando arno'n areithio yn Eisteddfod Ystradgynlais, 1954. Ac yn 1955 yn Eisteddfod Pwllheli cafodd lond pafiliwn eto i wrando arno'n traddodi beirniadaeth yr awdl ar ran ei gyd-feirniaid, y Parchedig

---

12 Pan gynhaliwyd yr Ail Gyngres Ryngwladol o Astudiaethau Celtaidd yng Nghaerdydd yn 1963, cafwyd cais gan Americanes o Brifysgol Roosevelt, Chicago, i ddarllen papur ar 'Dylan Thomas and Welsh Syntax'. Gofynnodd Elwyn Davies o'r Gofrestrfa i T. P. a oedd y fath deitl yn 'gwneud sens'. Ydyw, y mae'n 'gwneud synnwyr iawn', atebodd T. P., ond y mae'n 'bwnc y dylid ei drafod yn ofalus iawn' ac 'ni allaf ddychmygu neb o America yn gwneud hynny'. Fe wnâi fel 'rhyw fath o adloniant ynghanol pynciau sychion', ond na: 'Gwrthodwch hi yn gwrtais a boneddigaidd.'

William Morris a'r Parchedig D. J. Davies yr enillodd ei 'Fam' Gadair Aberafan dair blynedd ar hugain ynghynt. Yn *Yr Herald Cymraeg* yr 8fed o Awst pechodd John Eilian yn erbyn Thomas Parry pan ysgrifennodd mai'r ddau ddiwethaf hyn 'a ddewisodd yr awdl orau' eleni, sef awdl Gwilym Ceri Jones, ac mai 'am honno yn unig yr ysgrifennodd Dr. Thomas Parry'. Fel y mae'n digwydd, am honno yn unig yr ysgrifennodd Thomas Parry yn y *Cyfansoddiadau a Beirniadaethau.* Fel arbrawf yr oedd awdurdodau'r Eisteddfod wedi penderfynu gofyn i ddau o'r beirniaid drafod yr awdlau fesul un ac un, a gofyn i'r trydydd fanylu ar yr awdl fuddugol. Ond, wrth gwrs, yr oedd y trydydd wedi bod yn rhan o'r tafoli o'r dechrau. Diau y gwyddai John Eilian hynny'n burion, ond am ei fod yn hoffi tynnu blew o drwyn Thomas Parry dyma ddweud yr hyn a ddywedodd. A chael yr ymateb disgwyliedig, llythyr llym yn gofyn am ymddiheuriad. Diau bod Thomas Parry yn cofio'r nosweithiau dadleugar ar aelwyd John Eilian yn Wrecsam ugain mlynedd ynghynt pan dynnai'r bardd-newyddiadurwr a'i wraig flew o'i drwyn yn bur reolaidd; diau hefyd ei fod yn cofio na ddywedodd John Eilian ddim da am *Llywelyn Fawr* yn 1951. Yn awr, ar ôl iddo wneud ei waith yn iawn ym Mhwllheli, barnai Thomas Parry fod ei hen elyn yn tanseilio'i hygrededd. Yr oedd mor friwedig ynglŷn â'r mater fel yr ymgynghorodd â'r Athro Cyfraith David Hughes Parry cyn anfon ei lythyr at John Eilian. Y cyfreithiwr academaidd sych dihiwmor ag ydoedd y gŵr dysgedig hwnnw, yn hytrach na dweud wrth Thomas Parry am anwybyddu'r tipyn cam a gawsai, dywedodd wrtho am fynnu gweld ymddiheuriad golygydd yr *Herald* cyn iddo gael ei brintio, i wneud yn siŵr 'ei fod yn foddhaol'. Ymhellach, ebe fe: 'Oni ymddiheuro credaf fod yma "prima facie case" am libel.' Dyma sylwedd llythyr Thomas Parry at John Eilian y 18fed o Awst:

> Nid wyf yn amau nad dyrnu'r gyfundrefn yr oeddech yn eich sylwadau yn yr Herald, ond . . . y mae'r ffaith yn aros bod eich geiriau yn fy nghyhuddo i o esgeuluso fy nyletswydd fel beirniad.

Yn yr ymddiheuriad mynnodd ei fod yn gwneud

> yn hollol glir fod yr hyn a ddywedsoch o'r blaen yn anghywir, a'm bod i
> wedi darllen yr holl awdlau, ymgynghori drwy'r post â'm cydfeirniaid
> a'u cael i'r tŷ hwn am gryn deirawr i drafod y cwbl.

Cafodd ymddiheuriad. Ymhen pythefnos wedyn yr oedd Thomas ac Enid Parry ar eu gwyliau yn yr Eidal, a chanddynt yn eu *portmanteau* lythyr-*cum*-cyfarwyddyd o gyfansoddiad D. Tecwyn Lloyd, a fuasai'n ymchwilydd yn y wlad honno, yn manylu ar ddeniadau Rhufain a Fflorens. Gobeithio iddynt yno anghofio helynt yr *Herald*, a bod y llythyr pellach mewn Eidaleg a gawsant gan y Llwyd o *Collegio di Harlech* dyddiedig *Agosto* 20, 1955 yn rhyw help i ysgafnhau eu hysbryd.

Fel y mae'n digwydd, yr oedd y rhifyn Eisteddfodol o'r *Herald* y cyfeiriwyd ato'n awr hefyd yn canmol Thomas Parry. Dywedodd Caradog Prichard ynddo mai un o'r pethau a hoffodd ym Mhwllheli oedd beirniadaeth wych ei hen gyfaill. 'Gallai'r Dr. Parry,' meddai, 'pe mynnai, gymryd y lle a lanwai Syr John Morris Jones gynt fel un o "sefydliadau" diwrnod y Cadeirio.' Dywedodd hefyd mai un o'r pethau nas hoffodd oedd gwrando ar 'araith ddieneiniad Major Lloyd-George', yr Ysgrifennydd Cartref a Llywydd y Dydd ddydd Mercher. Ni thwigiodd ei drwyn newyddiadurol fod Thomas Parry yn rhannol gyfrifol am yr araith honno. Pan ysgrifennodd Syr Austin Strutt ato rai dyddiau ar ôl ymweliad y Frenhines â'r Llyfrgell yn haf 1955, yn un peth ysgrifennu i ddiolch iddo am helpu Gwilym Lloyd-George gyda'r araith ar gyfer Pwllheli yr oedd, araith a droes Thomas Parry i Gymraeg gweddol syml mewn arddull weddus, 'retaining some of the dignity of the literary language'. Y mae'n amlwg oddi wrth ddyfarniad Caradog Prichard nad oedd gan y mab o wleidydd ddimeiwerth o ddawn draddodi ei dad.[13]

---

13   'Yn un peth' meddaf am lythyr Strutt. Prif ddiben llythyr y 13eg o Awst 1955 oedd gofyn barn T. P. a ddylid rhoi Pensiwn Sifil i weddw Ambrose Bebb. 'A very deserving case', ebe T. P. wrth ateb, yr 22ain o Awst: 'Bebb was an outstanding figure in Welsh letters, and occupied a niche of his own.' O'i saith blentyn y mae pedwar yn oed ysgol o hyd, ychwanegodd. Ddwy flynedd a hanner yn ddiweddarach, y 3ydd o Fawrth 1958, sicrhaodd

Buasai Thomas Parry yn traethu yn Sir Gaernarfon ychydig ynghynt y flwyddyn honno, yn y cyfarfod i agor yn swyddogol neuadd bentref newydd Carmel y 7fed o Ebrill, lle rhannodd y llwyfan gyda Goronwy Roberts AS. Yn fuan ar ôl symud o Beniarth i Hengwrt rhoddodd deleffon ym Mrynawel fel y gallai ei fam ddod i gysylltiad ag ef ba bryd bynnag y mynnai. Yr oedd yn ddefod ganddo ef ei ffonio hi bob nos Sul. Fel hynny câi Jane Parry wybod ei hynt ef ac Enid, a châi ef wybod sut drefn oedd yng Ngharmel a sut oedd ei dylwyth – tylwyth a oedd, fel yn ei ieuenctid, wrth ei fodd. Mewn sgwrs radio a ddarlledwyd yn 1981 dywedodd fod ei fam wedi dweud wrtho un nos Sul yn 1954 neu 1955 fod 'Wil Stiniog tua Llŷn yna'. Sef oedd hwnnw, meddai ef, mab i frawd i'w daid na allodd ddod ymlaen gyda'i lysfam ym Mlaenau Ffestiniog ac a ddechreuodd grwydro fel tramp a mynd ar ei hald unwaith yn y pedwar amser i'r hen gartref yn Llangwnnadl lle trigai William Williams, brawd Jane Parry, a'i wraig. Mynd yno'n fudr i ryfeddu, ymolchi, ac aros yno am dipyn yn ei lendid newydd. Pan ddywedodd ei fam wrtho un nos Sul ganol y pumdegau fod y Wil hwn tua Llŷn, aeth Thomas Parry 'yr holl ffordd o Aberystwyth i Langwnnadl i weld yr unig dramp yn y teulu' a'i gael yn gymeriad mwyn a siriol, a godai bensiwn rywsut ac a'i gwariai'n wirion ar fferins, fferins a rannai â phlant yr ysgol.

III. RHAGOR O GYFIEITHIADAU

Er pan lwyfannwyd *Llywelyn Fawr* ni chyfansoddodd Thomas Parry ddim mewn mydr tan iddo ychydig flynyddoedd yn ddiweddarach

---

T. P. bensiwn y Rhestr Sifil i Kate Roberts. Ar farw Bardd yr Haf sicrhaodd bensiwn tebyg i Mrs Williams Parry hefyd, ond y mae ychydig bach mwy i'w ddweud am y stori honno yn nes ymlaen.

gyfieithu'r ddrama fydryddol *The Countess Cathleen* gan W. B. Yeats. Y mae'n anodd gwybod pam y penderfynodd weithio ar hon, ond gellir awgrymu mai un o'r pethau yr hoffai Thomas Parry ei wneud er diddanwch iddo'i hun ambell noson waith weili oedd ymarfer mydryddu, rhyw gadw'r ymennydd yn ffit megis. Mewn llythyr dyddiedig yr 2il o Ionawr 1955 y sonnir gyntaf am y cyfieithiad, llythyr gan Tecwyn Jones, athro hanes yn Llangefni ac un o gwmni Noson Lawen y BBC, yn diolch i'r Dr Parry am ganiatáu i gymdeithas ddrama'r ysgol gyfun newydd ei llwyfannu. Rhaid nad drama gomisiwn ydoedd: onid e, ni fyddai'n rhaid diolch am ganiatâd i'w chwarae. Ond sut ddaeth Tecwyn Jones a George Fisher, sefydlydd Theatr Fach Llangefni a'r athro mathemateg a'i cynhyrchodd, i wybod amdani? A oedd Thomas Parry wedi'i thrafod gydag un o'i gydnabod, ac a oedd hwnnw wedyn wedi crybwyll y peth yn y gogledd? Awgrym da fy nghyfaill William R. Lewis yw i'r cyfieithydd sôn am y gwaith wrth John Gwilym Jones; iddo ef sôn amdano wrth Fisher, a wnâi gryn dipyn gyda John Gwilym pan oedd yn gynhyrchydd drama gyda'r BBC ym Mangor; ac iddo ef wedyn ofyn i Tecwyn Jones (a ysgrifennai well Cymraeg nag ef) holi Thomas Parry a gaent olwg arno.

The Countess Cathleen oedd drama gyntaf Yeats. Ysgrifennodd hi yn 1889, yn fuan ar ôl iddo ddarganfod y stori yn yr hyn y tybiai ef oedd yn gasgliad o chwedlau gwerin Gwyddeleg. Erbyn deall, cyfieithiad o'r Ffrangeg oedd y stori. Ond hoffodd Yeats ei hud a'i moes, a lluniodd ddrama yn seiliedig arni a lwyfannwyd am y tro cyntaf yn Nulyn ym mis Mai 1899. 'If I had not made magic my constant study I could not have written . . . *The Countess Cathleen*', ebe Yeats. Ond dyn â'i draed ar y ddaear oedd Thomas Parry, a phrin y tybid bod y math o hudoliaeth a geir yn *The Countess Cathleen* yn apelio ato ef. Y mae'r ddrama'n digwydd yn Iwerddon yn ystod y Newyn Mawr. Yn nhlodi affwysol y Newyn y mae'r Diafol yn gweld ei gyfle i brynu eneidiau i uffern ac y mae'n anfon dau o'i weision yn ffurf marsiandwyr i gyflawni'r gwaith. Yr unig un sy'n eu gwrthsefyll yw'r Iarlles gywir gyfoethog sy'n rhoi cymorth i'r tlawd a'r anghenus. Ond yn y man y mae'r marsiandwyr yn dwyn ei chyfoeth, a'r unig ffordd y gall hi bellach gynorthwyo'r tlodion yw trwy werthu ei henaid ei hun, enaid 'sydd bron yn amhrisiadwy' am ei bod yn ferch mor dduwiol. Beth fydd ei thynged? Dyna'r cwestiwn a atebir yn y ddrama.

Wele'n awr flas o'r fydryddiaeth a geir yn y ddrama wreiddiol a blas o'r Cymreigiad. Yn yr araith sy'n dilyn, Oona y fam faeth sydd yn annerch Cathleen, gydag 'ancient tapestry' yn cynrychioli 'the loves and wars and huntings of Fenian and Red Branch heroes' ar y pared y tu cefn iddi:

> I have lived now ninety winters, child,
> And I have known three things no doctor cures –
> Love, loneliness, and famine; nor found refuge
> Other than growing old and full of sleep.
> See you where Oisin and young Niamh ride
> Wrapped in each other's arms, and where the Fenians
> Follow their hounds along the fields of tapestry;
> How merry they lived once, yet men died then.

A dyma'r araith hon eilwaith, yn nhrosiad ffyddlon syml Thomas Parry:

> 'Rwyf wedi byw can gaeaf namyn deg,
> A gwn dri pheth nas gwella'r meddyg ddim –
> Cariad, unigrwydd, newyn; ni bu noddfa
> I mi ond mynd yn hen a llawn o gwsg.
> Cofia am Osian gynt a Nia deg
> Yn ffoi ym mreichiau'i gilydd; hwythau'r Ffeiniaid
> Yn hela gyda'u milwyr hyd y meysydd;
> Mor llawen oeddynt, eto marw oedd raid.

Wrth ysgrifennu yn *Y Cloriannydd* yr 28ain o Ragfyr 1955 dywedodd y gohebydd Emrys Hughes, a oedd yn gyfarwydd â byd y theatr, i ddisgyblion Ysgol Gyfun Llangefni fod yn 'fentrus o uchelgeisiol' yn dewis llwyfannu'r gwaith, ond 'ni buont yn rhy fentrus nac yn rhy feiddgar' ac nid oedd 'coethder yr iaith na'r mydrau barddonol yn dramgwydd iddynt'. 'Saif ambell i beth allan a bydd cofio hir amdanynt,' ebr ef, 'megis ymadroddion a llafarganu'r ysbrydion . . . ac yna sgrech ofnadwy Maire.'[14]

Manwaith a lwyfannwyd yn 1955 ond nas cyhoeddwyd yw'r 'Iarlles Cathleen'. Gwelodd y flwyddyn honno gyhoeddi *A History of Welsh Literature* gan Wasg Clarendon. Dyma gyfieithiad H. Idris Bell o *Hanes Llenyddiaeth Gymraeg hyd 1900*, cyfieithiad y bu'n gweithio arno yn ysbeidiol er 1945, 'a tremendous labour of love' ys dywedodd Thomas Parry mewn set o nodiadau llawn a baratôdd yn 1967 i helpu C. H. Roberts, Ysgrifennydd Dirprwyon Gwasg Prifysgol Rhydychen, i lunio marwgraffiad i Bell ar gyfer *The Proceedings of the British Academy*. Y mae'n gyfrol hardd – harddach o lawer ei hargraff a'i gosodiad na'r *Hanes* gwreiddiol a brintiwyd yn ystod yr Ail Ryfel Byd – ac, i'r graddau ei bod yn gyfieithiad da o naratif Thomas Parry, y mae'n gyfrol driw. Un o'r rhesymau am hynny yw i Bell ohebu'n gyson gyda'r awdur drwy'r blynyddoedd y bu wrth y gwaith, yn gofyn cwestiwn fan hyn, yn gwneud awgrym fan acw, a'r rhan amlaf o ddigon yn derbyn barn yr awdur gwreiddiol ar y pynciau a gododd gydag ef. Ond y mae ynddi, o raid, rai pethau nas ceir yn yr *Hanes* – er enghraifft, tudalennau 'Cynnwys' manwl is-adrannol, rhagymadrodd gwreiddiol, ambell esboniad ar bwnc technennig mewn cerdd dafod, llyfryddiaeth amgen, cyfieithiadau o ddyfyniadau, rhestr o Feirdd y Tywysogion (a baratowyd gan J. Lloyd-Jones), ac 'Atodiad' cant ac ugain o dudalennau ar lenyddiaeth yr ugeinfed ganrif o waith Idris Bell ei hun. Yr oedd Thomas Parry wedi edrych ar yr esboniadau technennig fel y'u cawsai drwy'r post dros y blynyddoedd ac wedi'u cymeradwyo. Am y cyfieithiadau, prin y gallai fod yn fodlon arnynt. Am fod Bell yn credu y dylid cyfieithu barddoniaeth i fydr yn hytrach nag i ryddiaith, mynnai er enghraifft gyfleu cywydd fel cywydd er ei bod yn amhosibl iddo atseinio sain y

---

14   Ddeng mlynedd yn ddiweddarach daeth y Faire sgrechwych honno yn wraig i mi.

farddoniaeth gynganeddol ac er ei bod yn anodd cynnal y patrwm odli a glynu wrth ystyr y gwreiddiol. Prin y dywedid bod y cwpled

> When I lay sick for my lady's sake,
> Shaping my love-lays in a brake

yn gwir gyfleu

> A mi'n glaf er mwyn gloywferch,
> Mewn llwyn yn prydu swyn serch

ond dyna a geir. Y llymaf ei lach ar fydryddiaeth Bell oedd Iorwerth Peate. 'Y mae'r methiant i gyfleu'r manylder sydd mor nodweddiadol o'n traddodiad prydyddol ar ei orau yn alanas,' ebe fe yn *Llên Cymru*, IV. 1. 'Byddai'n llawer mwy effeithiol petasid wedi manwl-gyfieithu i ryddiaith yn hytrach na derbyn [gormes mydr ac odl] nes peri i'r cywyddau . . . seinio fel cerddi o ddiwedd oes Victoria.' Amen, meddaf innau.

Gyda golwg ar yr 'Atodiad' ar lenyddiaeth yr ugeinfed ganrif, barn Thomas Parry arno oedd ei fod mor hir fel ag i wneud y gwaith 'yn bendrwm (neu'n ddiwedd-drwm)' – barn sydd yn sobor o garedig o'i chymharu â barnau pobl eraill arno. Yn ôl Kenneth Jackson, yr oedd atodiad Bell ar lenyddiaeth yr ugeinfed ganrif yn rhoi'r argraff ei fod yn orawyddus i beidio â thramgwyddo neb, ac o ganlyniad y mae'r bennod hir hefyd yn bennod fflat. O! na buasai wedi cyfieithu *Llenyddiaeth Gymraeg 1900–1945*, ebe Jackson. Barn D. Emrys Evans am yr 'Atodiad' oedd bod ynddo ddigon o wybodaeth ond ei fod 'heb gydbwysedd artistig y penodau a droswyd ganddo' – hynny yw, penodau Thomas Parry ei hun. Ar y pwnc hwn eto Iorwerth Peate oedd grochaf. Nid awydd i beidio â thramgwyddo a wêl ef yn yr 'Atodiad', ond beirniadaeth sydd yn ffrwyth y Catholigrwydd Anglicanaidd a fagodd yn Idris Bell ragfarn o blaid Saunders Lewis, Gwenallt ac Aneirin Talfan Davies ac yn erbyn W. J. Gruffydd, rhagfarn ysgeler. Dangos y mae'r beirniadaethau hyn nad yw'r 'Atodiad' yn unwedd â gweddill y gwaith. A chan mai gwaith dyn arall ydoedd, ni allai fod. Y mae'n rhwydd gofyn ai doeth priodi

Hanes Llenyddiaeth Gymraeg hyd 1900 y Cymro gydag *Appendix* y Sais? Ac y mae'r un mor rhwydd ateb, 'Nage, yn bendifaddau.'

Bid a fo am hynny, cyflwynodd y cyfieithiad hwn hanes llenyddiaeth Gymraeg i fyrdd myrddiwn o ddarllenwyr na chawsai olwg arno hebddo, ac i'r graddau hynny yr oedd yn waith anhepgor a alluogodd ysgolheigion Celtaidd di-Gymraeg o bobtu'r Iwerydd i gynefino â hanes ein llên ac i weithio'n fanylach arni. Ac, wrth gwrs, yr oedd yn waith a wnaeth enw Thomas Parry yn enw adnabyddus ymhell y tu hwnt i ffiniau Cymru.

Gartref, drwy eu cyfieithiadau hwy o ganeuon Saesneg, Lladin ac Almaeneg, yr oedd Thomas ac Enid Parry drwy'r blynyddoedd wedi cyfrannu llawer i ganiadaeth Gymraeg. Prin i un Eisteddfod Genedlaethol fynd heibio er yr Ail Ryfel Byd na pharatôdd y naill neu'r llall, neu'r ddau ohonynt, eiriau Cymraeg ar gyfer rhyw gystadleuaeth ganu neu'i gilydd, neu *libretti* ar gyfer cyngherddau. Yn y rhestr o gyfieithiadau a baratowyd gan yr Eisteddfod yn y pumdegau, eu henwau hwy sy'n ymddangos amlaf o ddigon. Yn 1952, er enghraifft, cyfieithodd Enid 'Emyn o Fawl' Mendelssohn ar gyfer cystadleuaeth gorawl, 'Ave Maria' Max Bruch ar gyfer unawd soprano, yn ogystal â dwy ddeuawd gan Bach, a chyfieithodd Thomas 'I heard a Linnet Courting' ar gyfer cân i denoriaid a gyfansoddwyd gan Ian Parrott. At hynny, cyfieithodd Enid ganeuon i Wasg Prifysgol Rhydychen ('Benedicte' Vaughan Williams er enghraifft) ac i Wasg Prifysgol Cymru (llawer iawn o bethau, o eiriau i ganeuon gan Grace Williams hyd at drefniannau o alawon gwerin). Yn 1956 gwahoddwyd hi i gyfieithu *The Merry Widow* i'r Gymraeg. Yn *Llawlyfr Moliant Newydd y Bedyddwyr* yr un flwyddyn cyhoeddwyd ei chyfieithiad o emyn enwog Martin Rinckart, 'Nun Danket alle Gott'. 'Piti mawr na buasai wedi ymddangos yn ein "Caniedydd" ni,' ebe'i chyd-Annibynnwr J. D. Vernon Lewis wrthi. Ac yn rhifyn y Nadolig 1958 cyhoeddodd *Y Cymro* garol mewn ffacsimili o dan y teitl 'Canwn oll yn llon', y gerddoriaeth gan Enid a'r geiriau gan Thomas.

IV. O *JOHN MORRIS-JONES* I'R *OXFORD BOOK OF WELSH VERSE*

Buasai'n arfer gan Wasg Prifysgol Cymru ers rhai blynyddoedd i gyhoeddi ar Ddydd Gŵyl Dewi lyfrynnau dwyieithog ar ddynion enwog neu ar bynciau o bwys ym mywyd y genedl. Am fod rhywun wedi torri'i addewid i baratoi teipysgrif ar John Morris-Jones ar gyfer Gŵyl Dewi 1958, ddechrau Hydref 1957 gofynnodd Elwyn Davies o'r Gofrestrfa i Thomas Parry a fyddai ef yn fodlon 'sefyll yn yr adwy' ac ymgymryd â'r gwaith. Un diwrnod aeth ati. Yn llythrennol fe'i lluniodd mewn diwrnod. (Os lluniodd hwn mewn diwrnod dichon mai rhwng te ddeg a'i ginio yr ysgrifennodd y rhagymadrodd i *Englynion a Chywyddau* Aneirin Talfan Davies, 1958.) 'Credaf ei fod yn gampwaith bychan,' ebe Elwyn Davies am *John Morris-Jones* pan gyrhaeddodd y llawysgrif:

> y math o lyfryn na all'sech fod wedi ei sgrifennu ond mewn diwrnod ac, yn amlwg, o dan ysbrydiaeth. Pe baech wedi cael chwe mis neu chwe mlynedd i'w sgrifenu ni fuasai agos cystal!!

Llyfryn gan ddisgybl am ei athro ydyw, llyfryn cytbwys o arwraddolgar (os maddeuir yr wrtheb), llyfryn ysbrydoledig (i eilio Elwyn Davies). Y mae'n agor gyda chwestiwn 'y gellid ei osod yn un o'r cystadlaethau holi a geir weithiau ar y radio: beth yw'r berthynas rhwng cloc trydan, bardd cadeiriol, a llyfr ar ramadeg?' Yr ateb wrth gwrs yw John Morris-Jones. Yna ceir tri darlun ohono – ar lwyfan yr Eisteddfod Genedlaethol, yn ei ddarlithfa yng Ngholeg Bangor, ac ar ei aelwyd gartref yn Nhŷ Coch. Adran wedyn ar ei addysg, yr addysg a gafodd ef ei hun a'r addysg ynghylch yr iaith Gymraeg a roddodd i'w oes. Yna gosodir ef yn olyniaeth ramadegol Gruffydd Robert o Filan a John Davies Mallwyd: a'r trydydd, a'r mwyaf, o'r rhai hyn oedd John Morris-Jones. Darn wedyn amdano'n dosbarthu'r gynghanedd. Yna cip ar ei bersonoliaeth farddonol ac ar ei gyfieithiadau campus. A diweddglo'n ei ddisgrifio'n gwbl gymwys fel 'ATHRO CYMRAEG', sef y geiriad a dorrwyd ar garreg ei fedd.

Er iddo ymgymryd â chyhoeddi llyfryn ar un o ddewiniaid Bangor, yr oedd yn anfoddog iawn i roi sêl ei fendith ar gyhoeddiad o waith un arall ohonynt. Ar ôl marw R. Williams Parry yn gynnar yn 1956, un o'r pethau a wnaeth Thomas Parry oedd sicrhau pensiwn o'r Civil List i'w weddw, ac un o'r pethau a wnaeth Enid Parry oedd gosod ar gân bedair o'i gerddi, a'u canu yn un o gyfarfodydd Clwb Cerdd Aberystwyth. Er cystal gan Mrs Williams Parry yr ychwanegiad i'w hincwm, efallai y buasai'n hyfrytach ganddi petai Thomas Parry wedi bod yn fwy brwd nag ydoedd ynghylch cyhoeddi detholiad o ryddiaith ei diweddar ŵr y dymunai Emlyn Evans, rheolwr newydd Llyfrau'r Dryw, ei gyhoeddi. Un o feibion diwyd a diwylliedig Bethesda yn Nyffryn Ogwen oedd Emlyn Evans, a fagodd yn ystod ei flynyddoedd fel gwyddonydd yn Llundain frwdfrydedd mawr tros lenyddiaeth Gymraeg ac yn enwedig dros geisio bywiogi'r farchnad lyfrau Cymraeg – peth y buasai Thomas Parry yn eiddgar drosto hefyd. Yn wir, yn ystod blynyddoedd canol y pumdegau, ar ôl sefydlu Cymdeithas Lyfrau Llundain a dychwelyd i Gymru, bu Emlyn Evans a Thomas Parry, ynghyd ag Alun R. Edwards, yr arian byw a oedd yn Llyfrgellydd Sir Aberteifi, yn cydymgyrchu'n galed i gynyddu'r nifer o lyfrau Cymraeg a gyhoeddid ac i gynyddu eu gwerthiant. Eu gwaith cenhadol cynnar hwy a arweiniodd yn y diwedd at sefydlu'r Cyngor Llyfrau.

Barnai Emlyn Evans ei bod yn werth casglu sypyn o ysgrifau llenyddol Bardd yr Haf yn gyfrol, rhywbeth yr oedd y bardd ei hun wedi bwriadu'i wneud unwaith. A chan ei weddw cafodd res o awgrymiadau ynghylch pa ysgrifau i'w casglu, o 'Ganiadau Wyn Williams' heibio i 'Angerdd Beirdd Cymru' hyd at 'Gohebiaeth Ieithgarwr' a 'Hen Eisteddfod' a 'Silyn'. Gan fod rhai ohonynt a'u horgraff yn hen, yr oedd gofyn eu golygu a'u hailddeipio, ac ymddiriedwyd y gwaith hwnnw i'r bardd a'r emynydd, y Parchedig John Roberts, gweinidog Capel Tegid y Bala ar y pryd, un o gyn-fyfyrwyr ac un o gyfeillion mynwesol Bardd yr Haf. Am ryw reswm – am fod cymaint o barch iddo fel pen ysgolhaig y Gymraeg, y mae'n debyg, ac am ei fod yn berthynas gwaed i'r awdur

– yr oedd Emlyn Evans yn dymuno cael *imprimatur* y Llyfrgellydd Cenedlaethol ar y gwaith. Anfonwyd y deunydd ato yn haf 1958, ond ar ôl bwrw golwg drosto ei farn bendant ef oedd nad oedd yno ddeunydd cyfrol 'ond un fach a thila'. 'Anghymwynas â bardd mawr,' meddai mewn llythyr dyddiedig y 18fed o Fehefin, 'fyddai cyhoeddi pethau sy'n dangos agwedd lawer llai cydnerth ar ei bersonoliaeth', ac ymddiheura am fod 'mor ddifrwdfrydedd' – 'ond yr wyf yn siŵr fy mod yn iawn'. Dri mis yn ddiweddarach aeth i Fethesda i ddweud wrth Myfanwy Williams Parry beth a feddyliai o'r ysgrifau. Yr oedd ei braw hi o glywed y newyddion y cyfryw fel y meddyliodd Thomas Parry y byddai'n rhaid iddo ailystyried ei benderfyniad. Ond ni newidiodd ei feddwl, a'r pryd hwnnw ni wireddwyd y cynllun. Eto, y mae'n werth nodi bod yr erthygl a gyhoeddodd Thomas Parry am Williams Parry yn *Y Bywgraffiadur Cymreig 1951–1970* yn hawlio bod yn ei ryddiaith 'nerth argyhoeddiad a hefyd gryn ffraethineb'. Yn wir y mae'n hawlio mai ef 'yw un o ysgrifenwyr rhyddiaith gorau'r ganrif' – fel y dengys y detholiad o'i waith a gyhoeddwyd yn *Rhyddiaith R. Williams Parry* dan olygiaeth Bedwyr Lewis Jones yn 1974. Synnwyr trannoeth, tybed? Neu farn edifeiriol?

Erbyn hyn – blynyddoedd canol y pumdegau – yr oedd wrthi'n gweithio ar *The Oxford Book of Welsh Verse*. Yn ei 'Atgofion' y mae'n dweud iddo lwyddo i'w olygu tra oedd yn Llyfrgellydd. Naddo; yr oedd wedi esgyn i Brifathrawiaeth Coleg Aberystwyth ymhell cyn iddo orffen y llyfr (yn 1962 y'i cyhoeddwyd), ond gan mai perthyn i 1953–1958, cyfnod y Llyfrgell, y mae'n bennaf, yma y'i trafodir.

Yr oedd Gwasg Prifysgol Rhydychen wedi bod yn cyhoeddi blodeugerddi o farddoniaeth gwahanol genhedloedd er 1900. *The Oxford Book of English Verse* a olygwyd gan Arthur Quiller-Couch oedd y gyntaf, ac fe'i dilynwyd gan flodeugerddi Almaeneg, Sbaeneg, Portiwgaleg, &c., &c. Y ddau a fu'n gyfrifol am berswadio'r Wasg i gomisiynu blodeugerdd Gymraeg oedd, ie, Idris Bell unwaith yn rhagor, cyfaill agos i C. H. Roberts, Ysgrifennydd Dirprwyon y Wasg, a

T. Ifor Rees, llenor coeth a chyfieithydd, diplomat wrth ei broffes a oedd wedi dychwelyd i'w fro enedigol ym Mhen-y-garn ger Bow Street ar ôl ymddeol yn 1949 fel Llysgennad Prydain Fawr ym Molifia. Efallai am fod *A History of Welsh Literature* yn llwybreiddio'i ffordd drwy'r wasg yn Great Clarendon Street ar y pryd, cydsyniodd C. H. Roberts â'u cais i geisio blodeugerdd Gymraeg yn bur rwydd – o leiaf, mewn egwyddor. Cost y llyfr oedd ei unig ofid. Pe ceid, meddai mewn llythyr at Ifor Rees yr 28ain o Ebrill 1955, cymhorthdal o £500 byddai'n barod i fentro. Fel y mae'n digwydd, cafwyd y £500 mewn dim o dro gan Jenkin Alban Davies, dyn busnes o Geredigion a oedd wedi gwerthu cwmni llaeth Llundeinig y teulu am ffortiwn i United Dairies yn 1946 ac a fu weddill ei flynyddoedd yn fawr ei gymwynasau i fudiadau Cymreig yn Llundain fel yn yr hen wlad. Ymhlith pethau eraill, ef, rhwng 1954 a'i farw yn 1968, oedd Trysorydd Coleg Aberystwyth.

Rhyngddynt yr oedd Rees a Bell hefyd wedi bod ym mhen Thomas Parry i olygu'r gwaith, a rhaid ei fod wedi cydsynio, oblegid yr hyn a ddywed C. H. Roberts wrtho yn ei lythyr ato yr 16eg o Fai 1955 yw iddo gael ar ddeall gan Syr Idris, 'who has just been staying with me in Oxford, as well as from Mr. Ifor Rees, that you would be prepared to consider editing for us an *Oxford Book of Welsh Verse.*' Y mae'n nodi na ddylai'r llyfr fod yn fwy na phum can tudalen, 'and if the book is to do missionary work among the English (and I dare say the Welsh too), the introduction should not be too brief'. Y mae'n cynnig ffi o £250 i'r darpar olygydd, deuddeg copi rhad o'r llyfr pan ddaw, a faint fynnir 'at author's rates'. A chyda'i benderfyniad rhwydd arferol y mae Thomas Parry yn ateb gyda'r troad, ac yn dweud y bydd yn anrhydedd iddo ymgymryd â'r gwaith er ei fod yn gwybod y bydd, fel golygydd pob blodeugerdd, yn rhwym o gael ei feirniadu am ei ddetholiad.

Gyda'i benderfyniad rhwydd arferol, meddaf. Fel y gwelsom, nid dyn i hel dail oedd Thomas Parry, ond gweithiwr dygn dygn. Lluniodd ddar-lithoedd *Baledi'r Ddeunawfed Ganrif* mewn ychydig fisoedd, a *Hanes Llenyddiaeth Gymraeg hyd 1900* mewn rhyw gwta ddwy flynedd. Eithr gyda byrbwylltra mawr y gofynnodd i Roberts ynghylch yr *Oxford Book* ym Mai 1955: 'Would it satisfy you if I had the material ready in twelve months' time?' 'Bûm yn oroptimistig,' ebe fe y 1af o Awst y flwyddyn ganlynol. Ddeuddydd cyn y Nadolig 1957 y mae Roberts eto'n gofyn sut y mae hi arno. 'Y mae'ch llythyr wedi dyfnhau'r synnwyr o euogrwydd a brofais ers rhai misoedd,' ebe Thomas Parry. Bedwar mis i fewn i 1958, meddai eto: 'I hate having to postpone like this, because on the whole I am a pretty punctual bloke.' Ond cyn diwedd Mai y mae'n anfon drafft o'r flodeugerdd at Roberts ac yn gofyn iddo roi ei farn ar ei hyd, 'oblegid y mae cryn nifer o gerddi eraill yr hoffwn eu cynnwys ynddi'. Cafodd yn rhodd o Rydychen addewid o gan tudalen yn ychwaneg.

Gan fod yr ohebiaeth rhwng Thomas Parry a C. H. Roberts a gedwir yn y Llyfrgell Genedlaethol yn dod i ben yn haf 1958, a chan nad oes gan Wasg Prifysgol Rhydychen yr un ffeil ar *The Oxford Book of Welsh Verse*, ni wn pryd yn union yr anfonwyd y testun terfynol i'r ddinas dyrog. Ai yn 1959? Ai yn 1960? Ni sonia'r golygydd ddim amdano wedyn tan yr 20fed o Orffennaf 1961. Y noson honno, am fod yr Is-Ganghellor yn dost, ef oedd y gwesteiwr yn y cinio i'r Graddedigion er Anrhydedd a gâi eu hurddo gan Brifysgol Cymru drannoeth. Ef gan hynny a siaradai yn y cinio am y darpar raddedigion. Yr hyn a wnaeth yn ei araith nodweddiadol ffraeth oedd ieuo'r bobl a anrhydeddid bob yn bâr: rhoi dau feddyg gyda'i gilydd, rhoi Cynan gyda Flora Robson am fod y ddau'n cynrychioli'r theatr, rhoi'r Arglwydd Tenby (y Gwilym Lloyd-George a glywsom yn Eisteddfod Pwllheli) gyda Henry Lewis am fod gan y ddau gysylltiadau agos â Choleg Abertawe, ac felly ymlaen. Yna daeth at Syr Maurice Bowra, Warden Coleg Wadham, ac ebe fe:

I am going to show unpardonable temerity and a complete lack of modesty by joining Sir Maurice's name to my own by the most slender of links, which is that he was the editor of *The Oxford Book of Greek Verse* and that I have for several weeks now been engaged in reading the proofs of *The Oxford Book of Welsh Verse*.

Bythefnos yn ddiweddarach yn y Babell Lên yn Eisteddfod Genedlaethol Rhosllannerchrugog traethodd ddarlith ar y testun 'Llunio Blodeugerdd'. Gyda'r hen arfer o lunio blodeugerdd y dechreuodd ei druth. Dywedodd mai blodeugerddi yw Llyfr Du Caerfyrddin a Llyfr Coch Hergest. Aeth rhagddo wedyn i nodi bod Gruffydd Robert wedi cynnwys detholiad o gerddi yng Ngramadeg 1567. Yna cyfeiriodd at y detholiad a gyhoeddwyd o dan y teitl *Flores Poetarum Britannicorum* yn 1710, sef y detholiad llawysgrif a luniwyd gan John Davies Mallwyd ac a ddaethai'n eiddo i Ddafydd Lewis Llanllawddog. Ac enwodd nifer o flodeugerddi eraill o *Gorchestion Beirdd Cymru* Rhys Jones (1773) hyd at *Y Flodeugerdd Gymraeg* W. J. Gruffydd (1931). Y pwynt y dymunai ei wneud oedd fod y rhain oll yn cynnwys math arbennig o farddoniaeth neu farddoniaeth sy'n gyfyngedig i un cyfnod. Am yr *Oxford Book of Welsh Verse* a fydd yn y man yn cymryd ei le ochr yn ochr â blodeugerddi o wledydd eraill Ewrop ac Awstralia, ebe'r darlithydd, bydd ynddo farddoniaeth o bob cyfnod a barddoniaeth o bob math.

Yna trodd Thomas Parry at ei brif bwyntiau: at gymwysterau angenrheidiol detholwr, at anawsterau arbennig barddoniaeth Gymraeg i ddetholwr fel y gwelai ef hwy, ac at y pynciau y bu ef fel detholwr yn ymaflyd â hwy.

Byr oedd y drafodaeth ar y pen cyntaf. Rhaid, ebe Thomas Parry amdano'i hun, yn gywir ond nid yn orwylaidd, wrth ddetholwr a chanddo wybodaeth drylwyr o holl farddoniaeth Cymru drwy'r oesoedd, detholwr a chanddo chwaeth 'i adnabod barddoniaeth dda ar wahân i farn a dedfryd pobl eraill'.

Yr oedd ganddo gryn dipyn yn rhagor i'w ddweud ar yr ail ben. Ofer manylu arnynt oll, ond yn eu plith y mae'n nodi anawsterau sy'n ddrych o'r anawsterau Parrïaidd y cyfeiriwyd atynt o'r blaen wrth drafod *Hanes Llenyddiaeth Gymraeg hyd at 1900*. Defnyddir y gair 'anawsterau' am iddo ef ei ddefnyddio yn ei ddarlith: ni raid eu hystyried yn anawsterau o gwbl. Yr anhawster pennaf a enwodd Thomas Parry oedd y gwahaniaeth dirfawr a welai rhwng nodweddion barddoniaeth Gymraeg yr Oesoedd

Canol a barddoniaeth Gymraeg y cyfnod o tua 1700 ymlaen, rhwng barddoniaeth goeth fesuredig y Gogynfeirdd a Beirdd yr Uchelwyr ar y naill law, ac, ar y llaw arall, 'iaith ffwrdd-â-hi bob dydd a mesurau syml rhythmig' yr emynwyr o Williams Pantycelyn ymlaen. Rhaid i'r detholwr, ebe Thomas Parry, 'ddarganfod rhyw lath fesur sy'n gyfaddas i'r ddau fath o farddoniaeth'. Y mae dyn eisiau gofyn, 'Pam?' Noder deubeth. Yn gyntaf, mai dim ond detholwr a fynnai bwysleisio hyd at haearnedd 'undod a pharhad' ein traddodiad barddol a gâi ei boeni gan yr amrywiaeth cwbl naturiol hwn yn ein barddoniaeth. Byddai detholwr mwy rhyddfrydig ei feddwl yn ymfalchïo yn yr amrywiaeth. Yn ail, noder mai ychydig iawn o emynau sydd yn yr *Oxford Book*. Gan Thomas Jones o Ddinbych nid ei emyn hyderus 'Mi wn fod fy Mhrynwr yn fyw' a geir ynddo ond ei gywydd hir i'r aderyn bronfraith, cywydd y dywedodd Gwenallt amdano yn ddigon teg nad oedd ond 'ymarferiad barddonol medrus'.

Oblegid rhagfarn Thomas Parry o blaid cerdd dafod ac yn erbyn barddoniaeth annhechnennig, trafododd yn y ddarlith yr hyn a eilw'n 'anawsterau amseryddol' – y ffaith (ef biau'r dweud) fod digon o ddeunydd i ddethol ohono yn y cyfnod rhwng 1300 a 1600, fod prinder cymharol yn y ddwy ganrif ddilynol, a bod 'prinder anial yn y bedwaredd ganrif ar bymtheg', sef y ganrif a welodd fwy o Gymraeg, ie, ac o farddoniaeth Gymraeg, mewn print na'r un. A beth am yr ugeinfed ganrif? Cofier bod *Hanes Llenyddiaeth Gymraeg hyd 1900* yn dod i ben yn 1900 ac na sonnir ynddo am yr un bardd diweddarach na John Morris-Jones. Penderfynodd y Dr Parry gynnwys beirdd cyfoes yn yr *Oxford Book*. Ond yn y Babell Lên yn Rhosllannerchrugog gwrthododd ddatgelu pa feirdd cyfoes a ddewisodd na pha feirdd cyfoes a wrthododd – rhag temptio'r 'rhai sy'n rhoi pris ar gael eu cynnwys i ladd eu hunain'!

Ymhlith y pynciau anodd eraill y bu'n ymaflyd â hwy yr oedd y cwestiwn beth i'w wneud â barddoniaeth ysgafn. Ac eithrio pan geir cyfrol fel *The Oxford Book of Light Verse* a olygwyd gan W. H. Auden, 'barddoniaeth ddifri sydd mewn blodeugerddi yn ddieithriad', ebe

236

Thomas Parry. Ond gan mai cerddi ysgeifn ar un wedd yw 'Trafferth mewn Tafarn' ac 'Ei Gysgod' gan Ddafydd ap Gwilym penderfynodd y byddai'n rhaid iddo gynnwys rhai, heb anghofio'r epigram a luniodd Evan Thomas 'I Wraig Fonheddig Neuadd Llanarth':

(Am gau gafr yr awdur mewn tŷ dros ddau ddiwrnod,
am y trosedd o bori yn rhy agos i'r plas)

Y rhawnddu, fwngddu, hagar,
Beth wnest ti i'th chwaer, yr afar?
'Run gyrn â'th dad, 'run farf â'th fam,
Pam rhoist hi ar gam yng ngharchar?

Ar fater ffurf, penderfynodd Thomas Parry yn o gynnar y byddai'n diweddaru orgraff pob darn o farddoniaeth a gynhwysid ganddo, ac yn atalnodi'n gall – gan normaleiddio sillafu a chan ddefnyddio 'all the help of modern punctuation', chwedl Kenneth H. Jackson mewn nodyn ato ddiwedd 1956. Ar fater cynnwys, penderfynodd y byddai'n rhaid iddo, wrth ystyried gweithiau beirdd na hoffai ef ei hun, Islwyn er enghraifft, ofyn barn cyfaill.

Un o'r cyfeillion hynny oedd Saunders Lewis. Ym mharagraff olaf y nodyn o gydnabyddiaeth a geir ar ddechrau'r *Oxford Book of Welsh Verse* y mae'r golygydd yn diolch am gyngor ar ddethol a gawsai gan Syr Thomas Parry-Williams, Saunders Lewis a J. Gwilym Jones. Ni welais ddim papurau'n trafod y detholiad gyda'r cyntaf na'r olaf o'r drindod hon, ond prin y disgwylid papurau felly. Gan fod Parry-Williams yn byw yn yr un dref ag ef gallai'r cefnder bicio ato i'w gartref yn y Wern ar Ffordd y Gogledd ba bryd bynnag y mynnai, o Hengwrt y Llyfrgellydd tan ganol 1958 ac yna o Blas Pen-glais y Prifathro. Diau mai ceisio cyngor Parry-Williams ar ganu rhydd yr ail ganrif ar bymtheg a'r Hen Benillion a wnaeth. Am John Gwilym Jones, ei gyfaill pennaf er ei fachgendod, byddai Tomos yn siarad ag ef yn rheolaidd, wyneb yn wyneb ac ar y teleffon. Tybiaf mai barn ar farddoniaeth yr ugeinfed ganrif a geisiodd ganddo ef. Mewn llythyr at y golygydd yr 22ain o Fawrth 1962, llythyr yn cydnabod derbyn copi rhodd o'r *Oxford Book*, dywedodd John Gwilym, yn gwbl nodweddiadol, ei fod 'yn cywilyddio wrth dy weld yn diolch i mi. Wnes i *ddim*! Ar yr un pryd 'rwyf wrth fy modd.'

Ond gyda golwg ar Saunders Lewis, cadwodd Thomas Parry ddau lythyr oddi wrtho sy'n ymwneud yn union â'r mater hwn. Nodyn byr yw'r cyntaf, nodyn byr brwd dros ben, yn dweud y bydd 'yn bleser annisgwyl . . . edrych drwy'r drafft'. Y mae'n amlwg fod Thomas Parry wedi gofyn iddo ddarllen ei ddetholiad. Cyrhaeddodd y parsel a oedd yn cynnwys y drafft hwnnw Benarth fore'r 20fed o Fai 1958, syrthiodd ei dderbynnydd arno 'fel ci ar sglyfaeth' a chael 'deuddydd o bleser mawr' ohono. 'Yn awr,' ebe Saunders Lewis, 'yn hwyr y nos ar yr 21ain':

nid af i wastraffu amser yn canmol. Fe fydd y casgliad yn safon am flynyddoedd . . . A gaf i fynd yn syth at fy awgrymiadau: – ac y mae'n bendant ddealledig nad rhaid i chi dderbyn un iot ohonynt oll, ac ni ddigiaf ddim os gwrthodwch bob un, ie, bob un.

Y mae'n dilyn dri tudalen o awgrymiadau mewn trefn gronolegol, awgrymiadau a dderbyniodd Thomas Parry bron bob un. Naw wfft bellach i'r honiad yn y Babell Lên yn Rhosllannerchrugog fod gan y detholwr da farn a chwaeth na ddibynnant ar bobl eraill. Saunders Lewis a awgrymodd y dylid cynnwys yn yr *Oxford Book of Welsh Verse* awdl serch Cynddelw Brydydd Mawr, 'Gwelais ar forwyn fwyn fawrfrydig', a'i englynion marwnad i'w fab Dygynnelw. Gyda golwg ar Ddafydd ap Gwilym, 'beiddgar neu hy yw awgrymu dim i'w olygydd ef! Ond mi gredaf,' ebe Saunders Lewis, 'fod cywydd yr Adfail . . . yn un o'i bethau mawr ef, ac yn lle *Merched Llanbadarn* mi fynnwn i gywydd *Ei Gysgod* sy mor ddwfn-nodweddiadol o'i ddigrifwch chwerw-awenyddol.' Ac felly y bu: y mae'r Adfail a'r Cysgod i fewn a'r Merched allan. Saunders Lewis hefyd a awgrymodd fod 'y cywydd hir *Pruddlawn yw'r corff priddlyd*' yn cynrychioli'r cwbl o Siôn Cent. 'Ac, mi anghofiais, oni ddylai cywydd *marwnad Iolo Goch* i Lywelyn Goch fod i mewn?' I mewn y mae.

238

Ni restraf ei holl awgrymiadau, ond o'r cyfnodau diweddar y mae'n arwyddocaol mai ef a gymhellodd gyhoeddi o'r ail ganrif ar bymtheg 'Gyrru'r Haf at ei Gariad' Edward Morris, chwe phennill cyntaf 'Duw a'i Eglwys' Morgan Llwyd (pedwar a gyhoeddwyd), y detholiad o 'Angau' Ellis Wynne a 'Cathl y Gair Mwys' Peter Lewis. Ef hefyd a gymhellodd gynnwys o'r ddeunawfed ganrif yr epigram am yr afr gan Evan Thomas a ddyfynnwyd gynnau, yr emyn gan Bantycelyn sy'n agor 'Mi bellach goda' maes' – 'telyneg fawr ac ynddi ragflas o Bob Parry' ys galwodd Saunders Lewis hi – a cherdd 'wir fawr Ioan Siencyn i Long Newydd yr Yswain Llwyd o Gwmgloyn'. O bethau'r bedwaredd ganrif ar bymtheg ef eto a awgrymodd 'Cwyn Cariad' Alun, y detholiad o 'Dal ar ben Bodran' Talhaiarn a 'Mynwent Cwmwr Du' Gwilym Marles. Y mae'n rhestr ardderchog gwbl eclectig o awgrymiadau, a chwbl deg tybio, gan nad oeddynt yn y parsel drafft a aeth i Benarth, na fuasai Thomas Parry wedi cynnwys yr un ohonynt yn ddiymgynghoriad. Dalier sylw ynteu mai arall, nid y golygydd, a ddewisodd y cerddi mwyaf anghyffredin sydd ym Mlodeugerdd Rhydychen. Ond wrth gwrs Thomas Parry ei hun biau'r clod (neu'r anghlod) am ddewis mwy na 95% ohoni.

Y ddeubeth a ddywedodd Saunders Lewis wrtho am 'y beirdd byw' y cynhwysodd eu gweithiau yn yr *Oxford Book* yw iddo fod 'yn rhy oddefgar a charedig' wrthynt ac y 'dylai dorri'n llym' arnynt. Nis torrodd. Ond yn y nodiadau a geir rhwng tudalennau 537 a 563 noder mai un paragraff yn unig sydd ganddo am farddoniaeth yr holl feirdd cyfoes a gynhwyswyd ganddo, o William Morris (g. 1889) hyd at Bobi Jones (g. 1929), un paragraff sydd yn tystio naill ai i ddiffyg amynedd y detholwr wrth drafod beirdd diweddar neu flinder gyda'r gwaith. Yn yr un modd y mae'r diweddglo ffwr-bwt sydd ganddo i'w ragair byr deg-tudalen yn tystio i'w ddiffyg amynedd i drafod dim mwy na phrif nodweddion y farddoniaeth gaeth draddodiadol a fawrygid ganddo: ni sonia air am yr un bardd rhydd nac am neb oll ar ôl Huw Morus (m. 1709). Er i C. H. Roberts yn 1955 ei siarsio i lunio rhagymadrodd sylweddol nis cafwyd. A oedd wedi alaru ar weithio ar y gyfrol? Neu a

239

farnai fod digon o bethau wedi'u hysgrifennu eisoes am farddoniaeth y cyfnod modern, ac nad oedd raid iddo ef wneud mwy na chanmol yr hen farddoniaeth? Beth bynnag a barodd iddo lunio rhagair mor fyr nid yw'n adlewyrchu'n dda arno.

Ar yr 22ain o Fawrth 1962 y cyhoeddwyd yr *Oxford Book of Welsh Verse* yn swyddogol. Y bwriad cychwynnol oedd ei gael allan ddydd Gŵyl Dewi, ond bu rhyw arafwch yn y wasg. 'A pity,' ebe Thomas Parry, 'but there have been bigger tragedies.' Rhaid bod nifer o bobl, rhai beirdd y cynhwysid eu gweithiau ynddo a rhai cyfeillion i'r golygydd, wedi derbyn copïau ohono ymlaen llaw. Y 5ed o Fawrth dyma John Eilian, yr hen ymrafaeliwr ag ydoedd, a'i dafod yn dew yn ei foch, yn ysgrifennu at y golygydd i ddweud nad Gwilym *Richard* Jones (ys nodwyd yn y gyfrol) oedd enw llawn Gwilym R., ond Gwilym *Rupert* Jones – a'i ddychryn mor ofnadwy fel yr ysgrifennodd Thomas Parry yn syth at y bardd a chael 'rhyddhad mawr' o gael ar ddeall nad oedd a wnelo brodor o Ddyffryn Nantlle 'ddim â'r enw erchyll Rupert'. Cafodd lythyr ynghylch ei enw oddi wrth fardd arall hefyd, J. M. Edwards. Am ryw reswm yr oedd Thomas Parry wedi cymryd mai James oedd ei enw cyntaf yn hytrach na Jenkin. Jenkins, R. T., ei ben-edmygydd ym Mangor, a anfonodd y llythyr llawen canmoliaethus cyntaf ato. 'Y mae'r llyfr yn *wych*,' meddai. 'Wrth gwrs, fe gewch eich beirniadu: "pam na fase fo wedi cynnwys *Cân y Mochyn Du*, neu dipyn o'r Bardd Cocos, neu rai o *Ffa'r Corsydd*. . . etc.?"' (Cofir mai cyfrol ddychmygol beirdd 'yr academig dost' yng Ngholeg Bangor y tridegau oedd *Ffa'r Corsydd*.) Ebe R. T. Jenkins wedyn: 'Tebyg gennyf y bydd Syr Foster wrthi yn y *Times Lit.* yn bur fuan – ond da fydd ei weld ef yn sgrifennu *rhywbeth*, onid e? Wel, llongyfarchiadau cynnes iawn i chwi am y cyfraniad sylweddol hwn eto.'

Yr oedd R. T. Jenkins yn llygad ei le, wrth gwrs. Yr oedd yn anochel y byddai anghytundeb ar bwnc mor oddrychol â dewis barddoniaeth i gynrychioli holl ganrifoedd llenyddiaeth y Gymraeg. Barn Syr Ifor Williams oedd y byddai 'pob chwaeth yn sicr o gwyno nad yw ei hoffter yma'. Gwyddai Thomas Parry hynny: oni ddywedodd rywbeth i'r perwyl yn ei lythyr cyntaf at C. H. Roberts saith mlynedd ynghynt? Yn Chwefror 1962 ebe fe wrtho'r eilwaith: 'The most knowledgeable of anthologists is open to criticism, and I shudder to think how I shall fare.' Er hyn, er disgwyl beirniadaeth, efallai nad oedd wedi disgwyl beirniadaeth mor chwyrn ag a gafodd mewn rhai llefydd. A phan ddaeth yr adolygiadau i law, efallai iddo weld chwyrni mewn ambell le lle nad oedd. Cofier nad oedd yr academydd mawr llengar hwn, a luniasai er deng mlynedd ar hugain lyfrau a oedd yn gerrig milltir pwysig ar briffordd ysgolheictod Cymraeg, ddim yn gyfarwydd o gwbl â beirniadaeth ddifrïol. Coeden heb brofi croeswyntoedd oedd Thomas Parry.

John White, gŵr y gwleidydd Eirene White a mab-yng-nghyfraith yr hollbresennol Thomas Jones CH, oedd yn gofalu am gyhoeddusrwydd Gwasg Prifysgol Rhydychen ddechrau'r chwedegau, ac ar argymhelliad Thomas Parry anfonodd gopïau adolygu i liaws o newyddiaduron a chylchgronau, o'r *Carmarthen Journal* hyd at *The Irish Times*. Cafwyd adolygiad nodweddiadol gan H. Idris Bell yn y *Western Mail* ('The poems are well chosen to illustrate the diversity of the tenacious Welsh literary tradition') ac adolygiad nodweddiadol John Aelodaidd gan John Roberts Williams yn *Y Cymro* ('Mi hoffwn ddweud mwy a chanmol mwy a rhyfeddu mwy. Ddyweda i ddim ond hyn – dyma drysor am oes am bum swllt ar hugain'). Un o'r adolygiadau callaf oedd adolygiad syml Gwilym R. Tilsley yn *Lleufer*, lle mae'n dweud ei bod yn anodd dianc yn llwyr rhag rhagfarn bersonol wrth ddethol barddoniaeth, a chan hynny y byddai detholiad pawb yn wahanol 'mewn rhai pethau'. Dywed hefyd inni gael y flodeugerdd fwyaf cyflawn a gafwyd erioed o farddoniaeth Gymraeg, ond y mae'n holi – a chyda'r cwestiwn hwn y mae'n rhagofyn cwestiwn a ofynnwyd ymhen dim gan adolygydd arall – 'Ar gyfer pwy y mae'r casgliad?' Ond am y gall olrhain adolygiadau fod yn fwrn, yr hyn a geir yma fydd adroddiad ar y ddau adolygiad mwyaf swmpus a gafwyd ar y gwaith, y naill yn Saesneg gan Rachel Bromwich, Darllenydd yn yr Ieithoedd a'r Llenyddiaethau Celtaidd yng Nghaergrawnt, a gyhoeddwyd yn rhifyn 1962 *Trafodion* Cymmrodorion Llundain, a'r llall yn Gymraeg gan Gwenallt, a gyhoeddwyd ym mhumed rhifyn *Taliesin*. O'r ddau, mewn eisteddfod ddwyieithog, adolygiad Mrs Bromwich a gâi'r wobr gennyf i.

Y mae hwnnw'n gofyn cwestiwn sylfaenol. Mewn gwirionedd, cwestiwn i Wasg Prifysgol Rhydychen ydyw nid cwestiwn i Thomas Parry. Sef yw hwnnw, 'Beth yw diben y blodeugerddi a gafwyd yng nghyfres yr *Oxford Books of Verse*?' Gan y cyhoeddir y cerddi yn eu cysefin ieithoedd, y mae golygyddion y gweithiau o raid yn rhagdybied bod gan eu darllenwyr ryw gymhwyster i'w deall. Ni cheir cyfieithiadau o'r cerddi, ni cheir nodiadau eglurhaol arnynt, ni cheir geirfâu i gynorthwyo'r darllenydd anghyfiaith i'w deall, ac y mae'r *apparatus criticus* sydd ynglŷn â hwy yn ddychrynllyd o brin. Un detholwr yn unig a dorrodd ar y confensiwn hwn, ebe Mrs Bromwich, y diweddar Athro H. G. Fiedler, golygydd y Flodeugerdd Almaeneg, a ysgrifennodd ei ragymadrodd a'i nodiadau yn yr iaith honno, gan roi i'w gyfrol gymeriad unffurf. Yna y mae Mrs Bromwich yn mynd rhagddi i ofyn y cwestiwn penodol hwn: onid yw'r ffaith nad oes yn y Flodeugerdd Gymraeg gyfieithiadau na llawer o nodiadau, nac esboniadau ar eiriau anodd nac ar gystrawennau hynafol, yn dirymu'r holl ddiben o gyflwyno barddoniaeth Gymraeg i'r darllenydd Saesneg? Yn ei barn hi buasai'n rheitiach petai Thomas Parry wedi dilyn esiampl Fiedler.

Y mae'n mynd rhagddi wedyn i ddweud ei bod yn anghytuno â llawer o'r detholiad. Buasai'n dda ganddi, meddai, weld cynnwys rhagor o Ganu Aneirin, a rhagor o'r farddoniaeth honno a ddaeth i gynrychioli conglfaen yr Hengerdd. Ble mae 'Armes Prydain' ac Englynion y Beddau? Paham na roddwyd mwy o ofod i Siôn Cent? O gyfnod hwyrach paham na chafwyd detholiad o *Theomemphus* Pantycelyn? Ble mae 'Mae'r oll yn gysegredig' Islwyn? A ble mae'r cerddi hynny sy'n fynegiant o'r dadeni llenyddol yn nechrau'r ugeinfed ganrif a ddarganfu o'r newydd feddwl a dychymyg yr Oesoedd Canol, 'Cynddilig' T. Gwynn Jones, 'Drudwy Branwen' Williams Parry, a detholiad o *Blodeuwedd* Saunders Lewis? Purion gofyn. Ai'r un mor burion dweud yn blaen nad oedd 'the full range of Dafydd [ap Gwilym]'s powers' yn cael eu hadlewyrchu'n ddigonol yn y cerddi o'i eiddo a ddewisodd ei olygydd campus? Purion neu beidio, dyna a ddywedodd Mrs Bromwich (ac am ei werth dywedaf innau nad wyf yn anghytuno â hi). Dywedodd hefyd – ac y mae hwn yn bwnc tra phwysig – fod cynnwys yn yr *Oxford Book* gynifer o gywyddau gwychion a ollyngodd y golygydd o ganon Dafydd ap Gwilym ddeng mlynedd ynghynt yn codi cwestiynau cymhleth ynghylch iawn-ddiffinio'i bersonoliaeth farddol ef a'i ddylanwad ar ei ddilynwyr:

How are we now to define Dafydd's genuine quality, [and] by what criteria [do we] distinguish his elusive poetic personality from the reflection which seems to have been made upon the work of other poets of his own and succeeding generations?

At hyn, dywedodd yr un mor blaen mai anghymwynas o'r mwyaf oedd i Thomas Parry ysgrifennu'r nodyn ar dudalen 538 lle y mae'n bwrw amheuaeth ar oed y farddoniaeth Gymraeg gynharaf. Ar garn un peth a ddywedwyd yn *Language and History in Early Britain* (1953) ei gynddisgybl Kenneth Jackson, datganodd y Dr Parry fod priodoli 'Gwaith Argoed Llwyfain' a 'Marwnad Owain ab Urien' i'r chweched ganrif yn 'somewhat tentative' – datganiad sydd, fel y dywed Mrs Bromwich, yn gwbl anghyson â geiriau agoriadol y rhagymadrodd, lle dywedir yn ddiamwys fod barddoniaeth Gymraeg i'w chael yn y chweched ganrif. '*Afterthought*' yw'r nodyn, ebe hi.

Ni fanylaf ragor. Digon dweud bod Thomas Parry – y goeden braff nad oedd, fel y dywedais eisoes, yn gyfarwydd â chroeswyntoedd – wedi'i gynddeiriogi i'r fath raddau gan yr adolygiad fel yr anfonodd ar y 5ed o Ionawr 1963 lythyr pedwar tudalen yn galennig i Mrs Bromwich. Do, yn ddiplomatig, diolchodd iddi am gymryd y fath ofal dros ei hadolygiad, ond dywedodd hefyd yn ddigon pigog ei bod yn ddrwg ganddo weld ynddo sylwadau annheg a beirniadaeth gecrus gynhennus. Wrth gyfeirio at ei chwestiwn sylfaenol, ebe fe:

1. You ask 'To what audience is [the anthology] addressed?' The answer is simple: to those that are able to read the poems, like every other Oxford book. You say that I had no intention of rendering Welsh poetry better known to English readers. If by English readers you mean those persons who cannot read Welsh, then I certainly had no intention. 2. You chide me for 'editorial shortcomings', by which you obviously mean the lack of linguistic explanatory notes. But I was not writing a text-book, and I could not burden the work with a large number of explanations of archaic syntactical constructions. The only way to cater for your 'English readers' is to supply them with translations. I am convinced that poetry is untranslatable, and of this there is no better proof than the attempts already made.

Yna y mae'n trafod sylwadau Mrs Bromwich ar y detholiad fel y cyfryw:

You reprimand me for including the *Afallennau* and the *Hoianau* 'to illustrate the prophetic poetry' and leaving out *Armes Prydain*. It was not my intention to illustrate prophetic poetry. I included these because I liked them. *Armes Prydain* is historically most fascinating, and it is vigorous propaganda, but it has never struck me as being particularly fine poetry.

A chyda golwg ar ei ddetholiad o Ddafydd ap Gwilym, myn ei fod yn llwyr adlewyrchu ei athrylith farddonol oruchel – mewn gwrthgyferbyniad amlwg 'to the pedestrian Siôn Cent, who was very lucky to have one long poem of his included'. Yna, ebr ef yn gyffredinol, yn atalieithol iawn: 'I occasionally detect signs that your taste in poetry differs from mine.' Y mae'n siŵr fod Rachel Bromwich, a ddaethai'n Saesnes ifanc swil i Fangor i fod yn fyfyrwraig ymchwil i Ifor Williams chwarter canrif ynghynt, pan oedd Tom Parry'n ddarlithydd yno, wedi dychryn o gael llythyr mor llym. Os yn grynedig, atebodd ef yn ddiofn.

O safbwynt Thomas Parry yr oedd gwaeth i ddod, sef adolygiad

Gwenallt yn *Taliesin*, cylchgrawn yr Academi Gymreig a olygid ganddo ef ei hun. Yn un o'i lythyron caru at Enid yn 1934 cyfeiriodd Tomos at rywbeth a ddywedasai hi mewn llythyr cynt: 'Ac fe welsoch Gwenallt? Ie, swil yn ymddangosiadol, ond dipyn i'r gwrthwyneb mewn gwirionedd'. Wel, tipyn i'r gwrthwyneb oedd yr adolygiad hwn hefyd. O bob peth cas gan Gwenallt am yr *Oxford Book* y peth casaf oedd ei fod yn gosod y fath fri ar farddoniaeth gaeth y traddodiad barddol. Dylai detholwr blodeugerdd fod yn eangfrydig, meddai: os yw'n credu mewn clasuriaeth 'fe ddylai wneud ei orau glas i ddeall barddoniaeth ramanataidd', a *vice versa*. Ond nid yw golygydd Blodeugerdd Rhydychen yn eangfrydig. Crefft a chelfyddyd barddoniaeth yr Oesoedd Canol sydd yn apelio ato ef, crefft a chelfyddyd barddoniaeth nad yw 'y cynnwys' sydd iddi 'yn cyfri dim'. Dangos y mae hyn taw beirniad llenyddol 'yn nhraddodiad Robin Ddu o Fôn, Dafydd Ddu Eryri, Caledfryn a John Morris-Jones yw Thomas Parry. Ef yw disgybl olaf John Morris-Jones.' Y mae, meddai Gwenallt, feini prawf pwysicach na mesur a meistrolaeth ar iaith i farnu barddoniaeth wrthynt – 'syniadau, agwedd meddwl, symbolau, delweddau, trosiadau' ac yn y blaen – meini prawf *mewnol*, ond meini prawf *allanol* sydd gan Thomas Parry yn bennaf. Y mae'n 'astudio barddoniaeth yn ffurfiol a pheiriannol. Person yw bardd, ac nid peiriant.'

Â Gwenallt rhagddo i nodi y buasai detholwr eangfrydig wedi rhoi eu lle dyledus yn y Flodeugerdd i Williams Pantycelyn a Phedr Fardd a David Charles Caerfyrddin a Thomas William Bethesda'r Fro ac eraill o'r 'emynwyr a fynegodd brofiadau a diwinyddiaeth Efengylaidd y genedl', a lle hefyd i arwrgerddi Beiblaidd y bedwaredd ganrif ar bymtheg sy'n ddrych o arwrgerddi cyfandir Ewrop mewn canrifoedd cynt. 'Pam na roddodd . . . ei le dyledus i Bantycelyn? Am ei fod yn fardd anghywrain.' Ie, heb os. Ond, ebe Gwenallt yn deg ddigon, pe bai 'Pantycelyn wedi astudio cerdd dafod, ni allai fynegi ei brofiadau a'i ddiwinyddiaeth yn y mesurau caeth a'r cynganeddion'. A pham rhoi lle mor bitw i Islwyn? Ym marn Gwenallt yr oedd ef yn un o feirdd mawr

Cymru. Ysgrifennodd farddoniaeth y *Storm* 'mewn iaith fyw: ond y mae iaith bron yr holl awdlau o'r unfed ganrif ar bymtheg tan ein canrif ni mewn iaith farw, iaith amgueddfaol. Fe ellid dadlau,' ebe'r eithafwr o Benparcau, 'mai camgymeriad oedd cadw cerdd dafod ar ôl diwedd yr Oesoedd Canol.' A ellid unrhyw ddatganiad beirniadol anhanesyddol mwy anJohnMorrisJonesaidd a mwy anNhomParrïaidd?

Fel Mrs Bromwich yr oedd Gwenallt hefyd o'r farn mai 'annoeth' oedd awgrymu nad beirdd y chweched ganrif oedd Aneirin a Thaliesin. 'Fe wn fod hyn yn destun siarad ymhlith ysgolheigion yng Nghymru ac Iwerddon,' ebe fe, 'ond nid oes neb eto wedi profi'r ddamcaniaeth.' Cofiwn i Mrs Bromwich wneud pwynt difrifol wrth nodi bod Thomas Parry wedi cynnwys yn ei lyfr gywyddau a alltudiodd o ganon Dafydd ap Gwilym. Y mae Gwenallt yn gwneud yr un pwynt, ond ceisio ymddigrifhau y mae ef wrth ei wneud, gan ddweud yn watwarus na wyddys dim am yr *Anonymous* y ceir yma saith o'i gywyddau: 'Oni ddylai rhyw fyfyriwr ymchwil . . . lunio thesis M.A. arno fel y caffom ei hanes, ym mha le yr oedd yn byw a'r nifer o gywyddau a luniodd?' Hefyd fel Mrs Bromwich y mae Gwenallt yn ysgrifennu rhestr o'r cerddi amgen y buasai ef wedi'u dethol o weithiau rhai o fawrion yr ugeinfed ganrif, T. Gwynn Jones a W. J. Gruffydd ac R. Williams Parry. Am y cerddi gan Nantlais a Dyfnallt ac H. Emyr Davies sydd yn y llyfr, dywed mai 'pethau gwael' ydynt a fuasai'n 'iawn mewn cyfrol i blant'.

Dedfryd derfynol Gwenallt ar yr *Oxford Book of Welsh Verse* yw ei fod fel blodeugerdd yn 'anghytbwys' – a hynny oherwydd rhagfarn y golygydd 'o blaid y canu cynganeddol a'r canu cywrain, a'i anallu … i weled athrylith Pantycelyn ac Islwyn'. Rhaid casglu, ebe fe, fod y gyfrol 'yn ddiffygiol'. A'i ddedfryd derfynol ar y golygydd yw ei fod yn 'ysgolhaig manwl a chraff, ond ychydig iawn sydd ganddo o awen'.

Wele, ysgrifennodd Thomas Parry lythyr arall. Y tro hwn at ddyn a oedd yn gyd-aelod o staff Aberystwyth ac a oedd yn cydweithio ag ef yn yr Hen Goleg ac a oedd weithiau yn sipian coffi gydag ef yn yr Ystafell Gyffredin uwchben y cwad. Y mae ateb Gwenallt iddo yn tystio ei fod yn gwybod yn iawn fod ei adolygiad mewn llawer lle yn frwnt a chas, ac y mae'n cyfaddef iddo fod 'mewn penbleth' cyn ei gyhoeddi er ei fod ar yr un pryd o'r farn fod yn rhaid iddo ddwedyd y gwir fel y gwelai ef. Yr oedd yn ymwybodol fod Thomas Parry yn gyfaill iddo ac yn Brifathro arno, ond tybiai mai llwfrdra fyddai gofyn i rywun arall adolygu'r Flodeugerdd yn *Taliesin*. Cyhoeddodd yr adolygiad, ebe fe, 'gan gredu y byddech chwi yn ddigon mawrfrydig i wahanu'r cyfaill oddi wrth y detholwr, a'r Prifathro oddi wrth y beirniad llenyddol.' Yna cafodd ail lythyr o Blas Pen-glais:

> Nid mater o fod yn fawrfrydig neu beidio â bod felly yw hyn o gwbl. Ac yn sicr nid bod dyn yn beirniadu'r sawl sy'n digwydd bod yn Brifathro'i Goleg: 'does dim oll yn hynny . . . Yn erbyn tôn ac ysbryd eich sylwadau ar y llyfr y mae fy nghŵyn. Y maent yn ymosod arnaf i yn hytrach nag yn adolygiad ar y llyfr . . . Y mae cwestiwn a ofynnwyd i mi gan gyfaill yn dangos yr argraff a adawodd yr adolygiad, a dyna oedd hwnnw: 'Beth ych chi wedi'i wneud i Gwenallt?'

Meuryn (R. J. Rowlands), cyd-olygydd *Y Genhinen*, a ofynasai'r cwestiwn. 'I mi,' meddai mewn llythyr at Thomas Parry, 'mae'r holl druth yn ffiaidd o'r dechrau i'r diwedd. Mae'n amlwg mai chwilio am rywbeth i'ch brifo yr oedd . . . ac yr wyf yn sicr na chawsai'r fath druth le mewn unrhyw gylchgrawn arall, ond yn *Taliesin* ei hun, gan y gol.' Ai hen ddicter oedd wrth wraidd ymosodiad Gwenallt ar Thomas Parry? A oedd yn dal yn ddig wrtho am ffafrio Thomas Jones fel olynydd Parry-Williams yn y Gadair Gymraeg? Yn fwy cyffredinol, a oedd Gwenallt, fel rhai pobl eraill yn academia, hefyd ychydig yn eiddigeddus o flaengaredd a llwyddiant Thomas Parry? Efallai. Ar yr un pryd rhaid cydnabod bod chwaeth lenyddol y naill am y pared â chwaeth lenyddol y llall, *bod* Gwenallt yn pleidio'r modern a'r ysgrythurol a'r rhamantaidd-athronyddol, ac *mai* Thomas Parry oedd disgybl olaf John Morris-Jones.[15]

---

15 Unwaith yn unig y siaredais i â Gwenallt. Yr oedd wedi bod mor garedig â chyhoeddi

Ond ni ddaliodd Thomas Parry ddig ato ef. Yn y cyfarfod a drefnwyd i dalu teyrngedau i Gwenallt ar ei ymddeoliad o'r Adran Gymraeg yn y Coleg ym mis Mai 1966, tystiodd y Prifathro i'r argraff a wnaeth awdlau cynnar Gwenallt arno, ac yna darllenodd gywydd campus o'i waith ei hun i ddisgrifio'r argraff a wnaeth ei farddoniaeth ddiweddarach arno ac ar genedl a oedd gynt wedi meddwi ar felyster telynegaidd ei barddoniaeth siwgr:

> Ond fel brath tost daethost ti,
>
> Yn ddaearol dy ddyri.
>
> Un dwys ei wedd. Cennad siom
>
> Ac ing oes; a gwingasom.
>
> Torrodd dy brotest eirias
>
> Ar gwsg hyfryd ein byd bas:
>
> Mai ofer ein gwychder gwael,
>
> Mor ofer â'n hymrafael;
>
> Mai ofer ein gwacter gwych,
>
> A phwdr, wedi craff edrych.
>
> Mwyniannau mân yw ein maeth
>
> A'n duw yw'n marsiandïaeth.

Un gair pellach am Flodeugerdd Rhydychen. O'r beirdd a hepgorwyd ohoni, cyhoeddodd un ei siom mewn cerdd. Rhydwen Williams oedd hwnnw. Lluniodd 'Y Gerdd Sbeitlyd', ei chyhoeddi yn *Barddoniaeth Rhydwen Williams* (1964), a'i chyflwyno 'I'r Dr. Tom Parry'. Dyma hi:

> Rhoes ei fendith ar ei anwyliaid
>
> Fel person uwchben y bedd;
>
> Anfarwolion hyd eu gyddfau mewn amwisg –
>
> Clasurol, haeddiannol hedd.

---

cerdd o'm gwaith yn *Taliesin*, a phan welais ef wrth ryw stondin yn Eisteddfod y Bala yn 1967 euthum ato i ddiolch iddo. Holodd fy hynt, ac yna gofynnodd beth a wnawn am waith ar ôl imi ddod i ben â'm traethawd DPhil. 'Mi hoffwn fod yn ddarlithydd,' atebais. Ac ebr ef yn y *drawl* grafog a oedd ganddo yn lle llais: ''Dydi Prifysgol Cymru ddim yn hoffi beirdd.'

Holl gorff ein barddoniaeth barchus,
  Y blodau a'r blydi hers,
Yn gorwedd yn y fynwent honno –
  The Oxford Book of Welsh Verse.

V. SIOMEDIGAETH PRIFATHRAWIAETH BANGOR

'Da gennyf eich bod yn dygymod [â'r] lle yna hyd yn hyn,' ebe Jane Parry mewn llythyr o Garmel yn fuan ar ôl i'w mab a'i merch-yng-nghyfraith symud i Aberystwyth. Do, fe wnaethant: yr oedd yn natur y ddau ohonynt ddawn dda i gyfeillachu ac ymhyfrydu yn y gymdeithas y trigent ynddi; ond prin iddynt fwrw gwreiddiau yno cyn 1957, yn bennaf am fod esgyll ei uchelgais ef yn ysu am ehedeg yn ôl i Fangor. Yn nhrefn naturiol pethau, dylsai Syr Emrys Evans – urddwyd ef yn farchog yn 1952 – fod wedi ymddeol o Brifathrawiaeth y Coleg yn 1956, ond gofynnodd y Cyngor iddo barhau yn ei swydd tan 1958 ac ymddeol yn saith a thrigain. Fel y nodwyd o'r blaen, dyn braidd yn bell oedd Syr Emrys – *remote* yw'r ansoddair a ddefnyddiodd G. B. Owen, y Dirprwy-Gofrestrydd, amdano – ond yr oedd Thomas Parry ac yntau'n gyfeillion glew: parchent waith ei gilydd, parchent safiad y naill a'r llall mewn argyfwng, a pharchent ffyddlondeb ei gilydd i'w scfydliadau, y Coleg ar y Bryn yn enwedig. '[D. Emrys Evans is] a real friend and a man I can implicitly trust,' ebe Thomas Parry wrth J. S. Fulton yn 1954. Wrth gynnig llwncdestun iddo mewn cinio i Hen Fangoriaid yn Aberystwyth ym mis Mai 1957, yn y dull hwnnw a'i galluogai i ddweud gwirionedd oer mewn ffordd gynnes, dywedodd Thomas Parry nad oedd unrhyw gweryl mewn sefydliad o ddim gwerth oni ellid cynnwys y pennaeth yn rhan ohono, 'and everybody knew that Sir Emrys would never allow himself to be quarrelled with'. Ond cyn pen pedwar mis yr oedd wedi cweryla ag ef, a hynny oblegid yr hyn a ddigwyddodd wrth ddewis olynydd iddo. Er bod doethineb cyffredin – *common prudence* yw ymadrodd J. Gwynn Williams yn ei gyfrol ar hanes Prifysgol Cymru – yn mynnu na ddylai Prifathro sy'n ymddeol gymryd rhan yn y gwaith o ddewis ei olynydd, dyna ran Syr Harry Reichel yn 1927 a rhan Syr Emrys Evans yn 1957. Gan iddo ddweud wrth ei gyfaill iau am fynd i'r Llyfrgell am rai blynyddoedd a dychwelyd i Fangor yn ei le, diau yr ystyriai Thomas Parry ei fod yn noddwr iddo ar y Pwyllgor Penodi, ac o'r herwydd siawns na theimlai fod ganddo gyfle gwych i gael ei benodi. Y mae prawf eu bod wedi cadw mewn cysylltiad go agos o leiaf drwy rannau cychwynnol y broses ddethol.

Ddechrau Chwefror 1957, dair blynedd a hanner ar ôl iddo fynd i Aberystwyth yn Llyfrgellydd, derbyniodd Thomas Parry lythyr oddi wrth Lywydd Coleg Bangor, yr Arglwydd Kenyon o Gredington, yn gofyn iddo a oedd ganddo ddiddordeb mewn dod i gyfarfod anffurfiol gyda Phwyllgor Penodi'r Prifathro yn Llundain ddiwedd y mis. Oes, meddai, y mae cael gwahoddiad o'r fath yn anrhydedd. Yna dywedodd:

I take it that the meeting will be, as you suggest, an informal one, and not in the nature of an interview . . . I am sure you will not misunderstand me when I say that, out of deference to the institution which I now serve, I cannot allow my name to go forward along with others.

Gyda'r un post anfonodd air at Syr Emrys yn nodi'r hyn a ddywedodd yn ei lythyr at Kenyon, gan ychwanegu:

Yr wyf yn mawr obeithio na fydd i chwi na'r un aelod o'r Pwyllgor dybio fod gennyf syniad afresymol am fy mhwysigrwydd fy hun na'm bod eisoes yn rhoi'r ddeddf i lawr na dim byd felly. Yr wyf yn siŵr y cytunwch fod yr hyn a ddywedais yn rhesymol.

Tybed? Rhwng y 3ydd o Chwefror a'r 10fed ysgrifennodd y ddau at ei gilydd bedair o weithiau – arwydd o nerfau, efallai.

Am ddeg o'r gloch fore dydd Iau yr 28ain o Chwefror y bu'r cyfarfod rhwng y Dr Parry a'r Pwyllgor Penodi, yn Senedd-dy Prifysgol Llundain. Arno, yn ogystal â'r Arglwydd Kenyon a Syr Emrys, eisteddai Lady Artemus Jones (Mildred Mary, Cymraes ddi-Gymraeg o Landaf yn wreiddiol, gweddw Syr Thomas Artemus Jones, CF, a fuasai'n Farnwr y Llysoedd Sirol yng ngogledd Cymru yn ystod ei flynyddoedd olaf ar y fainc); Syr Wynn Wheldon, DSO, KBE, cyn-Gofrestrydd y Coleg (fel y dywedwyd o'r blaen), aelod o Lys y Llyfrgell Genedlaethol ymhlith nifer o bwyllgorau eraill yng Nghymru a Llundain, cyn-was sifil tra phwerus ei ddylanwad; W. E. Jones, Trysorydd y Coleg; yr Athro F. W. Rogers Brambell, Pennaeth yr Adran Swoleg ym Mangor er 1930, a gynrychiolai Senedd y Coleg ar y Pwyllgor; a'r Prifathro Anthony Steel, Caerdydd, a gynrychiolai Gyngor Prifysgol Cymru. Nid oes sill o gofnod o'r ymddiddan a fu yn y cyfarfod hwnnw. Y cyfan a wyddys yw bod y Pwyllgor yn ei dro wedi gwahodd pedwar o bobl eraill i ymdrafod gydag ef – yr Athro Idris Foster, Rhydychen, dau a oedd yn Athrawon ym Mangor, D. W. T. Jenkins (Addysg) a Glyn Roberts (Hanes Cymru, yntau fel T. P. yn gyn-fyfyriwr ac yn gyn-Gofrestrydd), a Charles Evans, cofrestrydd llawfeddygol yn Lerpwl ac un o'r garfan a goncweriodd Fynydd Eferest ym mlwyddyn y coroniad, 1953, dringwr arwrol na chyflawnodd yr un gamp academaidd anghyffredin erioed, Cymro prin ddeugain oed o Sir Ddinbych yr oedd mam ei dad yn ferch i'r Dr Lewis Edwards. Yn yr Eisteddfod Genedlaethol a gynhaliwyd yn Aberdâr yn 1956 yr oedd yn un o Lywyddion y Dydd, a derbyniwyd ef i'r Orsedd yno: geiriau Dyfnallt yr Archdderwydd wrth ei groesawu at y Maen Llog oedd 'Dring i fyny yma'.

Aeth mis Mawrth heibio, ac Ebrill a Mai a hanner Mehefin, ac nid oes dim ym Mhapurau Thomas ac Enid Parry yn tystio iddo dderbyn yn ystod y misoedd hynny nac o Gredington nac o Fangor yr un gair ynghylch hynt y Brifathrawiaeth. Ond dichon bod rhywbeth yn yr ether yn awgrymu nad oedd pethau'n mynd o'i blaid, neu rywbeth a ddaeth i'w glyw drwy Syr Emrys neu drwy ryw ffordd arall, achos wedi hir ddisgwyl, wedi alaru hir ddisgwyl, yr 22ain o Fehefin ysgrifennodd at Kenneth Lawrence, y Cofrestrydd, i ddweud na fynnai bellach gael ei ystyried am y swydd. Rhaid bod y llythyr yn cynnwys mwy na datganiad moel i'r perwyl hwnnw, oblegid mewn nodyn o ateb yn ei law ei hun y mae Lawrence yn dweud y byddai'n 'quite wrong of me to comment on your letter'.

Mewn cynulliad arbennig o Gyngor y Coleg y 7fed o Awst cyhoeddwyd mai penderfyniad unfryd unfarn y Pwyllgor oedd ei fod yn argymell penodi Charles Evans i'r swydd – penodiad trychinebus ymhob rhyw fodd, fel y cytuna pawb a ŵyr unrhyw beth am hanes Coleg Bangor rhwng 1958 ac 1984. Nid oedd ganddo ddim profiad o academwaith y tu allan i'w faes cyfyngedig mewn meddygaeth, dim profiad gweinyddol, nac ychwaith glem ynghylch anghenion prifysgolion na gwleidyddiaeth addysg uwch.[16] Pob parch i Idris Foster a D. W. T. Jenkins a Glyn Roberts, nid oeddynt o ran nerth personoliaeth a chyflawniadau ysgolheigaidd yn yr un cae â Thomas Parry, ond yr oedd y tri yn ymgeiswyr llawer mwy teilwng na'r mynyddwr. A Thomas Parry, heb os, oedd ffefryn pawb a ddiddorai yn y swydd. Ond a oedd rhai o aelodau'r Pwyllgor yn credu ei fod o'r dechrau yn bwrw'i gylchau, yn ymddwyn yn rhy debyg i'r gwir etifedd? Y mae rhai ar bwyllgor penodi sydd eisiau dweud yn eglur, '*Ni* biau'r grym'. Y gŵr plaen ei dafod ag

---

16   Wrth gwrs, nid ei fai ef oedd iddo gael ei benodi. Er, fel y dywed David Roberts yn ei lyfr ar hanes y Coleg, y mae'n anodd deall beth yn union a barodd i'r gŵr 'hynaws' hwn (R. T. Jenkins biau'r ansoddair) adael y maes meddygol a mynd yn Brifathro ar Goleg Prifysgol heb wybod dim am y swydd. I fod yn deg ag ef, y mae'n iawn nodi i'w iechyd ddirywio'n fuan ar ôl iddo gyrraedd Bangor; ac yr oedd si ar led cynt fod bysedd ei ddwylo wedi'u handwyo i'r fath raddau gan rew a rhewynt y mynyddoedd fel na allai ymarfer llawfeddygaeth. Wrth gyferbynu'i agwedd at y staff gydag agwedd ei ragflaenydd, dywed R. T. Jenkins mewn llythyr at T. P. mai 'chwith yw cofio fel y byddai Emrys yn troi i mewn mor aml i'r S. R. C. [= Ystafell Gyffredin y Staff] am baned a sgwrs (frysiog, wrth raid).' Yna ychwanega: 'Dydi'r dyn [sef Charles Evans] ddim yn iach, chware teg; y mae'n baglu wrth gerdded, ac ni chredaf lai na bod ei anturiaethau wedi amharu rhyw gymaint arno. Ken Lawrence yw'r Prifathro, ac y mae'n ochneidio.'

ydoedd, a ddywedodd Thomas Parry ei bod yn bwysig penodi rhywun a adwaenai Fangor i'r blewyn, rhywun a chanddo record academaidd ardderchog, rhywun a chanddo brofiad o redeg sefydliad o faintioli? A oedd ei blaendra yn anathema i Lady Artemus? A oedd ei safiad fel heddychwr adeg yr Ail Ryfel Byd yn anathema i Syr Wynn Wheldon? A oedd ei weriniaeth bendefigaidd, ei Gymreictod hyderus, a'i ysgolheictod Cymraeg yn anathemâu i bawb oddigerth i Syr Emrys?

Cyhoeddwyd enw'r Prifathro newydd ganol wythnos yr Eisteddfod Genedlaethol, a gynhelid y flwyddyn honno yn Llangefni: fe'i cyhoeddwyd pan oedd goreugwyr y gymdeithas ddiwylliadol Gymraeg yn gryno ar yr un maes. Y mae'n gof gan J. Gwynn Williams fod Huw Morris-Jones, darlithydd mewn athroniaeth yn y Coleg, eisiau cynnull cyfarfod protest yn erbyn y penodiad yn y fan a'r lle. Nis cafwyd, ond yr oedd y papurau Cymraeg yn rhyfeddu ato, ac yr oedd pobl yn gyffredinol yn 'crechwen a chellwair' ar ei gorn. Thomas Parry sy'n dweud hynny, mewn llythyr a ysgrifennodd at Syr Emrys wythnos yn ddiweddarach pan oedd ei waed efallai yn llai berwedig. Y mae'n agor y llythyr hwnnw drwy ddweud nad am 'fy mod wedi fy siomi am na phenodwyd fi . . . yr wyf yn ysgrifennu'. Y mae'n anodd iawn coelio nad oedd wedi ei siomi. Yn wir, yn niwedd y llythyr y mae'n cyfaddef mai ei amcan 'oedd cael peth o'r siom oddi ar fy stumog'. Ond yr oedd ganddo reswm arall yn ogystal dros anfon llythyr at Syr Emrys, sef ei fod wedi ei siomi'n fawr 'ddarfod penodi'r gŵr a wnaed'. Y mae'n gwneud tri phwynt:

> Y peth sy'n taro dyn yn gyntaf . . . yw fod y Prifathro newydd yn gwbl ddibrofiad o waith a phroblemau Prifysgol o unrhyw fath, a Phrifysgol Cymru yn arbennig. Y mae'r Brifysgol yn cychwyn ar y pum mlynedd mwyaf astrus ac anodd yn ei holl hanes (ac eithrio blynyddoedd cynnar Coleg Aberystwyth efallai), a byddai'n fantais amhrisiadwy i Brifathro wybod, ar sail blynyddoedd o brofiad, beth sydd o'i flaen.

Yn ail, ac y mae'n siŵr bod blaenoriaid Bangor wedi sôn am anturiaeth y penodiad:

> Y mae'n debyg fod y Pwyllgor yn barod i gyfaddef mai mentr (ag ynddi elfen o gambl) yw'r penodiad, a diamau gennyf y gwelir ef gan rai aelodau fel 'imaginative appointment'. Ond dyna'r union ansoddair a ddefnyddiodd Thomas Jones [Thomas Jones, CH] am benodiad Goronwy Rees [yn Aberystwyth yn 1953] . . . Nid oes gan na Phwyllgor na Chyngor hawl i fentro, heb sôn am gamblo, ynglŷn â swydd mor gyfrifol.

Yn drydydd ac yn olaf:

> Nid oes dim pwys na phris wedi ei roi ar na phrofiad addysgol nac ysgolheictod. Ni allaf feddwl am unrhyw broffesiwn na galwedigaeth, heblaw bod yn bennaeth Coleg yng Nghymru, lle nad oes gofyn am unrhyw gymhwyster yn hanfodion y gwaith . . . Ym Mangor y tro hwn, a dweud y caswir yn ddistaw, fe benodwyd gŵr a wrthodwyd fel 'Junior Lecturer' gan Brifysgol Lerpwl fis yn ôl . . . Fe benodwyd Dr. Evans i Fangor ar bwys ei enwogrwydd fel dringwr mynyddoedd, a'r awgrym yw ei fod ef yn rhoi urddas ar y swydd, yn lle, fel y dylai fod, y swydd yn rhoi urddas arno ef.

Ateb gwleidydd neu ddiplomat wedi'i gornelu oedd ateb Syr Emrys. Mynnai na allai ateb llythyr Thomas Parry yn fanwl heb ddatgelu cyfrinachau'r Pwyllgor Penodi, ond gallai ddweud bod y Pwyllgor 'wedi chwilio'n ddyfal am bawb y barnem y dylid ei ystyried', ac yn wyneb grym condemniad ei gyfaill mynnai nodi 'fod nifer o'n cyfeillion academig . . . wedi mynegi eu cymeradwyaeth' o benodiad y Dr Evans.

Os hanesydd mawr ein llên a golygydd mawr Dafydd ap Gwilym a phennaeth un o'n sefydliadau mawr oedd dewis-ddyn Syr Emrys ar y dechrau, y mae'n amlwg iddo fethu'n lân â chael ei faen i'r wal bwyllgorol a godwyd yn ei erbyn gan Syr Wynn Wheldon a Lady Artemus Jones. Enwaf y rheini am fy mod o'r farn na fyddai Anthony Steel ddim yn pwyso'n rhy gryf o blaid neb – ar bwyllgor, tuedd aelod allanol doeth yw gwrando ar farn y pwyllgorwyr mewnol a'i dilyn – na W. E. Jones, dyn yr arian. Ni wn ym mhle y safai Rogers Brambell. Yr wyf yn berffaith sicr bod Thomas Parry ei hun yn credu mai'r militarydd Wheldon oedd ei wrthwynebydd pennaf, a'i fod wedi dweud hynny dro ar ôl tro wrth drafod hynt a helynt Prifathrawiaeth Bangor gyda'i gyfeillion agosaf, a fuasai wedi damnio a diawlio'i hochr hi o ganol Awst tan y Nadolig o leiaf. Fis Mawrth y flwyddyn ganlynol penodwyd Thomas Parry yn Brifathro Coleg Aberystwyth. Wythnos dda cyn y cyhoeddiad swyddogol yno anfonodd bwt o air i roi'r newyddion da i'w gyfaill John Gwilym Jones. 'Hwrê,' meddai hwnnw yn ei lythyr ateb. 'Hwrê. Maen nhw'n deud fod Wynn Wheldon yn wael. Gobeithio'i fod yn ddigon da (a'i debyg!) i deimlo bawd Wmffra yn ei le traddodiadol.' Er deithred yr ymadrodd 'bawd Wmffra yn ei le traddodiadol' gwn beth yw ei ystyr, a gallaf glywed yn awr Thomas Parry yn chwerthin yn harti wrth iddo'i rannu gydag Enid yn Hengwrt.

PENNOD 6

Y Prifathro Parry

I. Y PENODIAD YN ABERYSTWYTH

OS PENODWYD gŵr anghymwys ym Mangor yn 1957, y farn gyffredinol oedd fod gŵr anghymwys wedi'i benodi yn Aberystwyth bedair blynedd ynghynt. Goronwy Rees oedd hwnnw, mab y Parchedig R. J. Rees a fuasai'n weinidog ar eglwys fawr y Tabernacl yn y dref am flynyddoedd cyn symud i Gaerdydd. Ar ôl ennill gradd anrhydedd yn y Dosbarth Cyntaf yn Rhydychen, enillodd Goronwy Rees Gymrodoriaeth yng Ngholeg yr Holl Eneidiau, camp nid bechan, a daeth yn gymharol amlwg yn y cylchoedd llenyddol Saesneg fel newyddiadurwr ac awdur nofelau. Yn ystod yr Ail Ryfel Byd enillodd fri fel milwr ar y Cyfandir ac yna fel hyfforddwr yn yr Intelligence Centre a gafodd gartref yng Ngholeg y Drindod, Caergrawnt. Gŵr gweddol flaengar, felly, soffistigedig, cosmopolitan ei brofiadau a'i ddiddordebau; ond cynnyrch aelwyd Fethodistaidd Gymreig. Gallai'r moesolwr yn deg ddweud mai mab *afradlon* y mans ydoedd. 'That seductive semi-cad' oedd un o ddisgrifiadau'r nofelydd Rosamond Lehmann ohono, un o nifer o wragedd llên hŷn nag ef y bu'r Goronwy Rees ifanc hardd yn garwr iddynt. Dywedodd un arall, y nofelydd Elizabeth Bowen, ei fod yn meddu ar 'a proletarian, animal, quick grace'. Yn Llundain ac Iwerddon, yn Ffrainc ac yn yr Almaen, fel madfall symudliw, gallai Goronwy Rees ymaddasu i ba gwmni bynnag yr ymunai ag ef. Yn Aberystwyth, gyda'i dafod arian a'i hosanau gwynion, ei eangfrydedd a'i ffraethineb, daethai'n boblogaidd iawn iawn gyda'r myfyrwyr mewn dim o dro – megis y daeth yn boblogaidd gyda rhai o'r bobl a'i penododd, Thomas Jones CH yn bennaf yn eu plith.

Yn 1954 ymddeolodd Thomas Jones o Lywyddiaeth y Coleg, a chodwyd yn Llywydd yn ei le un arall o'i gyn-fyfyrwyr ac un arall a fu'n ymgeisydd aflwyddiannus am ei Brifathrawiaeth yn y gorffennol, sef Syr David Hughes Parry, y dyn unplyg o Lŷn a fu ar y tudalennau hyn o'r blaen, cyn-Is-Ganghellor Prifysgol Llundain, Cadeirydd Coleg y Presbyteriaid yn y Bala, pwyllgorddyn tra phrofiadol, tra awdurdodol yn ogystal, a rannai ei amser rhwng ei gartref yn New Malden, Surrey, a chartref cysefin ei wraig yn Llanuwchllyn. Ymhen deunaw mis yr oedd y Prifathro newydd a'r Llywydd newydd benben â'i gilydd, ac nid yn unig am fod y naill yn gafalîr a'r llall yn biwritan. Yn Chwefror a Mawrth 1956 cyhoeddodd papur dydd Sul *The People* bum erthygl ddienw yn disgrifio yn y modd mwyaf cethin y math o ddyn llwgr meddw oedd Guy Burgess, yr ysbïwr o Sais a ddiflanasai yn 1951 ac a oedd wedi ymddangos yn gyhoeddus ym Mosgo am y tro cyntaf rai wythnosau ynghynt. Yr oedd yr erthyglau yn amlwg yn waith dyn a adwaenai Burgess yn dda: yn wir, un o'u nodweddion oedd bod eu hawdur yn ymfalchïo yn y cyfeillgarwch a fu rhyngddo a Burgess hyd at ei ddiflaniad sydyn. Y 27ain o Fawrth cyhoeddodd *The Daily Telegraph* mai Goronwy Rees oedd yr awdur hwnnw.

Achosodd y dadleniad hwn ofid dwfn i aelodau'r Coleg ger y Lli. Ac i eraill. 'O'r trybini yn Aberystwyth!' ebe Syr Emrys Evans mewn nodyn at Thomas Parry, yr 22ain o Ebrill 1956. 'Gwelaf fod Philip Toynbee yn yr *Observer* heddiw yn disgrifio Dylan Thomas fel "socially catastrophic". Rhywbeth felly sy'n wir am Goronwy druan.' Nid oedd yn gymaint o *Goronwy druan* ym meddwl Hughes Parry, a dybiai y gallai setlo'r mater ar ei ben ei hun drwy gael gwared arno. Cyn pen dim yr oedd wedi gwysio'r Prifathro i gwrdd ag ef mewn gwesty yn Nhal-y-llyn, Sir Feirionnydd, y 10fed o Ebrill, ac yn ei feddwl ei hun yr oedd yn y fan honno wedi'i berswadio i ysgrifennu llythyr o ymddiswyddiad. Ond yn y llythyr a dderbyniodd ddeuddydd yn ddiweddarach gwadu iddo roi addewid yr ymddiswyddai a wnaeth y Prifathro a dweud ei fod am barhau yn y swydd. Ys dywedodd Thomas Parry flynyddoedd yn ddiweddarach wrth Syr Douglas Logan, pennaeth Sefydliad Uwchefrydiau'r Gyfraith yn Llundain a oedd yn paratoi marwgraffiad i Hughes Parry, petai wedi mynd â swyddog arall o'r Coleg gydag ef i Dal-y-llyn buasai ganddo dyst o'r cytundeb llafar a fu rhyngddo a Rees, a buasai wedi arbed trafferth iddo'i hun – yn bennaf, y trafferth blin o sefydlu pwyllgor arbennig i gasglu tystiolaeth ac i baratoi adroddiad ar yr holl helynt. Pwyllgor o dan gadeiryddiaeth y Gwir Anrhydeddus Henry Willink, Meistr Coleg Madlen, Caergrawnt, oedd hwnnw. Ei adroddiad ef yn y diwedd a roddodd y farwol i Brifathrawiaeth fyrhoedlog Goronwy Rees.

Er pan gyrhaeddodd Aberystwyth yn 1953 buasai Thomas Parry yn aelod gweithgar o'r Coleg ger y Lli. Cafodd ei ethol yn aelod anrhydeddus o Ystafell Gyffredin y Staff yn union syth ar ôl iddo ddod i'r Llyfrgell – 'I almost felt as if I had been given an honorary degree' – ac yna yn aelod o Gyngor y Coleg, a thrwy hynny'n aelod o'i Bwyllgor Cyllid a Phwyllgor ei Lyfrgell a Phwyllgor ei Adran Efrydiau Allanol. Yr oedd ef a David Hughes Parry yn llawiau o ryw fath ers blynyddoedd, yn rhannol drwy'u gwaith gyda Chyngor yr Eisteddfod Genedlaethol, yn rhannol am eu bod ill dau yn rhan o'r sefydliad Cymreig. Y mae ym Mhapurau'r Parrïaid gopïau o'r ohebiaeth a fu rhwng David Hughes Parry a Goronwy Rees wedi'r cyfarfyddiad cyfrin yn Nhal-y-llyn, ond bellach ni ellir dweud a ddanfonwyd hwy at Thomas Parry yn ystod yr helynt ai'n ddiweddarach, ac ni ellir dweud chwaith ai Hughes Parry ei hun a'u hanfonodd. O blaid credu iddynt gael eu hanfon ato'n fuan y mae'r ffaith fod Thomas Parry, y piwritan ag ydoedd yntau, wedi gwneud yn amlwg ei fod eisiau cael gwared â'r Prifathro, a bod y Llywydd yn dymuno'i ddefnyddio i ddylanwadu ar Gymry eraill ar Gyngor y Coleg nad oeddent mor sicr fod cyfiawnder o'u plaid. Y Parchedig Gwilym O. Williams, er enghraifft, Warden Coleg Llanymddyfri. Y 23ain o Orffennaf 1956 ysgrifennodd ef at Hughes Parry i gollfarnu pwy bynnag yn Aberystwyth a oedd wedi gollwng rhai o gyfrinachau pwyllgorau'r Coleg i'r wasg; i fynegi ei ddychryn bod gŵr o safle a phrofiad y Prifathro wedi cyhoeddi ysgrifau mor ffôl mewn papur mor salw; ond i ddweud hefyd na wyddai 'am unrhyw drosedd a gyflawnodd a roddai le i'r Cyngor ei droi o'i swydd'. Ni allai Hughes Parry ddygymod â'r gwlaneneidd-dra hwn, er cywired ydoedd mewn un modd, a'r diwrnod y derbyniodd lythyr y Warden ysgrifennodd at Thomas Parry i ofyn: 'Ydech chi yn ei adnabod yn o lew i ddofi tipyn arno?'

Pan ymddangosodd Thomas Parry gerbron Pwyllgor Willink dywedodd ei fod yn tystio fel un a chanddo gysylltiad agos â'r Coleg er pan ddaethai i Aberystwyth dair blynedd ynghynt, a fu am saith mlynedd ar hugain yn dysgu yng ngholegau'r Brifysgol, ac a oedd yn 'naturiol yn eiddig dros enw da'r Brifysgol a bri ei swyddogion'. Yr oedd wedi cymryd ato'n arw, meddai, pan ddaeth yn wybyddus mai Goronwy Rees oedd awdur yr erthyglau yn *The People*. Yr oedd i hwnnw ddatgan bod meddwyn a dyn caeth i gyffuriau a gŵr rhywiol-wyrdroëdig fel Burgess yn gyfaill agos iddo yn wirioneddol drasig. 'Y casgliad y deuthum iddo,' meddai, 'oedd na feddai'r awdur ddim synnwyr o'i gyfrifoldeb fel Prifathro nac amgyffrediad o urddas ei swydd.' Gan nad oedd yr erthyglau yn bwrw goleuni o fath yn y byd ar amgylchiadau myned o Guy Burgess i Fosgo, 'they merely pandered to the love of the sordid' a nodweddai fath arbennig o bapur newydd a'i ddarllenwyr. Mwy, yr oedd ymddygiad y Prifathro wedi'r cyhoeddiad ac wedi'r cyfarfyddiad gyda'r Llywydd yn Nhal-y-llyn mor warthus fel bod sefyllfa'r Llywydd bron yn annioddefol. Gorffennodd ei dystiolaeth drwy ddweud nad oedd mewn sefyllfa i farnu'r modd y cynhaliai Goronwy Rees ei waith beunyddiol. Er, barnu a wnaeth, a nodi bod y Prifathro'n deall gwaith pob pwyllgor a gadeiriai 'er mai anaml y rhoddai ar weiniad'. At hynny, meddai, anaml iawn y gwelid ef mewn darlith gyhoeddus neu gyngerdd neu ddrama: 'this may or may not signify a lack of interest in the general activities of the College.'

Wele, drwy ymyrraeth Thomas Parry ac eraill, yr oedd achos *The People* yn troi'n achos mwy cyffredinol. Yr oedd i raddau yn troi'n

259

feirniadaeth ar y ffaith nad Goronwy Rees oedd y dyn iawn i arwain Coleg Aberystwyth. Ym Mis Bach 1957 y cynigiodd ei ymddiswyddiad, ac wrth gwrs fe'i derbyniwyd. Am yr eilwaith mewn pum mlynedd yr oedd Aberystwyth heb gapten wrth y llyw. Dyma godi Pwyllgor Penodi o'r newydd, dyma hysbysebu'r swydd unwaith yn rhagor, a dyma'r misoedd yn llusgo heb i fawr ddim byd ddigwydd. Ddiwedd Tachwedd, ysgrifennodd Alwyn D. Rees, Cyfarwyddwr Adran Efrydiau Allanol y Coleg, at y Llywydd – ond at y Pwyllgor Penodi mewn gwirionedd – i erfyn arno ystyried penodi Thomas Parry. Y mae ganddo, ebe'r llythyrwr, gymwysterau deublyg: bu'n Athro ac yn weinyddwr mewn coleg yng Nghymru, ac yn awr y mae'n bennaeth sefydliad cenedlaethol arall nad yw'n rhan o Brifysgol Cymru. 'He is one of us, but he comes to us from outside after gaining further experience and distinction.' Y mae'r ffaith ei fod yn y safle y mae ynddo yn fodd i ddirymu'r gred mai'r unig ffordd i gyrraedd Prifathrawiaeth yng Nghymru yw *via* prifysgol yn Lloegr. Y Cymro Cymraeg dilychwyn ag ydyw, byddai ei benodi yn lles i'n hunan-barch, ebe Alwyn D. Rees ymhellach. At hyn eto:

> It is a tribute to him that a great many of his former colleagues in Bangor were deeply disappointed that he was not appointed there. Our need for such a man is greater than Bangor's, and it is providential that he is still at our doorstep.

Yn ffwr-bwt, fel i rywun ar garreg y drws, y gofynnodd David Hughes Parry i Thomas Parry a gymerai'r swydd. Y 10fed o Chwefror 1958 o New Malden ysgrifennodd yn ei law ei hun lythyr byr byr ato yn dweud y byddai'n derbyn y Fedal yr oedd Anrhydeddus Gymdeithas y Cymmrodorion yn dymuno'i chyflwyno iddo (un o anrhydeddau mawr y bywyd Cymreig), ac yn cyfeirio at 'fusnes prynu llyfrau' un o weddwon Cymry Llundain (i'r Llyfrgell Genedlaethol, debyg). Yna mewn ôl-nodyn di-ffril gyda beiro rad ysgrifennodd Syr David y geiriau 'Cyfrinachol iawn' a gofynnodd y cwestiwn tyngedfennol hwn: 'Un peth arall rhyngoch chwi a minnau yn unig: "Os y cynigir Prifathrawiaeth

Aber. i chwi, a wnewch chwi ei derbyn hi?"' Rhaid mai 'Gwnaf' oedd yr ateb, oblegid ddiwrnod ola'r mis wele lythyr arall o Surrey yn diolch 'am eich ateb cadarnhaol i gwestiwn arbennig', llythyr sy'n mynd rhagddo i adrodd bod y Pwyllgor Penodi a gyfarfu unwaith yn rhagor y diwrnod blaenorol yn y diwedd wedi penderfynu 'yn unfrydol' wahodd Thomas Parry am sgwrs am hanner awr wedi pump nos Fawrth yr 11eg o Fawrth yn 25 Russell Square, WC1:

> Mae'n ddealledig –
>
> (1) na fydd y Pwyllgor yn gweld neb arall,
>
> (2) os bydd yr un unfrydedd ar ddiwedd y sgwrs ag a gaed brynhawn ddoe, y byddwn yn argymell Cyngor arbennig (i'w alw yn fuan) i gynnig y swydd i chwi, a
>
> (3) nad oes neb i wybod am hyn o gwbl – hyd yn hyn fe gadwyd y gyfrinach yn hyfryd.

Cafwyd unfrydedd, ac ar yr 21ain o Fawrth 1958 cymeradwyodd Cyngor y Coleg benodi Thomas Parry yn Brifathro, ar gyflog o £3,500 y flwyddyn a £500 yn ychwaneg fel lwfans i groesawu gwesteion i Blas Pen-glais ac at gostau rhedeg car modur. Yr wyf yn nodi swm ei gyflog am iddo ef flynyddoedd lawer ynghynt gymharu ei gyflog fel darlithydd cynorthwyol gyda chyflog ei dad fel chwarelwr. Mwya'r trueni, bu farw Jane Parry, ei fam, yn bedwar ugain mlwydd oed ychydig wythnosau cyn iddo gael ei ddyrchafu i'r Brifathrawiaeth.

Pan dystiodd gerbron Henry Willink dywedodd Thomas Parry 'wrth fynd heibio' fod y Cymry erioed wedi cymryd diddordeb bywiol yn y colegau a'u bod yn ystyried eu penaethiaid fel ffigyrau cenedlaethol, rhywbeth nas ccid yn Lloegr. Gwir y gair. Yn y *Wrexham Leader*, a oedd yn perthyn i'r *Cymro*, cyhoeddwyd mai'r penodiad yn Aberystwyth oedd y 'newydd gorau a gafwyd yng Nghymru ers dyddiau lawer'. 'I am simply delighted,' ebe'r Barnwr John Morris (Borth-y-gest) wrtho, 'you will have a large mail.' Cafodd lythyron o bell ac agos, gan Anna ferch y diweddar Ifor L. Evans, gan Bachellery o Baris, gan Bleddyn a

Miriam Jones Roberts a oedd yn gweithio am ychydig yn Jerwsalem, gan gymdogion gynt ym Mangor Uchaf, gan nifer mawr o'i gyn-efrydwyr, a chan lawer na wyddai pwy oeddynt. Yn y llythyr yn cyfeirio at '[f]awd Wmffra yn ei le traddodiadol' (gweler diwedd Pennod 5) y cyfan a ddywedodd John Gwilym Jones wrtho oedd ei fod yn falch drosto ef ac Enid: 'Ac yn ddistaw bach o'm rhan fy hun. Mae gwres ail-law yn beth digon cynnes a braf!' Ebe Ifor Williams: 'Yn y Brifysgol y mae dy le . . . Gwnest les i'r Llyfrgell, a Chymreigio ei hysbryd; ond bydd gwell cyfle yn y lle newydd.' Ebe Tegla: 'Dyna Aberystwyth wedi dyfod i'w synhwyrau o'r diwedd.' Ebe Meuryn: 'Dyma benodiad sy'n gosod anrhydedd newydd ar y swydd.' Ebe Annie Ffoulkes: 'Fe fydd yr hen goleg yn codi ei ben yn uchel eto fel yn y dyddiau gynt.' Ebe R. T. Jenkins, nad da ganddo dref Aberystwyth er ei lencyndod: 'Wel, gwregyswch eich lwynau, hen gyfaill, i ymladd yn Effesus! A diolch eich bod, fel y digwydd, yn ymladdwr go gadarn.' Ebe Saunders Lewis, yn nodweddiadol: 'Yr ydych yn gadael swydd go esmwyth am un fydd yn llai esmwyth ac yr wyf yn edmygu hynny.' Ac ebe'i gyd-efrydydd y Parchedig Meirion Roberts, a oedd yn awr yn weinidog yng Nghaeredin, mewn soned:

> Fe gawsom brifathrawon mawr eu dysg
> A ddaethant dros Glawdd Offa; a thros war
> Eferest iasoer y daeth un i'n mysg,
> Heriwr pinaclau'r rhew: ond oddiar
> Glogwyni dysg a gwych begynau'r gân
> Y daethost ti i'th etifeddiaeth lân.

Cyfarchion cyfeillion edmygus oedd y cyfarchion hyn, cyfarchion Cymry a farnai fod Coleg Aberystwyth wedi sicrhau gwasanaeth Prifathro cymwys iddo. Arall oedd barn y lled-Gymry Llundeinig a hoffai feddwl amdanynt eu hunain fel dinasyddion ehangfryd yr Ymerodraeth Brydeinig, ac a ystyrient ddiswyddiad Goronwy Rees fel buddugoliaeth arall i fân Hitleriaid yr henwlad. O Swiss Cottage yn Llundain, lle cynhyrchai ei gylchgrawn *Wales*, gweld Thomas Parry fel un o'r 'gang of bigots and nepotists' hynny a wnaeth Keidrych Rhys, fel un o'r dynion mewnblyg cul eu meddwl a oedd wedi rheoli'r cylchoedd diwylliadol yng Nghymru ers cyhyd. Onid oedd wedi mynd mor bell â chyfaddef wrth *The Observer* ei fod yn genedlatholwr?

II. PROBLEMAU PRIFYSGOL

Ymhlith y cannoedd o lythyron a gafodd yn 1958 daeth un o 10 Downing Street yn dweud wrtho fod y Prif Weinidog yn dymuno anfon ei enw ymlaen i Balas Buckingham er mwyn i'r Frenhines gael ystyried ei anrhydeddu â'r OBE. A'r ateb? 'I do not wish to be considered for appointment to any grade in the overcrowded Order of the British Empire.' Dychwelyd i fywyd coleg oedd yn mynd â'i fryd, dychwelyd i fywyd coleg 'ar adeg mor gynhyrfus', chwedl Enid Parry ar y rhaglen radio *Dylanwadau* yn 1992, sef 'pan oedd y colegau i gyd yn ehangu'. Dyna bolisi llywodraeth y dydd – estyn ffiniau dysg, datblygu gwyddorau newydd, a chymell llawer mwy o bobl ifainc i fanteisio ar addysg brifysgolaidd, yn bennaf er mwyn galluogi Prydain i gystadlu'n well yn y byd. O ddiwedd y pumdegau ymlaen, ac yn enwedig o ddechrau'r chwedegau ymlaen, sef pan gafwyd Adroddiad Robbins ar Addysg Uwch, yr oedd mwy o arian nag erioed o'r blaen yn cael ei gyfeirio drwy Gomisiwn Grantiau'r Prifysgolion i dalu am godi labordai a darlithfeydd newydd, neuaddau preswyl a neuaddau chwaraeon newydd, ac, mewn llawer lle yng ngwledydd y Deyrnas Gyfunol, i dalu am brifysgolion newydd sbon. Nid bod Thomas Parry yn meddwl mai da oedd hyn i gyd. Yn ei araith i Lys y Coleg yn 1963 dywedodd gyda'r plaendra a nodweddai ei feirniadaeth bob amser fod y llywodraeth yn anghyfrifol o hunanfodlon os tybiai fod y cyllid a ddyrannai i'r prifysgolion yn ddigon i gwrdd â'u holl ofynion:

The pretended enthusiasm with which the . . . Government receives the Robbins report and promises action on it is just another example of that hypocrisy, born of pigheadedness and incompetence which, unfortunately, far too often characterises politicians.

Nid oedd yn anodd i Goleg Aberystwyth ehangu. Ei ffawd dda oedd bod y tir helaeth ar allt Pen-glais, rhwng y dref a threflan Waun-fawr, drwy haelioni rhai o'i noddwyr cynnar, yn hen eiddo iddo; ac yno y datblygodd ei ddatblygiadau newydd. Ym mlynyddoedd cyntaf prifathrawiaeth Thomas Parry codwyd yr adeiladau a ddaeth yn gartrefi newydd i'r gwyddorau biolegol, y gwyddorau ffisegol a mathemategol, a'r neuaddau preswyl a enwyd ar ôl prynwyr y tir odanynt, Neuadd Rendel a Neuadd Davies Bryan. Yna yn 1966 agorwyd Adeilad Llan-dinam, cartref newydd y gwyddorau daearyddol. Erbyn hynny yr oedd y Prifathro'n sylweddoli bod y dyniaethau a'r celfyddydau yn cael eu gadael ar ôl. Yr oeddynt hwy yn yr un mannau ag yr oeddynt gynt, yn yr Hen Goleg ac yn Stryd Cambria, ac yn yr un cyflwr â chynt. Addawodd mai adeiladau newydd iddynt hwy ac i lyfrgell y Coleg a godid nesaf.[17]

Gallai'r Prifathro weld y twf hwn o'i gartref, Plas Pen-glais, a safai mewn wyth erw o dir yr ochor draw i'r heol i'r adeiladau colegol newydd.

---

17   Nid arian y wladwriaeth yn unig a dalodd am yr adeiladau newydd ar Ben-glais. Mynnid bod pob sefydliad yn cyfrannu 5% o'r costau o'i goffrau ei hun. Cafodd Aberystwyth gryn dipyn o arian gan ei noddwyr traddodiadol, Dafisiaid Llandinam yn bennaf, ac fe sefydlodd apêl am arian oddi wrth eraill. Un sy'n cofio'n dda gyfraniad anuniongyrchol gan y myfyrwyr at yr apêl hon yw Roy Bohana, yr hwn, gyda chefnogaeth gref y Prifathro a'i wraig, a sefydlodd gôr madrigal yn y Coleg, côr a aeth yn haf 1961 ar daith hir i'r Unol Daleithiau a Chanada, lle rhoes tua phum cyngerdd ar hugain, cyngherddau a ysbardunodd sawl Cymro alltud i anfon arian da i goffrau'r Coleg. Deil Roy Bohana mai ei waith gyda'r côr hwn a chyda chôr undebol y myfyrwyr a barodd i'r Prifathro ysgrifennu geirda rhagorol iddo pan gynigiodd am swydd Cyfarwyddwr Cerdd Cyngor Celfyddydau Cymru. Er nad oedd wedi llwyddo i gyrraedd yr uchelfannau wrth sefyll ei arholiadau gradd mewn na Ffrangeg na Cherddoriaeth, yr oedd ei waith diwylliadol wedi ennyn edmygedd Thomas Parry; a chyda'i gymorth cafodd y swydd. Profi y mae'r stori hon, fel stori arall a gefais gan Arwel Ellis Owen am yr help a gafodd ef gan T. P. i ennill Ysgoloriaeth Goffa Thomas Ellis yn 1966, fod y Coleg o hyd yn ddigon bach i Brifathro diddorus allu adnabod ei fyfyrwyr blaengar, a bod y Prifathro hwn wrth ei fodd yn eu cefnogi.

Hyd yn oed ym mlynyddoedd olaf yr ugeinfed ganrif, fel 'y *mansion*' y cyfeiriai'r brodorion at y tŷ nobl hwn a brynwyd ddiwedd y pedwardegau i fod yn breswylfod i'r Prifathro a'i deulu. Yr oedd golwg enbyd arno pan brynwyd ef, ac yr oedd y tir o'i gwmpas yn ddrain ac ysgall mall. Ruth, gwraig Ifor L. Evans, a sicrhaodd ei adferiad, a chyda chymorth staff yr Adran Fiolegol lluniodd lawntiau a gerddi gwychion o'i gwmpas. Buan y daeth yn dŷ i ymhyfrydu ynddo, yn dŷ i ymarfer perchentyaeth ynddo. Yr ail wraig i fod yn feistres arno oedd Mrs Goronwy Rees, ond yr oedd hi wedi bwrw'i chas ar bopeth Aberystwythaidd hyd yn oed cyn i'w gŵr anfadu. Pan symudodd y Parrïaid i'r Plas, ys dywedodd R. Alun Roberts a'i wraig mewn llythyr atynt, 'dyma'r tro cyntaf ers tro hir' i wraig Prifathro Aberystwyth 'fod yn Gymraes dda': 'mawr hwyl i Enid yn ei phlwy newydd.' Mawr a chynnes oedd eu croeso i bawb a arhosai yno, fel i bawb, yn staff ac yn westeion allanol, a âi yno i giniawa'n swyddogol, a'r myfyrwyr a wahoddid yno i de ar y Sul. Ar ôl aros yn y Plas yn 1962 anfonodd Robert Macintosh o Goleg Penfro, Rhydychen, air i ddweud mai'r ddwy noson a dreuliodd yno oedd y mwyaf dymunol iddo'u treulio yn ystod ei fywyd proffesiynol oll. Geirda Kenneth H. Jackson oedd: 'You are two of the warmest and most congenial people and best company that I know.'

Un rhagorfraint a gafodd Aberystwyth o 1958 ymlaen, yntcu, oedd cael Cymro o ysgolhaig rhagorol wrth y llyw, gwraig wreigïaidd yn y Plas, a'r pâr ohonynt yn ffyddlon i holl weithgareddau'r lle, yn ddramâu a chyngherddau a chlybiau trafod, y ddau yn personoli'r Coleg gyda graen ac mewn gwirionedd. Yn 1959 rhoddwyd bri pellach ar y Prifathro pan etholwyd ef yn Gymrawd o'r Academi Brydeinig, yr anrhydedd uchaf y gall ysgolor yn y celfyddydau a'r dyniaethau ei dderbyn, anrhydedd a oedd yn adlewyrchu'n ardderchog ar y Coleg.

Ond, wrth reswm, ni allai'r Cymro hwn a oedd yn personoli'i Goleg fod yn driw i'w Gymreigrwydd *ac i ddim arall*. Fel y nodwyd eisoes, cyfnod o ehangu oedd o flaen y prifysgolion Prydeinig oll, ehangu nad oedd i'w gymharu â'r ehangu a gafwyd yn nes at ddiwedd y ganrif, ond ehangu serch hynny, a olygai fod Aberystwyth, fel pob coleg arall, am fod ei ddatblygiad yn cael ei yrru gan y llywodraeth ganol a'i grantiau, yn gorfod penodi staff ychwanegol ac yn gorfod derbyn mwy o fyfyrwyr, y nifer mwyaf ohonynt yn bobl o Loegr a fyddai'n Seisnigo ymhellach sefydliad yr oedd corfflu da o'i aelodau yn ymfalchïo yn ei Gymreictod a'i Gymreigrwydd, Cymreictod a Chymreigrwydd a oedd mewn perygl. O raid – rhaid hanes, rhaid cyllid, rhaid personél – pennaeth Cymraeg ar sefydliad Prydeinig oedd Thomas Parry o'r cychwyn. Dywedodd wrth Lys y Coleg ym mis Tachwedd 1959 fod 62% o'r glasfyfyrwyr a ddaethai iddo ddechrau'r flwyddyn academaidd honno yn hanu o Gymru, a'r gweddill o'r tu allan iddi. 'If the percentage,' ebe fe, 'were to show a tendency towards becoming reversed, I personally should be very disturbed. Let us hope that our College will always be what its official title describes it as being.' Ond gan fod cynifer o Gymry yn dewis mynd i brifysgolion yn Lloegr, a chan fod Saeson yn rhwym o ddod i Gymru, siawns na wyddai mai prin y gwireddid y gobaith hwnnw heb chwyldro gwleidyddol a heb drefn gyllidol baradwysaidd. Yn wir, erbyn canol y chwedegau yr oedd yr un ganran o ddieithriaid yn y Coleg ag oedd o Gymry.

Gan ei fod yn sefydliad cymhleth, yn sefydliad ac ynddo geidwadaeth ac anturiaeth academaidd, rhagfarnau disymud ac amrywiaeth diwylliadol, cymeriadau anystywallt a chymdeithas dda, y mae bron bob amser broblemau ynglŷn â phrifysgol, fel yn wir ynglŷn â phob sefydliad cymhleth arall. A'r dyn a roddodd y geiriau hynny – problemau a phrifysgol – yn deitl ar un o'i ddramâu oedd y cyntaf i siomi'r Prifathro newydd. Flwyddyn fwy neu lai ar ôl ysgrifennu'n afieithus ato ynghylch rhagoroldeb Blodeugerdd Rhydychen ac i nodi ei edmygedd ohono'n symud i swydd mor anodd o swydd esmwyth, yn Ebrill 1959 ysgrifennodd Saunders Lewis ato i ddweud ei fod yn gwrthod y radd DLitt er anrhydedd gan Brifysgol Cymru y brwydrodd Thomas Parry i'w chael iddo, a hynny fel 'protest yn erbyn polisi'r Brifysgol tuag at y Gymraeg'. Dywedodd yn yr un gwynt ei fod yn gwybod mai 'o gam i gam, yn araf ddigon, y gellir newid polisi Prifysgol, ac mai plentynnaidd yw disgwyl gwyrthiau', ond am fod pethau fel y maent 'y mae'n rhaid imi wrthod gradd anrhydeddus.'[18]

Os beirniadaeth a ddaeth o dref Penarth, ddechrau'r flwyddyn ganlynol wele glod o ddinas Llundain. Yr oedd Henry Brooke, y Gweinidog dros Faterion Cymreig, wedi ymweld ag Aberystwyth i gael golwg drosto'i hun ar y cynlluniau i ehangu'r Coleg. Mwynhaodd groeso'r lle a gwerthfawrogodd feddylgarwch y Prifathro, ond yr hyn a'i trawodd fwyaf oedd 'the full range of specialist work [and] the close linkage of some of it with the social and geographic and economic problems of modern Wales'. Ni ellid dweud yn 1959 mai ar Thomas Parry yr oedd y bai fod Cymreictod y Brifysgol yn brin, ac ni ellid dweud yn 1960 mai ef oedd biau'r clod am y gwaith academaidd perthynol i Gymru a wnaed yng Ngholeg Aberystwyth, ond fel un o benaethiaid y Brifysgol ac fel Prifathro'r Coleg ni allai lai na chymryd y cyfrifoldeb am y ddeubeth. Bellach yr oedd y dyn o gig a gwaed hefyd yn *figurehead.*

Prifysgol a Choleg. Buasai rhyw helynt ynglŷn â Phrifysgol Cymru o'i dechreuad. Er i'r hyglod John Viriamu Jones ddweud yn yr 1880au y byddai'r tri choleg prifysgol gwreiddiol, Aberystwyth, Caerdydd a Bangor, yn unedau ynysig tan y sefydlid Prifysgol Cymru, ni chafwyd yn y brifysgol ffederal unoliaeth lawn crioed (ac eithrio drwy'r gyfundrefn raddau a'r gwasanaethau canolog). A Choleg Caerdydd, Coleg Viriamu ei hun, oedd yr un a oedd yn wastadol yn dymuno datod y cwlwm. Yn 1918, er pob dadl i'r gwrthwyneb, argymhelliad Comisiwn yr

---

18 Pan fu farw G. J. Williams ddechrau 1963 anfonodd ei weddw lythyr chwerw at Anthony Steel, Prifathro Coleg Caerdydd, i gwyno am na chawsai ei gŵr werthfawrogiad y Brifysgol am ei lafur mawr. Ni chafodd DLitt, ebe Steel mewn llythyr at Thomas Parry yr 28ain o Chwefror, am ei fod yn benderfynol o beidio â chymryd doethuriaeth yn y ffordd arferol – hynny yw, trwy gyflwyno'i brif gyhoeddiadau – tan y câi Saunders Lewis radd er anrhydedd neu tan y gwrthodai hi. Pan ymddeolodd yr oedd rhai o'i edmygwyr eisiau rhoi ei enw gerbron Pwyllgor y Graddau Anrhydeddus, ond gwrthododd adael iddynt. Ar ôl i S. L. wrthod D Litt yn 1959 fe aeth enw G.J.W. gerbron y Pwyllgor gyda'i gydsyniad, ond fe'i gwrthodwyd, ebe Steel, 'I think largely by the people who put him up in the first instance.' Er dweud wrth T.P. ni ddywedodd Steel ddim o hyn wrth Mrs Elizabeth Williams.

Arglwydd Haldane oedd y dylai Prifysgol Cymru barhau'n brifysgol ffederal, am resymau sentimental (yn yr ystyr orau) ac er budd materol ei sefydliadau. Ac felly y bu. Ond erbyn diwedd y pumdegau a dechrau'r chwedegau, gydag ehangu yn bwnc beunyddiol yng nghoridorau grym, a chyda phrifysgolion yn Lloegr a oedd yn llai ac yn iau na hen golegau Cymru yn cael eu siarteri annibynnol eu hunain, yr oedd Caerdydd eto'n anesmwytho. A buan y gofynnodd unwaith yn rhagor am ymchwiliad i'r posibilrwydd o ddatffederaleiddio.

Ond cyn i'r ymchwiliad hwnnw ddigwydd, cododd hen gwestiwn colegol arall ei ben – sef beth i'w wneud â Choleg Dewi Sant, Llanbedr Pont Steffan? Coleg yr Eglwys oedd hwn, a sefydlwyd yn 1827 i dderbyn ac i addysgu dynion â'u bryd ar fynd i'r offeiriadaeth. Pan ddaeth Thomas Parry yn Brifathro Aberystwyth yr oedd Llambed mewn tipyn o argyfwng – ei fyfyrwyr yn brin, ei staff yn annigonol, a barn Comisiwn Grantiau'r Prifysgolion oedd ei fod yn dysgu rhy ychydig o bynciau. Ganol y pumdegau, ar gymhelliad y Comisiwn, bu'r Athro V. C. Morton, a weithredai fel pennaeth Aberystwyth yn yr *interregnum* rhwng Goronwy Rees a Thomas Parry, yn trafod gydag awdurdodau Coleg Dewi Sant a ellid cysylltu'r ddau goleg gyda'i gilydd. Pan ddaeth y Prifathro newydd i lywio'r trafodaethau hynny dywedodd mai ei ddymuniad ef oedd gwneud Coleg Dewi Sant yn neuadd breswyl i fyfyrwyr blwyddyn-gyntaf Aberystwyth, cynnig na allai Prifathro Llambed, y Parchedig J. R. Lloyd-Thomas, mo'i dderbyn o gwbl, wrth reswm. Y gwir amdani yw na welai Thomas Parry 'unrhyw fudd na mantais i neb mewn cadw Llambed ar ei draed', ond 'yn anffodus iawn' yr oedd y Comisiwn Grantiau 'yn benderfynol o gadw'r lle yn fyw'. Yr oedd y Comisiwn hefyd eisiau gweld Llambed yng nghorlan Prifysgol Cymru. Ac yn 1960 dyma Goleg Caerdydd yn awgrymu gerbron Llys y Brifysgol y gallai ef – ef yn annibynnol ar y Colegau eraill – gynnig math ar nawdd neu warchodaeth i Lambed dros gyfnod o ddeng mlynedd, i gryfhau ei safonau academaidd ac i sicrhau ei gyllid oddi wrth y Comisiwn Grantiau.

Yn y Coleg ger y Lli y cynhaliwyd y cyfarfod o'r Llys a drafododd y cynnig cynhennus hwnnw. A chyfarfod stormus iawn ydoedd – gyda nifer o'r aelodau o'r llawr yn gwrthwynebu'n chwyrn unrhyw beth a fyddai'n helpu coleg nad oedd yn ddim ond coleg diwinyddol, nage, coleg nad oedd ym meddwl rhai yn ddim ond coleg enwadol; a chydag eraill yn gwrthwynebu'r ffafriaeth fawr a gâi coleg methedig fel Llambed tra bod colegau yn eu rhan hwy o Gymru (Sir Ddinbych a Sir y Fflint oedd ym meddwl B. Haydn Williams) yn ddistadl ddigefnogaeth. Yng nghanol y storm fawr hon dyma Thomas Parry, yr hwn ddwy flynedd ynghynt na welai ddim daioni mewn cadw Llambed ar agor, yn codi ar ei draed i ymyrryd yn ddramatig yn y ddadl, gan ddatgan ei fod wedi newid ei feddwl. Yr oedd yn ei hwyliau areithio gorau. Ydyw, mewn rhai ffyrdd, meddai, y mae Llambed yn goleg enwadol, ond mewn ffyrdd eraill sefydliad tebyg i *liberal arts college* ydyw. Ond gadewch inni beidio â ffraeo ynghylch enwadaeth. Yr wyf i, a minnau'n Anghydffurfiwr, a chwithau oll, i ba enwad bynnag y perthynwch, ebe fe ymhellach, yn rhan o'r Eglwys Gristionogol lydanwedd – Eglwys y mae'n ddydd o brysur bwyso arni – ac yn yr argyfwng sydd ohoni gall Coleg Dewi Sant wneud cyfraniad o hyd i gynnydd addysg yng Nghymru, a chyfraniadau eraill yn ogystal. Gofynnodd i'r Llys roi sêl ei fendith ar y cysylltiad tymhorol arfaethedig rhwng Llambed a Chaerdydd, a cheisio cyn y deuai'r deng mlynedd i ben gael gan y Comisiwn Grantiau ymgynghori â Phrifysgol Cymru ynghylch datblygiadau pellach yn Llambed. Gyda'r araith hon – 'a speech of high and statesmanlike quality,' chwedl Hywel D. Lewis – trawsnewidiwyd tymer y Llys, ac enillodd Caerdydd a Llambed y dydd.

Er yn angerddol, siarad yn ddiplomatig a wnaeth Thomas Parry. Pan ddywedodd yr Is-Ganghellor Anthony Steel wrtho na fuasai'r mater wedi'i setlo heb ei 'araith haelionus' ef, dywedodd ar yr un pryd ei fod yn gwybod na hoffai'r drefn newydd. Mewn llythyr yn ateb y llythyr o werthfawrogiad a gafodd gan y Canon David Thomas o Dreffynnon, cyfaddefodd Thomas Parry nad oedd yn hollol hapus gyda'r hyn a oedd yn digwydd yn Llambed, ond nad dyma'r adeg i fod yn anurddasol ac anrasol a chodi anawsterau a bod yn bengaled.

Os oedd yn lled-Solomonaidd yma, nid felly mewn dadl brifysgolaidd hirach a phwysicach a mwy tyngedfennol o lawer a gafwyd rhwng 1960 ac 1964. Dadl oedd honno ynghylch dyfodol Prifysgol Cymru ei hun. Adroddir amdani yn nes ymlaen, ar ôl inni edrych ar rai pethau a rhai profiadau eraill a ddaeth i ran y Prifathro yn ystod y blynyddoedd hynny, rhai pethau allanol i'r Brifysgol a rhai pethau creiddiol i fywyd coleg yng Nghymru.

III. DAU DRAFFERTH; DAU TRO TRWSTAN; DAU GYFARFOD DIFYR

Er Eisteddfod Bangor 1931 bu Thomas Parry yn gyfrannwr cyson i weithgareddau'r Brifwyl, fel pwyllgorddyn, beirniad, libretydd a hanesydd. Yn 1958 etholwyd ef yn Gadeirydd ei Chyngor. Yn ystod ei flwyddyn gyntaf yn y swydd, ac yntau'n beirniadu cystadleuaeth yr awdl am y trydydd tro mewn degawd, yr oedd yr Eisteddfod yn ôl ym mhrif dref ei hen sir, a chafodd Eisteddfod lewyrchus. Ond cyn i'r un enaid byw sengi ar faes Prifwyl Caernarfon 1959 yr oedd helynt wedi codi ynghylch Eisteddfod Caerdydd y flwyddyn ganlynol – sef ffrae ynghylch gwahodd y teulu brenhinol i'r Eisteddfod gyntaf a gynhaliwyd yn ninas Caerdydd er pan roddwyd iddi statws prifddinas. Dymuniad carfan gref o aelodau'r Pwyllgor Gwaith Lleol o dan gadeiryddiaeth T. W. Thomas oedd cael estyn y gwahoddiad hwnnw, dymuniad a wrthwynebid gan garfan lai a oedd yn cynnwys Iorwerth Peate, un o'r Is-Gadeiryddion, a G. J. Williams, Cadeirydd y Pwyllgor Llên, carfan a ofnai y byddai Elizabeth o Windsor yn dymuno siarad o lwyfan y pafiliwn a thorri'r rheol Gymraeg. Cafodd y mater ei drafod yng nghyfarfod Cyngor yr Eisteddfod yn

Ebrill 1959, ac yn fuan wedyn cyhuddodd Peate Thomas Parry o beidio ag 'ymddangos yn gwbl amhartïol' yn y gadair, o roi rhyddid y llawr i Alun Oldfield Davies gyhoeddi 'enllib anfaddeuol' arno ef, ac, ar ôl i'r cynnig dros adael y mater i bobl Caerdydd eu hunain gael ei gario, o beidio â datgan 'ei fod yn parchu safiad' y gwrthfrenhinwyr. Er i Ernest Roberts, Cyd-Ysgrifennydd Llys yr Eisteddfod, ddweud yn ddigon plaen wrth Peate nad oedd neb wedi dweud 'unrhyw beth i beri loes na chlwyf personol' iddo am y rheswm syml nad oedd neb yn amau ei gywirdeb, ddeufis yn ddiweddarach yr oedd yn dal i frygowthan ac yn dannod i Thomas Parry ei fod yn llai dyn nag ydoedd pan ymddiswyddodd adeg Eisteddfod Machynlleth 1937 oblegid yr Arglwydd Londonderry. 'Nid oes dim cymhariaeth rhwng row Londonderry yn 1937 a row'r Frenhines yn 1959,' ebe Thomas Parry. 'Mater o dacteg ydyw.' 'Mater o egwyddor,' ebe Peate yn ei lythyr ateb. 'Ni welaf sut y mae presenoldeb y Frenhines … yn diogelu dim ar ddiwylliant Cymru – a dyna bwrpas yr Eisteddfod.'

Fe ddaeth y Frenhines i Eisteddfod Caerdydd, urddwyd Dug Caeredin yn Philip Meirionnydd yng Ngorsedd, eisteddodd y ddau ar lwyfan y pafiliwn yn ystod cystadleuaeth Osborne Roberts, hebryngodd Thomas Parry hwy ar daith o gylch y maes – 'taith annisgwyl trwy'r bobl heb na phlismon na pheth o gwmpas', chwedl rhifyn yr 11eg o Awst o'r *Cymro* – ac yna ar ôl rhyw gwta awr a hanner ymadawsant. Ni siaradwyd Saesneg o'r llwyfan, ni tharfwyd ar neb na dim. Ac ar y pryd ni wyddai neb fod hon yn ffrae frenhinol a oedd yn rhagflaenu ffrae frenhinol fwy difrifol a lletach o lawer ei harwyddocâd a geid eto ymhen llai na deng mlynedd, a'r Prifathro Thomas Parry unwaith yn rhagor yn ffigur canolog ynddi.

Erbyn wythnos gyntaf Awst 1960 yr oedd wedi hen benderfynu na allai barhau yn Gadeirydd y Cyngor, nid am ei fod wedi diflasu arni, ond am fod ganddo hen ddigon o feichiau eraill i'w cario. Yr oedd wedi ysgrifennu at Ernest Roberts ddiwedd Mawrth i gyflwyno'i ymddiswyddiad – y 'genadwri a fawr ofnais ers tro', chwedl Ernest – ond yr oedd y Cyd-ysgrifennydd wedi ymhŵedd arno i weithredu o leiaf 'mewn enw o Gadeirydd' tan ddiwedd wythnos Prifwyl Caerdydd, a gwnaeth hynny.

Er rhoi'r gorau i'w gadair Eisteddfodol, cadwodd ei sedd ar fwrdd cwmni a oedd yn cystadlu am drwydded newydd i ddarlledu rhaglenni teledu Cymraeg i rannau helaeth o Gymru. Er y meddylid y buasai'n well gan yr ysgolhaig llengar roi o'i amser i'r Brifwyl nag i deledu, cofier bod cadeirio Cyngor yr Eisteddfod yn waith trymach o beth coblyn na bod yn un aelod o gwmni lluosog, a chofier ei bod bob amser yn haws gwasanaethu yn y rhengoedd na chapteinio. Cofier hefyd fod Thomas Parry yn hen gynefin â darlledu, ac yn ymddiddori ynddo. Er canol y tridegau yr oedd wedi cymryd rhan mewn ugeiniau o raglenni radio. Yn 1956 yr oedd yn un o'r ddirprwyaeth a fu'n ymweld â'r Arglwydd Macdonald o Waenysgor, Cadeirydd Cyngor Darlledu Cymru'r BBC, pan ddechreuodd Undeb Cymru Fydd ei ymgyrch i gael gwasanaeth teledu annibynnol i Gymru; ac yr oedd yn un o'r rhai a aeth i weld Charles Hill, y Postfeistr Cyffredinol, ar yr un perwyl. Un o ganlyniadau'r ymweliadau hyn oedd penderfyniad yr Undeb i sefydlu Cyd-Bwyllgor Teledu i ddal i bwyso am wasanaeth cenedlaethol, gwasanaeth y tybid y byddai'n fodd i warchod yr iaith a'i diwylliant. Yr adeg honno nid oedd Cymru'n uned annibynnol gan y BBC na chan TWW: fel y dengys yr enw Television Wales and the West, rhanbarthau dwbwl a wasanaethid ganddynt. Barnai'r BBC yn Llundain nad oedd diben cynnal gwasanaeth unigol i Gymru, a barnai TWW nad oedd dichon i Gymru ar ei phen ei hun fod yn uned fasnachol ddigonol.

Mewn cynhadledd genedlaethol fawr a gynhaliwyd yn Neuadd y Ddinas, Caerdydd, y 18fed o Fedi 1959 pasiwyd mai'r unig ffordd i sicrhau gwasanaeth teledu teilwng i Gymru fyddai drwy ei thrin fel uned a thrwy ryddhau'r sianelau angenrheidiol i ddarlledu'n genedlaethol. Pasiwyd hefyd i drefnu cynhadledd debyg ymhen y flwyddyn. Ond cyn pen y flwyddyn honno – yn Eisteddfod Caerdydd fel y mae'n digwydd – cyhoeddodd yr Awdurdod Teledu Annibynnol ei fod yn mynd i hysbysebu am gwmni i gymryd y drwydded i ddarlledu i orllewin a gogledd Cymru, ac, heb ddisgwyl i'r gynhadledd genedlaethol gyfarfod am yr eildro, yn ddiymdroi aeth rhai ati i ffurfio consortiwm i ymladd am y drwydded honno. Dymuniad un ohonynt, y Dr William Thomas, cyn-Ysgrifennydd y Bwrdd Addysg, oedd gweld Thomas Parry yn gadeirydd ar y consortiwm hwnnw, consortiwm a'i galwai ei hunan ar y dechrau yn Wales Television Association. 'There is no one in Wales today,' meddai'r Dr Thomas wrtho, 'who commands more respect and confidence than you do, and I am sure that the attitude of the I.T.A. will be much more favourable to us if you are the leader of the group.'

Yr oedd y *ni* yn cynnwys nifer da o ddynion amlwg ym mywyd diwylliannol Cymru. Yr hwn a ddaeth yn gadeirydd y consortiwm oedd B. Haydn Williams, Cyfarwyddwr Addysg Sir y Fflint. Ymhlith yr aelodau eraill yr oedd yr actor a'r dramodydd Emlyn Williams, Syr Thomas Parry-Williams, T. I. Ellis, yr Athro Richard I. Aaron, Athro Athroniaeth Coleg Aberystwyth a Chadeirydd Cyngor Ymgynghorol Cymru a Mynwy; gwŷr cyhoeddus dylanwadol fel Syr David Hughes Parry, Llewellyn Heycock, Islwyn Davies; y gwleidydd Gwynfor Evans a'r undebwr Tom Jones, Shotton; a rhai dynion busnes, yr amaethwr Moses Griffith, David Vaughan o Fanc Barclays, Jenkin Alban Davies, ac Emrys Roberts, a fuasai am dymor yn Aelod Seneddol dros Feirion ac a oedd yn awr yn rheolwr-gyfarwyddwr cwmni Tootal. Dynion llwyddiannus bob un, ond prin y gallai neb ohonynt honni ei fod yn gynefin â'r math o arlwy o ddiddanwch teledyddol a fyddai'n apelio at werin-bobl Dyfed a Gwynedd. Nac ychwaith fod digon ohonynt yn gynefin â byd caled busnes a masnach. O'r ochr arall, rhaid nodi bod telerau'r drwydded a gawsant yn eithriadol o anodd, y pris yn uchel a'r darn helaeth o Gymru a gawsant i'w wasanaethu yn denau o ran poblogaeth ac yn dlawd o ran adnoddau materol. Er mor ddelfrydol sefydlu cwmni teledu Cymraeg a Chymreig, nid gwasanaethu gwlad gyfan oedd rhan y cwmni hwn, ond gwasanaethu'r rhan honno o'r wlad a oedd y tu allan i'w phrifddinas a'i phrif drefi, y rhan honno o'r wlad a oedd yn fasnachol anneniadol.

Y mae papurau'r consortiwm yn dangos na ddarfu i Thomas Parry yn ystod y flwyddyn gyntaf gyfrannu llawer mwy nag ymbresenoli yn rhai o'i gyfarfodydd ac awgrymu rhes o enwau pobl y gellid gofyn iddynt brynu stoc. Hyd yn oed yn ystod yr ail flwyddyn – wedi i Deledu Cymru, enw newydd Wales Television Association, gael y drwydded – ni ddarfu iddo wneud llawer mwy na gweithredu fel aelod o'r Pwyllgor Rhaglenni, pwyllgor deallus onid gorddeallusol. Y drydedd flwyddyn ef oedd un o'r lleisiau croch a oedd yn feirniadol iawn o ddiffyg rheolaeth y cwmni, ac o berfformiad Nathan Hughes, y rheolwr cyffredinol, yn enwedig. Beth gan hynny a'i cymhellodd i fod yn aelod ohono? Awydd i wasanaethu'r Gymraeg mewn ffordd newydd? Awydd i gael ei ystyried yn un o'r Sefydliad Cymreig gweithredol? Awydd i gymryd rhan mewn rhywbeth gwahanol? Pan ddaeth i ben mewn ffordd ddigon dianrhydedd, 'rhamantus' a 'diniwed' oedd yr ansoddeiriau a ddefnyddiodd Sodlau Prysur yn ei bamffled *Teledu Mamon* i ddisgrifio'r arweinwyr Cymreig a ddewisodd ffurfio'r cwmni. Cenedlatholwyr o fath yn trafferthu onid yn tresmasu ym myd anodd masnach oeddynt. Prin y disgwyliai Thomas Parry na neb arall y gwnâi elw o fenter mor fregus. Er bod Haydn Williams yn optimistig ynghylch yr incwm a godid drwy hysbysebu, o ystyried y boblogaeth denau gymharol dlawd yr oedd ei gwmni'n ei gwasanaethu yr oedd yn anghyfrifol o optimistig mewn gwirionedd. Erbyn Mai 1963 yr oedd Teledu Cymru yn rhedeg ar golled weithredol o £100,000, ac erbyn y mis Medi canlynol yr oedd ei golledion yn agos i chwarter miliwn o bunnau. Y diwedd fu i Deledu Cymru gael ei gymryd drosodd gan TWW.

Er ei bod yn anturiaeth a sugnodd fwy nag ychydig o'i amser, a pheth o'i gyfalaf heb os, y mae'n arwyddocaol na ddywed Thomas Parry, yr anfudan ardderchog ag ydoedd, yr un sill am ei ran yn hanes y cwmni hwn yn ei 'Atgofion'. Diau iddo wneud rhyw les: dyma lle dechreuodd John Roberts Williams, golygydd *Y Cymro* gynt, ar ei yrfa ddisglair fel golygydd rhaglenni newyddion, a chafodd doniau eraill a ddaeth i amlygrwydd wedyn gyda'r BBC a TWW eu meithrinfa yn Nheledu Cymru, pobl fel Havard Gregory. Difyrrach o lawer na helyntion busnes

– i Thomas Parry'r dyn ac i Thomas Parry'r Prifathro – oedd hanesion yn ymwneud â'i gyfeillion. Ym mis Ebrill 1961 bu Bleddyn Jones Roberts, Athro Hebraeg ac Astudiaethau Beiblaidd Coleg Bangor, yn traddodi cyfres Ddarlithoedd D. Owen Evans yng Ngholeg Aberystwyth, a thros dridiau eu traddodi bu ef a'i wraig yn lletya yn y Plas. Wrth y bwrdd cinio y noson olaf y mae'n rhaid bod Thomas Parry wedi edliw i'w hen gyfaill fod y Coleg fel arfer yn disgwyl cael testunau'r darlithoedd yn barod i'w cyhoeddi'n gyfrol, oblegid yn ei lythyr diolch am y croeso a gawsai ef a Miriam yn y Plas y mae Jones Roberts yn dweud eu bod ill dau ar y ffordd adref wedi poeni am 'y storm ynghylch fy llyfr':

> Cyfeiriaist fod y Coleg wedi talu ymlaen llaw i mi am y llyfr; ni wyddwn i pan dderbyniais y cheque mai eithriad oedd talu ymlaen llaw fel hyn, onid e ni fuaswn wedi ei derbyn. Wedi'r edliw a gefais, ni allaf lai nag anfon cheque yn ôl am y swm a dderbyniais . . . Wrth gwrs, byddaf yn gweithio ar y llyfr, a'i gael yn barod cyn gynted ag y medraf.

Y tro hwn yr oedd Thomas Parry wedi mynd yn rhy bell gyda'i ddannod cellweirus, a bu'n rhaid iddo ateb yr Athro gyda'r geiriau hyn:

> Annwyl Bleddyn,
> Gobeithio ei bod yn berffaith glir . . . fy mod yn dueddol o gellwair weithiau . . . na fuaswn yn 'edliw' dim oll i un o'm cyfeillion gorau …
> [ac] na fuaswn byth yn ddigon o gachgi masnachol i dderbyn £215 yn ôl gan neb.

Ni ddaliodd Bleddyn Jones Roberts ddig ato. Ond tra bod Thomas Parry mewn ysbryd edifeiriol gofynnodd Jones Roberts iddo wneud cymwynas fawr ag ef, a chymwynas fawr arall â'r Gymraeg, sef gweithredu fel Cadeirydd Panel Llenyddol *Y Beibl Cymraeg Newydd* yr oedd ef yn Gyfarwyddwr iddo. Cytunodd Thomas Parry.

Yr un mis Ebrill cafodd John Gwilym Jones, a hoffai geir cyflym ac a hoffai oryrru, ddamwain car tua Libanus yn Sir Frycheiniog, damwain yr ysgrifennodd Thomas Parry saith englyn amdani, saith englyn hynafol eu harddull ynghyd â set o nodiadau eglurhaol yn null yr ysgolheigion testunol, a'u gyrru at yr anffodusyn. 'Peniarth MS. 579, t. 53' sydd uwch eu pen. Dyma'r pedwar englyn cyntaf:

1   Mirein modur cyfnewit.
      Uchel y voned ay vrit.
      Gwae guas a gavas govit.

2   Mirein modur cyfoethoc.
      Nit yr eil yw berchennoc.
      Gwae guas a gavas gyvoc.

3   Gur a scidiod. Py vod vu.
      Ai gur chwannoc i gyscu.
      Ai gur a gar goryrru.

4   Gur a scidiod. Gormod brys heno
      E hun yn libanus.
      Ar gwaet ar gyrion y grys.

Y mae'r nodiadau yn dweud y perthyn y llawysgrif i'r ail ganrif ar bymtheg, ond ei bod yn amlwg 'ei bod yn gopi o rywbeth llawer hŷn', fel y dengys yr ymadrodd 'Py vod vu' yn llinell gyntaf y trydydd englyn. 'Nid dyma gystrawen normal Cymraeg Canol,' meddir, 'ac felly teg yw tybio fod yr englynion gryn lawer yn hŷn na'r testunau rhyddiaith adnabyddus.' Wrth gyfeirio at 3c (sef llinell olaf y trydydd englyn) y mae'r ysgolhaig testunol yn gofyn, 'A oes yma air mwys . . . ? Gan nad oedd yr acen grom wedi ei dyfeisio yn oes y Cynfeirdd, ni ellir bod yn sicr. Unrhyw beth na ellir bod yn sicr yn ei gylch, gellir ei gymryd fel gair mwys.' (Yr ergyd yma yw bod John Gwilym Jones yn hoffi defnyddio geiriau mwys yn ei ddramâu a'i fod wrth feirniadu'n llenyddol yn gweld geiriau mwys mewn llawer lle. Yr oedd wedi gwirioni ar *Seven Types of Ambiguity* William Empson.) A dyma ddod at 4b:

4b *libanus*: Gellir dehongli'r gair hwn mewn dwy ffordd: (1) Os enw lle ydyw, cf. Libanus, ger Rhostryfan, awgrym fod cartref yr arwr yn y rhan hon o'r wlad . . . Y mae hefyd le o'r enw ger Aberhonddu, ond ni fuasai neb yn ei synnwyr mor bell oddi cartref yn hwyr y nos. (2) Dichon mai gwall sydd yma am *llebanus*, sef yr ansoddair yn *–us* o *lleban*, sef disgrifiad o'r arwr.

Y casgliad y daw'r esboniwr iddo ar ddiwedd ei druth yw bod gwrthrych y gerdd yn fyw 'er gwaethaf y trychineb' – 'ac er bod tinc o gerydd ysgafn yn yr englynion, teg yw casglu fod hynny i'w briodoli i barch dwfn y bardd tuag at ei arwr, a'i bryder yn ei gylch'. Ac ebe'r esboniwr ar y diwedd: 'Cri o'r galon, yn sicr' yw llinell olaf un y saith englyn, sef yw honno 'Namyn duw pwy ay dyry pwyll', rhybudd teg i oryrrwr ac adlais o hen linell go-iawn.

Derbyniodd Thomas Parry gerdd ateb ym Mehefin, ar ffurf rhagor o englynion hynafol eu harddull. Er mai o lawysgrif Angorfa 1 (sef enw cartref John Gwilym yn y Groeslon) y codwyd hwy ac er bod y teipysgrif yn honni mai 'Sion gwilym Sion ay cant', y mae nodyn yn llaw Thomas Parry yn datgan mai 'Ateb ar ran J. Gwilym Jones' ydynt. Pwy bynnag a'u lluniodd – ai John gyda chymorth rhywun fel Derwyn Jones o Lyfrgell Coleg Bangor, ai Derwyn Jones yn unig – y mae'r pum englyn a'r nodiadau yn eilio ysbryd a *pseudo*-ddysg y gyfres englynion gyntaf. Y mae'r atebfardd yma yn cymryd arno mai mewn gwesty yn Llundain y mae'r hwn a gawsai'r ddamwain bellach (am ei fod yn mynd yno'n aml i weld dramâu), a'i fod yn ei wely yn 'Ŵr llonydd' (enw un o ddramâu John Gwilym, wrth gwrs). Dichon mai'r esboniad ar ddau air yn ail linell y trydydd englyn a enynnodd y chwerthin mwyaf ym Mhlas Pen-glais. Dyma'r englyn hwnnw:

> Mae enaid hoff mewn hotel – heno
> Llundeiniwr. dug armel
> Mewn allfro. bu'n swancio'n swel.

A dyma'r esboniad ar 'dug armel':

armel – Saes. 'second milk'. Myn rhai awdurdodau mai'r ystyr yw fod yr arwr yn cario neu'n gwerthu llaeth yn Llundain neu wedi dwyn llaeth yno. Ar bwys hyn dadleuir mai brodor o Sir Aberteifi oedd. Gan nad oes gyfeiriad at ddŵr yn y cyswllt hwn ni ellir cysylltu'r arwr â masnach laeth Cymry'r brifddinas. Dywaid y beirniaid diweddar mai gair mwys sydd yma eto, ond deil ysgol hŷn mai gwall copïo ydyw, oherwydd ceir 'dig armel' a 'di-garmel' mewn rhai llawysgrifau. Nid yw 'dig armel' yn gwneuthur synnwyr da ond ni chyfrifir hynny'n goll gan y beirniaid gorau. Yr eglurhad mwyaf boddhaol yw mai 'di-Garmel' yw'r darlleniad cywir, a'r ystyr yw 'without Carmel'.[19]

Ym mis Mai 1961 bu Thomas Parry ei hun yn Llundain, yn traddodi Darlith Goffa Syr John Rhŷs gerbron rhai o'i gyd-aelodau o'r Academi Brydeinig ar 'The Welsh Metrical Treatise attributed to Einion Offeiriad', darlith a enynnodd ymateb brwd gan yr ysgolhaig mawr H. J. Fleure, tad anthropoleg a daearyddiaeth yn Aberystwyth yn y dauddegau, a oedd bellach wedi hen ymddeol o'i Gadair ym Manceinion. 'I got quite a lot of enrichment of my knowledge about Wales,' meddai, 'and was so happy to think that Aberystwyth has a Principal who is a scholar.' Un o feibion Dyffryn Nantlle oedd yr ysgolhaig hwnnw, wrth gwrs. Yn Hydref 1961 ef a draddododd y prif anerchiad pan agorwyd adeiladau newydd ei hen ysgol ramadeg ym Mhen-y-groes.

---

19   Ar hyd y blynyddoedd yr oedd yn Aberystwyth anfonai Enid Pierce Roberts lythyron at T. P., rhai'n ymwneud â'i gwaith ysgolheigaidd ar Siôn Tudur, rhai â helynt myfyrwyr a hanes yr Adran, a nifer go dda yn ymwneud – yn ysgafnfryd – â John Gwilym. Y 4ydd o Ionawr 1963 y mae'n gofyn i'r 'Meistr Prifathro', 'A ddywedodd ef [sef John] i mi roi rhaff am ei goes wythnos ola'r tymor a'i orfodi i farcio erbyn nos Wener?? Os gwelwch chwi'n dda, wythnos yr arholiadau, Mr Jones ni'n mynd efo Dewi-garage-Penygroes â char newydd i Osian Ellis yn Llundain!! Pawb arall yn bustachu efo papurau. Cyn sicred ag y bydd arholiadau y mae ef ar grwydr.'

IV. OBLEGID LERPWL A CHAEREDIN

Er iddo siarad yn gampus yn Ysgol Dyffryn Nantlle, y mae digon o le i feddwl nad oedd Thomas Parry cweit ar yr un donfedd â disgyblion chweched dosbarth ysgolion gramadeg ac ysgolion cyfun blynyddoedd cynnar y chwedegau, ac yn bendifaddau nid oedd ar yr un donfedd â'i fyfyrwyr ei hun yn Aberystwyth. Sut oedd disgwyl iddo fod? Gŵr a aned ac a faged hanner canrif ynghynt ydoedd, mewn cymdeithas dra gwahanol o ran ei chred a'i moes a'i moddion. Yn ystrydebol yn aml y sonnir am y chwedegau fel *the swinging sixties*, ond nid oes dim dwywaith na chafwyd yn ystod y degawd hwnnw newid sylweddol mewn ymddygiad ac mewn ymddiddan, newid yn agwedd pobl yn gyffredinol – pobl ifanc yn enwedig – at awdurdod, newid yn eu hagwedd at barch-usrwydd, a newid yn eu hagwedd at fywyd yn gyffredinol. Nid o ddim ac nid er dim y cododd mudiadau protest yn Nwyrain Ewrop ac ar y ddwy ochr i Fôr Iwerydd, ac nid o ddim nac er dim y cafwyd yn y blynyddoedd hynny y chwyldro gwleidyddol, moesol a diwylliadol y gellir enwi pawb a phopeth o Herbert Marcuse a'r *Angry Young Man* hyd at feirdd *Beat* yr Unol Daleithiau a Brigitte Bardot yn rhan ohono. Poenydiwyd patriarchaeth; bygythiwyd piwritaniaeth; a beth, gofynnai'r canol oed a'r hen, beth a ddaeth o barch?

Gyda'r enw a oedd ganddo am fod yn llac ei foesau rhywiol, byddai dyn yn meddwl y buasai Goronwy Rees yn 1956 yn fwy rhyddfrydig nag ydoedd wrth ystyried ceisiadau myfyrwragedd Aberystwyth i ddiddanu dynion ifainc yn eu hystafelloedd yn y neuaddau preswyl. Ond ni adawodd iddynt. Yr olynydd mwy piwritanaidd, y Prifathro Parry, yn 1959 a roddodd iddynt yr hawl i wneud hynny – rhwng 2 o'r gloch a 5 ar brynhawniau Sadwrn a rhwng 2 a 7 ar y Sul fel arbrawf. Gan fod ymweliadau fel hyn yn cael eu caniatáu eisoes ym Mangor a Chaerdydd ac Abertawe, prin y gallai beidio. Ond ni allai ddioddef anfoes. Pan glywodd yn 1960 fod rhai merched wedi cael eu cario'n feddw i fewn i

279

Neuadd Alexandra, anfonodd lythyr chwyrn at Miss Powys-Roberts, y Warden, i ddweud na fyddai'n goddef ymddygiad o'r fath, yn enwedig ymysg merched, 'and I am determined, for reasons which are too obvious to mention, that it be stopped forthwith'. Sut, Brifathro Parry? Drwy ddisgyblaeth lem, fachgen, drwy gosbedigaethau chwyrn. Haws dweud na gwneud, a sut bynnag yn nwylo Is-Brifathro a Thiwtor Hŷn y Coleg yr oedd materion disgyblaeth. Peth arall y pregethodd Thomas Parry yn ei erbyn oedd fod myfyrwyr yn cymryd swyddi dros wyliau hir yr haf, gan weithio mewn siopau a gwersylloedd gwyliau ac ar y bysus. Ei ddelfryd ef oedd gweld myfyrwyr yn myfyrio ddeuddeng mis y flwyddyn (fel y gwnaethai ef, y mae'n debyg, neu fel y tybiai y gwnaethai ef). Wrth gondemnio myfyrwyr am weithio'n ofer 'mewn galwedigaethau academaidd ddi-werth', dywedodd droeon y byddai'n rheitiach petai eu darlithwyr yn gosod tasgau traethodol iddynt rownd y ril, hyd yn oed dros wyliau'r haf. Oni feddyliodd unwaith y buasai'n dda petasai ganddo ef a'i genhedlaeth ryw jobyn haf i fynd iddo ganol y dauddegau, os yn unig i ysgafnhau beichiau ariannol eu rhieni tlawd-eu-byd? Ac oni ddaeth i'w feddwl fod pobl ifanc yn hafau'r chwedegau yn ennill peth annibyniaeth – ac, at hynny, yn cael profiad gwahanol o fyw – drwy ymgymryd â gwaith cyflogedig? Mewn ambell gyfeiriad yr oedd Thomas Parry yn rhagfarnllyd o ddi-weld.

Yn 1963 bu pethau'n sobor o ddrwg rhwng rhai myfyrwyr Cymraeg a'r Coleg, a'r flwyddyn honno buasai'n dda petai'r Prifathro wedi ymddwyn yn fwy cydymdeimladol tuag at y 'drwgweithredwyr' (fel yr ystyrid hwy gan yr awdurdodau) – hynny yw, petai wedi ymarfer y Solomonrwydd hwnnw a ddangosodd wrth ymyrryd yn y ddadl ar Goleg Llambed ddwy flynedd a hanner ynghynt.

Cefndir y drwg rhwng y myfyrwyr y cyfeirir atynt yn awr a'r Coleg oedd yr hyn a ddigwyddodd ac na ddigwyddodd ynglŷn â boddi Cwm Tryweryn, anfadwaith a erys yn *psyche*'r Cymro gwlatgarol fel un o achosion gwleidyddol mwyaf arwyddocaol ail hanner yr ugeinfed ganrif. Er pan gyhoeddwyd y cynllun hwn i gronni dŵr Tryweryn at wasanaeth dinas Lerpwl ddiwedd y pumdegau buasai gwrthwynebiad llwyr iddo o du trigolion Capel Celyn a'r ardaloedd cyfagos, bu llawer o wleidyddion Cymreig yn groch eu gwrthwynebiad iddo ar lawr Tŷ'r Cyffredin ac yn y wlad, a chynhaliwyd rali ar ôl rali a chyfarfod cyhoeddus ar ôl cyfarfod cyhoeddus i geisio'i atal. Oll yn ofer. Pan benderfynodd arweinwyr Plaid Cymru, a fu ar flaen cad y gwrthwynebiad, na fyddent yn barod i ddefnyddio dulliau trais i geisio'i rwystro, yr oedd llawer o'i chefnogwyr yn flin siomedig. Yn eu plith yr oedd Emyr Llewelyn Jones, myfyriwr a oedd yn dilyn cwrs ymarfer dysgu yn Aberystwyth, mab T. Llew Jones, y bardd y rhoddodd Thomas Parry a'i gyd-feirniaid ei ail Gadair Genedlaethol iddo yng Nghaernarfon yn 1959. Yn hwyr nos Sadwrn y 9fed o Chwefror 1963, a'r gwaith ar adeiladu'r argae yng Nghwm Tryweryn wedi dechrau, gosododd Emyr Llew, mewn cydweithrediad ag Owain Williams o Bwllheli a John Albert Jones o Benrhyndeudraeth, ffrwydron a barodd niwed i un o'r trawsnewidyddion trydan a oedd yno. Nid maint y difrod oedd yn cyfrif eithr ei arwyddocâd. I rai yr oedd Tryweryn fel ail Benyberth, fel adfywhad o hen benderfynoldeb i herio dihidrwydd llywodraeth Lloegr o'r farn Gymreig. Fe ddaliodd yr heddlu Emyr Llew o fewn dim. Mewn cwta fis cafodd ei arestio, aethpwyd ag ef gerbron Llys Ynadon y Bala, safodd ei brawf yn Llys y Goron, Caerfyrddin, a dedfrydwyd ef i flwyddyn o garchar. Arestiwyd y ddau arall yn ogystal yn y man. Yn ystod y cyfnod byr hwnnw aeth nifer o fyfyrwyr Aberystwyth (a rhai o fyfyrwyr Bangor) i'r llys yn y Bala i gefnogi Emyr Llew, fel yr aethant yn ddiweddarach i gefnogi Owain Williams a John Albert Jones ym Mlaenau Ffestiniog.

Yr oedd y digwyddiad a'r achosion a'i canlynodd mor arwyddocaol fel y tybid y byddai awdurdodau Coleg Aberystwyth o bawb wedi sylweddoli y byddai'n rhaid iddynt droedio'n ofalus wrth ymateb iddynt. Nid oedd dim y gallent ei wneud ag Emyr Llew ei hun: yr oedd y wladwriaeth yn gofalu amdano ef. Ond beth am y rheini a fu ar fysus yn Sir Feirionnydd yn cefnogi'r gweithredwyr ac yn protestio yn erbyn y dedfrydau a roddwyd iddynt? Yn ôl rheolau'r Coleg ni châi'r un myfyriwr fynd o'r dref heb ganiatâd swyddogol, a chan na cheisiodd y cefnogwyr-brotestwyr y caniatâd hwnnw ym mhob achos yr oedd rhaid penderfynu beth i'w wneud â hwy. Trafodwyd y mater yn Senedd y Coleg. Y 4ydd o Fawrth ysgrifennodd Thomas Parry at David Hughes Parry i ddweud wrtho i hynny ddigwydd, 'ac o dan y rheol nad yw myfyrwyr i adael Aberystwyth heb ganiatâd (rheol wirion, a dweud y gwir) penderfynwyd eu dirwyo chweugain yr un'. At hynny 'penderfynwyd fod yr arweinydd, Gwilym Tudur Jones o Chwilog, i gael ei anfon adref am weddill y tymor. Yr oedd ef wedi torri'r rheol deirgwaith i gyd.' Mwy, gan iddo weld yn *Y Faner* fod cronfa wedi'i hagor i amddiffyn 'Emyr Jones' ac mai'r trysorydd oedd J. I. Daniel, darlithydd yn Adran Athroniaeth y Coleg, adroddodd y Prifathro wrth y Llywydd ei fod 'wedi gweld y brawd hwn a'i rybuddio'. 'Caiff rybudd arall heddiw, a hefyd 'rwyf am ysgrifennu i'r Faner.'

Awdurdodaeth ansensitif ddi-blyg a welir ar waith yma. Os 'rheol wirion', pam ei chadw? Pan ysgrifennodd Graham Harrington, Llywydd Cyngor y Myfyrwyr, at y Prifathro i ddweud bod y rheol ynghylch absenoli yn cael ei hanwybyddu gan y myfyrwyr yn gyffredinol ac nad oedd awdurdodau'r Coleg yn gwneud odid ddim ymdrech i sicrhau ei bod yn cael ei chadw, yr ateb a gafodd gan Thomas Parry oedd ei fod yn cyd-weld yn llwyr. Pam ynteu ei chadw? gofynnir eilwaith. A pham ei pharchu mor amlwg yn yr achos arbennig hwn? Mwy na thebyg am mai ar berwyl gwleidyddol yr aeth y myfyrwyr i'r Bala ac i'r Blaenau. Ond tua'r un pryd aeth carfan arall o fyfyrwyr Aberystwyth i rali CND yn Aberhonddu a drefnwyd gan Bwyllgor y Cant, ac ni chawsant hwy eu cosbi. Pan ysgrifennodd Margaret Tucker, Trefnydd Ieuenctid Plaid Cymru, at Thomas Parry i gwyno am na chawsai rhai myfyrwyr a aeth i'r Bala ddim caniatâd i fynd yno er gofyn, ei ateb caswistaidd oedd: 'Caniatewch i mi eich atgoffa fod Plaid Cymru wedi datgan anghymeradwyaeth o'r hyn a wnaed yn Nhryweryn.'

Y myfyrwyr a ddirwywyd oedd Gwilym Tudur a Dyfrig Thomas, y ddau a oedd yn cydletya gydag Emyr Llew yn y fflat uwchben Caffi

Morgan yn y dref; Megan Ilir Davies (Megan Kitch), cariad Gwilym; Llinos Iorwerth Jones (Dafis ar ôl priodi); Joy Sewell Harries (Williams wedyn); Geraint Jones, Trefor; a'r myfyriwr cyfraith Huw Morgan Daniel, brawd J. I. Daniel yr athronydd. Ar ôl iddynt wrthod talu'r ddirwy o ddecswllt cawsant eu gwyso gerbron yr Is-Brifathro, P. A Reynolds, a'r Tiwtor Hŷn, J. Killa Williams, i dderbyn cosb bellach. Hanesydd gwleidyddol o Sais a ddaethai i Aberystwyth *via* Prifysgol Rhydychen a'r London School of Economics oedd yr Athro Reynolds, ac ysgolhaig Ffrangeg a aned ar Ynysoedd Gilbert yn y Cefnfor Tawel ac a fu'n gwasanaethu gyda'r 8th Punjab Regiment yn yr India a Burma oedd Killa Williams, dau academydd heb unrhyw fath o gydymdeimlad â gwlatgarwyr ifainc o Gymry na dealltwriaeth o'r egwyddor y tu ôl i'w safiad. Y tro hwn rhoddwyd i'r myfyrwyr troseddol ddirwy o £5 yr un. Ond faint elwach oedd y Coleg? A pham na ddarfu i Thomas Parry weld bod y mater hwn yn fwy na mater disgyblaethol cyffredin, a mynnu trin y myfyrwyr ei hunan, a hynny gyda'r aeddfedrwydd a'r sensitifrwydd a ddisgwylid gan genedlaetholwr o Brifathro?

Do, fel y gwelwyd, fel cosb bellach anfonwyd Gwilym Tudur adref am dair wythnos olaf Tymor y Pasg 1963. 'Anghyfiawnder poenus i unigolyn,' ebe *Llais y Lli*, a 'chamgymeriad trychinebus ar ran Senedd y Coleg.' Y 14eg o Fawrth cafwyd ei stori ar ddalen flaen *Y Cymro*, ynghyd â llun ohono'n ei wely'n sâl fel petai'n rhyw Ddewi Wyn o Eifion o'r ganrif gynt – ond bod ganddo'n wahanol i Ddewi wên fawr iachus ar ei wyneb! Pan ddychwelodd i'r Coleg am Dymor yr Haf cafodd wahoddiad i de i'r Plas yr ail Sul ym Mai, ef a Dyfrig Thomas ac Aled Jones Parc Nest. Onid gwell na gwahoddiad i de ym mis Mai fuasai ymarfer synnwyr cyffredin ym mis Mawrth? A beth a wneir o'r rhybudd y dywed Thomas Parry iddo'i roi i John Daniel? Rhybudd ynghylch beth ydoedd? A pham ysgrifennu i'r *Faner*? A ddisgwyliai'r Prifathro i'r *Faner* ar ei arch ef beidio ag adrodd am y gronfa a sefydlwyd i amddiffyn Emyr Llew, neu, o adrodd amdani, beidio ag enwi ei thrysorydd? Os gwir yr adroddiad yn rhifyn y 4ydd o Ebrill o'r *Cymro* fod yr erlynydd yn Llys y Goron,

Caerfyrddin, wedi bod yn raslon wrth holi Emyr Llew, a bod y barnwr dan deimlad wrth ei ddedfrydu i garchar, rhaid nodi na chafwyd na graslonrwydd na chydymdeimlad gan awdurdodau Coleg Aberystwyth tuag at y myfyrwyr a'i cefnogodd. Er ei bod yn amlwg na wnaeth yr achos ddim lles i enw da Thomas Parry ymysg nifer ohonynt, nac ymysg rhai aelodau o'r staff ychwaith, ni welais ddim i ddangos ei fod ef wedi'i greithio gan yr helynt. Yn sicr ni ddysgodd ei wers. Y flwyddyn academaidd ganlynol ymatebodd i lythyr sarhaus a anfonodd myfyrwyr o Goleg Bangor ato, a hynny mewn ffordd gwbl hunanawdurdodol.

Dyma'r hanes hwnnw. Ym mis Tachwedd 1963 ymwelodd Dug Caeredin â Choleg Aberystwyth yn rhinwedd ei swydd fel Canghellor Prifysgol Cymru. Yn ystod yr ymweliad cwynodd rhai myfyrwyr wrtho fod y penaethiaid piwritanaidd a reolai'r lle yn gwrthod caniatáu iddynt gael bar yfed yno. Cyngor nodweddiadol wamal y Dug iddynt oedd, 'First get a chapel and then convert it into a bar.' Ddechrau Tymor y Pasg 1964 cyhoeddodd *Llais y Lli*, o dan olygyddiaeth Gwynn Jarvis, erthygl gan golofnydd gwadd (Emyr Llew, fel y mae'n digwydd, a oedd erbyn hynny allan o'r carchar) o dan y pennawd 'Rhegwr, Cablwr, Twpsyn? Duw Gadwo'r Frenhines?' yn tynnu sylw at y cyngor gwamal hwnnw ac yn cyhuddo'r Dug o anghyfrifoldeb, anwedduster a phenchwibandod. Yn absenoldeb y Prifathro, ar orchymyn yr Is-Brifathro Reynolds, a chyda chydweithrediad un o swyddogion Cyngor y Myfyrwyr a oedd yn gweithredu fel sensor *Llais y Lli*, ataliwyd cyhoeddi'r rhifyn hwnnw a meddiannwyd hynny o gopïau ohono a oedd eisoes wedi cael eu cylchredeg – nid 'ar y tir fod athrod na dim o'r fath ynddo,' ys dywedodd Ysgrifennydd Cyngor y Myfyrwyr, 'ond yn unig am fod y stori flaen yn tueddu i beryglu enw da'r coleg', ac am nad oedd y Dug 'mewn safle i ateb yn ôl'. Er nad oedd raid iddo, ddiwedd Chwefror anfonodd y Prifathro lythyr manwl at James Orr, Ysgrifennydd Preifat y Dug, i adrodd yr hanes i gyd wrtho. Yr ateb diplomatig doeth a ddaeth o Lundain oedd: 'Prince Philip thinks you handled the matter very efficiently and now considers the incident closed.'

Ychydig iawn o sylw a gafodd y gwaharddiad ar *Llais y Lli* yn y papurau cenedlaethol. Cafwyd pwt bach yn y *Western Mail*, colofn yn *Y Cymro*, a llythyr mewn rhifyn diweddarach o'r *Cymro* gan George Brewer, un o fyfyrwyr ymchwil Bangor, yn nodi y gallai pobl ddweud a fynnent 'yn erbyn Cymru a hyd yn oed yn erbyn y Brenin Mawr. Ond gwae'r neb a godai fys yn erbyn teulu brenhinol Lloegr, pa mor gyfiawn bynnag y bo'r cerydd.' *Y Dyfodol*, papur myfyrwyr Bangor, a gondemniodd y gwaharddiad halltaf, yn ei golofn olygyddol ac mewn penillion dychanol gan 'Ap Ologia'.

Ond nid oedd hynny'n ddigon gan ddau o fyfyrwyr Coleg y Gogledd. Yr oedd Robat Gruffudd a Penri Jones, dau genedlaetholwr digymrodedd ar eu blwyddyn gradd a drigai yn Neuadd Reichel, er deuddeng mis wedi bod yn protestio yn erbyn gwrth-Gymreigrwydd Bangor mewn mwy nag un ffordd. Yn awr dyma brotestio yn erbyn sensoriaeth Aberystwyth – a hynny ar ffurf llythyr at y Prifathro, llythyr pur sarhaus (fel y nodais eisoes) at Brifathro a oedd wedi eu siomi'n ddirfawr. Y maent yn agor y llythyr drwy nodi iddynt ddisgwyl 'cyfnewidiadau mawr' pan benodwyd Thomas Parry yn Aberystwyth, ond yn lle hynny yr hyn a gafwyd oedd dyn 'hollol ddi-asgwrn cefn ac anniffuant', dyn a fynegodd ei bersonoliaeth a'i weledigaeth yn wych yn ei waith llenyddol ond a adawodd i'w weithredoedd gwachul fel Prifathro fradychu'r weledigaeth honno. Pa les i ddyn gyfrannu i Gronfa Gŵyl Dewi Plaid Cymru ac ymddwyn fel Prydeiniwr? Siom enbyd i'r rhai 'sy'n caru Cymru' oedd ei ymarweddiad gynt 'yn achos Emyr Llew a Gwilym Tudur' ond yn awr syrthiodd 'i bwll isaf taeogrwydd trwy gondemnio y rhifyn hwn o "Llais y Lli".' Tebyg yw gweddill yr epistol. Ceir ynddo ddatganiadau fel 'Dylech gywilyddio at y ffaith eich bod yn Gymro' ac os llyfu tinau Saeson a meddwl am ddelwedd y Coleg yn Lloegr yw eich nod 'y mae'n well gennym hebddoch', *&c.* Yna ceir y frawddeg glimactig gïaidd hon: 'Mae dy enw yn drewi ymysg ieuenctid goleuedig Cymru.' Yn ogystal â Robat Gruffudd a Penri Jones, o'u gwirfodd neu o dan berswâd hwyrnosol, torrodd pump arall o drigolion Neuadd Reichel eu henwau wrth y llythyr: Peter Cross, Gareth Gregory, Geraint R. Jones, Emyr Price a Glyn Williams. A'r 19eg o Chwefror 1964 anfonwyd ef i Aberystwyth.

Y mae'r llythyr gwreiddiol hwnnw o hyd ar glawr, ynghyd â'r glosau a ysgrifennodd Thomas Parry wrth ei odre. Y mae un o'r glosau'n nodi mai dyma'r peth mwyaf digywilydd ac anfonheddig a anfonwyd at neb erioed a'i fod yn adlewyrchiad drwg o addysg a diwylliant y dydd. Gwir wasanaeth i Gymru, medd un arall o'r glosau, yw 'eangfrydedd, perswâd, ennill ewyllys da'. Ond yr hyn a geir yn yr achos hwn yw gwaith ieuenctid 'aflawen, sorllyd, cibog, chwerw'. Glos arall yw'r gair 'Enllib'. Y mae'n hawdd deall bod teimladau Thomas Parry'n berwi pan dderbyniodd y llythyr, ond heb i rywun ddeall a gwerthfawrogi bod croesi cleddyfau weithiau'n hobi ganddo y mae'n anodd dirnad pam y darfu iddo ymddwyn fel y gwnaeth wedyn mewn gwaed oer. Cysylltodd ag Aled Eames, Warden Neuadd Reichel, i holi'n fanwl am y rhai a roes eu henwau wrth y llythyr – pwy oeddynt, beth oedd eu cefndir, pa bynciau a astudient – a chafodd lythyr hir yn ôl a oedd yn cynnwys portread byr, celfydd o gywir, o bob un ohonynt. Yna trefnodd i gyfarfod â'r saith wyneb yn wyneb yn swyddfa'r Warden nos Fercher y 4ydd o Fawrth, lle'i rhoes hi'n ofnadwy iddynt am eu hanfoes.[20]

---

20   Mewn llythyr ataf, y 10fed o Chwefror 2012, dywedodd W. Penri Jones mai yn ystafell Prifathro Bangor y cafwyd y 'trengholiad' (chwedl yntau), a bod Charles Evans yn bresennol. Nage a nac oedd. Lluniodd Dafydd Glyn Jones nodyn go hir ar 'Ymweliad Thomas Parry â Bangor, Gwanwyn 1964' a'i gyflwyno i Archifdy Prifysgol Bangor. Ynddo y mae'n cywiro peth ar ddau adroddiad cyhoeddedig sy'n sôn am yr episod hwn, y naill yn hunangofiant Emyr Price, *Fy Hanner Canrif I* (Tal-y-bont, 2002), a'r llall mewn erthygl gan Robat Gruffudd yn *Taliesin* 84. Y mae nodyn Dafydd Glyn yn cynnwys disgrifiad graffig doniol iawn o'r hyn a welodd – ef a thri neu bedwar arall ohonom, meddai ef – 'drwy ffenest oleuedig' swyddfa Aled Eames. 'Gwelem amlinell ein cymrodyr yn eistedd yn rhes, a'r Prifathro . . . yn dyrnu braich ei gadair i ategu ei neges! Pan ollyngwyd hwy oddi yno, brysiasom i'w cwrdd yn ystafell un ohonynt, Glyn Williams o Edern . . . Yr oedd hyd yn oed y dewraf ohonynt wedi cael ysgytwad, ac yn gallu adrodd araith TP air am air. Cofiaf y geiriau "Mi fydd hyn yn eich erbyn weddill eich oes!" . . . Cododd ton o gydymdeimlad tuag at y pechaduriaid wedyn ymhlith y rhai ohonom a gyfrifid yn llai "eithafol", a phenderfynwyd llosgi copi o *Hanes Llenyddiaeth Gymraeg* mewn protest! Newidiwyd hwn yn fuan i "llosgi copi o'r siaced lwch", a newidiwyd hynny wedyn i'r weithred symbolaidd o daflu'r siaced lwch i'r bin sbwriel.'

Ar un wedd, y mae dyn yn ei edmygu am fynd ar noson oer o aeaf yr holl ffordd o Geredigion i Arfon i wynebu ei watwarwyr. Ar wedd arall, y mae dyn yn gofyn pam na adawodd iddynt stiwio ym mhoethder eu gwaed ifanc. Ac ar wedd arall eto, y mae dyn yn gofyn pa fusnes oedd ganddo i droedio tir na pherthynai iddo i gymhennu aelodau o Goleg Bangor heb gysylltu â Charles Evans. Pe daethai Prifathro o bant i Aberystwyth i osod y ddeddf i lawr, siawns na chawsai flaen troed Thomas Parry i'w hebrwng oddi yno.

V. COMISIWN Y BRIFYSGOL

Ychydig wythnosau ar ôl yr how-di-dŵ gyda'r ifanc ym Mangor bu Thomas Parry o dani hi gan lawer o'i gyfoeswyr drwy Gymru. Yn 1958 wrth ei longyfarch ar ei benodiad yn Brifathro dywedodd Henry Lewis wrtho y byddai nid yn unig yn wynebu 'problemau dyrys' yn ei Goleg ei hun ond y deuai 'einioes y Brifysgol' i fynnu'i sylw hefyd. 'Mae'n hyfryd gwybod,' ebe Henry Lewis ymhellach, 'y bydd un o'r Penaethiaid yn un ohonom ni ei graddedigion . . . i godi llais o'i phlaid a rhoi cyfarwyddyd i'w thywys.' Dyna'r disgwyl, dyna'r dyhead. Ond nid felly y bu. Ac o'r herwydd, rhwng 1960 ac 1964, cafodd llawer iawn o'i gyfeillion a'i gydnabod eu siomi'n arw yn Thomas Parry. Adrodd stori Comisiwn y Brifysgol a wneir yma – nid yn llawn (ceir crynodeb da iawn ohoni yn nhrydedd bennod Prys Morgan yn *The University of Wales 1939–1993*) ond yn y fath fodd ag i ddangos rhan Thomas Parry ynddi ac i ddangos sut a pham y siomodd ei gefnogwyr naturiol.

Fel y nodwyd o'r blaen, sefydliad ansefydlog o'r dechreuad oedd Prifysgol Cymru, ffederaliaeth yr oedd y tri – ac yna'r pedwar – Coleg a'i ffurfiai yn aml yn ei dilorni onid yn ei ffieiddio, am y byddai'n rheitiach ganddynt annibyniaeth na'r berthynas genedlaethol lac oedd ohoni. Gwir bod Caerdydd a Bangor yn fwy gelyniaethus tuag ati nag Aberystwyth ac Abertawe, yr hynaf a'r ifancaf o'r Colegau, ond yr oedd ym mhob un o'r pedwar Coleg bob amser rai pobl y byddai'n dda ganddynt weled datod y rhwymau. Eto fel y nodwyd o'r blaen, yn niwedd y pumdegau a dechrau'r chwedegau, pan oedd prifysgolion newydd yn codi wrth yr hanner dwsin yng ngwledydd eraill Prydain, yr oedd awydd Coleg Caerdydd am siarter iddo'i hun mor fawr fel y penderfynodd unwaith yn rhagor wneud cais i newid y drefn oedd ohoni yng Nghymru. Y peth naturiol fuasai i Senedd neu Gyngor y Coleg ofyn i Lys Prifysgol Cymru drefnu ymchwiliad i statws y Brifysgol. Yn hytrach na gwneud hynny'n uniongyrchol, perswadiodd un o athrawon Caerdydd Gyngor Dosbarth Dinesig Caerffili i basio penderfyniad felly, a chafodd Cyngor Caerffili yn ei dro tua deugain awdurdod lleol arall i'w gefnogi – pob un 'yn bendant y dylid diffederaleiddio Prifysgol Cymru'.

Ymateb i'r penderfyniad hwn a wnaeth y Llys yn y cyfarfod a gynhaliwyd yr 16eg o Ragfyr 1960 pan sefydlodd Bwyllgor cynrychioliadol 'i adolygu gweithrediadau, galluoedd, a chyfundrefn weinyddol y Brifysgol a'i Cholegau ac Ysgol Feddygol Genedlaethol Cymru, ac i ystyried statws y sefydliadau hyn yn y dyfodol' ac i ddwyn adroddiad gerbron. Er mor ofalus y geiriad, mewn gwirionedd pwyllgor i ystyried difodi neu gadw Prifysgol Cymru oedd hwn. Ac nid pwyllgor cynrychioliadol oedd eithr pwyllgor deuol. O'i ddechreuad yr oedd yn bwyllgor ac arno ffederaleiddwyr diwyro a diffederaleiddwyr diwyro. Barnai'r naill garfan ei bod yn draddodiadol ac yn cynrychioli buddiannau Cymru; barnai'r llall ei bod yn fodernaidd ac yn cynrychioli Cynnydd.

Buan yr ailfedyddiodd y Pwyllgor ei hunan yn Gomisiwn. Ei gadeirydd cyntaf oedd yr Is-Ganghellor Anthony Steel. Pan ddaeth Thomas Parry yn Is-Ganghellor am y ddwy flynedd dyngedfennol rhwng Medi 1961 a Medi 1963 ef a'i cadeiriodd. Ac am yr ychydig fisoedd olaf o'i fodolaeth J. H. Parry, olynydd J. S. Fulton yn Abertawe, oedd yn y gadair.

O'r pedwar Prifathro a oedd yn benaethiaid ar Golegau'r Brifysgol – yr oedd Profost yr Ysgol Feddygol hefyd ar y Comisiwn – Thomas Parry oedd y cyntaf i osod ei nod ar y gweithgareddau. Yr 16eg o Ionawr dywedodd wrth Steel na ddylai nac Elwyn Davies (Ysgrifennydd Cyngor Prifysgol Cymru) na T. J. Morgan (ei Chofrestrydd) gael bod yn ysgrifennydd i'r Comisiwn, yn rhannol am y dylent fod yn barod i gael eu galw yn dystion ger ei fron, yn rhannol am y byddai'n dda cael ysgrifennydd diduedd iddo – rhyw was sifil newydd ymddeol a allai feistroli manylion yn rhwydd ac a allai ddrafftio papurau'n fedrus. Sais a fu'n cerdded coridorau'r Neuadd Wen a'r Cenhedloedd Unedig a benodwyd i'r swydd honno, Syr Arthur Rucker. Dywedodd Thomas Parry hefyd yr hoffai weld cyfethol tri neu bedwar o bobl eraill i'r Comisiwn, tri neu bedwar o bobl o'r tu allan yn llwyr i Brifysgol Cymru ond a chanddynt ryw wybodaeth amdani yn ogystal â phrofiad helaeth o brifysgolion eraill. Awgrymodd Syr William Pugh (cyn-Gyfarwyddwr yr Arolwg Daearegol), Gwilym James (Is-Ganghellor Southampton) a Syr David Hughes Parry. 'These three happen to be Welshmen; a couple of Englishmen would do no harm.' O'r tri Chymro a enwyd, Pugh yn unig a gyfetholwyd. Ynghyd ag ef cyfetholwyd nid 'a couple of Englishmen' ond pedwar: Syr Alexander Carr-Saunders, Syr James Duff, Syr John Lockwood a'r Athro Harold Scarborough, dynion sefydliadol, prifysgolaidd, nad oedd gan yr un ohonynt edefyn o gysylltiad â Chymru na gwybodaeth ddaionus amdani.

Ymunasant â nifer o gomisiynwyr a oedd o'r farn fod y Brifysgol yn symbol pwysig o genedligrwydd y Cymry: dau brifathro Colegau'r Annibynwyr, Gwilym Bowyer a W. T. Pennar Davies; y golofn a gynhaliai Undeb Cymru Fydd, T. I. Ellis; pennaeth y BBC yng Nghymru, Alun Oldfield Davies; y cyn-weision sifil Richard Thomas a William Thomas; yr addysgwyr D. W. T. Jenkins ac Alwyn D. Rees; a'r cyfarwyddwyr addysg B. Haydn Williams a Mansel Williams. Erbyn canol 1962 yr oedd hi'n amlwg i'r rhain fod pob un o swyddogion y Brifysgol a eisteddai ar y Comisiwn, pob un o Brifathrawon ei Cholegau a Llywydd Bangor, oll o blaid diffederaleiddio. Am ei fod yn siomedig fod Thomas Parry yn un o'r garfan honno, y 29ain o Orffennaf 1962 anfonodd Alwyn D. Rees lythyr apêl ato, a chynhwysodd yn yr un amlen gopi o'r llythyr a ysgrifenasai at David Hughes Parry bum mlynedd ynghynt i gymell ei benodi – 'fel tystiolaeth i'r ffydd a oedd gennyf ynoch y pryd hwnnw'. Yn y llythyr apêl dywedodd wrth ei Brifathro fod 'eraill o Gymry Coleg Aberystwyth am gael eich arweiniad arnynt' yn 1957–58, 'ond teimlaf yn go sicr na chroesawyd eich penodiad gan neb o'r Saeson a fydd cyn hir yn llawenhau yn natgymaliad y Brifysgol – datgymaliad a sicrhawyd gan ŵr y buont unwaith yn ei ofni am ei fod yn ormod o Gymro'. Dywedodd wrtho hefyd ei fod wrth bleidio rhannu'r Brifysgol yn siomi ei ddebyg – sef holl ysgolheigion Adrannau Cymraeg y Colegau, holl staff y Llyfrgell Genedlaethol,

> pob cenedlatholwr Cymreig, mwyafrif mawr gwŷr gradd Prifysgol Cymru sy'n Gymry Cymraeg a chyfartaledd sylweddol o'r di-Gymraeg – heb sôn am y miloedd hynny sy'n cyfansoddi'r haen fwyaf diwylliedig o'r werin (y graig y naddwyd chwi ohoni). A oes gennych fwy o barch i'r ddau Sais a'r ddau Gymro di-genedl sy'n yr un swydd â chwi, ac i'r Saeson a ddaeth ger eich bron, nag sydd gennych i'r rhain? Os oes dewisasoch yn anghywir . . . 'Rwy'n crefu arnoch i ail-ystyried eich agwedd ar frys.

Yr un haf, penderfynodd Alun Talfan Davies ysgrifennu memorandwm at y Comisiwn yn enw Cyfeillion Prifysgol Cymru, corff newydd *ad hoc*, a chafodd yn agos i bymtheg cant o bobl i dorri'u henwau arno – yn eu plith David Hughes Parry, Llywydd Coleg Aberystwyth. Unwaith y torrodd ei enw ar 'y llythyr sydd yn mynd oddi amgylch' ysgrifennodd Hughes Parry at y Prifathro i egluro pam y gwnaeth hynny. Ef biau rhifo'i bwyntiau. (1) Am fod y Comisiwn wedi dewis – 'a hynny yn hollol fwriadol' – cyfethol arbenigwyr o Saeson: ni ddigwyddasai hyn yn Ghana na Malay na Nigeria na Scotland nac Iwerddon. (2) Am nad oedd yn ddim o fusnes y dieithriaid hyn i benderfynu ar bolisi

Prifysgol Cymru. 'Croeso iddynt roi pob help ar yr ochr dechnegol wedi i Gymru ei hunan benderfynu'r polisi.' (3) 'Felly ni welaf fod unrhyw reol yn fy rhwystro i ofyn i'm cyd-Gymry ddatgan barn ar egwyddor cyn i'r Comisiwn gyflwyno ei adroddiad.' (4) Rhaid penderfynu ar yr egwyddor i gychwyn: 'mater o drefnu ffordd i weinyddu'r polisi ydyw hi wedyn.'

Er gwytned oedd, y mae'n anodd meddwl na chafodd llythyron Alwyn Rees a Hughes Parry effaith ar Thomas Parry. Yng nghyfarfodydd y Comisiwn câi gysur cysgod a chwmni ei gyd-swyddogion, ond sut oedd hi arno yng nghyfarfodydd Senedd y Coleg ger y Lli lle'r oedd Jac L. Williams ac Alwyn D. Rees mor llafar eu gwrthwynebiad i'w safbwynt, a sut oedd hi arno yng nghyfarfodydd bwrdd Teledu Cymru lle'r oedd Haydn Williams a T. I. Ellis yr un mor llafar?

Gan fod rhaniad y Comisiwn mor fawr, yn y diwedd nid un adroddiad a gyflwynodd i Lys y Brifysgol ond dau. Prif argymhellion y naill oedd y dylai 'pedwar Coleg Prifysgol Cymru fynd yn bedair Prifysgol unedol', y dylent benodi un Canghellor iddynt oll, ac y dylai eu siarteri roi'r hawl iddynt sefydlu Cyngor Cyffredin a fyddai ymysg dyletswyddau eraill yn gofalu 'am y gwasanaethau hynny y byddai'n angenrheidiol neu'n briodol i'r Prifysgolion eu gweinyddu ar y cyd'. Pedwar ar ddeg o'r Comisiynwyr a dorrodd eu henw wrth yr Adroddiad Cyntaf hwn. Prif argymhelliad yr Ail Adroddiad oedd 'Fod Prifysgol Cymru i barhau yn un Brifysgol ffederal, genedlaethol'. A thorrodd deuddeg o'r Comisiynwyr eu henwau wrtho ef. A bod yn deg, yr oedd cryn dipyn o synnwyr yn nifer o argymhellion yr Adroddiad Cyntaf, ac yr oedd mwy na mymryn o hunan-dwyll ym mhrif argymhelliad yr Ail Adroddiad. Ta beth am hynny, efallai am na fynnai bechu'r Sanhedrin na phechu Cyfeillion y Brifysgol, ni thorrodd Thomas Parry ei enw ar y naill adroddiad na'r llall. Yn hytrach, lluniodd 'Ddatganiad' byr diniwed, 'Datganiad' â'i baragraff canol yn dweud yr amlwg, sef fod agwedd aelodau'r Comisiwn 'at ddyfodol Prifysgol Cymru wedi ei seilio ar amrywiaeth mawr mewn cefndir personol a dulliau o ymateb i broblemau academig. O'r herwydd yr oedd yn rhwym o fod gwahaniaeth barn bendant ar y prif bwnc.' Sut gan hynny na pharodd ei gefndir personol ef iddo ochri gyda'r Cymry? Yn lle dau adroddiad gwrthgyferbyniol, gwell ganddo ef fuasai gweld cyflwyno i'r Llys 'ddogfen ddiduedd' yn gosod y dadleuon o blaid cadw'r Brifysgol a'r dadleuon o blaid sefydlu pedair prifysgol newydd. Ond o weld pa mor groes i'w gilydd y bu'r ddwy garfan drwy gydol y tair blynedd y bu'r Comisiwn yn eistedd, siawns nad oedd Thomas Parry wedi hen sylweddoli na ellid dogfen o'r fath. A hyd yn oed pe cawsid dogfen felly, buasai'r ddadl yn ei chylch ar lawr Llys y Brifysgol yn creu'r un rhaniad ag a welir yn y ddau adroddiad.

Ond nid dyna'i diwedd hi. Yn y cyfarfod o'r Llys a gynullwyd y 24ain o Ebrill 1964 i drafod yr adroddiadau hyn a'u hargymhellion ni siaradodd Thomas Parry tan ar ôl te. Amser te cyhuddwyd ef gan hen ffrind da iddo o eistedd ar y ffens. Ef sy'n dweud. Ac ar dâp-recordiad o'r gweithgareddau sydd yn awr ym meddiant Emrys Wynn Jones fe'i clywir o hyd yn dweud hynny:

> During the tea interval I was accused by an old and good friend of mine of sitting on the fence, so I'm going to make it absolutely clear here and now which side of that fence I'm on . . . After very careful thought . . . I'm in favour of what is recommended in the First Report, not that I'm in agreement with everything that appears in that report, but I do feel that the creation of four unitary universities is the inevitable step forward.

Ar ôl gwneud y datganiad hwn o'r frest, rhywbeth nad oedd yn barod i'w wneud yn oer mewn print pan aeth yr adroddiadau i'r wasg ychydig wythnosau ynghynt, aeth rhagddo i honni nad dinistrio sefydliad cenedlaethol fyddai diffederaleiddio Prifysgol Cymru – nage, rhywbeth llai o lawer, sef 'dinistr . . . math arbennig o weinyddiaeth'. Dyma ddadlau'n gaswistaidd unwaith yn rhagor, fel yn y llythyr at Margaret Tucker o Blaid Cymru tua'r un pryd. Bron na ellir gweld y syndod ar wynebau'r ffederaleiddwyr wrth glywed Cymro o Brifathro'n dweud y fath beth. Yr oedd, meddai ymhellach, yn ffafrio pedair prifysgol ar un amod – 'that we do have an effective, workable Common Council . . . but unfortunately here this afternoon I can't have that condition satisfied, or be assured that it will ever be satisfied.' Yna, gan droi i'r Gymraeg, dywedodd nad y Brifysgol a roddodd iddo ef ei 'atgofion' ond Coleg Bangor, a rhestrodd y pum marchog (gan gynnwys Syr Wynn Wheldon) a fu'n athrawon a chyfeillion iddo yno. Er 'yn ymwybodol o'r Brifysgol,' meddai, 'mae 'na filoedd o bobol yng Nghymru heddiw . . . nad ydyn nhw ddim yn ymwybodol o ddim ond y Colegau unigol.' Gwir ei wala, ond nid dyna brofiad nac ymwybod ysgolhaig Cymraeg a fu ar staff Caerdydd, Bangor ac Aberystwyth, a fu'n aelod gwerthfawr o bwyllgorau canolog y Brifysgol er dechrau'r tridegau, a oedd yn awr yn un o brif arweinwyr y Brifysgol, na allai beidio â sylweddoli ei harwyddocâd i addysg a diwylliant yng Nghymru.

Pan aeth hi i bleidlais yn fuan ar ôl i Thomas Parry eistedd, pleidleisiodd tri ar ddeg ar hugain o blaid yr Adroddiad Cyntaf a chant a thri o blaid yr Ail. Ond parhaodd y ddadl. Yn rhifyn mis Mai 1964 o *Barn* – cylchgrawn a sefydlwyd gan Alun ac Aneirin Talfan Davies – condemniwyd yr Adroddiad Cyntaf fel un 'blinderus i'w ddarllen . . . [p]rennaidd a di-liw,' a chanmolwyd yr Ail (a ddrafftiwyd heb os gan Alwyn D. Rees, golygydd y cylchgrawn) am ei fod 'yn batrwm o ymresymu clir a rhesymegol' ac yn ddarn 'o lenyddiaeth ysbrydoledig' yr oedd ei ddadleuon grymus bron 'yn anatebadwy'. Printiwyd hefyd erthygl gan Alwyn D. Rees ar 'Pwy yw Pwy ar Gomisiwn y Brifysgol', lle haerwyd bod Anthony Steel a Thomas Parry ar gychwyn yr ymchwiliad o blaid cadw'r Brifysgol. Ysgrifennodd Thomas Parry i gwyno am y datganiad hwn, ac atebodd Alwyn D. Rees y 12fed o Fai nid i ymddiheuro ond i ddweud wrtho fod yr hyn 'sy'n mynd ymlaen yn y Brifysgol yn frwydr genedlaethol . . . a rhaid ei hymladd gyda phob arf.' Ebe fe ymhellach:

Peth diflas yw ymladd pan fo cyfaill a phennaeth i ddyn ar yr ochr arall, a gallaf eich sicrhau nad yw anelu atoch chwi'n bersonol yn unrhyw demtasiwn i mi. Os cyffyrddwyd â chwi gan y saethau yn *Barn*, y rheswm yw i chwi fynd rhyngof a'r targed – ac y mae hynny'n ofid im.

Un o'r ffyrdd yr ymatebodd Thomas Parry i'r helynt hwn – 'pan syrthiodd yn bur galed rhwng dwy stôl', chwedl Dafydd Glyn Jones – oedd trwy gyfansoddi tair erthygl hir i'r *Faner*. Ysgrifennodd y gyntaf mewn cywair dychanus-ysmala, a'i galw yn 'Comisiwn y Brifysgol: y Saith Rhyfeddod'. Y rhyfeddod cyntaf oedd mai cynghorau lleol Cymru a bwysodd am statws prifysgol i'r pedwar Coleg. Yr ail oedd na roddodd yr un cyngor lleol na barn na thystiolaeth i'r Comisiwn er gofyn. Y trydydd oedd bod 124 o aelodau Llys y Brifysgol wedi torri'u henwau ar y 'datganiad croyw o blaid cadw'r Brifysgol ffederal' a luniodd ei Chyfeillion – wedi 'traethu dedfryd ar goedd y byd ar yr union bwnc yr oeddynt wedi gofyn i'r Comisiwn ei ystyried, a hynny, wrth gwrs, pan oedd y pwnc hwnnw *sub judice*'. Y pedwerydd rhyfeddod oedd bod 'rhai o'r gwŷr' a gefnogodd ddeiseb Alun Talfan ac a ysgrifennodd i'r wasg mor danbaid o blaid y *status quo* wedi anfon eu plant 'i brifysgolion yn Lloegr'. Y pumed oedd mai dim ond 137 o aelodau allan o 263 a ddaeth i gyfarfod y Llys y 24ain o Ebrill i drafod dyfodol y Brifysgol. Y chweched oedd mai dwyawr yn unig o drafod a gafwyd yno. Ar ôl hynny 'dyma ryw ddynes siriol o'r Barri, wedi hen syrffedu yn ddiau, yn cynnig ein bod yn pleidleisio, ac yn gorffen y cyfan cyn te. Corws o gymeradwyaeth.' Ond cafwyd trafod ar ôl te, fel y gwelsom. 'Un o'r rhai a siaradodd ar ôl te,' ebe Thomas Parry,

oedd gŵr a fu'n gadeirydd y Comisiwn am ddwy flynedd … Nid oedd ei safbwynt yn gwbl glir, oherwydd nid oedd wedi rhoi ei enw wrth yr un o'r ddau adroddiad … Fel Cymro Cymraeg, wedi cael ei holl addysg ym Mhrifysgol Cymru ac wedi treulio saith mlynedd ar hugain o'i oes fel darlithydd ac Athro yn ei cholegau, fe ddylai fod yn

294

selog dros gadw'r Brifysgol . . . Ond gwae ni! Dyma fo'n . . . [p]ardduo'i gymeriad ei hun, drwy gymeradwyo datgymalu'r Brifysgol.

A dyna'r seithfed rhyfeddod. Eithr y mae gan y colofnydd coeg ragor i'w ddweud amdano'i hun, ac y mae'n ei ddweud megis o enau ei wrthwynebwyr:

Ond tybed a yw agwedd Prifathro Coleg Aberystwyth yn gymaint â hynny o ryfeddod wedi'r cyfan? Dyn mewn swydd ydi yntau, ac y mae swydd yn llygru. Er ei fod yn aelod o Blaid Cymru er cyn i'r rhan fwyaf o'r aelodau eraill adael eu clytiau, peth arall ydyw gwneud rhywbeth ymarferol dros Gymru. Mae ganddo fo fwy o barch i ragfarn y Saeson nag i farn y Cymry. Mae o'n fwy awyddus i ddal y ddesgil yn wastad nag i droi'r drol. Roedd o'n ormod o lwfrgi i fynd yn groes i'r Prifathrawon eraill. Dyna'r gwir, ac y mae'r peth yn siom enbyd i bob Cymro twymgalon.

'Dyna'r gwir,' meddai. Ai gwawdlun sydd yma? Ynteu jôc ar draul ei wrthwynebwyr? Y mae cwestiwn arall i'w ofyn. A farnai darllenydd deallus y golofn hon yn *Y Faner* nad oedd ei hawdur yn cymryd ei phwnc o ddifrif? Ateb Thomas Parry i'r cwestiwn hwn yw 'arhoswch tan yr wythnos nesaf, i weld beth fydd ganddo i'w ddweud mewn cywair mwy difri'.

Yn ei ail golofn – 'Yr Apêl at Hanes' – ateb y mae yr honiad sylfaenol a wnaed yn yr Ail Adroddiad, sef na ellir deall perthynas y Cymry a'r Brifysgol 'ond yn nhermau hanes a thraddodiad'. Ar ôl maentumio nad wrth syniadau arweinwyr 1880 'y mae i ni benderfynu ein hymateb i'r sefyllfa gyfoes' y mae'n dadlau mai er mwyn gwella 'cyflwr y Colegau' y sefydlwyd Prifysgol Cymru nid i greu sefydliad 'a fyddai'n ymgorffori dyheadau Cymru . . . ac yn pwysleisio ei harwahanrwydd hi'. Dilyn D. Emrys Evans yn ei lyfr Saesneg *The University of Wales: A Historical Sketch* (1953) yr oedd Thomas Parry yma. Pe dilëid hi, meddai, ni chollid 'rhywbeth sydd o bwys enfawr i fodolaeth y genedl', oblegid byddai addysg brifysgolaidd 'yn cael ei chyfrannu mewn pedwar lle yng Nghymru yn union fel y mae ar hyn o bryd'.

Yn 'Tipyn o Egwyddorion', ei drydedd golofn, y mae'n gwneud tri phwynt: bod 'pob un o Golegau Cymru . . . i bob pwrpas ymarferol . . . yn Brifysgol ynddo'i hun'; na ellid gweithredu argymhelliad yr Ail Adroddiad i gael Cyngor i'w goruwchreoli; a bod yn yr Adroddiad Cyntaf argymhelliad i gael Cyngor Cyffredin i 'ymgymryd â gweinyddu gwasanaethau canolog . . . fel Bwrdd y Wasg a'r Bwrdd Celtaidd', argymhelliad a driniwyd mewn ffordd 'ffroenuchel ac annheilwng' gan awduron yr Ail Adroddiad.

O safbwynt ymarferol, gellir dadlau bod cryn swrn o synnwyr cyffredin yn yr ail a'r drydedd erthygl, ond, fel y gwelir yn ysgrifeniadau pobl fel Alwyn D. Rees yn *Barn* a Roy Lewis ac Ioan Bowen Rees yn *Triban*, i lu mawr o bobl nid pwnc i'w synhwyro'n gyffredin oedd Prifysgol Cymru ond symbol o undod cenedlaethol. Dywedais ymhell yn ôl yn y llyfr hwn mai dyn heb ddiddordeb mewn diwinyddiaeth ac athrawiaeth oedd y Tom Parry a olygodd Rhosier Smyth yn y tridegau. Yr un fel, dyn na allai – neu yn hytrach na fynnai – ddirnad gwerth haniaethol a seicolegol y Brifysgol oedd y Prifathro Parry yn y chwedegau. Eto i gyd, yn groes i bob rheswm, yr oedd ganddo ddigon o ffydd i gredu y byddai'r pedair prifysgol a bleidiai ef yn sefydlu Cyngor Cyffredin o'u gwirfodd.

Gan Anthony Steel y cafwyd rhai o'r sylwadau difyrraf ynghylch yr episod hwn yn hanes Prifysgol Cymru, sylwadau a oedd yn gymysgedd o ddoethineb a pheth camddadlau. Ar ei ymddeoliad yn 1967 dyfarnwyd iddo radd doethur er anrhydedd gan Brifysgol Cymru, ac yn y cinio i'r graddedigion ef oedd yn cynnig y llwncdestun i'r Brifysgol. Gan fod Charles Evans, yr Is-Ganghellor, yn yr ysbyty, a chan fod y cinio yn Aberystwyth, Thomas Parry oedd y gwesteiwr. Dechreuodd Steel ei araith drwy ddweud mai'r Prifathro Parry oedd wedi dodwy'r syniad o gael Comisiwn (hynny yw, mai ef a gynigiodd mai dyna'r ffordd i ymateb i gynnig Cyngor Caerffili). Aeth rhagddo wedyn i wawdio'r ffaith fod y Comisiwn wedi cymryd cymaint o amser i wneud ei waith – iddo ddechrau trafod dyfodol Prifysgol Cymru cyn i Gomisiwn Robbins ddechrau trafod dyfodol holl brifysgolion Prydain, a'i fod yn dal wrthi ymhell ar ôl i Robbins ddarfod. Lle'r esgorodd Robbins ar blentyn tew, nobl, iach, ar ffurf un Adroddiad unfrydol, esgorodd Comisiwn Prifysgol Cymru ar efeilliaid, dau Adroddiad bach a oedd yn croes-ddweud ei gilydd. A bu Thomas Parry, meddai, yn 'ddigon doeth' i beidio â thorri'i enw ar y naill na'r llall. Pwynt dweud hyn oll, ebe Steel, yw nodi ei fod yn awr yn cynnig llwncdestun i'r Brifysgol yr oedd Thomas Parry ac yntau 'o blaid ei dinistrio – er bod y gair "dinistrio" yn air llawer rhy gryf, achos 'roedd arnom eisiau achub llawer o bethau o'r adfeilion'. Ond i ba beth y codwyd y gynnen honno ynglŷn â'r Brifysgol o gwbl? gofynnodd wedyn. Pam poeni mai prifysgol ffederal oedd? Gall prifysgol fod yr hyn a fyn. I'n pwrpas ni, meddai, Prifysgol Cymru yw'r holl griw – yr *universitas vestra* – sydd yn y wlad hon yn ymwneud ag addysg uwch: y myfyrwyr, yr athrawon, y cofrestryddion, y prifathrawon, yr aelodau lleyg oll. Fel sefydliad cenedlaethol yr oedd ac y mae *mystique* a sentiment yn perthyn iddi, a rhaid i ddyn fyw yng Nghymru am rai blynyddoedd i'w deall. Pwynt teg, gwerthfawr. Ond aeth Steel rhagddo – yn gamarweiniol braidd – i honni'n annheg nad dileu'r brifysgol ffederal oedd dymuniad awduron yr Adroddiad Cyntaf, eithr yn hytrach ei throi'n gonffederasiwn o brifysgolion Cymreig yn gweithio gyda'i gilydd i gyflawni rhai swyddogaethau cytûn. Dadl go annymunol ynghylch enwau a gafwyd yn y Comisiwn mewn gwirionedd, meddai, dadl ganoloesol rhwng realwyr a nominalwyr. Bron na ellir gweld rhai o'r gwesteion a oedd yn gwrando arno yn y cinio yn ysgwyd eu pennau. Yna, gan ymadfer ei synnwyr o hanes, ebe Steel: 'Nid yw datgorffori Prifysgol Cymru ddim yn hanfodol bwysig i'r gwŷr academaidd sy'n ei gefnogi; nid yw'n ddim ond rhywbeth yr hoffent ei gael. Ond y mae'n hanfodol bwysig i'r gwrthwynebwyr, a dyna pam y derbyniodd Llys y Brifysgol Ail Adroddiad y Comisiwn a gwrthod y Cyntaf.' Un o gamgymeriadau'r garfan a bleidiai ddiffederaleiddio oedd credu bod y term 'prifysgol genedlaethol' yn wrthddywediad. Os myn y 'wlad fach' hon 'un brifysgol, a dim ond un' nid yw hynny'n 'anghlod' o gwbl. A chyda'r datganiad doeth terfynol hwnnw cynigiodd lwnc-destun i Brifysgol Cymru. A chododd Thomas Parry, fel pawb arall yn y cinio, i yfed iddi.

VI. YR ANTIPODES, AMERICA, AC ADRODDIAD PARRY 1967

Pan ymddangosodd yr olaf o'i dair erthygl ar Gomisiwn y Brifysgol yn *Y Faner* yng ngwanwyn 1964 yr oedd Thomas Parry ymhell bell o dref. Yr oedd yn yr Unol Daleithiau ar berwyl llyfrgellyddol tra phwysig a ddisgrifir yn y man. Buasai ef ac Enid dramor droeon, ar wyliau haf yn bennaf, yn yr Eidal un flwyddyn (fel y gwelwyd), yn yr Almaen flwyddyn arall, lle'r ymwelsant â Meirion Roberts a oedd erbyn hynny'n gaplan gyda Chatrawd Frenhinol y Tanciau. Yn Nhachwedd 1961 aeth y gŵr i Zaragoza yn Aragon i gynhadledd academaidd – 'Yr wyf yn teimlo'n euog fy mod i'n mwynhau fy hun fel hyn a'm gwraig fach i ar ôl' – a deunaw mis yn ddiweddarach aeth i Bellagio yng ngogledd yr Eidal yn un o ddeg o Brydeinwyr a wahoddwyd i gydgyfarfyddiad o Is-Gangellorion Ewrop ac America. O Villa Serbelloni ar lan Llyn Garda y mae'n anfon gair i ddweud bod y bwyd yno

> yn gyfaddas iawn i ddyn fel fi. Nid yw'r swm yn agos ddigon i was ffarm, ond y mae ei flas a'i ansawdd yn wych. Heno i ginio – sŵp, rhywbeth-neu'i-gilydd Portugaise; brithyll a thatws newydd; cream slice; gwin gwyn a choffi. Hyfryd.

Yn Awst 1962, a'r ddadl am Brifysgol Cymru'n poethi, aeth i Seland Newydd i gynhadledd o Brifathrawon Prifysgolion y Gymanwlad, ac y mae'r llythyron a anfonodd at Enid bob yn eilddydd, o'r dydd y gadawodd

Awyrborth Llundain hyd at ei ddychweliad, yn llawn dop o straeon a sylwadau ac yn hiraethus-gariadus. Cadwodd hefyd ddyddiadur taith, a llenwi 104 o ddalennau llyfr copi bychan, yn rhannol i lenwi'r nosweithiau oddi cartref, yn rhannol i ddifyrru Enid ar ei ddychweliad. Hedfan i Seland Newydd a wnaeth, mewn awyren BOAC, yng nghwmni tri Phrifathro arall, ciniawa'r noson gyntaf uwchben un o wledydd canol Ewrop, brecwesta yn Bombay – 'sug tomato; cyrn fflyc; cig moch, masiarŵms, ac wy sgrambledig. Da *iawn*' – a glanio yn Ne Cymru Newydd. Yn ystod yr ychydig ddyddiau a arhosodd yn Sydney treuliodd nos Sul y 5ed o Awst yng nghapel Cymraeg y ddinas, lle gofynnwyd iddo ddweud gair. Ar y diwedd daeth nifer o'r rhai oedd yn y gynulleidfa ato – 'dwy ferch ifanc a fu'n aelodau o ddosbarth Ysgol Sul Hughes Parry yn Kingston', 'gwraig o Faes-teg, a fu'n ddisgybl i Tom Richards yn yr Ysgol Ramadeg yno', ac ar eu hôl wraig a ddywedodd fod ei gŵr 'yn dod o Cesarea, mab Ellis Williams, stiward chwarel y Cilgwyn gynt':

Ac mi welwn yn syth yn fy meddwl Robert Arthur Williams ('Starchy' fel y'i galwem) oedd ryw ddosbarth neu ddau ar y blaen i mi yn Ysgol Pen-y-groes, ac a fyddai'n cydgerdded yn un o'r criw yn ôl ac ymlaen o'r ysgol. Bu farw bedair blynedd yn ôl, meddai Mrs Williams.

Ar waelod tudalen 18 yn y dyddiadur taith ceir hyn mewn cromfachau petryal:

Bydd gennyf bob amser barch mawr i Ellis Williams y Cilgwyn, oherwydd yn ystod y Rhyfel Cyntaf, pan oedd fy Nhad heb waith ac wedi cerdded at bob stiward chwarel yn Nyffryn Nantlle, gan gynnwys Ellis Williams, a dim o'i flaen ond 'mynd i'r Sowth' fel llu o rai eraill, un noson dyma Mam yn dweud ei bod hi am fynd i weld Ellis Williams. Pan ddaeth yn ei hôl, dywedodd fod Ellis Williams wedi cytuno i 'Nhad ddechrau yn chwarel y Braich rhag blaen. Ac felly yr arbedwyd ef rhag gorfod 'mynd i'r Sowth'. Yr wyf yn cofio'r noson yn berffaith glir.

Yn un o rifynnau'r *Goleuad* rai misoedd yn ddiweddarach dywedir i Thomas Parry wneud ymdrech fawr i ddod o hyd i'r capel yn Sydney, a chanmolir ei anerchiad: 'Sonnir byth am ei gyfraniad byr-fyfyr yn y gwasanaeth.' I dynnu'i goes lluniodd 'John G. Jones (Angorfab)' – neu rywun arall ar ran Angorfab – gyfres o dri englyn iddo, yn cynnwys hwn:

> Ar bob blaenor rhagori – o ran sêl
> Drwy New Zealand, Parry:
> Was teg, a ofynnaist ti,
> 'A oes adnod?' yn Sidney.

A thoddaid yn ogystal:

> Ar ôl hyn capeli'r wlad – a'th ddyrchant
> Byth mwy, a gwaeddant 'Beth am gyhoeddiad?'

Poen y Prifathro Parry y nos Sul honno o Awst wedi'r oedfa yn Sydney oedd nad oedd dim bwyd i'w gael yn y gwesty ar ôl iddo ddych-welyd yno tua hanner awr wedi naw. Am ei fod ar lwgu aeth mewn tacsi i King's Cross, cyfuniad o 'Piccadilly a Montmartre' (chwedl yntau), ardal ac ynddi 'sefydliadau diddan fel "The Fox Hole" [a'r] "Nite Spot"... gyda darluniau o rianedd deniadol heb fod yn gwbl noeth' yn hysbysebu 'floor shows'. Yr oedd y disgrifiad o'r olygfa hon i fod i ddiddanu nid Enid yn unig ond hefyd ei rhieni a ddaethai i dreulio mis Awst ar ei hyd gyda hi ym Mhlas Pen-glais: 'Mi euthum i'r Mary Elizabeth Restaurant, a chael omelette a brechdan a choffi. Ni fuasai'r un Ffrancwr yn adnabod yr omelette wrth edrych arno, ond yr oedd yn well na'i olwg.'

Y 12fed o Awst nododd Thomas Parry ei bod yn ddiwedd wythnos yr Eisteddfod Genedlaethol yn Llanelli ac na wyddai ddim beth oedd wedi digwydd ynddi. Petai teleffon symudol neu gyfrifiadur ar gael buasai wedi cael gwybod bod Caradog Prichard, ei hen gyfaill awengar yng Nghaerdydd yn y dauddegau, wedi dangos ei bedolau canol-oed wrth ennill y Gadair.[21]

---

21 Yn Llandudno yn 1963 yr oedd Thomas Parry unwaith yn rhagor ar banel beirniaid

Er bod y dyddiadur taith yn sôn ychydig am y diwygio diweddar a fu ar Brifysgol Seland Newydd ('creadigaeth ryfedd iawn a thra gwahanol i Brifysgol Cymru') – diwygiad a ddigwyddodd ar gyngor David Hughes Parry, gyda llaw – *vignettes* fel yr uchod sy'n ei lenwi. Er enghraifft, ceir ynddo ddisgrifiad o A. K. Stout, a fuasai'n ddarlithydd ym Mangor ugain mlynedd ynghynt, yn neidio 'i'r awyr yn llythrennol' pan welodd Thomas Parry mewn cinio nos ym Mhrifysgol Sydney. Mewn man arall nodir y syndod a'r rhyfeddod a ddangosodd 'pawb yn New Zealand' o weld ei fod 'yn Gymro ac yn gwybod cyn lleied am rygbi'. A cheir disgrifiad da o'r modd, yn Wellington, y daeth Percy Jones (yn wreiddiol o Fryn-crug) â chopi o'r *Oxford Book of Welsh Verse* iddo roi ei enw arno. Ar ddiwedd y gynhadledd brifysgolaidd hedfanodd adref *via* Honolulu a San Ffransisco ac Efrog Newydd, lle'r aeth gyda'i gyfaill, y Dr Charles Wilson, Is-Ganghellor Glasgow, i weld Emlyn Williams yn cymryd rhan Thomas More yn *A Man for All Seasons*, ac yn ei ystafell yn y gwesty cyn clwydo ysgrifennodd: 'Y mae bychander corff Emlyn Williams yn anfantais iddo weithiau.' Drannoeth, y 30ain o Awst, oherwydd llethder y gwres treuliodd yr hwn a oedd bellach yn un o gyfarwyddwyr Teledu Cymru deirawr dda yn edrych ar y sgrin fach yn y gwesty, gan ddamnio'r ffaith fod 'hysbysebion yn torri i mewn bob ychydig funudau . . . Y mae'n gwbl amhosibl darlledu gwaith artistig dan yr amodau hyn.'

---

cystadleuaeth y Gadair ac unwaith yn rhagor mewn dadl ynglŷn â theilyngdod. Yr oedd ef o blaid cadeirio *Deiniol* – sef Euros Bowen – a oedd wedi saernïo awdl a gafodd ei hysbrydoli gan y ffenestr nodedig a luniwyd gan John Piper ar gyfer bedyddfa Eglwys Gadeiriol Cofentri. Fel y nododd William Morris, un o'r beirniaid eraill, daw 'cân y Dr Thomas Parry i'r cof – "Mam" – a symbylwyd gan "Genesis" (Epstein); ond nid oes yma yr un eglurder sydd yn honno, na'r disgleirdeb sydd mewn rhannau ohoni hi.' Gan hynny, nid oedd o blaid ei gwobrwyo. Na T. H. Parry-Williams, y trydydd beirniad, a oedd, ddeng mlynedd ar hugain ynghynt, fel y cofir, yn eiddgar iawn i gadeirio 'Mam' Tom Parry. Yn ei farn ef yr oedd hynny o ddewiniaeth awenyddol a berthynai i *Deiniol* 'fel petai'n cael ei mygu . . . gan yr arddull a ddatblygodd'. Cytunai Thomas Parry fod y gerdd yn anodd, ond 'er mwyn tawelwch cydwybod' yr oedd yn rhaid iddo ddatgan ei fod yn ei ffafrio, a threuliodd ran dda o'i feirniadaeth ysgrifenedig yn 'egluro'n fyr ac amherffaith' beth a welodd ynddi.

Yr 21ain o Awst 1962, yn un o'i lythyron olaf o Seland Newydd, dywedodd Thomas wrth Enid nad âi byth oddi wrthi 'am gyhyd o amser eto'. Ond yng ngwanwyn 1964 aeth i ffwrdd am bum wythnos i'r Unol Daleithiau, nid gyda mintai o Brifathrawon y tro hwn ond ar ei ben ei hun yn rhinwedd ei gadeiryddiaeth o bwyllgor ar ddyfodol llyfrgelloedd prifysgolion Prydain a sefydlwyd gan Bwyllgor Grantiau'r Prifysgolion yng Ngorffennaf y flwyddyn gynt. Eisiau gweld drosto'i hun yr oedd sut y câi llyfrgelloedd rhai o brifysgolion blaenllaw America eu rhedeg, a llwyddodd i gael y Ford Foundation i noddi'r daith. Ni chadwodd ddyddiadur y tro hwn, ond gohebodd â'i wraig bob yn eilddydd, gan roi rhif pob llythyr ar frig ei dudalen agoriadol – 'iti wybod y drefn rhag ofn iddynt gymysgu ar y daith' – a chadwodd hithau'r llythyron oll. Hanesion ei drafel, disgrifiadau o'r bobl y cyfarfu â hwy, ei brydau bwyd, ei westyai, &c. a geir yn y llythyron hyn, hanesion a disgrifiadau a oedd, fel yn 1962, yn ddifyrrwch pur ym Mhlas Pen-glais, i Enid fel i Mr a Mrs Picton Davies, a ddaethai yno'r flwyddyn hon eto i dreulio'r amser yr oedd ef i ffwrdd. O rannu'r difyrrwch hwnnw cawn weld y Thomas Parry a fuasai'n gocyn hitio i rai Cymry yn Llys ei Brifysgol ei hun yn cael ei gynnwys yn gynnes mewn prifysgolion Americanaidd.

Ar y *Queen Elizabeth* yr aeth allan i America, aros yn y Belmont Plaza yn Efrog Newydd, ac ymweld yn gyntaf â llyfrgell Prifysgol Columbia. Un noson cafodd ginio gwych gyda'r bardd-gyfieithydd Joseph Clancy a'i wraig yng Ngholeg Marymount, cyfuniad o goleg a lleiandy, ac fel arfer ceir disgrifiad manwl o bob un saig. Disgrifiad mewn llythyr ymhen ychydig ddyddiau wedyn o'r Pick Congress Hotel yr arhosodd ynddo yn Chicago, gwesty drutach a chrandiach na'r Belmont Plaza – 'Ond pam y dylwn i gynilo arian y Ford Foundation, a chanddynt gyfalaf o rywbeth fel saith can miliwn o ddoleri?' Gan fod llyfrgellydd Prifysgol Chicago wedi gorfod mynd ymaith 'yn annisgwyliadwy', un o'i ddirprwyon, dyn o'r enw Stanley Gwynn ('od braidd – yr enw nid y dyn') a ofalodd amdano yn ystod y dydd, a chyda'r nos aeth ag ef i'w gartref i gael cinio: 'ei wraig yn athrawes Ladin yn un o ysgolion mwyaf

Chicago, yn teithio deunaw milltir yn ôl ac ymlaen bob dydd mewn Volkswagen'. Rhoddodd Thomas Parry'r *menu* yn llawn yn y llythyr hwn eto.

O Chicago teithiodd i Detroit, a'r wlad, meddai, yn undonog braidd, yn fflat yr holl ffordd – 'gwlad amaethyddol, ac eithrio ambell dref Byffalobilaidd fel Battle Creek a Kalamazoo'. Noder y bathiad geiriol. Ceir yn ei lythyron gryn dipyn o wneud-ati â geiriau, *steimp* yn lluosog *stamp*, *pystgeird* yn lluosog *postcard*, *cyrn fflyc* yn gyfieithiad am *corn flakes*. Yn Detroit lletyai gydag un o'i gyn-fyfyrwyr, y Parchedig John R. Owen (cyfaill pennaf Islwyn Ffowc Elis yn y coleg) a'i wraig, Joan. Gyda'r Oweniaid a'u plant aeth i ginio i glwb golff gogoneddus yr oedd Cymro alltud arall, Emlyn Lloyd o Ben-y-cae, ffrind bore oes i Bleddyn Jones Roberts, yn aelod ohono. 'Yr arswyd, dyna le! . . . Adeilad godidog, wedi ei ddodrefnu – o diar, diar!' – y tâl ymaelodi yn cyfateb i £1,000 a'r tâl aelodaeth blynyddol yn £80 – ac y mae hyd yn oed Thomas Parry'n brin o eiriau. Tra oedd yn Detroit ymwelodd â Phrifysgol Michigan yn Ann Arbor ac â Phrifysgol Wayne State. Ond uchafbwynt yr arhosiad yno oedd trip gyda John R. Owen dros y ffin i Ganada, ac yna'n ôl i ymweld â gwraig o'r enw Mrs Jones ('Jane Siop Dun') a oedd yn cadw siop *ironmonger* yn y ddinas, brodor o Ben-bwlch Mawr, Carmel, a gofiai ei dad 'a theulu'r Gwyndy a llawer o hen drigolion Carmel'. Drannoeth, a Thomas Parry eisoes wedi ymadael, dywedodd Jane Jones wrth ei gweinidog ar y teleffon y buasai wedi hoffi cael mwy o amser gyda'r ymwelydd. 'Neithiwr,' ebe hi, 'mi ddaeth i nghof i mor glir â dim gweld ei fam yn dod ag o i'r capel mewn *sailor siwt*.'

Cyfarfu Thomas Parry hefyd ag un arall o hen drigolion Carmel ar y daith, yn Utica y tro hwn, Hugh Lloyd, Caer-gof gynt, a ddywedodd wrtho ei fod bob blwyddyn yn anfon bow-tei yn anrheg i'r bardd-bregethwr T. E. Nicholas: 'Os digwydd ichwi ei weled yn rhywle a bow tie am ei wddf, gallwch benderfynu mai bow tie oddiwrth Caer-gof o Utica fydd y cyfryw.' Nid adwaenai Thomas Parry Niclas y Glais yn bersonol, ond dywedodd wrth Hugh Lloyd fod Jane Parry ei fam yn 'bur gyfeillgar' ag ef ac y byddai'n galw i'w gweld bob tro y pregethai ym Mhisgah'r Annibynwyr yng Ngharmel. Ac yr oedd rhagor o gysylltiadau Carmelaidd yn America:

Pan oedd Hugh a minnau'n mynd ar hyd y stryd pnawn ddoe dyma lorri'n pasio ag arni 'Williams and Pugh, Inc.' Dyma finnau'n dweud, 'Dau Gymro, mae'n debyg.' 'Ie'n tad,' meddai Hugh, 'a wyddoch chi pwy oedd y Williams? Guto Bach Tynewydd, Carmel.' Rhyfedd meddwl am Guto Bach Tynewydd wedi gadael ei enw ar lorri yn America.

Cyn cyrraedd Utica buasai Thomas Parry ym Mhrifysgol Cornell, ac am ei bod yn wythnos y seremonïau graddio yno yr oedd pob hotel yn Ithaca yn llawn, ac arhosodd mewn llety a gedwid gan wraig o'r enw Mrs McDowell, gwraig 'flêr flêr ond glên a charedig iawn' a oedd 'mewn trunks ac yn droednoeth' pan gyrhaeddodd. 'Tybed a ydych chwi, Defis,' gofynnodd i'w dad-yng-nghyfraith y 12fed o Fehefin, 'wedi dilyn fy nhaith ar fap, a chwithau mor hoff o ddarllen mapiau?' Aeth y daith rhagddi o Brifysgol Cornell i Harvard, lle'r arhosodd yn y Faculty Club. Yn ogystal â Bryant y llyfrgellydd, cyfarfu yno â Charles W. Dunn, yr Athro Celteg, ac â'i ragflaenydd, yr Athro Fred Norris Robinson, a oedd yn 94 oed ac a oedd yn gynefin gynt â 'J. Morris-Jones, Strachan, Kuno Meyer, Thurneysen a'r ysgolheigion enwog i gyd.' Yr oedd wedi gobeithio cael gweld Joshua Whatmough, ei 'hen athro Lladin ym Mangor ers talwm', yn Harvard, ond buasai farw wythnos cyn i Thomas Parry gyrraedd Massachusetts. Un diwrnod, pan aeth Dunn ag ef i ginio canol dydd gyda Jack Sweeney a'i wraig (merch 'i John MacNeill, un o ddynion mawr y gwrthryfel yn Iwerddon yn 1916'), bu'n rhaid iddo ganu am ei fwyd. Am mai Sweeney oedd yn gyfrifol am y casgliad gwych o farddoniaeth fodern mewn llyfrau ac ar dâp a oedd yn Llyfrgell Harvard, gofynnodd i Thomas Parry recordio cerddi o'r *Oxford Book of Welsh Verse*. Aeth Dunn ag ef i'r wlad wedyn, i ymweld â chartrefi Louisa M. Alcott, Nathaniel Hawthorne a Ralph Waldo Emerson. 'Paid â sôn am hiraeth, yr hen En,' ebe fe wrth ei wraig. 'Mi fyddaf yn cael ambell bwl erchyll . . . Ac eto 'rwy'n mwynhau fy hun yn rhyfedd.'

Ym Mhrifysgol Iâl, lle cafodd 'sŵp cyw iâr ac omlet a jeli ynddo – peth digon od ond pur ddymunol' yn y clwb cinio, gwelodd y Prifathro un o'r pethau mwyaf gogoneddus a welsai yn ei fywyd, sef adeilad newydd sbon 'fel bocs yn union' i gadw 'llyfrau prin a drud' – adeilad anferth pum llawr o farmor gwyn a gwydr a'r llyfrau ynddo ar silffoedd digon cyffredin ond bod y cyfan oll wedi'i oleuo 'yn y fath fodd nes dangos lliwiau'r rhwymiadau lledr yn y ffordd orau posibl'. Yn llyfrgell yr Ysgol Feddygol cafodd olwg ar dechneg arbennig oedd yn cael ei datblygu i gompiwtereiddio catalogio llyfrau, rhywbeth na allai ef, meddai, ei lawn werthfawrogi. Ond fe allai werthfawrogi mai'r rhai fu'n cysgu o'i flaen yn y *suite* a roddwyd iddo yn y Peacock Inn yn Princeton oedd C. P. Snow a'i wraig Pamela Hansford Johnson, cyfeillion i Feistr y Coleg.

Yr oedd yn awr â'i wyneb tua thref, ac yr oedd materion cartref yn mynd â'i fryd unwaith yn rhagor. Yn Washington aeth i ginio ar lan afon Potomac, cinio a oedd hefyd yn fath ar gyfweliad gydag L. W. Martin, na allai benderfynu a dderbyniai'r Gadair Wilson yn Adran Wleidyddiaeth Ryngwladol Aberystwyth ai peidio: 'ac nid yw hynny'n syn,' ebe Thomas Parry, 'oherwydd y mae cryn wahaniaeth rhwng Washington ac Aberystwyth.' Ond ar ôl y sgwrs gyda'r Prifathro fe'i derbyniodd. Teithiodd Thomas Parry wedyn o Washington i Efrog Newydd, aeth i weld Alec Guinness yn actio Dylan Thomas ar Broadway, ac yna hwyliodd tua thref.

Os enillodd L. W. Martin i Aberystwyth tra oedd yn America, collodd ei Athro Saesneg rhagorol, Gwyn Jones, i Gaerdydd. Ym Michigan yr oedd – 'in the wide open bookstacks of the Wide Open Places' – pan gafodd y newydd hwnnw. Cymryd y Gadair Wilson y buasai P. A. Reynolds ynddi a wnaeth Martin. Buasai Reynolds yn aelod o Gomisiwn y Brifysgol o'r dechrau a thorrodd ei enw, fel y disgwylid, wrth yr Adroddiad Cyntaf; ond go brin iddo adael Aberystwyth a Chymru oblegid yr anghroeso a gafodd hwnnw. A go brin fod David Hughes

Parry wedi ymddeol o Lywyddiaeth y Coleg am ei fod yn anghytuno â chefnogaeth ei Brifathro iddo. Y gwir amdani oedd bod David Hughes Parry wedi awgrymu ddwy flynedd ynghynt y buasai'n rhoi'r gorau iddi. Yn ei farn ei hun ni lwyddodd 'erioed i ennill ymddiriedaeth y Cyngor . . . yn llawn'; dywedodd fwy nag unwaith fod y swydd 'yn gryn faich' iddo; a chyfaddefodd na fyddai'n edrych ymlaen am gyfarfod o'r Cyngor 'ond gydag anesmwythyd'. Buasai'n ŵr eithriadol ddylanwadol er o leiaf 1930 pan wnaethpwyd ef yn Athro Cyfraith Lloegr yn yr LSE, ac yn ei fan ystyrid ef yn weinyddwr rhagorol ym Mhrifysgol Llundain – 'the peacemaker, the master of the acceptable compromise, the elder statesman *par excellence*'. Yn Aberystwyth, er canmol, y gwendidau a welai Thomas Parry ynddo oedd ei fod weithiau yn orawdurdodol, yn enwedig ym materion ei enwad, ei fod bron bob amser yn amharod i fynd dros fusnes unrhyw bwyllgor ymlaen llaw (amharodrwydd a arweiniai at anhawster weithiau), a'i fod yn gallu bod yn ddideimlad wrth y rhai agosaf ato.

Eto er hyn, wrth dalu teyrnged iddo yn ei gyfarfod olaf fel Llywydd y Coleg ym mis Hydref 1964, wrth ymdrybaeddu 'in that fascinating and fatuous pastime of conjuring up various possible careers for him on the basis of what might have been', awgrymodd y Prifathro y gallasai fod wedi dal swyddi rhyfeddol. Petai'r Lefftenant Hughes Parry (fel ag yr oedd yn y Rhyfel Byd Cyntaf), ebe fe, wedi aros yn y fyddin, diau y buasai'n Gadlywydd yn yr Ail; a phetai'r cyfreithiwr a alwyd i'r bar yn 1922 wedi aros yn Lincoln's Inn efallai y buasai yrŵan yn Brif Ustus Lloegr. *Fatuous* heb os, ond gellir clywed Thomas Parry yn ymhyfrydu yn ei ddychmygion. Fel y gellir ei ddychmygu yn ymhyfrydu yn y ffaith mai olynydd Hughes Parry yn y Llywyddiaeth oedd Syr Ben Bowen Thomas – addysgwr o ddyn mwyn gwastad diplomatig, a fu'n Ysgrifennydd Parhaol Adran Gymreig y Weinyddiaeth Addysg rhwng 1945 ac 1963 ac yn Gadeirydd Pwyllgor Gweithredol UNESCO rhwng 1958 ac 1960.

Ddeufis ar ôl ffarwelio'n swyddogol â'i hen Lywydd, yr oedd Thomas

Parry yn agor Ysgol y Berwyn, yr ysgol newydd yn y Bala a oedd yn mynd i gymryd lle Tŷ-tan-domen, hen ysgol tad-yng-nghyfraith David Hughes Parry, sef O. M. Edwards. Y dysgawdwr traddodiadol a siaradodd yn yr agoriad hwnnw, y gŵr dysg a fynnai, er pob pwys a roddai'r llywodraeth ar gynhyrchu technolegwyr a goruchwylwyr busnes, mai 'amcan addysg . . . oedd yr hyn y canasai'r gynulleidfa amdano yng nghynt yn y cyfarfod':

Drwy bob gwybodaeth newydd
Gwna ni'n fwy doeth i fyw.

Mewn gair, 'creu gwell dynion a merched' – dynion (nid enwodd yr un ferch) fel y Dr Lewis Edwards ('y gŵr mwyaf diwylliedig o bawb' yng Nghymru'r bedwaredd ganrif ar bymtheg), Ioan Pedr, Thomas Ellis, John Puleston Jones, R. T. Jenkins, Ifan ab Owen Edwards, ie, a Bob Tai'r Felin a Llwyd o'r Bryn. Cofiai Thomas Parry'n dda mai Llwyd o'r Bryn rai blynyddoedd ynghynt a roddodd wahoddiad i Enid Parry 'i roi anerchiad ar Ganeuon Gwerin i'r dorf a ddaw ynghyd [y 5ed o Ebrill 1961] i ddadorchuddio Cofeb Bob Tai'r Felin . . . Wrth lidiart Tai'r Felin y gosodir y Gofeb, a daw'r ffermwyr â meinciau cneifio i'r edrychwyr a'r gwrandawyr. Pe digwyddai wlawio, cawn fynd i Sied Wair Tai'r Felin. Gobeithia yr apelia y weriniaeth hon at eich chwaeth'. Anfonodd Llwyd o'r Bryn ail lythyr at Enid Parry ychydig ddyddiau cyn yr achlysur i ddweud bod 'y dydd Mercher yn ymyl' a bod 'Teulu'r Wern [Syr Thomas a Lady Parry-Williams] yn dod hefyd'. Yn y llythyr hwnnw cyfaddefodd fod un gwall yn y rhaglen: 'Wedi rhoi *Miss* yn lle *Mrs* Enid Parry. Beth ddywed y Gŵr?! Tydio ddim yn wall poenus. Dangos ieuengrwydd gwanwynol y mae! Ac atgo am y cyflwr hwnnw.'

Nid oedd gwell Thomas Parry am bwysleisio mewn anerchiad werth cefndir a thraddodiad, na'i well am werthfawrogi a phorthi doniau Cymry ym mha le bynnag y caent fynegiant. Yn ystod y chwedegau daliai i fynd i'r theatr (ac i'r sinema yn awr ac yn y man), a phan fyddai Hugh Griffith yn actio yn Stratford neu yn Llundain âi Enid ac yntau i'w wylied weithiau, gan ymweld ag ef yn ei ystafell newid ar ôl y perfformiad a chan ymweld o leiaf unwaith â'i gartref 'yn y baradwys ddaearol' yn Cherington, Swydd Warwick. Yn 1964 cyfrannodd yr actor yn hael i Gronfa Apêl y Coleg, a phan awgrymodd y dylai fod yno Adran Ddrama dywedodd y Prifathro ei fod yn cytuno ag ef ond bod arian yn brin. Yn 1965 cafodd y Falstaff enwog a seren y ffilm *Tom Jones* ddoethuriaeth er anrhydedd gan Brifysgol Cymru, a Thomas Parry yn ddiau a'i sicrhaodd iddo.

Treuliodd lawer o'i amser yn Llundain rhwng 1963 ac 1967, achos yno y byddai'r Pwyllgor ar Lyfrgelloedd y Prifysgolion yn cyfarfod y rhan amlaf. Oblegid y cynnydd aruthrol yn nechrau'r chwedegau yn niferoedd prifysgolion Prydain, a'r twf yn niferoedd y myfyrwyr a'u mynychai a'r twf yn niferoedd y pynciau a astudid ynddynt, gwelwyd bod gofyn edrych yn fanwl ar gyflwr eu llyfrgelloedd, eu casgliadau, eu cyllid, a'r math o wasanaeth y dylent ei rhoi i'w defnyddwyr. Yr oedd pethau'n argyfyngus mewn llawer llyfrgell brifysgolaidd. Yr oedd eu harian a'u hadnoddau yn brin, yr oedd y niferoedd o lyfrau a chylchgronau academaidd y disgwylid iddynt eu prynu wedi dyblu mewn deng mlynedd, ac yr oedd eu prisiau wedi codi'n ddychrynllyd o hallt. Ac nid oedd Adroddiad Robbins ar y Prifysgolion hyd yn oed wedi braidd-gyffwrdd â'r helbulon hyn.

Fel y gwelwyd, Thomas Parry oedd yn cadeirio Comisiwn Prifysgol Cymru rhwng 1961 ac 1963. Am y pedair blynedd nesaf cadeiriodd y Pwyllgor pwerus arall hwn – nid y gwaith rhwyddaf ar glawr daear, ond yr oedd y bri a roddid arno'n fawr, ac yr oedd yn waith mwy cydnaws â thymer a meddwl y Prifathro na derbyn cwynion am nad oedd y lifft yn gweithio yn adeilad newydd yr Adran Ffiseg neu fod dau fyfyriwr wedi'u diarddel o'r Coleg am iddynt gael eu dal yn caru ym Mhantycelyn. Heb os, y ffaith ei fod yn Brifathro Coleg ac yn gyn-Lyfrgellydd Cenedlaethol a barodd i Bwyllgor Grantiau'r Prifysgolion ofyn i Thomas Parry gadeirio'r Pwyllgor hwn. O ystyried cyn lleied oedd cyllideb a gofynion technegol y Llyfrgell Genedlaethol yn y pumdegau o'u cymharu â chyllidebau a gofynion technegol llyfrgelloedd prifysgolion mawr yn y chwedegau, prin y meddylid am Thomas Parry fel *supremo* dwfn a helaeth ei wybodaeth broffesiynol am y pwnc. Ond yr oedd ei enw da fel ysgolhaig o weinyddwr yn pwyso'n drwm yn y glorian, ac y mae'n deg dweud na wyddai'r un Prifathro arall fwy nag ef am gymhlethdodau gweinyddol llyfrgelloedd a phrifysgolion. Yn wir, un o'r pethau a bwysleisir yn adroddiad terfynol y Pwyllgor yw mai ychydig iawn o wybodaeth oedd gan neb am ddigonoldeb llyfrgelloedd prifysgolion Prydain.

Gydag ef ar y Pwyllgor yr oedd dau Is-Ganghellor arall, Prifathro Coleg o Rydychen, dau lyfrgellydd prifysgolaidd, tri athro cadeiriol, cadeirydd darpar-Brifysgol Salford, y Cymro Syr Goronwy Edwards (cyn-Gyfarwyddwr y Sefydliad Ymchwil Hanes), a Syr Frank Francis (Cyfarwyddwr yr Amgueddfa Brydeinig). Yn eu cynorthwyo yr oedd tri asesydd ac ysgrifenyddion. Buasid yn tybied mai'r ysgrifenyddion, gweision sifil profiadol bob un, a fyddai'n drafftio'r adroddiad terfynol, ond y mae bodiau Thomas Parry i'w gweld ar rannau helaeth ohono – ar y rhannau sy'n gwrthgyferbynnu maint ac arbenigrwydd llyfrgelloedd yr Unol Daleithiau a Phrydain fel ar y rhannau sy'n trafod chwyddiant yn niferoedd myfyrwyr a'r ffenomen a elwid yn *information explosion*. Yn 1966, wrth ysgrifennu at Emrys Haddon Roberts i ymddiheuro am na allai dderbyn gwahoddiad i fynd yn ŵr gwadd i Ysgol Grove Park, Wrecsam, y mae'n dweud bod yr adroddiad 'yn cael ei baratoi ar hyn o bryd' a'i fod ef ei hun 'yn gorfod ysgrifennu llawer ohono'.

Y mae Adroddiad Parry, fel y'i gelwid, yn waith swmpus manwl, yn cynnwys 165 o ddudalennau, a naw atodiad yn llenwi tudalennau 166 hyd 281. Dengys fod y Pwyllgor wedi dehongli maes ei ymchwil yn eang, ac un o'i nodweddion amlycaf, fel y gwedda i waith a stamp Thomas Parry arno, yw ei fod yn trafod dysg ac ymchwil academaidd fel pynciau ac iddynt arwyddocâd mawr ymhell y tu hwnt i furiau llyfrgelloedd a phrifysgolion. Ei brif argymhellion oedd:

– bod angen am ymchwil i bob math o broblemau llyfrgellyddol

– y dylai Pwyllgor Grantiau'r Prifysgolion sefydlu Is-Bwyllgor Parhaol ar Lyfrgelloedd

– bod angen sefydlu gwir Lyfrgell Genedlaethol i Brydain

– bod eisiau cyfundrefn fenthyca rhwng llyfrgelloedd

– na ddylai cyllideb llyfrgell fod yn llai na 6% o gyllideb ei phrifysgol

– y dylid rhoi tocynnau llyfrau i fyfyrwyr ('book grants in voucher form')

– y dylai llyfrgelloedd cymdogol gydweithredu'n agos â'i gilydd

– bod eisiau hyfforddi myfyrwyr sut i iawn ddefnyddio llyfrgelloedd.

Cafodd groeso pur gynnes gan y rhan fwyaf o bobl yn y proffesiwn, yn rhannol am eu bod cyn ei weld yn ofni mai argymhellion ynghylch arbed arian a geid ynddo. 'Cynhwysfawr' ac 'ysblennydd' oedd yr ansoddeiriau a ddefnyddiodd W. A. Saunders o Brifysgol Sheffield i'w ddisgrifio yng Nghyfrol 23 y *Journal of Documentation*. 'The Report,' meddai Maurice B. Line o Brifysgol Caerfaddon yn y *British Universities Annual* am 1968, 'is a most satisfying endorsement of current librarianship, backing up what most librarians had been saying for years to their universities.' Ond yr oedd beirniadaeth yn cyd-fynd â'r croeso. Tybiai Saunders y buasai adroddiad byrrach wedi'i gynhyrchu yn hanner yr amser wedi llwyddo'n well i ennill clust y cyrff hynny yr oedd disgwyl iddynt ariannu ei argymhellion. Arall oedd beirniadaeth Line. Beirniadodd ef Bwyllgor Parry am gymryd golwg ry draddodiadol ar lyfrgelloedd ac am beidio â dechrau'r gwaith gydag ymchwiliad beirniadol i ddiben llyfrgelloedd mewn prifysgolion. Dylsai fod wedi gofyn, meddai, pa gyfraniad y mae llyfrgell yn ei wneud i ddibenion diffiniedig prifysgol, a beth yw anghenion gwybodaethol prifysgol? Pe gwnaethai hynny, ebe Line, buasai ganddo achos cryf a rhesymegol dros hawlio mwy o adnoddau i'w gwella. 'The dynamic concept of an information service has much more relevance and appeal than the static one of a book store.' Ddiwedd 1967 gwahoddodd Line Thomas Parry i annerch Sasiwn y Llyfrgellwyr yn Llundain ddechrau'r flwyddyn newydd – i nodi eto'r blaenoriaethau fel y gwelai ef hwy ac i drafod problemau gweithredu'r argymhellion ar adeg o gyni – ac y mae *trafod* yn bwysig, ebe Line – 'Universities are by no means wholly convinced that research is an acceptable alternative to discussion as a basis for decision on library matters.'

Erbyn hynny yr oedd Pwyllgor yr Is-Gangellorion a'r Prifathrawon hefyd wedi ystyried yr Adroddiad, ac wedi cefnogi'n gryf yr argymhelliad y dylid sefydlu Llyfrgell Genedlaethol i Brydain, neu, yng ngeiriau'r papur a baratôdd J. Steven Watson o Brifysgol St Andrews ar ei ran, 'the conversion of the British Museum Library into a British National Library'. Fel Line, nid oedd y Pwyllgor hwn mor gryf o blaid sefydlu Is-Bwyllgor Llyfrgelloedd i Bwyllgor Grantiau'r Prifysgolion, am ei fod yn ofni y byddai'n gosod trefn unffurf ar broblemau a oedd mor amrywiaethol. Yr hyn a gafwyd yn y pen draw oedd Is-Bwyllgor Llyfrgellyddol yn atebol i'r Is-Gangellorion nid i'r Pwyllgor Grantiau. Yn y man, yn 1972, cafwyd Llyfrgell Genedlaethol i Brydain, o dan yr enw Llyfrgell Brydeinig. Am fod nifer o ysgolheigion yn y maes wedi galw amdani mewn blynyddoedd cynt, ni ellir hawlio mai Thomas Parry oedd ei chreawdwr, ond fe ellir dweud ei fod yn fath ar dad maeth diweddar iddi.

Amgylchiadau economaidd a pholiticaidd – yr oedd y pwrs cyhoeddus yn hanner gwag yn y chwedegau – a rwystrodd fabwysiadu nifer mawr o'r argymhellion a gafwyd gan Bwyllgor Parry. Ac eto gwelwyd cryn newid yn llyfrgelloedd y prifysgolion. Yng Ngholeg Aberystwyth, er enghraifft, lle cafodd y llyfrgell 6% o gyllid y Coleg yn unol â dyheadau Pwyllgor Parry yn 1968, penodwyd arbenigwyr pwnc a swyddogion gwybodaeth i roi hyfforddiant llyfryddol i aelodau o'r staff academaidd ac i fyfyrwr, i baratoi cynorthwyon llyfrgellyddol, i fynegeio, *&c.* A bu'r Llyfrgellydd newydd, y Dr H. D. Emanuel, yn flaenllaw gyda'r gwaith o sefydlu cysylltiadau cilyddol nid yn unig rhwng llyfrgell y Coleg a llyfrgell Coleg Dewi Sant, Llambed, ond gyda llyfrgelloedd mwy arbenigol yn yr ardal hefyd, llyfrgelloedd y Coleg

Diwinyddol yn Aberystwyth, y Fridfa Blanhigion yng Ngogerddan, y Gwasanaeth Cynghori Amaethyddol yn Nhrawscoed, a llyfrgell y Coleg Llyfrgellwyr newydd a sefydlwyd yn Llanbadarn yn 1965. Ar y cychwyn nid oedd y coleg hwnnw'n rhan o Goleg Aberystwyth – arian cynghorau lleol Cymru a'i cynhaliai ar y dechrau – ond ymhen blynyddoedd daeth yn adran bwysig ohono, ac y mae'n weddus nodi mai enw Thomas Parry sydd ar y llyfrgell ynddo.

VII. TRWYN AR Y MAEN

Ar ddechrau'r flwyddyn academaidd 1964–65 ysgrifennodd Enid lythyr at yr actor Hugh Griffith a Gunde ei wraig i ddiolch iddynt am eu caredigrwydd a'u croeso yn Cherington: 'The afternoon & evening we spent with you, together with Huw's performance in *Henry IV* just made our holiday . . . now we have our noses to the grindstone once more. My poor little nose can't stand much of it, I'm afraid!' Yr hydref ar ôl taith Thomas i'r Unol Daleithiau oedd hwn, yr hydref ar ôl yr helbul a'r heldrin yn dilyn y ddadl fawr ar ddyfodol Prifysgol Cymru. Yr oedd y ffederaleiddwyr yn dal i ddannod iddo'i fradwriaeth, a'r diffederaleiddwyr yn dal i bwyso am newidiaeth. Ni allai'r naill garfan guddio'u gorfoledd yn eu buddugoliaeth ac ni allai'r llall dderbyn iddynt golli. Pan ysgrifennodd un o aelodau Cyngor Coleg Caerdydd ato i ddweud ei fod am bwyso am Gomisiwn Brenhinol i edrych ar addysg uwch yng Nghymru 'and make proposals for [its] harmonious development', yr ateb a gafodd gan Thomas Parry oedd: 'You know how I feel about defederation. But now that the Court has decided against it . . . it is our duty to try and accept the decision.'

Y trwyn ar y maen amdani, ynteu. Yn fuan wedi i'r Prifathro

312

ddychwelyd o America trowyd y tŷ ym Maes Lowri a fuasai unwaith yn gartref i Brifathro Aberstwyth yn Dŷ i'r Staff, agorwyd Neuadd Chwaraeon newydd gyda champfa a phwll nofio ynddi ar Ben-glais, a chafwyd estyniad i adeilad y Gwyddorau Cymdeithasol. Yr oedd cynlluniau ar y gweill i ailgartrefu'r Adran Gemeg ac i godi cwt cychod ar lan y môr a phafiliwn chwaraeon ym Mlaendolau. Ac yr oedd yr awdurdodau yn dechrau meddwl am godi Canolfan Gelfyddydol ar Ben-glais ac ynddi neuadd gyngerdd a theatr ac orielau a gweithdai i artistiaid a chrefftwyr – cynllun yr oedd y Prifathro yn awyddus iawn i'w ddatblygu, yn enwedig o weld pa mor ffyniannus oedd cyngherddau a dramâu'r Coleg, a chymaint o lwyddiant oedd yr ŵyl gelfyddydol gyntaf a drefnwyd gan y myfyrywr, gydag Arwel Ellis Owen a Joan Hughes ymhlith eraill wrth y llyw. Y Prifathro o raid oedd yn arwain y trafodaethau ar gynllunio ac ariannu'r datblygiadau hyn i gyd, ac yn arwain y trafodaethau pum-mlynyddol gyda Phwyllgor Grantiau'r Prifysgolion a oedd gan mwyaf yn eu hariannu. Wrth y bobl hynny a ddilornai weinyddiaeth – ac yr oedd llawer ohonynt yn ei Gymru ef – mynnai Thomas Parry yn wastad nad eistedd ar bwyllgorau a gwthio papur o gwmpas mewn swyddfa oedd gweinyddu, ond yn hytrach y gallu i afaelyd mewn syniadau a'u hiawn ddiffinio a'r gallu i wneud cynlluniau i'w gwireddu.

Gan fod dros chwe chant o newydd-ddyfodiaid yn dod i Aberystwyth bob blwyddyn o ganol y chwedegau ymlaen nid oedd yn awr le yn un o adeiladau'r Coleg i gynnal cyfarfodydd Cynhadledd Fwrw-Sul y Glas-fyfyrwyr, ac yn 1965 am y tro cyntaf bu'n rhaid eu cynnal yn Neuadd y Brenin ar y prom. At hynny, am fod cant ohonynt heb lety, bu'n rhaid 'cerdded y dref o ddrws i ddrws i chwilio am le iddynt'. Mwya'n y byd y cynyddai niferoedd y myfyrwyr mwya'n y byd y gwelai'r myfyrwyr Cymraeg pa mor bwysig oedd cynnal Cymreictod Aberystwyth. Llythyr gan Bwyllgor y Gymdeithas Geltaidd at awdurdodau'r Coleg yn 1965 oedd dechrau'r ymgyrch am neuaddau preswyl Cymraeg. Er addo, ni wnawd dim am y peth y flwyddyn honno. Dyma ofyn eilwaith yn 1966, gofyn ar ffurf deiseb a chant a hanner o enwau arni. Canlyniad y ddeiseb honno oedd dwy flynedd o drafod a dadlau a phrotestio o'r ddwy ochr, o du'r staff ac o du'r myfyrwyr. Y mae'n amlwg fod y Prifathro o blaid sefydlu neuaddau Cymraeg. Yn haf 1967, mewn llythyr at Syr Ben Bowen Thomas, dywedodd fod yna 'lawer o lol a helynt wedi bod' ynghylch y neuaddau 'ac un peth gwarthus'. Penderfyniad 'unfrydol yn erbyn y bwriad' a basiwyd mewn cyfarfod o gangen leol yr Association of University Teachers oedd y peth gwarthus hwnnw. Pan ddarganfu'r Prifathro mai deugain o aelodau oedd yn y cyfarfod ac na roddwyd y mater ar yr agenda a gylchredwyd ymlaen llaw rhag denu cefnogwyr y neuaddau iddo, yr oedd yn gandryll, a dywedodd wrth Syr Ben y byddai'n rhaid adrodd am y camymddygiad i'r Cyngor. Peth arall a ddywedodd wrth Syr Ben oedd fod 'Gowan fel dyn dwl o hyd', sef oedd hwnnw I. L. Gowan, yr Athro Gwyddor Wleidyddol newydd, a fyhafiodd fel gwrth-Gymreigiwr proffesiynol bron o'r diwrnod y cyrhaeddodd Aberystwyth. Wrth gwrs, nid yr AUT a Gowan yn unig oedd yn erbyn yr hosteli Cymraeg. Gorymdeithiodd cannoedd o'r myfyrwyr drwy strydoedd y dref i ddangos eu gwrthwynebiad iddynt. Ac yn ei golofn wythnosol yn *Y Faner* taranodd 'Daniel' – Frank Price Jones, cefnder i Iorwerth Peate – darlithydd allanol ym Mangor yr oeddwn i'n hoff dros ben ohono – yn erbyn y bwriad 'alaethus' i sefydlu'r '*ghetto* hon'. Fel mewn blynyddoedd o'r blaen rhoes Thomas Parry fin ar ei bìn ysgrifennu, ei roi mewn inc cryf, ac anfonodd lythyr i'w ateb:

Tri pheth y carwn eu dweud . . . I gychwyn y mae'n deg rhoi i fyfyrwyr y cyfle i fyw mewn amgylchiadau lle cânt siarad iaith eu cartref. Yn ail, fe gânt ddigonedd o gyfleusterau i gymysgu â chenhedloedd eraill yn y dosbarthiadau, y labordai, y caeau chwarae, yr Undeb, a strydoedd Aberystwyth. Ghetto fy het i. Yn drydydd, y mae lle i gredu y bydd hostel fel a fwriedir yn ffynhonnell ysbrydiaeth i fywyd cymdeithasol Cymraeg y Coleg.

Ac yr oedd ganddo bedwerydd peth i'w ddweud:

> I derfynu, gwell imi efallai bwysleisio nad yw'n fwriad gan neb i rwystro i Gymro garu Saesnes, a mynd â hi i'r hostel Gymraeg, neu *vice versa*.

Bu brwydro, bu bygylu, ac yn 1968 agorwyd dwy neuadd Gymraeg. Y tro hwn, ei ganmol a wnaeth y myfyrwyr Cymraeg, a diolch iddo am ei safiad.

Am fod Thomas Parry, y dyn corffol hyderus-yr-olwg ag ydoedd, yn ymddangos fel brwydrwr di-ofn, ni feddylir a fu iddo ar brydiau golli cwsg, ac ni feddylir pa effaith a gâi'r cecru a oedd fel petai'n rhan barhaol o fywyd Prifathro arno – arno ef a'i wraig. 'Nid hamdden y dydd a dawns y nos,' chwedl y Parchedig Trefor Davies Jones Llannerch-y-medd ers talwm, oedd bywyd y Dr a Mrs Parry yn helaethrwydd hyfryd Plas Pen-glais bob amser. Er na welais ddim tystiolaeth i ddweud bod y swydd yn ddiflas ganddo ef, clywais Enid Parry'n dweud nad oedd wrth ei bodd yn lân yn y Plas, nac wrth ei bodd yn lân gyda chaletswydd ei gŵr. I'w diwyllio'i hun ac i ddifyrru hynny bach o amser hamdden oedd ganddi parhaodd hi i ymarfer ei Halmaeneg a'i Heidaleg a dechreuodd ddysgu Rwsieg. Bu hefyd yn brysur fel yn y blynyddoedd cynt yn cyfansoddi cerddoriaeth ac yn cyfieithu. Hi yn 1963 a gyfansoddodd y gerddoriaeth ar gyfer Cyngerdd y Plant yn Eisteddfod Llandudno, ac ar gyfer un o gyngherddau Eisteddfod y Barri 1968 a gyfieithodd *Noye's Fludde* Benjamin Britten.

Mor wahanol oedd eu bywyd yn awr i'r bywyd a oedd ganddynt bymtheng mlynedd ynghynt. Er nad oedd ynddo ddawns, yr oedd hamdden ym mywyd y Llyfrgellydd Cenedlaethol yn y pumdegau. Dywedwyd o'r blaen y cynhelid un pwyllgor yr wythnos am y rhan fwyaf o'r flwyddyn ac ychydig yn rhagor yn Rhagfyr ac Awst, ac fe'i dywedir eto, am iddo ef ei ddweud eto – y tro hwn mewn cinio i gangen Abertawe o Gymdeithas Cyn-fyfyrwyr Aberystwyth. Yn lle'r un pwyllgor wythnosol a oedd gennyf gynt yn y Llyfrgell, meddai'r Prifathro wrth y gwesteion, y mae gennyf yn awr yn y Coleg bwyllgorau lawer bob dydd. Gynt nid oedd raid imi drafod problem fel sefydlu bar yn yr Ystafell Ddarllen neu sefydlu cantîn i siaradwyr Cymraeg; nid ymosodid arnaf gan olygydd y *Western Mail*; nid oedd raid arnaf fynd i Lundain bob yn ail wythnos ar y trên gan ymdreiglo drwy Bumlumon i fyny i Lanbryn-mair a Thalerddig a theimlo fel pererin Bunyan yng nghors anobaith. Beth oedd yn y post i'r Llyfrgellydd? O, catalogau llyfrau ail-law, cynigion i brynu neu i werthu un o Feiblau Peter Williams, ceisiadau gan Formoniaid i olrhain achau rhywun neu'i gilydd – oll yn llawn ewyllys da ac yn ddifyrrus o hanner pan. Bellach, meddai, yr wyf yn ymwneud â chymhlethdodau budd-daliadau ymddeol, â chyflogau technegwyr, â pherthynas y Coleg a diwydiant, â diogelwch adeiladau. Gwir y gallaf ddirprwyo cryn nifer o'r tasgau hyn, ond y mae llaweroedd na ellir eu dirprwyo, megis eistedd i lawr i drafod unrhyw hen bwnc o dan haul unrhyw adeg o'r dydd, ciniawa ar draul pobl eraill, ymbresenoli mewn seminar ar brifysgolion modern yn Napoli neu mewn cynhadledd yn Awstralia. Nid oes neb yn ymorol am les a chysur Prifathro: nid oes ganddo undeb ac nid oes ganddo ran ym mhenderfynu beth yw ei gyflog. Ond ef sy'n gyfrifol am bob dim yn ei deyrnas.

Hawdd eto ddychmygu Thomas Parry'n traddodi'r araith hon yn y dull di-wên militaraidd o awdurdodol a oedd ganddo, a dychmygu sut y tu ôl i'w sbectol y pefriai ei lygaid yn awr ac yn y man i awgrymu bod mwy nag ychydig o ormodiaith yn y cyferbyniad rhwng ffawd dda'r Llyfrgellydd a ffawd ddrwg y Prifathro – nid dedwydd hollol y naill ac nid diriaid di-les yr ail. Ond heb os yr oedd mwy o wir nag o gelwydd yn y gwrthgyferbyniad, a *bod* dyletswyddau'r Brifathrawiaeth weithiau'n fwrn, *bod* trwyno'r maen yn ddi-baid yn brifo.

Gyda'r chwyddiant yn niferoedd y myfyrwyr yn Aberystwyth ac yn y pynciau a astudient yr oedd cynnydd aruthrol yn nifer y staff hefyd, a chan mai penodi pobl dda oedd, ac yw, un o ddyletswyddau pwysicaf Prifathro ceisiai Thomas Parry fod yn y gadair bob tro y penodid athrawon ac mor aml ag y gallai wrth benodi darlithwyr. Yn y cyfnod hwn sefydlwyd yn y Coleg Gadeiriau newydd mewn Ystadegaeth, Economeg Gymhwysol a Gwyddeleg, ac ail Gadeiriau mewn Daearyddiaeth ac yn y Gyfraith. 'Calibr athrawon sy'n bwysig,' ebe Thomas Parry fwy nag unwaith, fel y dywedodd fwy nag unwaith mai denu academyddion ifainc a oedd eisoes wedi ennill bri oedd ei nod. Hyd yn oed pe collid hwy ar ôl ychydig flynyddoedd, byddent o leiaf wedi ychwanegu at enw da Aberystwyth. Yn ystod ei Brifathrawiaeth ef pum mlynedd a dreuliodd Edward Nevin yno, pedair L. W. Martin, saith T. W. Goodwin, ac ar ôl wyth aeth Aubrey Trotman-Dickenson yn Brifathro'r Sefydliad Gwyddonol a Thechnolegol yng Nghaerdydd a ddaeth yn rhan o Brifysgol Cymru. Yn 1958, pan benodwyd Thomas Parry, ychydig o dan bymtheg cant o fyfyrwyr oedd yn Aberystwyth a 173 aelod o staff. Ddeng mlynedd yn ddiweddarach yr oedd yn agos i 2,300 o fyfyrwyr yno a 345 aelod o staff. Fe gynhaliwyd cyfweliadau cymanfaol i benodi'r fath nifer.

J. E. Caerwyn Williams, sef olynydd Thomas Parry yng Nghadair Gymraeg Bangor, a benodwyd i'r Gadair Wyddeleg. Os bu L. W. Martin yn fawr ei boen wrth feddwl am fynd i Aberystwyth o Washington, bu Caerwyn yn fawr ei boen wrth feddwl am fynd i Aberystwyth o Fangor – yn rhannol am fod ei gyd-weithwyr yn rhyfeddu ei fod eisiau mynd o Gadair fawr Syr John Morris-Jones yn y Coleg ar y Bryn i Gadair newydd ddi-fri yn y Coleg ger y Lli – ond yr oedd y cyfle i gael mwy o amser i ymchwilio ac i gael gwared â dyletswyddau gweinyddol yn fendithion na allai mo'i wrthod. Mwy, yr oedd y Prifathro wedi mynd yr ail filltir i'w ddenu drwy chwilota am dŷ iddo, a'i gael, Bryn Dedwydd yn y Borth. Yn eironig, yr un haf, sef haf 1965, prynodd Thomas ac Enid Parry Elm Bank ym Mangor, tŷ yn yr un rhes â Pheniarth yn Victoria Avenue, tŷ helaeth i ymddeol iddo yn y man. Yr oedd ef yn awr dros ei drigain ac o raid o leiaf yn meddwl am neilltuo. Gosododd y tŷ am dair blynedd. Ym Mai 1968 ac yntau ar fin cwblhau deng mlynedd fel Prifathro dywedodd y dylasai efallai neilltuo'r flwyddyn honno – 'in order to fall in with decimal currency and decimalisation generally. But I am going on for one more year, out of sheer perversity.' A fu iddo edifarhau, tybed?

Yn ogystal â denu academyddion ifainc ar bob lefel yr oedd y Prifathro hefyd yn ei waith yn ffarwelio â hen rai – yn ffarwelio dros dro â'r ymddeoledig, yn ffarwelio am byth â'r ymadawedig. Ganol y chwedegau ymddeolodd rhai o hoelion wyth y Coleg: Gwenallt (fel y gwelwyd o'r blaen), David Williams yr hanesydd, E. G. Bowen y daearyddwr, Arthur ap Gwynn y Llyfrgellydd. Wrth ffarwelio â'r byw yr oedd y Prifathro yn afieithus ffraeth yn ei areithiau. Cafodd hwyl yn gwrthgyferbynnu David Williams, y 'quiet-spoken, tranquil law-abiding member of our community', gyda'r cymeriadau tanllyd yr ysgrifennodd gymaint amdanynt, John Evans y Waun-fawr, John Penri ('that fiery enthusiast'), John Frost (nad ymwrthodai â thrais), a Merched Beca a'u her i gyfraith gwlad. Am Arthur ap Gwynn, dywedodd mai yng Nghaerdydd yn y 'naughty twenties' y cyfarfu ag ef gyntaf, 'though we were a pair of highly respectable young men'.

Yr oedd yn siaradwr rhagorol mewn cynebryngau hefyd. Wrth dalu teyrngedau i'r meirw, ei gyfoeswyr yn amlach na heb, câi draethu am egwyddorion ei ieuenctid, am egwyddorion a safonau'r gwareiddiad ôl-Fictoraidd na allai yn ei fyw eu bwrw heibio na'u hanghofio, egwyddorion a safonau'r hen werin Anghydffurfiol ac egwyddorion a safonau'r hen ddysg a oedd yn sylfaen i'w fuchedd fel i'w ysgolheictod. Y mae artistri mawr yn rhai o'r teyrngedau hyn; y mae rhai ohonynt hefyd, yn anuniongyrchol, yn hunangofiannol a chyffesiol. Ym marwolaeth y ffisegydd Ifor Ceredig Jones (1902–1965) – tad Daniel Gruffydd Jones, cyn-fyfyriwr i Thomas Parry a fu'n Gofrestrydd y Coleg yng nghyfnod Kenneth O. Morgan ac yn fy nghyfnod i – collodd y Coleg un o'r darlithwyr hynny sy'n llawer gwerthfawrocach na'i record gyhoeddi a'i ddawn i draethu, gŵr ffyddlon hir-ei-wasanaeth a fu drwy'i yrfa yn un o golofnau'r sefydliad ac a oedd megis yn gorfforiad o'r adran y perthynai iddi. Nododd Thomas Parry y rhinweddau hyn oll yn ei deyrnged iddo yn ei angladd, ond nododd rywbeth arall hefyd, nododd y graig ysbrydol y naddwyd ef ei hun ohoni. Mab i weinidog oedd Ifor Ceredig Jones, meddai, ac fe dreuliodd ei lencyndod mewn oes pan oedd gafael Ymneilltuaeth yn dynn ar war yr ifanc, cyn bod strancio yn gymeradwy ac ymneilltuo o Ymneilltuaeth yn ffasiynol . . . Nid pawb o'i genhedlaeth ef a minnau a allodd ymostwng i ddisgyblaeth y cyfnod. Fe aeth rhai ohonom yn ddifraw a di-sut; fe aeth rhai yn wrthryfelwyr talog, ac ymhen tipyn chwythu'u plwc yn llipa. Ond dyma ŵr a dderbyniodd ddisgyblaeth y grefydd a greodd gymdeithas Gymreig ddechrau'r ganrif hon, a thyfu'n braff ac yn gytbwys.

Yr ymlyniad disgybledig wrth ddyletswydd a glodforir, ie, ond rhyw-beth mwy dyrchafol yn ogystal, yr ymwybod â gwerthoedd gwâr. I Ifor Ceredig Jones nid cyfundrefn i ddysgu myfyrwyr oedd Coleg Aberystwyth ac nid sefydliad ymchwil chwaith – na, yr oedd 'yn wrthrych gweledigaeth', ebe'i Brifathro.

Yng Ngorffennaf 1966 bu farw T. Maelgwyn Davies a fu'n Gofrestrydd y Coleg er 1944, y gŵr yn anad neb arall a'i llywiodd drwy'r argyfwng a achoswyd gan salwch a marwolaeth Ifor L. Evans yn 1952 a thrwy'r diflastod a achoswyd gan ymddiswyddiad Goronwy Rees yn 1957. Unwaith yn rhagor y mae disgrifiad y Prifathro o agwedd ei wrthrych at ei waith yn dal y dyn. Gall gwaith Cofrestrydd fod yn undonog a diysbrydoliaeth, meddai, ond cafodd Maelgwyn Davies fywyd llawn a chyfoethog, oblegid rheolai'r Coleg nid fel gŵr yn gwasanaethu cwmni diwydiannol neu gorff cyhoeddus, eithr fel un yn rheoli stad deuluol, fel un yn gofalu am dreftadaeth. Ac megis gyda'i bortread o I. C. Jones y mae yma eto wawr biwritanaidd i'r llun: 'His work was his pastime, duty his entertainment.'

Flwyddyn arall, ac aeth R. F. Treharne i'w ateb, yr hanesydd canoloesol a benodwyd i'w Gadair yn Aberystwyth yn 1930 pan oedd yn 29 oed, un o golofnau'r Coleg ym mhob rhyw fodd, a gwir ysgolhaig. 'The true scholar,' ebe Thomas Parry yn ei angladd,

is, of all men, the one in whom integrity is most vital. His expert knowledge places at his disposal information denied to others, which only he can properly assess, and the impact of this information depends on its accurate presentation.

Weithiau, ebr ef ymhellach, ac nid hwyrach mai siarad o brofiad yr oedd yma eto, y mae teyrngarwch athro i'w bwnc a'r ffordd y mae'n rhoi'i holl sylw i'w ymchwil bersonol yn effeithio'i berthynas â'i fyfyrwyr, ond mewn gwirionedd ffyddlondeb dyn i'w bwnc sydd yn ysbrydoli ei ffyddlondeb i'w fyfyrwyr. Gan eu bod yn ddau ysgolhaig a oedd yn cyfoesi â'i gilydd, gallai Thomas Parry ddweud am R. F. Treharne fel amdano ef ei hun, iddynt weld yn ystod eu gyrfaoedd

> great, and sometimes disconcerting, changes – a great accession in numbers, differences in the contents and presentation of academic subjects, a growing multiplicity of administrative duties, and a new attitude towards universities among the general public and in government circles.

Y mae'n hawdd iawn, meddai wedyn, i bobl sy'n cofio prifysgolion y dauddegau a'r tridegau edrych yn ôl yn hytrach nag edrych ymlaen, gan weld yn y gorffennol 'a glow of agreeableness not warranted by reality' a chan weld yn y presennol 'the shades of discontent'. Mor awenus y rhethreg gain, mor gymwys y gwrthgyferbyniad!

Fel y mae'n digwydd, yr oedd y Prifathro'n fwy na bodlon ar waith y to ifanc o academyddion a weithiai iddo. Wrth fwrw'i linyn mesur drostynt mynnai fod safon dysg yn uwch nag erioed, ond bod gormod o arbenigo, a bod perygl i ddarlithwyr ifainc aeddfedu'n ddim ond 'technegwyr deallusol'. Am y myfyrwyr, tybiai fod gan y goreuon yn eu plith dipyn mwy o grap yn addysgiadol ac yn gymdeithasol nag oedd ganddo ef a'i gymheiriaid ddeugain mlynedd ynghynt. Ar y llaw arall barnai fod y rhai gwaethaf ohonynt yn anghyfrifol ac afresymegol, yn wir yn wrthnysig o wrthryfelgar. Ei brofiad o geisio trin y myfyrwyr hynny a oedd yn protestio yn erbyn tipyn o bopeth drwy holl flynyddoedd y chwedegau a barodd iddo'u disgrifio felly. Protestid yn erbyn y bom hydrogen, yn erbyn gormes gwleidyddol, dros gyfiawnder i'r iaith Gymraeg, dros hawliau sifil yn yr Unol Daleithiau, dros gynrychiolaeth ar bwyllgorau rheoli'r Coleg, *&c.*, *&c.* Wrth gwrs, nid oedd y protestio yn Aberystwyth i'w gymharu â'r protestio yng Nghalifffornia a Pharis, er enghraifft, ond yr oedd yn brotestio serch hynny. Yr oedd agweddau arno'n ddigon drwg i'r Prifathro ddatgan na ellid goddef *mob rule*, ond yr oedd agweddau eraill arno yn ddigon rhesymol iddo addo yr ystyriai o'r newydd pa ran y dylid ei rhoi i'r myfyrwyr yn llywodraeth y Coleg.

Ond nid oedd yn esmwyth yng nghanol rebelgarwch y cyfnod. Yn wir, yr oedd mor anesmwyth weithiau fel y bradychai'r synnwyr o gyfiawnder a oedd yn rhan nid dibwys o'i gymeriad. Anesmwythyd piwritanaidd – dyna'r ansoddair hwn eto – oedd hwnnw, anesmwythyd yn magu wrth weld yn y gymdeithas ifanc oedd ohoni duedd at fawrygu rhyw, caru'n rhydd, diota, amharchu awdurdod – anesmwythyd yn magu hyd yn oed wrth weld tuedd at wisgo'n anghonfensiynol yn ffasiwn y farf hir a'r sgert fer. Wrth draddodi araith yn Eisteddfod Genedlaethol y Barri 1968 y cyfeiriodd at y ffasiwn hon. Buasai ar y llwyfan yn traddodi beirniadaeth y Goron ar y dydd Mawrth, ar ran tri beirniad na lwyddasant am y tro cyntaf yn hanes y Brifwyl i gytuno ar enillydd, ac am hynny bu'n rhaid tynnu pedwerydd beirniad i mewn i setlo'r mater. Y dydd Iau, fel Llywydd y Dydd, wele'r Prifathro yn defnyddio'i gyfle yn y Brifwyl i fflangellu'r union bobl ifanc a'u tebyg a oedd o dan ei ofal yn Aberystwyth. Heddiw, ebe fe o'r llwyfan yn y pafiliwn mawr, 'mi garwn-i ddweud gair wrth y sawl sydd rhwng 15 a 25 oed; ac y mae perffaith ryddid i bawb arall gysgu . . . ond iddyn hw beidio â chwyrnu.' Eisteddfodwyr dros 25 oed oedd y mwyafrif o ddigon yn y pafiliwn hwnnw, ond wrth gwrs gwyddai'r siaradwr y darlledid ei eiriau ar y radio, yr adroddid amdanynt ar y teledu, ac y byddai gohebwyr y papurau newyddion yn eu dyfynnu.

Defnyddiwyd y gair 'fflangellu' uchod. Gair cryf, rhy gryf efallai. Am na chlywais yr araith ni wn wrth ei darllen faint o goegni oedd yn llais y Prifathro wrth iddo'i thraddodi na faint o'i dafod oedd yn ei foch. Y gwrthgyferbyniad rhwng doe a heddiw, y newid syfrdanol a fu mewn ymddygiad a moes er dyddiau ei fachgendod ef a'r dydd heddiw, oedd ei bwnc – yr 'hynafgwr' yn gresynu at ymddygiad rhai o 'bobl ifanc yr oes hon'. Maged ef, meddai, i lwyrymwrthod â chwrw a gwin; heddiw prif fan cyfarfod y to iau yw'r bar yfed. Gynt yr oedd pwys ar wedduster y gair llafar a'r gair argraffedig; heddiw credir 'nad oes dim o bwys mewn bywyd ond rhyw'. Gwŷr fel John Morris-Jones, T. Gwynn Jones, George M. Ll. Davies oedd arwyr llanciau a llancesi ers talwm; heddiw pobl o'r un oed â hwy eu hunain yw arwyr y to sy'n codi: cantorion pop, chwaraewyr pêl-droed a chriced. Llanciau a merched 'distaw a goddefgar' oedd llanciau a merched tlawd ei genhedlaeth ef na ddyrchafent eu llef yn yr heolydd ac nad amheuent ddim ar safonau'r gymdeithas o'u cwmpas; heddiw y mae'r genhedlaeth iau yn anfodlon ar y byd o'u cwmpas 'ac yn arbennig iawn ar agwedd swyddogol y wladwriaeth' at yr iaith Gymraeg. Ac yma, lle mae'r bregeth yn dod i'w huchafbwynt difrifol, y mae'r areithiwr yn gorymdrechu i wneud ei bwynt yn ddoniol, ac am hynny nid yw'n ddoniol:

> 'Rydech-chi'n protestio ar gân, ac ar air, ac ar weithred. (Gyda llaw, rhyw offeryn cerdd cwbl dramor sy gynnoch-chi: welais i neb yn canu cerdd brotest gyda thelyn fach.) 'Rydech-chi'n gorymdeithio. Ac fel y mae rhai o fyfyrwyr Lloegr wedi meddiannu adeiladau trwy eistedd ynddyn-hw, 'rydych chithau wedi eistedd mewn swyddfeydd post. Pob bendith arnoch-chi. Y mae aelodau fy nghenhedlaeth i erbyn hyn yn rhy anystwyth eu cymalau a'u meddyliau i eistedd ar lawr yn unman. Ond maddeuwch imi am eich atgoffa-chi nad aeth neb erioed ymhell iawn ar ei eistedd ar lawr. Rhaid codi a gweithredu.

Beth a ddaw o'r byd newydd sydd mor wahanol i'r byd gynt? Yn eu rhyddid economiadd y mae pobl ifanc heddiw yn crwydro'r Cyfandir, a gwaeth na hynny – 'syfrdandod yr holl syfrdandod' – y maent yn priodi 'ymhen rhyw dair blynedd wedi gadael yr ysgol, ac yn fynych cyn cael swydd ac ennill cyflog.'

Y mae sentiment yr araith mor amlwg fel na raid nodi ei darddle, ond cystal gwneud. Ei darddle yw'r Eden fynyddig arwrol dlawd honno yn Arfon yn y cyfnod ôl-Fictoraidd pan oedd yn rhaid i wraig falch gowtowio i stiward chwarel i gadw'i gŵr rhag mynd i'r Sowth. Yn ogystal â bod yn sentimental y mae'r araith yn afresymol. Soniodd y Prifathro am lwyrymwrthod a gwedduster ac arwraddoliaeth ddiwylliadol a phlwyfoldeb fel petaent yn rhinweddau diymwad gan bawb ym mhob oes. Y sentiment mwyaf a'r afresymoldeb mwyaf ynddi yw bod yr hwn sy'n llefaru fel petai'n dymuno i bethau barhau fel o'r blaen. Y mae'r araith hefyd yn gorgyffredinoli. Eto, y mae ynddi ddigon o amodi ar y dweud i ddangos bod yr areithiwr ei hun yn amheus o nifer o'i ddatganiadau rhagfarnol, a chan hynny ni ddylai fod wedi eu datgan. Wrth sôn am ffasiwn y farf hir y mae'n cyfaddef fod gan Eben Fardd a Tennyson a rhai o gewri'r pulpud Cymraeg yn y bedwaredd ganrif ar bymtheg farfau mwy llaes na cheiliogod colegau canol yr ugeinfed ganrif. Wrth sôn am y pwys ar wedduster ddechrau'r ganrif y mae'n cyfaddef mai 'gweddill mursendod oes Fictoria' oedd hwnnw, a bod peth rhagrith ynglŷn ag ef. Ac wrth sôn am briodi'n rhy ifanc, y mae'n dweud wrth y rheini a fentrodd mor fuan i'r cyfryw stad, 'os bydd i chi gael cymaint o fwynhad o'r bywyd priodasol ag a gafodd y rhan fwyaf ohonom ni, fe gewch gymaint â hynny'n fwy trwy briodi'n ifanc.'

Pe bai gan y Prifathro blant yn eu harddegau hwyr a'u hugeiniau cynnar go brin y byddai wedi siarad fel hyn (ond yr oedd yn gweithio o dan yr unto â dwy fil ohonynt). Ac y mae'n arwyddocaol mai dynion di-blant a ysgrifennodd ato i ganmol ei araith. 'Myn coblyn! Fe draethasoch galon y gwir wrth "y to ifanc",' ebe Mathonwy Hughes, Is-Olygydd *Y Faner*, papur a ganmolai aelodau ifainc Cymdeithas yr Iaith yn wythnosol! 'Mae gormod o lawer o faldodi ac addoli ar yr ifanc heddiw, a hynny er dirfawr niwed iddynt.' 'Diolch,' ebe'r Parchedig J. R. Roberts Pen-y-cae, 'am ddweud amryw bethau y mae gwir angen eu dweud.'

Yr un biwritaniaeth awdurdodol o ddisynnwyr a arweiniodd Thomas Parry i fod yn destun peth gwawd a chryn feirniadaeth yn y

Sunday Times a'r *Daily Express* a'r *Liverpool Daily Post* a rhai papurau newyddion Prydeinig eraill rai misoedd ynghynt yn 1968. Ganol y chwedegau, yn herwydd y cynnydd yn niferoedd y myfyrwyr ac yn herwydd awydd y Coleg i roi iddynt bob gofal, sefydlwyd Gwasanaeth Iechyd Myfyrwyr yn Aberystwyth, a phenodwyd dau o feddygon y dref yn swyddogion rhan-amser ynddo, y Dr Elwyn Hughes a'r Dr John H. Hughes. Yr oedd gan y Dr John Hughes ddiddordeb arbennig ac arbenigol mewn gwrthgenhedlu, a phetai ef wedi cael ei ffordd buasai o'r cychwyn wedi rhoi cynghorion gwrthgenhedlu i'r myfyrwyr a ddeuai ato; ond gwrthododd Thomas Parry yr hawl iddo wneud hynny. Yn gynnar yn 1968 derbyniodd y Dr John Hughes wahoddiad i ddarllen papur ar 'Wrthgenhedlu yn y Brifysgol' mewn cynhadledd ryngwladol yn Llundain. Cyn mynd anfonodd gopi o'i bapur at Gofrestrydd y Coleg, T. Arfon Owen, a chydag ef nodyn i ddweud pa mor falch yr oedd fod Deddf Erthyliad 1967 wedi ei alluogi i roi erthyliad i ddeg o fyfyrwragedd Aberystwyth yn ystod y flwyddyn academaidd newydd. Dyna ddechrau gohebiaeth ddeifiol. Nid y Cofrestrydd ond y Prifathro a'i hatebodd. Y 23ain o Ionawr 1968 gofynnodd Thomas Parry i'r Dr Hughes am enwau'r deg ynghyd â'r adroddiadau am eu hachosion. Na chewch ddim, ebe'r meddyg: 'The strict ethical code prevents me from giving information of this nature to any third party.' 'Do you mean to say that I as Principal of this College am not entitled to this information?' gofynnodd Thomas Parry. Ei ddadl oedd nad perthynas arferol meddyg a chlaf oedd rhwng Swyddog Meddygol y Coleg a'r myfyrwyr, a chan hynny fod yn rhaid addasu'r côd moesegol arferol. Pan wrthododd y Dr Hughes ildio, trafododd y Prifathro y mater gyda Ben Bowen Thomas, a oedd o'r un farn ag ef, 'and he instructed me to ask for your resignation, which, with deep regret, I am now doing'. Yn y cyfamser bu'r Dr Hughes yn ymgynghori gyda'i gynghorwyr cyfreithiol-feddygol yn Llundain, a ddywedodd wrtho ei fod yn llygad ei le yn gwrthod datgelu dim i'r Prifathro. Ond parhau'n ystyfnig hawlgar yr oedd hwnnw, er gwaetha'r ffaith fod Llawlyfr ei Wasanaeth Iechyd ei hun yn nodi na allai meddyg ddatgelu dim byd oll am unrhyw efrydydd heb ei ganiatâd ewyllysgar. I weld pa mor eithafol oedd ystyfnigrwydd hawlgar Thomas Parry dyfynnir yma o hunangofiant y Dr Hughes:

> In one of my interviews with the Principal, he told me I was writing my notes on college paper and that he has a right to have the papers. I replied that the college did indeed own the paper but once I had written medical notes on the paper it became my property.

Dal ati i fynnu'r wybodaeth berthnasol a wnaeth y Prifathro. Ond yr oedd rhywfaint o newid yn ei stans. Bellach, y 13eg o Chwefror, nid mynnu enwau'r deg geneth a gawsai erthyliadau a wnaeth ond mynnu bod y meddyg yn rhoi iddo ef enw unrhyw ferch mewn tŷ lojin neu fflat a feichiogai a pha driniaeth a roid iddi, a mynnu ei fod yn rhoi enw unrhyw ferch o neuadd breswyl a feichiogai i warden y neuadd y preswyliai ynddi. Yn naturiol ni syflodd y Dr Hughes. Diswyddwyd ef, ond nid cyn mis Gorffennaf. Ac wrth edrych ar y calendr y mae dyn yn gofyn iddo'i hun a oedd yr holl halibalŵ wedi dylanwadu ar y modd y paratôdd y Prifathro Parry ei araith ar gyfer Eisteddfod y Barri. Yr Awst hwnnw penderfynodd rhywrai yn Llundain – swyddogion y Medical Defence Union, y mae'n debyg – wneud yr achos hwn yn Aberystwyth yn achos cyhoeddus 'so as to establish the legal and ethical situation once and for all'. Dyna sut yr aeth y stori i'r papurau. Un o'r cymalau a ddefnyddiodd Tim Heald yn y *Daily Express* i ddisgrifio ymyrraeth y Prifathro yn achos y Dr Hughes a'r deg efrydydd oedd 'self-righteous interference'.

Y mae'n anodd cysoni ymosodiad Thomas Parry ar yr ifanc yn y Barri a'i driniaeth o'r Dr Hughes ar y naill law gyda'r hyn a ddywedodd ar y llaw arall am safiadau moesol a pholiticaidd rhai o'i fyfyrwyr ychydig fisoedd yn ddiweddarach yn ei anerchiad olaf fel Prifathro i Lys y Coleg. Yn y Barri ym mis Awst 1968, yn ogystal â beirniadu eu ffordd o fyw ac o ymddwyn, beirniadodd orbarodrwydd pobl ifanc i brotestio, drwy orymdeithio ac eistedd mewn swyddfeydd post, rhywbeth yr oedd

325

aelodau Cymdeithas yr Iaith wedi'i wneud yn gyson o 1962 ymlaen. Yn ei anerchiad olaf i Lys y Coleg ym mis Tachwedd 1968 ni cheir dim o'r fath farnu dwl. Ar ôl siarad siop a chyhoeddi bod y gwaith wedi dechrau ar godi'r Neuadd Fawr ac Undeb y Myfyrwyr ar Ben-glais, aeth rhagddo i nodi bod prifysgolion drwy'r byd wedi profi cryn afreolaeth ac anfodlonrwydd yn ddiweddar ac i ddatgan yr hoffai ddweud gair neu ddau am 'y ffenomen hon'. Mewn gwrthgyferbyniad i'r hyn a glywyd o lwyfan y Genedlaethol ac i'r agwedd a gymerodd wrth ymwneud â John H. Hughes dyma fe'n dweud:

> It has *always* [fy mhwyslais i] been part of my academic philosophy that students are not children but young adults and that in the movement from school to university transformation takes place. This may or may not be the actual truth, but it is indispensable that we should believe it.

Gan eu bod yn oedolion ifainc, ebe fe ymhellach, dylent ymgymryd â rhai cyfrifoldebau: er enghraifft, dylent ymddwyn yn weddus mewn cymdeithas wâr, dylent weithio allan eu hiachawdwriaeth eu hunain, a dylent fagu barn ar bethau – ar eu pynciau academaidd fel ar faterion cyhoeddus. I sicrhau ffyniant y sefydliad y perthynant iddo, dylent ymarfer goddefgarwch tuag ato, fel y dylai awdurdodau'r sefydliad ymarfer goddefgarwch atynt hwy. Yna datganodd ei fod yn gwbl gydymdeimladol â'r delfrydau a oedd yn gyrru pobl ifanc i wrthryfela, ac y byddai'n hoffi petai ganddo yntau yr amser a'r gwrolder i brotestio yn erbyn Rhyfel Fietnam: 'In other words, I sympathize with revolutionaries.' Wel, fe fu'n heddychwr, ond ni ellir dweud iddo erioed fod yn chwyldroadwr nac yn gydymdeimlwr â chwyldroadwyr.

O ganol y chwedegau ymlaen yr oedd fel Prifathro wedi gorfod troi ei feddwl at bynciau eraill hefyd. Un o'r pynciau hynny oedd y lle a roddid i ddysgu trwy gyfrwng y Gymraeg ym Mhrifysgol Cymru. Ddiwedd 1964, ar ran prifathrawon yr ysgolion uwchradd a ddysgai drwy gyfrwng y Gymraeg, ysgrifennodd Gwilym E. Humphreys at holl

Gofrestryddion Colegau Prifysgol Cymru i ddweud ei bod yn fwriad ganddynt ddechrau dysgu nifer o bynciau drwy'r Gymraeg hyd at Lefel A, ond bod yn eu plith rai o'r farn na allent wneud hynny heb gael sicrwydd o barhad i'r gwaith yn y colegau hyfforddi a'r Brifysgol. Yn Aberystwyth nid y Cofrestrydd yn unig a'i hatebodd ond y Prifathro yn ogystal, mewn llythyr hir, cyfrifol os amddiffynnol. Yr oedd Llys Prifysgol Cymru yn 1951 wedi ystyried sefydlu coleg a ddysgai drwy gyfrwng y Gymraeg, meddai yn y llythyr hwnnw, ond y cyfan a gafwyd yn y pumdegau a'r chwedegau oedd arian i benodi rhai darlithwyr cyfrwng-Cymraeg mewn rhai 'pynciau addas' yn Aberystwyth a Bangor, ac arian i baratoi a chyhoeddi gwerslyfrau a llyfrau termau. Aeth rhagddo i ddweud mai ei ofid pennaf yn 1965 oedd prinder affwysol pobl gymwys i ymgymryd â gwaith academaidd drwy'r Gymraeg: 'Yr ydym ni yn y Coleg hwn wedi penodi ugeiniau o ddarlithwyr yn ystod y pum mlynedd diwethaf, ac eithriad fawr yw cael Cymro Cymraeg yn cynnig o gwbl.' Ei ail ofid oedd mai 'ychydig iawn' oedd i'w ennill 'drwy benodi un person i ddysgu yn Gymraeg mewn Adran arbennig'. Er mwyn i fyfyriwr gael 'darlithiau yn Gymraeg yn gyfangwbl fe fyddai raid dyblu staff yr Adran, peth sydd yn amlwg yn amhosibl, o safbwynt ariannol a hefyd o safbwynt cael gafael ar yr athrawon cyfaddas'. Ei drydydd gofid oedd y 'rhagolygon am gyflenwad o fyfyrwyr o flwyddyn i flwyddyn'. Onid ffynhonnell fechan yw'r ysgolion uwchradd Cymraeg? Onid oes gormod o ddisgyblion o ysgolion y Gymru Gymraeg yn mynd i brifysgolion yn Lloegr? Ar ôl cyfeirio'n fanwl at ystyriaethau eraill, yn niwedd y llythyr y mae'n argymell bod y prifathrawon yr ysgrifennodd Gwilym Humphreys ar eu rhan yn dod ynghyd i drafod y materion a gododd, ac yn cysylltu gydag ef eto.

Erbyn 1966, yn sgil hyn, yr oedd Thomas Parry wedi cynnull gweithgor o aelodau Llys Prifysgol Cymru i edrych unwaith yn rhagor ar y mater hwn, gweithgor yn cynnwys Llewellyn Heycock, y gwleidydd mwyaf pwerus ymhlith cynghorwyr sirol Cymru, a Jac L. Williams, yr arloeswr o Athro Addysg. Yr wyf yn amau mai ei amcan wrth ei gynnull oedd cael y Brifysgol i ailddatgan ei hargyhoeddiad y dylai ddysgu nifer o bynciau drwy gyfrwng y Gymraeg, y pynciau dyneiddiol traddodiadol a ddysgid mewn ysgolion uwchradd a rhai pynciau na ddysgid yn yr ysgolion, a'i chael i geisio gan Bwyllgor Grantiau'r Prifysgolion arian newydd at ddatblygu'r gwaith. Yr wyf yn dweud hynny am y gallai'r Prifathro, wrth wynebu ei elynion ar Senedd Aberystwyth, Gowan a'i gwmni, ddadlau mai estyniad o'r hyn a oedd eisoes wedi'i sicrhau yn genedlaethol oedd ei gynlluniau i ehangu dysgu drwy gyfrwng y Gymraeg yn y Coleg o 1967 ymlaen. Yr oedd y cynlluniau hynny, i gryn raddau, yn seiliedig ar femorandwm gan Gwilym Humphreys, a oedd yn awr wedi'i gynnwys i gynrychioli'r ysgolion uwchradd ar bwyllgor colegol newydd ar addysg Gymraeg a oedd yn cynnwys y Prifathro, y Llywydd, Jac L. Williams ac Alwyn D. Rees. Rees arall, Graham Rees yr Athro Economeg, a gafodd y syniad ardderchog o greu Cyfadran Ddysgu trwy'r Gymraeg. Ond gan arafed y symud, ar ôl i Thomas Parry ymddeol y'i corfforwyd.

Pwnc arall y bu'r Prifathro'n ei drafod dipyn yn y cyfnod hwn oedd sefydlu Coleg Amaethyddol i Gymru, pwnc arall a gawsai ei drafod gyntaf yn y pumdegau. Un o argymhellion pwysicaf Adroddiad D. Seaborne Davies yn 1957 oedd y dylid sefydlu Coleg Amaethyddol i Gymru yn Aberystwyth, coleg cysylltiedig â Choleg y Brifysgol ond a noddid gan y Cyd-Bwyllgor Addysg Cymreig. Dim ond yn 1966 y daethpwyd i drafod yr argymhelliad yn fanwl gydag awdurdodau Aberystwyth. Dymuniad Thomas Parry oedd gwerthu Labordy Edward Davies yr Adran Gemeg yn y Buarth, Aberystwyth, i'r Cyd-bwyllgor gael cartrefu'r coleg newydd yno. Ond am na chafwyd arian gan Bwyllgor Grantiau'r Prifysgolion i godi adeilad newydd i'r Adran Gemeg ar Ben-glais bu'n rhaid mabwysiadu cynllun arall, gwell o'r hanner, ac adeiladu'r Coleg Amaethyddol newydd ar dir yn Llanbadarn gerllaw'r Coleg Llyfrgellyddol. Agorwyd ef yn 1970.

'Trwyn ar y maen' a roddwyd yn deitl i'r adran hon o'r llyfr. Fel y gwelwyd – ac fel y disgwylid – bywyd o feddwl a chynllunio a phwyllgora a thrafod a dadlau a seremonïa oedd bywyd y Prifathro, fel bywyd pawb mewn swydd uchel gyfrifol. Na, nid fel bywyd pawb mewn swydd uchel chwaith. Yn wahanol i bennaeth cwmni masnachol neu ddiwydiannol, yn herwydd natur a llywodraeth y gymdeithas academaidd, ni allai Prifathro fyth fod yn unbenaethol – er dymuno hynny'n aml. Yr oedd gorfod cwrdd â'r gelyn pan nad oedd hwnnw'n gynefin â'r peth y dadleuai yn ei erbyn yn gallu bod yn waith rhwystredig, fel yr oedd gorfod amddiffyn polisi nad oedd yn llwyr gytuno â'i holl fanylion yn gallu arwain at ddiamyneddgarwch. Byddai Thomas Parry yn cael gwared â rhwystredigaeth weithiau wrth chwilio am ffeit. Ym mis Mai 1965 dywedodd Jac L. Williams wrtho fod llywodraethwyr Ysgol Ramadeg y Bechgyn Llanelli wedi gwrthod rhoi caniatâd i'r prifathro Stanley G. Rees golli diwrnod o'r ysgol i fynd i Aberystwyth i annerch yr Adran Addysg. Yr oedd Thomas Parry wedi bod yn ŵr gwadd yno y flwyddyn gynt ac wedi dod ymlaen yn iawn gyda Rees. 'Can this be true?' gofynnodd iddo mewn llythyr, 'or am I, like Joan of Arc, hearing voices? . . . If it is true, and unless you have developed into the sort of person who should be placed under house arrest or only let out on a lead, then it is preposterous.' 'A oes rhywbeth y gallaf i ei wneud?' gofynnodd ymhellach – 'I would thoroughly enjoy a row, either a private one with the Governors or a public one in the press.' A'r canlyniad? Oblegid llythyr Thomas Parry newidiodd y llywodraethwyr eu meddwl, a chafodd Stanley Rees ddiwrnod yn rhydd i ddarlithio yn Aberystwyth. Ebe hwnnw wrth y Prifathro Parry:

> Your letter was a trumpet call and I am only sorry that the total capitulation of the enemy prevents our going into battle . . . For your tonic letter I thank my Alma Mater and its worthy Head.
>
> Diolch o galon . . .

Wrth gwrs, yng nghanol gofalon a gwrthdrawiadau cyhoeddus ceid profiadau personol o hyfrydwch mawr a diddanwch bendithiol, ac weithiau brofiadau o dristwch. Un profiad hyfryd – cyhoeddus a

329

phreifat wedi'u rowlio'n un – oedd cael rhoi'r Gadair yn Eisteddfod Genedlaethol Aberafan 1966 – lle na chadeiriwyd ei 'Fam' – i Dic Jones am 'un o'r awdlau gorau a ddaeth erioed i gystadleuaeth Eisteddfod' – awdl 'Cynhaeaf' – 'un o anesboniadwy wyrthiau'r awen'. A chael llythyr oddi wrth y buddugwr nid yn unig yn ymfalchïo'i fod wedi ennill o dan 'un a enillodd enw iddo'i hun fel beirniad lled ddigymrodedd' ond yn cydnabod ei fod ef ei hun wedi'i wefreiddio gan ei gerdd ei hun: ''Roedd ambell i gwpled a llinell yn yr awdl yn codi gwallt 'y mhen i wrth ei sgrifennu.' Yn 1968 cafodd Thomas Parry radd DLittCelt gan Brifysgol Genedlaethol Iwerddon, gradd er anrhydedd y dywedwyd ei bod mewn ffordd arbennig iawn yn cydnabod undod ysgolheictod y gwledydd Celtaidd. Y tro hwn ni chafodd nac englyn na soned i'w longyfarch: bu farw'i fardd llys R. Meirion Roberts yn 1967. Yr oedd wrth ei fodd hefyd pan gâi gwmni merched Kit a Gruffudd ei frawd, megis yr oedd ef a'i anrhegion wrth eu bodd hwy. Cofia'r tair amdano'n saernïo pethau cain iddynt, llyfrau wedi'u rhwymo, er enghraifft, ac yn cyd-chwarae â hwy yn un o gaeau Pencraig-fawr yn Llŷn ac yng ngardd y Plas ar Ben-glais. Ond yn ei ganol oed hwyr fel yn ei ieuenctid ni hoffai chwarae pêl. Cyn cyflwyno J. S. Fulton am radd er anrhydedd yn 1968 bu'n darllen amdano yn *Who's Who* lle canfu mai un o'i ddiddanion oedd chwarae golff:

> This I find extremely difficult to believe. This energetic, purposeful, inspiring man should never find spiritual satisfaction in banging a little white ball all over the landscape and trusting to the wind or the will of God to direct it to a hole in the ground.

VIII. YR EFRYDYDD-DYWYSOG

Tymor yn unig y bu'r Tywysog Charles yn fyfyriwr yn Aberystwyth, sef Tymor byr yr Haf o ddiwedd Ebrill tan ganol Mehefin 1969. Ond am mai Charles ydoedd, mab coron Prydain Fawr a fyddai'n cael ei arwisgo'n Dywysog Cymru ar y 1af o Orffennaf y flwyddyn honno, achosodd ei ddyfodiad i'r Coleg gynnwrf rhyfeddol. Am nad oedd modd ysgaru ei ddyfodiad yn fyfyriwr i Aberystwyth oddi wrth yr Arwisgiad – dod i astudio rhywfaint ar iaith a hanes y wlad y byddai'n cario'i henw yr oedd – meddyliai llawer o genedlaetholwyr fod y Coleg yn cael ei 'ddefnyddio' gan y sefydliad Prydeinig i hyrwyddo brenhiniaeth ac unoliaeth y Deyrnas Unedig. Ac yr oedd rhai ohonynt yn ddig wrth Thomas Parry am adael i hynny ddigwydd.

Faint o ddewis oedd ganddo? Yn ddamcaniaethol fe allai fod wedi dweud na fynnai gael ymwelydd brenhinol yn fyfyriwr byrhoedlog yn ei Goleg, ond nid mewn gwirionedd. Fel y nodwyd o'r blaen yn y llyfr hwn, pennaeth o Gymro ar sefydliad Cymreig hanfodol ac ymarferol Brydeinig ydoedd, Prifathro cenedlaetholgar a oedd yn gweithio ymhlith ugeiniau o athrawon, ymhlith cannoedd o ddarlithwyr, ac ymhlith mil a mwy o fyfyrwyr â'u gwreiddiau yn Lloegr a'u hymlyniad gwleidyddol-gymdeithasol wrth y gwerthoedd a nodweddai eu tebyg Seisnig – hynny yw, gwŷr a gwragedd a fyddai gan mwyaf yn falch fod y teulu brenhinol yn cydnabod bodolaeth Coleg Aberystwyth ac yn meddwl digon ohono i anfon yr aer iddo i gael ychydig o addysg arbenigol. Ac y mae'n fwy na thebyg y dymunai uchel swyddogion y Coleg hwythau groesawu Charles.

Pan oedd Cledwyn Hughes, un o gyn-fyfyrwyr y Coleg, yn Ysgrifennydd Gwladol dros Gymru yn Llywodraeth Lafur Harold Wilson rhwng 1966 ac 1968 y trafodwyd y mater gyntaf, ond nid yn drylwyr. Y 1af o Hydref 1967 ysgrifennodd Thomas Parry at yr Ysgrifennydd Gwladol i ddweud wrtho fod y *Daily Mail* newydd fod ar y ffôn i'w hysbysu y gwneid datganiad am y peth ymhen pythefnos. Yn naturiol nid oedd ganddo fochau bodlon. Tantro'n gwbl deg yr oedd nad oedd 'y teulu arbennig hwn a'u cynghorwyr' wedi ymgynghori dim ag ef ynghylch mater pwysig yr oedd yn rhaid ei 'ystyried yn ofalus iawn'. 'Pe deuai'r bwriad i ben,' ebe fe wrth Cledwyn Hughes, 'fe fyddai'r Coleg yn ennill *prestige* aruthrol yng ngolwg rhai pobl. Ar y llaw arall, fe wyddoch am ymylon lloerig y mudiad cenedlaethol, ac fel y maent eisoes yn siarad am y seremoni sydd i ddigwydd' (sef yr Arwisgiad, wrth gwrs). Gallai'r bobl hyn wneud bywyd 'yn annymunol iawn, efallai yn annioddefol, i lanc o fyfyriwr, a phetai hwnnw'n ymadael ar hanner ei dymor, fe fyddai'n ergyd enbyd i'r Coleg a'i enw da'. Ei ddymuniad taer oedd cael trafod y pethau hyn yn y cylchoedd priodol.

Mudiad Amddiffyn Cymru a Byddin Rhyddid Cymru oedd yr 'ymylon lloerig' y soniodd amdanynt, dau gorff a chanddynt yr enw o fod yn barod i ddefnyddio trais i wrthwynebu gelynion Cymru. Hawliodd MAC mai ef a osododd y bom a ffrwydrodd yn y Deml Heddwch ym Mharc Cathays, Caerdydd, y diwrnod y cafwyd un o'r cyfarfodydd cyntaf yn y Swyddfa Gymreig gyfagos i drafod yr Arwisgiad. Ond er trafod yr Arwisgiad, hirymarhous iawn oedd neb i drafod tymor y Tywysog yn Aberystwyth. Do, cafwyd llythyron yn ei gylch, llythyron yn awgrymu hyn a'r llall, ond cyn lleied o drafod dwys wyneb-yn-wyneb fel bod Enid Parry chwarter canrif yn ddiweddarach yn dal yn 'ddig am nad oedd y rhai a drefnodd hyn wedi bod yn ddigon cwrtais i drafod y mater gyda'r prifathro a rhai o swyddogion y coleg'. Yr 21ain o Dachwedd 1967 ysgrifennodd Eirene White, y Gweinidog Gwladol yn y Swyddfa Gymreig, i basio ymlaen i Thomas Parry awgrym a wnaed iddi gan Brian Jackson, 'the very enterprising director of the National Extension College, Cambridge' – rhagredegydd y Brifysgol Agored – sef y dylai'r Tywysog, am na châi ddigon o amser i ddysgu'r iaith yn haf 1969, ym Medi 1968 ymaelodi yn y cwrs Cymraeg a drefnid yn flynyddol ar y cyd gan Goleg Harlech ac Aberystwyth. Diau mai ymateb naturiol Thomas Parry fyddai gofyn pwy ddiain oedd Brian Jackson i awgrymu dim am y Gymraeg. Fis yn ddiweddarach cafodd lythyr oddi wrth yr Arglwydd Morris o Borth-y-gest. Ei neges gyfrinachol ef oedd bod y Cyrnol Syr Eric Johnston, Prif Arolygydd Heddluoedd Prydain Fawr, wedi dweud wrtho y byddai'r Coleg cyn bo hir yn derbyn cais am le gan swyddog ifanc o'r heddlu a fuasai'n ddiweddar ar gwrs arbenigol yng Ngholeg yr Heddlu ger Basingstoke. Y Rhingyll David Alun Davies oedd hwnnw, yn wreiddiol o Sir Gaerfyrddin, a ddisgrifiwyd fel un o ddwsinau o heddweision a anogid i ddilyn cyrsiau mewn prifysgolion ledled Prydain. Ond wrth gwrs yr oedd rheswm penodol dros ddilyn cwrs yn Aberystwyth. Chwedl Syr Eric, 'It would be partly valuable to have a policeman in residence . . . when His Royal Highness would be an undergraduate.' 'Where is he [sef y Tywysog] to stay?' yw'r cwestiwn mewn beiro ar un o'r llythyron yn yr ohebiaeth hon. A'r ateb? 'Pantycelyn.'

Ni chafodd Thomas Parry gyfarfod gyda'r Sgwadron-Bennaeth David Checketts, *equerry*'r Tywysog, tan ganol Chwefror 1968. Ym Mawrth cafodd gyfarfod gyda gŵr o un o'r gwasanaethau cudd a'i galwai ei hun yn Richard Thistlethwaite, na ellid gohebu ag ef ond trwy gyfeirio llythyron i Flwch Rhif 345 y GPO yn Llundain EC1. Yr oedd MI5 eisiau gosod un neu ddau o'i aelodau yn Aberystwyth ond ni fynnai'r Prifathro hynny. Ond er iddo gyfarfod gyda Checketts a Thistlethwaite, arafwch a welai Thomas Parry ar bob tu, diffyg trefn neu hwyrfrydedd. Ai amlygiad o gyfrinachedd Palas Buckingham oedd hynny ynteu a oedd yn amlygiad o anesmwythyd ynghylch yr holl syniad o anfon Charles i Aberystwyth? Wedi hen alaru disgwyl i bethau siapio, y 25ain o Fedi ysgrifennodd at George Thomas, a oedd wedi disodli Cledwyn Hughes fel Ysgrifennydd tros Gymru, gan ddweud: 'I have recently been wondering whether Prince Charles's proposed stay at Aberystwyth . . . is still on the cards.' Yr oedd ganddo dri rheswm dros amau. Yn gyntaf, yr oedd wedi methu'n deg â chael David Checketts i ddod i Aberystwyth i edrych y wlad. Yn ail, pan gyfarfu yn Llundain am yr eildro gydag 'a certain gentleman who is very high up in the security business' – Thistlethwaite, debyg – gofynnodd hwnnw iddo sut oedd pethau'n datblygu 'y pen hwn', a phan ddywedodd y Prifathro nad oedd ganddo ddim i'w adrodd 'he was very surprised'. Yn drydydd:

> Thirdly – and this is an almost incredible example of the grape-vine working – Prince Richard of Gloucester, who works at the British Embassy in Tokyo, told a colleague of his there, who told his wife, who told her mother, who told a friend of hers, who told my wife, who told me, that the Queen and the Duke are very worried about the Prince's safety during his stay at Aberystwyth and over the Investiture.

Yr oedd nifer o ffrwydriadau wedi digwydd yng Nghymru y mis hwnnw. 'So I am wondering whether people in high places are having second thoughts.' A dyma Thomas Parry yn dweud rhywbeth na ddywedasai o'r blaen:

> Personally, to be quite honest, I am not happy about the Prince's coming here. Till the police lay hands on the perpetrators of the explosions ... we at this College cannot but feel uneasy and apprehensive.

Ganol Hydref 1968 fe ddaeth Checketts i Aberystwyth o'r diwedd. Ac ymhen deufis, noswyl y Nadolig, daeth Syr Eric Johnston 'and other gentlemen of that ilk' (chwedl y Prifathro wrth E. L. Ellis y Warden) i ymweld â Neuadd Pantycelyn a phenderfynwyd yn derfynol mai yno y byddai Charles yn lletya. Un o'r boneddigion *of that ilk* oedd J. R. Jones, Prif Gwnstabl Heddlu newydd Dyfed-Powys. Ychydig cyn y Nadolig trefnwyd i Thomas Parry gyfarfod â'r Arglwydd Butler, Meistr Coleg y Drindod, Caergrawnt, lle'r oedd y Tywysog eisoes yn fyfyriwr, i gael gwybod beth a ddisgwyliai Charles ganddo. Bod ar gael iddo; trefnu pethau iddo'u gwneud, pysgota, cerdded, ymweld â Chymry nodedig, chwarae'r soddgrwth; sicrhau rhai myfyrwyr fel darpar-gyfeillion iddo; rhoi teleffon yn ei ystafell. Goronwy Daniel, pennaeth y Swyddfa Gymreig, a gofnododd y pethau hyn, a chyn bo hir anfonodd at Thomas Parry restr cyn hired â'i fraich hir ei hun o awgrymiadau o bethau y

334

gallai'r Tywysog eu gwneud, o ymweld â Ffatri Hoover ym Merthyr Tudful i bysgota afon Teifi gyda Moc Morgan, o gael te gyda Rhiannon a Gwynfor Evans hyd at ymweld ag Eisteddfod Genedlaethol yr Urdd. 'Someone,' ebe'r Prifathro, 'has completely lost sight of the fact that the Prince will be here as a student.'

Ni ddaeth Charles ei hun ar ymweliad ag Aberystwyth tan ddechrau Ebrill 1969, bythefnos cyn y deuai yno fel efrydydd. Trefnwyd iddo hedfan i 'Aberport' ys galwodd Checketts y lle – 'Aberporth (note the final *h*, by the way)' ebe Thomas Parry wrtho – 'I am always accused of dropping h's!' meddai hwnnw. Gwrthododd y Tywysog y cynnig i gael ei gario i Aberystwyth mewn Rolls Royce ac aeth y Prifathro ei hun i'w gyrchu yn ei Austin Cambridge. Cawsant ginio yn Nhŷ'r Staff, cafodd Charles weld yr Hen Goleg lle câi ei diwtorials a'r ystafell ar lawr cyntaf Pantycelyn lle byddai'n lletya, a barnwyd bod yr 'ymweliad anffurfiol' (a ddenodd gannoedd ar gannoedd o wylwyr i balmentydd Maes Lowri a'r dref) wedi mynd rhagddo'n hwylus ddigon.

Fel y nodwyd uchod, nid oedd pawb o blaid ei ddyfodiad. Argraffodd Gwasg y Lolfa ddatganiad yn mynegi syndod at y ffaith 'fod awdurdodau'r coleg yn caniatáu i Brifysgol Cymru gael ei defnyddio fel offeryn gwleidyddol'. Ym mis Ionawr 1969 meddiannodd dau fyfyriwr o Aberystwyth, Ffred Ffransis a Rhodri Morgan, a dau fyfyriwr o Fangor, Ieuan Bryn Jones ac Euryn ap Robert, ystafell yn yr Hen Goleg i gynnal streic newyn fel protest yn erbyn ei ddyfodiad ac yn erbyn yr Arwisgiad. Ysgrifennodd mam Rhodri, Gwyneth Morgan, at y Prifathro i ddweud ei bod, er yn gofidio am ei mab, yn ei gefnogi i'r carn, ac i erfyn ar y Coleg i newid ei feddwl ynghylch yr ymweliad brenhinol. Wrth ei hateb, cadw at y lein y gallai dyfodiad y Tywysog i ddysgu'r Gymraeg 'wneud dirfawr les i fudiad yr iaith' a wnaeth Thomas Parry, 'y peth pwysicaf o ddigon . . . yn yr holl fudiad cenedlaethol', a diraddio'r Arwisgo fel rhywbeth nad oedd 'ymprydio o'i blegid' ddim 'yn werth yr aberth'. Yr un oedd ei bregeth pan gyfarfu â swyddogion y Geltaidd, a oedd gyda mwyafrif mawr wedi gwrthwynebu dyfodiad Charles i Aberystwyth.

Yr un oedd ei bregeth hefyd pan siaradodd â *Llais y Lli*: 'Dylem adael iddo ddod yma, a manteisio arno, a rhoi'r bri i'r iaith.' Ac ystyried popeth, yn gyhoeddus yr oedd hon yn agwedd ddiplomatig ddigon call. Yn fewnol, dangosodd ddoethineb amgen i'r annoethineb a ddangosodd yn achos Gwilym Tudur a'r lleill chwe blynedd ynghynt. Er bod Ffred Ffransis a Rhodri Morgan wedi torri rheoliadau'r Coleg wrth feddiannu ystafell i ymprydio ynddi, drannoeth eu hympryd dywedodd y Prifathro wrth yr Is-Brifathro Fergus Johnston nad oedd yn mynd i'w cosbi nac yn mynd i godi'r mater yn y Senedd, a dywedodd wrth Syr Ben Bowen Thomas na fynnai i neb ei drafod yn y Cyngor.

Yr oedd y pwysau arno o du MI5 yn drwm o hyd. Gan na fynnai weld un o'i swyddogion hwy yn ymbersonoli fel myfyriwr nac fel aelod o'r staff yn Aberystwyth – wrth reswm, ni wyddys a gafodd ei ffordd ai peidio – cytunodd i enwi myfyriwr neu ddau 'i gadw golwg ar eu cyd-fyfyrwyr ym Mhantycelyn' (chwedl y newyddiadurwr Lyn Ebenezer). Y mae'r ohebiaeth a welais i yn tystio mai'r unig enw a roddodd y Prifathro gerbron y gwasanaeth cudd oedd un o fyfyrwyr Cymraeg Adran y Gyfraith, Rhion Herman Jones, mab y Parchedig Herman Jones Pen-bre ac ŵyr i David Thomas *Lleufer*, ac yn anfoddog tost y gwnaeth hynny: 'This is not an easy exercise.' Enw arall a gysylltir ag arhosiad y Tywysog yn Aberystwyth yw Geraint Evans, un arall o feibion y mans, myfyriwr ar ei flwyddyn olaf a oedd yn lletya yn Ystafell 94 ym Mhantycelyn, y drws nesaf i'r ystafell y daeth y Tywysog iddi yn Nhymor yr Haf. Dywedodd Geraint Evans wrthyf iddo wneud cais am yr ystafell hon ddiwedd haf 1968, fisoedd lawer cyn i neb benderfynu lle yr oedd Charles yn mynd i aros, am ei bod mewn rhan ddistaw o'r neuadd lle nad oedd fawr dramwy. Ond unwaith y penderfynwyd rhoi Charles yn rhif 95 gwnaethpwyd ymholiadau am ei gymhwyster ef i fod yn gymydog iddo. Holwyd aelodau o'i deulu, cydnabod iddo, a diaconiaid yr eglwysi Annibynnol yn Alltwalis a Phencader lle bu ei dad, y Parchedig Gwyn Evans, yn gweinidogaethu gynt ac yn Nhal-y-bont lle'r oedd yn gweinidogaethu'n awr. At hynny, fe'i gwahoddwyd i gymryd rhan yn rhai o'r cyfarfodydd i'r wasg a gynhaliwyd, yn bennaf gan y Swyddfa Gymreig i newyddiadurwyr tramor a weithiai yn Llundain, i gyflwyno Aberystwyth i'r byd. Er mawr foddhad i lawer o wragedd Tal-y-bont, un prynhawn aeth Geraint Evans â'r Tywysog i de i'w gartref ym Maes-mawr, mans yr Annibynwyr, te a fwynhaodd yn fawr.

Ni wn beth a wnaeth Rhion Herman Jones dros Charles na thros yr heddlu cudd, os rhywbeth. Ychydig a welodd preswylwyr Pantycelyn ar ddarpar-Dywysog Cymru. Yr oedd plismon yn ei ddillad ei hun yn byw yn Ystafell 93, a phan âi hwnnw ar *leave* deuai D. Alun Davies i ddirprwyo iddo. Ar ei ben ei hun, neu gydag un o'r plismyn, y bwytâi'r Tywysog ei brydau bwyd fel rheol; yn ei MGB ei hun y modurai i lawr i'r Hen Goleg i gael ei wersi gydag E. G. Millward a Bobi Jones; treuliai lawer o amser ar y teleffon ac yn chwarae'r soddgrwth; ac âi o Aberystwyth bob bwrw Sul. Yn awr ac eilwaith trefnwyd derbyniadau a chiniawau arbennig iddo gael cyfarfod â staff a Chynghorwyr y Coleg ac â Chymry amlwg eraill; ac am iddo gwrdd â'r Esgob J. R. Richards yn y Plas noson olaf Ebrill talodd ymweliad â Chadeirlan Tyddewi y bore Sul canlynol. Ond ychydig iawn iawn o gyfathrach a fu rhyngddo a'r myfyrwyr. Er bod ystafell yn barod ar ei gyfer ym Mhlas Pen-glais 'rhag ofn unrhyw drwbl a allai godi yn sydyn yn neuadd y myfyrwyr,' chwedl Enid Parry mewn sgwrs radio yn 1992, ni regodd ac ni fygythiodd ac ni flagardiodd neb ef. Cafodd lonydd parchus. A phob dydd gwaith yr oedd pobl y dref ac ymwelwyr wrth eu bodd yn ei wylied yn moduro'n ôl ac ymlaen i'w wersi.

Gwir bod ar y mwyaf o'r Cymry'n ymwybod â phresenoldeb heddweision cudd rownd pob cornel ac ym mhob cilfach o Aberystwyth – onid tref Dixie'r Clustiau oedd hi yn 1969? – ond ar y cyfan tawel a di-drwst fu arhosiad Charles yno (ac eithrio yn ystod y brotest yn ei erbyn pan siaradodd o lwyfan Eisteddfod yr Urdd). Ychydig ar ôl iddo fynd tua thref i Balas Buckingham ysgrifennodd lythyr cwrtais a chynnes at Thomas Parry gan ddweud fel hyn: 'Despite my many previous misgivings and longings to get home, I was very happy at Aberystwyth and the atmosphere was essentially warm and friendly.' Ymddug y myfyrwyr yn fwy rhesymol nag oedd wedi disgwyl, ac at hynny, meddai, dysgodd lawer am Gymru a'i phobl. Na, ni ddarllenodd Dafydd ap Gwilym yng ngolygiad rhagorol ei Brifathro yn y gwely bob nos, ond fe ddysgodd ddigon am 'y deffroad gwleidyddol a diwylliadol' yng Nghymru i areithio'n gyhoeddus amdano mewn ffordd a wylltiodd George Thomas i'r fath raddau fel y gofynnodd y ffwlcyn paranoaidd hwnnw i Harold Wilson gael gair gyda'r Frenhines amdano. Dyma baragraff o'r llythyr cwynfanus a ysgrifennodd George Thomas at y Prif Weinidog yn ei law ei hun 'rhag i'w swyddfa ddod i wybod amdano':

> During the Prince's stay at Aberystwyth, he was subjected to con-
> centrated attention by Welsh Nationalists. His tutor, his neighbour
> in the next room, and the Principal were all dedicated Nationalists.
> It has become quite evident to me that the Aberystwyth experience
> has influenced the Prince to a considerable extent.

IX. YMDDEOL

Yr oedd Thomas Parry wedi dweud wrth swyddogion y Coleg dipyn cyn diwedd 1967 ei fod yn bwriadu ymddeol ymhen dwy flynedd. Yn hydref 1969 byddai'n newid byd arno ef ac Enid. Yr oedd Waldo Williams wedi gwirioni cymaint ar Blas Pen-glais a'i leoliad pan aeth yno i drafod pryddestau'r Barri yng ngwanwyn 1968 fel y gofynnodd i'r Prifathro, 'Oes dim chwant arnoch aros yno yn arddwr, neu rywbeth, i'ch olynydd?' 'Pwy fyddai hwnnw?' oedd y cwestiwn o Fôn i Fynwy. Ffordd D. J. Williams Abergwaun o'i ofyn oedd:

Pwy o pwy a gawn ni'n deilwng o wisgo'ch pâr sgidiau hoelion chi i adael ôl ei draed ar bethau? 'waeth slipers india ryber y mae pawb yn eu gwisgo yn yr oes lithrig hon.

Erbyn Medi 1968 yr oedd yn wybyddus mai Goronwy Daniel o'r Swyddfa Gymreig fyddai ei olynydd. Wele, drwy aeaf y paratoi ar gyfer ymweliad y Tywysog â'r Coleg, yr oedd y Dr Daniel yn edrych ar bethau gyda llygaid darpar-Brifathro. Cyn iddo gydio yn yr awenau urddwyd y Dr Daniel yn farchog. Gan ei fod yn dod i ben â rhedeg dwy yrfa eithriadol lwyddiannus fel ysgolhaig ac fel gweinyddwr, diau i rywrai feddwl y câi'r Dr Parry ei urddo'n farchog tua'r un pryd – yn eu plith y dywededig D. J. Williams. Yr 22ain o Orffennaf, gan feddwl bod y Prifathro eisoes â'i draed yn rhydd, y mae'n ei gyfarch fel 'Annwyl Gyn-Brifathro' ac yn ysgrifennu ato fel hyn:

> Annwyl Gyn-Brifathro – yn wir, fe fues bron ychwanegu Syr Thomas Parry, – oherwydd rhaid mai â chroen eich dannedd y dihang'soch chi rhag urddas llachar hwnnw. Ac os yw teilyngdod a gwerth gwasanaeth llwyr a chydwybodol mewn maes aruchel am oes gyfan ymhlith anhepgorion y teitl hwnnw fe ddylai'ch enw chi, yn ddi-ffael, fod ar y rhôl, a'ch annwyl briod yn rhannu'r anrhydedd gyda chi – fel eiddo'ch cefnder, Syr Thomas a'i briod, y Lady Amy.

A wrthododd yr anrhydedd? A gafodd ei gynnig? Ar y pryd y sôn a'r siarad mewn rhai cylchoedd oedd iddo'i wrthod am na fynnai i bobl ddweud ei fod – ys dywedodd Alun R. Edwards mewn llythyr ato yn 1978 – 'ynghlwm wrth y teulu brenhinol'. Ond a boenai Thomas Parry beth a ddywedai pobl?

Yr oedd Mat Pritchard, cyfeilles iddo a dirprwy brifathrawes Ysgol Dyffryn Nantlle, wedi ysgrifennu i ddymuno'n dda iddo ar ei ymddeoliad mor gynnar ag Ebrill 1969. Siawns nad chwilio am achos yr oedd i anfon ato bytiau o'i newyddion diweddaraf. Pwt am John Gwilym Jones oedd un. Buasai ef yn ystod gwyliau'r Pasg 1969 ym Minesota lle cafodd ddamwain gas (arall) yn y car. Er ei fod wedi dod adref yn ddiogel yr oedd 'chwydd ar ei wyneb, peth ôl cystudd, dwy graith . . . eglur' a *brace* 'y bydd yn rhaid iddo'i wisgo am dipyn. Ond yn siarad fel melin . . .' Pytiau am Gaernarfon oedd ei phytiau eraill. Y naill yn disgrifio'r peintio mawr ar filltiroedd o waliau ac wynebau adeiladau pwysicaf y dref ar gyfer yr Arwisgiad a'r llall yn datgan bod 'y "fountain" wedi mynd'. Os cofir, wrth y *fountain* honno y trefnodd Tomos ei oed cyntaf yng Nghaernarfon gydag Enid ddeugain mlynedd ynghynt.

Yn rhifyn y 10fed o Fehefin 1969 y ffarweliodd *Llais y Lli* ag ef. Ar dudalennau hwn y dywedodd Rheinallt Llwyd y byddai unrhyw Gymro diwylliedig, o orfod dewis tri llyfr i fynd gydag ef i ynys bellennig, yn dewis *Hanes Llenyddiaeth Gymraeg hyd 1900, Gwaith Dafydd ap Gwilym* a'r *Oxford Book of Welsh Verse.* Yn hwn hefyd y dywedwyd wrtho ei fod 'yn llenor, bardd ac ysgolhaig o'r radd flaenaf' ac yr ymatebodd ef drwy ddweud, ''Rwy'n gwrido, coeliwch neu beidio. Rhaid imi gywiro un peth yn y darlun ohonof fy hun. Mi ysgrifennais farddoniaeth ers talwm, ac y mae peth ohoni yn dda. Ond y mae'r swm yn rhy fach i mi deilyngu'r enw bardd.' Ac yn hwn yn ogystal y datganodd, nid am y tro cyntaf na'r tro olaf, mai diben cyntaf prifysgol 'yw gwasanaethu dysg neu wybodaeth. Ei hail bwrpas yw gwasanaethu'r unigolyn. Wedyn, fel canlyniad i'r ail bwrpas, fe ddaw gwasanaethu cymdeithas neu genedl.'

Mewn cinio y ffarweliodd y Coleg cyfan ag ef, lle dadorchuddiwyd y portread olew ohono a luniwyd gan Alfred Janes sy'n ei ddarlunio ar ei eistedd yn ei ŵn brifathroaidd fel gŵr llonydd cefnsyth golygus syn, braidd yn slei, mwy llechwraidd nag ystumddrwg. Ychydig os dim o'i ysmaldod doeth sydd yn y llun; ychydig os dim o'r ffraethineb egnïol hwnnw a ddifyrrodd y cannoedd o westeion a ddaeth i'r cinio i dalu gwrogaeth iddo. Y mae gennyf deimladau cymysg wrth ymddeol, meddai wrthynt. Ar un olwg, y mae'n dda cael mynd, oherwydd y mae'r prifysgolion heddiw fwyfwy o dan fawd y llywodraeth. Ond o'r ochr arall yr oedd yn ddrwg ganddo adael sefydliad y bu'n llawen ynddo am un mlynedd ar ddeg. Diolchodd yn llaes i'w gyd-swyddogion am eu cymorth gyhyd, a diolchodd yn dalpiau i'w gynorthwyydd personol D. H. Jenkins 'who has put up with me day after day, with a serious-looking face and piercing wit, with complete devotion'. Diolchodd hefyd am gyfeillgarwch pawb yn y lle:

> And let me plead for magnanimity and forbearance and sympathy, and possibly long-enduring patience, on the part of our English colleagues towards those of us who are mentally tortured by the thought of the draining away of what to us is our very life-blood, our language.

Ac am a wnaeth i godi'r Coleg newydd ar Ben-glais ac am a fethodd ei wneud i adnewyddu'r hen Goleg ger y Lli, mentrodd broffwydo, yn ysmala iawn, y digwyddai tri pheth cyn pen ugain mlynedd: y byddai'r gwyddonwyr y rhoesai gartrefi newydd iddynt yn cwyno am eu had-eiladau ansad, 'those architectural extravaganzas of the sixties, probably the most decadent period in the whole history of building in Western Europe'; y byddai gan bob Athro yn y Celfyddydau ei ysgrifenyddes ei hun a'i deipydd ei hun a'i *cocktail cabinet* ei hun; y byddai popeth sy'n ymwneud ag economeg ac astudiaethau cymdeithasol wedi'i ganoli mewn prifysgol annibynnol newydd lle bydd pob myfyriwr yn talu ffi o £1,100 y flwyddyn; ac mai'r unig adran anghyffwrdd fyddai Adran y Gyfraith, 'retained . . . to provide a rehabilitation course for members of the Free Wales Army.'

Difrifol a diddan a phryfoclyd a ffraeth hyd y diwedd.

PENNOD 7

Syr Thomas Parry

I. GWYNDY, BANGOR

FLWYDDYN YN ddiweddarach yr oedd mewn cinio unwaith yn rhagor, cinio i wŷr gradd er anrhydedd Prifysgol Cymru unwaith yn rhagor, ac unwaith yn rhagor ef oedd un o'r areithwyr. Y tro hwn nid cyfarch y gwŷr gradd yr oedd, ond ateb ar eu rhan. Yr Is-Ganghellor Frank Llewellyn Jones, Abertawe, 'with an imperiousness which is only to be found in Vice-Chancellors,' chwedl Thomas Parry gan befrio, a'i gorchmynnodd i gynnig llwncdestun i'r Brifysgol. Gallai fod wedi gwrthod – onid oedd pob gweithiwr ym Mhrydain ar streic? – ond, na, 'I agreed, with a sweetness of temper which was most moving to behold.' Cytunodd, meddai, er ei fod yn dal i anwadalu ychydig yn ei farn am y Brifysgol. Purion dweud yn 1964–65 fod yn rhaid derbyn barn y Llys am ei dyfodol wedi'r ddadl fawr a fu, ond nid oedd yn sicr o hyd ym mha le y safai ef ei hun. Mewn cyfweliad papur newydd adeg ei ymddeoliad dywedodd mai da oedd i Brifysgol Cymru barhau'n unedig. Ond mewn anerchiad i Adran Athronyddol Urdd y Graddedigion a gyhoeddwyd yn *Efrydiau Athronyddol* yn 1970 dywedodd fod y Brifysgol 'wedi ymwadu â'i hawdurdod ers llawer blwyddyn' drwy roi i'r colegau unigol radd helaeth o annibyniaeth, a chan hynny nid oedd ganddi mewn gwirionedd ond dau ddewis: 'un ai diffedereiddio . . . neu ynteu gweithredu fel un brifysgol'. Y noson honno yng nghinio'r graddedigion er anrhydedd y Thomas Parry atgofus, difyrrus, prifysgolgar a gafwyd. Drannoeth, wrth ei gyflwyno am ei radd, canmolodd Goronwy Daniel ef nid yn unig am ei allu a'i ddawn a'i weithgarwch, ond hefyd am ei

342

SWAN -SEA 2021

Enjoying Swansea's Culture? Share it!

#SWANSEA2021

ABER-TAWE 2021

Yn mwynhau diwylliant Abertawe? Rhannwch e!

#ABERTAWE2021

gymeriad. 'Nid meudwy academaidd o Gymro mohono,' meddai ei olynydd, 'ond gŵr o ddynoliaeth braff, o ddiddordebau eang a gorwelion pell, gŵr a allodd gyfuno awdurdod llym y gweinyddwr â chyd-ymdeimlad a dychymyg byw y llenor.' Mewn cyflwyniadau o'r fath ceir gormodiaith weithiau, ond prin fod yr ymennydd fforensig a'r siaradwr plaen Syr Goronwy yn medru gormodiaith.[22]

Gradd LLD a roddwyd i'r cyn-Brifathro, a oedd, fel y gwyddom, eisoes yn DLitt. Dyma Derwyn Jones, un o'i gyn-fyfyrwyr a Llyfrgellydd Cymraeg Coleg Bangor, yn ysgrifennu'r englyn hwn iddo:

> D.Litt. ond yn dal ati; – doi heibio'n
> Ddoctor dwbwl harti.
> Oes perygl, Thomas Parry,
> Y doi i daith yn D.D.?

A dyma'r doctor dwbwl yn ateb:

> Nid prifysgol trwy arholi – a rydd
> Y radd honno imi.
> I ddyn a wna ddaioni
> Rhodd Duw Dad yw gradd D.D.

Ar gerdyn wedi'i gyfeirio i'r *Gwindy*, Victoria Avenue, Bangor, yr anfonodd Derwyn Jones yr englyn. Rhyw awgrymu'n gellweirus yr oedd y byddai peth dathlu yno oblegid y *Doctor in Legibus*. Wrth gwrs, Gwyndy oedd enw'r tŷ, yr enw Elm Bank yn Victoria Avenue wedi'i newid am enw hen gartref y teulu yng Ngharmel. Yn y Gwyndy hwn y treuliodd Thomas Parry weddill ei ddyddiau.

---

22 Un noson o Chwefror yn 1972, pan oedd dogni ar drydan am fod y glowyr ar streic, yr oedd Thomas Parry yn rhoi darlith gyhoeddus yn Neuadd yr Arholiadau yn yr Hen Goleg, a dim ond dwy *Tilly lamp* yn taflu golau ar ei sgript ac arno ef. Syr Goronwy, nid yr huotlaf o siaradwyr cyhoeddus, oedd yn ei gyflwyno. 'Ma' hi'n dŵyll,' meddai yn nhafodiaith Cwm Tawe, 'a do's dim ishe bratu amser yn cyflwyno Thomas Parry i gynulleidfa yn Aberystwyth. Bachan o Shir ... ym ... bachan o Shir ... ym ... *bachan o'r Gogledd* yw Thomas Parry.'

Daethai yn ôl i Fangor am mai dyna'i gartref ysbrydol, am nad Aberystwyth ydoedd, am fod llyfrgell dda yn y Coleg, ac am fod yn y ddinas a'r cylch nifer da o bobl y buasai'n gyfeillgar iawn â nhw er ei lencyndod neu er y tridegau – Bleddyn Jones Roberts, O. V. Jones, a John Gwilym Jones ymhlith llawer, ac yr oedd Syr Ben Bowen Thomas wedi ymddeol o Lundain i dŷ ar lan y Fenai ger Treborth. Bu R. Alun Roberts farw ychydig fisoedd cyn i'r Parrïaid symud, a llai na deufis ar ôl iddynt ailgartrefu ym Mangor yr oedd Thomas Parry yn marwnadu'r hynafgwr R. T. Jenkins. O'r tri ysgolhaig disglair a aned yn 1881 – Gruffydd (a fu farw yn 1954), Ifor Williams (a fu farw yn 1965) a Jenkins – yr olaf oedd ei ffefryn, 'y gŵr mwyaf gwybodus a dysgedig a diwylliedig' a welodd erioed, ond gŵr na fyddai byth 'yn siarad am bynciau dysgedig, rhag ofn i rywun feddwl ei fod o'n gwneud sioe o'i wybodaeth'. Yna y 10fed o Hydref 1970 bu farw Owen Picton Davies. Yr oedd Mrs Picton Davies wedi marw dair blynedd ynghynt.

Un o fwriadau Thomas Parry ar ôl ymddeol oedd dychwelyd at waith ysgolheigaidd a pharatoi pedwerydd argraffiad o *Hanes Llenyddiaeth Gymraeg hyd 1900*. Ond am fod cymaint wedi'i gyhoeddi ar hanes ein llên er pan gafwyd y trydydd argraffiad yn 1953 buan y gwelodd ei awdur nad oedd hynny'n bosibl heb ailysgrifennu talpiau helaeth ohono; ac o wneud hynny nid *Hanes Llenyddiaeth Gymraeg hyd 1900* a fyddai. Beth am ddychwelyd at Ddafydd ap Gwilym, ynteu, i drafod mewn print yn awr nid y testun ond y farddoniaeth fel y cyfryw? Y mae yn ei Bapurau grugyn o nodiadau a gododd o weithiau'r nifer cynyddol o ysgolheigion a drafodai'r bardd a'i gyfnod, D. J. Bowen, Rachel Bromwich, John Rowlands, Eurys Rolant, a'r haneswyr A. D. Carr, R. R. Davies, Ralph Griffiths, ond ac eithrio mewn dwy erthygl y cyfeirir atynt eto nid ymaflodd lawer â'r pwnc. Yr oedd ef wedi hen ddiffinio'r gân; câi eraill ei holrhain a'i dehongli. A oedd gobaith y gwelid ef yn llunio cerdd neu ddrama? Ddechrau 1969, 'ar adeg brysur a dramatig yn hanes y colegau', cynigiodd Lorraine Davies o'r BBC gomisiwn iddo ysgrifennu drama 'gyfoes, gref i'n cyffroi a'n siglo i'n gwreiddiau!' Na, nid oedd ganddo'r amser na'r awen: '[Ofnaf fod] fy nhipyn dawn wedi ei hesgeuluso yn rhy hir ac wedi rhydu y tu hwnt i adferiad.'

Fel yn achos y mwyafrif o ddynion o'i statws a'i brofiad ef, ym mlynyddoedd ei ymddeoliad yr oedd ganddo ddigon o waith pwyllgorol. Er mis Tachwedd 1968 buasai'n aelod o Fwrdd Cwmni Theatr Genedlaethol Cymru, ond oherwydd ei brysurdeb yn Aberystwyth yn ystod y flwyddyn academaidd dywysogaidd 1968–69 ychydig o'i gyfarfodydd a fynychodd tan ar ôl iddo ymgartrefu ym Mangor. Yn y man daeth Wilbert Lloyd Roberts ag adain Gymraeg y Cwmni i'r ddinas honno, a phan sefydlwyd Cwmni Theatr Cymru yn gorff ar wahân i'r cwmni Saesneg Thomas Parry a benodwyd yn Gadeirydd arno. Er diwedd 1969 ef oedd Llywydd y Llyfrgell Genedlaethol, y Llyfrgellydd cyntaf (ac olaf hyd yn hyn) i ddal yr aruchel swydd honno. Fel y crybwyllwyd o'r blaen, ef er dechrau'r chwedegau oedd Cadeirydd Panel Llenyddol *Y Beibl Cymraeg Newydd*. Ac yn awr ei fod wedi neilltuo o swydd lawnamser yr oedd eraill yn gobeithio y gallent fanteisio ar ei gyngor a'i ddylanwad. Richard Dynevor er enghraifft, y nawfed Barwn, a geisiodd ei berswadio – yn aflwyddiannus – i fod yn aelod o Ymddiriedolaeth Dinefwr.

Tasg yr ymgymerodd â hi oedd y dasg o olygu ar y cyd â Merfyn Morgan y gyfrol *Llyfryddiaeth Llenyddiaeth Gymraeg* (1976). Ar y dechrau, yn 1962, bwriad y Bwrdd Gwybodau Celtaidd oedd cyflogi ymchwilydd a pharatoi llyfryddiaeth yr iaith a llyfryddiaeth ei llenyddiaeth mewn un gyfrol o dan oruchwyliaeth yr Athro Melville Richards, ond fel y cynyddai'r deunydd gwelwyd y byddai'n rhaid cyhoeddi'r ddwy lyfryddiaeth ar wahân. Ar farwolaeth Melville Richards yn niwedd 1973 y gofynnwyd i Thomas Parry gynorthwyo gyda'r llyfryddiaeth lenyddol. Erbyn hynny yr oedd y deunydd gan mwyaf wedi'i gasglu, yn gyntaf gan R. Maldwyn Thomas ac yna gan Merfyn Morgan, ond yr oedd eisiau ei wirio, ei drefnu, ei groesgyfeirio a'i baratoi ar gyfer y wasg, dyletswyddau mân a manwl yr ymgymerodd y cyn-Brifathro â hwy yn egnïol ac yn drwyadl. I ddyn â'i fywyd gynt yn llawn dop o ddyletswyddau strwythuredig, yr oedd y cyfarfodydd wythnosol gyda'i gyd-olygydd ifanc – a oedd yn perthyn i Enid drwy ei fam-gu – yn ddifyr yn ogystal â buddiol.

Yn 1969–70 yr oedd rhan o Thomas Parry o hyd yn Aberystwyth. Achos da paham. Yn ystod Tymor y Nadolig 1969 cafodd Ffred Ffransis, un o ymprydwyr y Coleg yn Nhymor y Pasg cynt, ei arestio am gicio plismon yn ei fol, cyhuddiad a wadodd yn gryf, a chyhuddiad na allai neb o'i gydnabod gredu ei fod hyd yn oed yn ymylu ar y gwir. Fel protest yn erbyn y camgyhuddiad ymprydiodd Ffred Ffransis unwaith yn rhagor, am bythefnos a thridiau, a'r tro hwn yn hytrach na bychanu'r weithred ysgrifennodd Thomas Parry at y Prif Gwnstabl J. R. Jones i geisio cyflafareddu trosto. Daethai i adnabod Ffred Ffransis mor dda yn y misoedd cyn i'r Tywysog gyrraedd Aberystwyth, ebe fe wrth y Prif Gwnstabl, fel na allai dderbyn bod y cyhuddiad yn ei erbyn yn un dilys o gwbl:

> He is an example of that combination of mildness and inflexible determination which, whether we like it or not, characterizes certain men of rare devotion to high principles. It follows that physical violence is completely alien to him. You will recollect that, in spite of his objection to the Prince of Wales coming to Aberystwyth as a student, he never did anything to embarrass the Prince, once he was there.

Ateb ffurfiol – ffeithiol, meddai J. R. Jones – a gafodd. Ac ebe Thomas Parry wedyn wrtho: 'Your letter . . . leaves me as unconvinced as ever about Ffred Ffransis's guilt.' Ond yn euog y'i cafwyd, yn gyntaf gan Lys Ynadon Aberteifi (ef a Dafydd Iwan a Gwynn Jarvis a Morys Rhys) ac yna gan Lys Chwarterol Llanbedr Pont Steffan, gerbron yr hwn yr oedd wedi apelio yn erbyn y dyfarniad cyntaf. Yn 'Nodiadau Golygyddol' rhifyn Ionawr 1970 o *Barn* cyhoeddwyd dau ddatganiad cryf o blaid Ffred Ffransis, y naill gan ddeuddeg o bobl amlwg a oedd yn ei adnabod yn cyhoeddi eu bod yn argyhoeddedig ei fod yn ddieuog, a'r llall gan saith ar hugain o bobl eraill amlwg yn cyhoeddi na allent gredu iddo ymosod ar neb. Yr enw ar ben yr ail restr yw enw Thomas Parry. Drannoeth yr achos athrist hwn adroddodd wrtho'i hun ei gyfieithiad ei hun o eiriau a ddywedodd Bertrand de Poulengy wrth Robert Baudricourt yn nrama G. B. Shaw, *Saint Joan*: 'Mae arnom ni angen tipyn o bobl wallgo ar hyn o bryd. Meddyliwch i ble mae'r bobl gall wedi'n harwain ni.'

Fel awdurdodwr o hir brofiad a brafado, anfonai lythyr ba le bynnag y mynnai. Yn gynnar yn 1970 ysgrifennodd at y Golygydd Gwilym R. Jones i ofyn pam nad oedd *Y Faner* wedi cyhoeddi rhestr o'r cyfraniadau a anfonwyd i'w Chronfa Apêl. 'Rhag i bobl gredu ei bod hi'n iawn arni' oedd yr ateb. Yn breifat dywedodd Gwilym R. Jones wrtho fod pum mil o bunnau yn y Gronfa a bod y papur yn colli £40 bob wythnos. Ond y mae'n amlwg fod ymyrraeth Thomas Parry wedi peri iddo ail-ystyried pethau: 'A gredwch chi mai mantais fyddai egluro'r sefyllfa yn "Y Faner"?' Y flwyddyn ganlynol anfonodd lythyr protest at Gwilym R. Tilsley, yr Archdderwydd. Yr oedd Cyngor yr Eisteddfod Genedlaethol wedi bod yn chwilio am olynydd i Ernest Roberts a oedd yn ymddeol o'r Ysgrifenyddiaeth, swydd y bu ynddi am flynyddoedd maith ar y cyd â Chynan, ac yna, er marw Cynan yn 1970, ar ei ben ei hun; ac yr oedd ar fin argymell i'r Llys enw R. T. D. Williams, Clerc Cyngor Sir Drefaldwyn a chyn-fyfyriwr arall i Thomas Parry. Ond dyma Fwrdd yr Orsedd yn penderfynu enwebu'r Cofiadur, E. Gwyndaf Evans, yn Gyd-Ysgrifen-nydd ag ef, er mwyn adfer y dylanwad gorseddol Cynanaidd gynt. Gan nad da gan Thomas Parry na'r Orsedd na Gwyndaf fe'i cynddeiriogwyd. Cyhuddodd yr Orsedd o afreoleidd-dra, o sarhau R. T. D. Williams, ac o geisio rhwygo'r drefn oedd ohoni. Er i Tilsli ateb ei lythyr bwynt wrth bwynt, barn Thomas Parry a gariwyd yng nghyfarfod blynyddol Llys yr Eisteddfod ym Mangor, ac ni chodwyd Gwyndaf yn Gyd-Ysgrifennydd.

Pan ysgrifennai pobl ato, atebai hwy gyda'r troad os gallai. Cofir efallai am y ddadl a gafwyd ar dudalennau'r *Cymro* rhwng Dewi Emrys a Thomas Parry ar gorn yr adolygiad hallt a roddodd i *Odl a Chynghanedd* ddeng mlynedd ar hugain ynghynt. Yn 1970 yr oedd Eluned Phillips

347

wrthi'n llywio'i chofiant i Dewi Emrys drwy Wasg Gomer ac yn awyddus i adargraffu rhai o'r sylwadau cryfion a wnaethpwyd ar y ddwy ochr yn 1937, ond yr oedd John H. Lewis, un o gyfarwyddwyr y wasg, yn barnu na ddylid cynnwys y pethau sarhaus a ddywedasai'r bardd am ei feirniad: ei fethiant i dderbyn beirniadaeth, 'yn enwedig gan bobl academaidd', oedd un o wendidau mwyaf Dewi Emrys fel llenor, ebe John H. Lewis. Anfonodd broflen o'r ddalen ddadleuol at Thomas Parry a llythyr i ddweud bod ganddo ormod o barch i'r gwasanaeth enfawr a roesai 'i'n cenedl . . . i fod yn gysylltiedig ag unrhyw ymosodiad ar eich cymeriad', ac os dymunai i'r ddalen honno gael ei gadael allan o'r llyfr allan y câi fod. 'Na,' ebe Thomas Parry, 'printiwch y cyfan.' Ond, fel y gwelir yn y man, fe faglodd Eluned Phillips yn 1984.

Am ei fod mor wahanol i'r uchod y dyfynnaf o un llythyr arall o'r cyfnod hwn. Yr oedd Thomas Parry ers rhai blynyddoedd wedi cael trafferth gyda'r dŵr, ys dywedir, ac ym mis Chwefror 1971 aeth o dan y gyllell yn Ysbyty Môn ac Arfon. Un a ohebodd ag ef yno oedd Pyrs Gruffudd, mab Luned ac R. Geraint Gruffydd, cymydog ifanc iawn iawn iddo yn Victoria Avenue a oedd wedi bod yn sâl ei hunan ac a oedd wedi disgrifio'i salychau mewn cyfres o lythyron ato. 'Wyddoch chi beth?' ebe'r claf hŷn wrth ateb:

> Yr wyf yn teimlo eich bod chwi wedi cael llawn mwy o helynt na mi, a dweud y gwir – wedi colli'r ysgol am dair wythnos. Peth ofnadwy oedd cael eich trwyn yn gwaedu am wythnos. 'Chefais i erioed tonsyleitus, ond 'rwy'n deall ei fod yn beth poenus iawn. Ac ar ben hyn i gyd llosgi eich gên. Nid wyf yn deall sut y bu ichi losgi eich gên, ond 'rwy'n siŵr fod hyn hefyd yn beth digon poenus. Gobeithio wir eich bod wedi gwella o'r anffodion hyn i gyd erbyn hyn, ac yn mynd i'r ysgol eto.

Ar ôl holi am y plant eraill, Siân a Rhun, y mae Thomas Parry yn gwisgo cap golygydd *Gwybod* am y tro cyntaf ers rhyw ddeuddeng mlynedd ar hugain ac yn gofyn, 'A ydech chi'n hoffi'r llun hwn o Gonwy?' (a oedd ar y papuryn yr ysgrifennodd ei lythyr arno). 'Y mae rhywbeth yn y llun sy'n profi mai yn weddol ddiweddar y cafodd ei dynnu. A fedrwch chi neu Rhun ffeindio beth yw hwnnw?' Y bont fwaog newydd dros yr afon ochr yn ochr â'r hen bont reilffordd gastellog oedd y peth hwnnw, a gobeithiaf yn arw fod y darpar ddarlithydd mewn daearyddiaeth, Pyrs, wedi dod o hyd i'r ateb!

II. *Y BEIBL CYMRAEG NEWYDD*

Cofir bod Thomas Parry wedi cytuno i fod yn Gadeirydd Panel Llenyddol *Y Beibl Cymraeg Newydd*. Yn gynnar yn 1961 y ceisiodd Cyngor Eglwysi Cymru gan yr enwadau a berthynai iddo sefydlu Cyd-bwyllgor i baratoi a chyhoeddi cyfieithiad newydd o'r Beibl cyflawn i'r Gymraeg. Buasai Thomas Parry ers peth amser cyn hynny yn gyfrifol am y cywiriadau orgraffyddol i'r Beibl Cymraeg yr oedd y Gymdeithas Feiblaidd Brydeinig a Thramor yn gyfrifol am ei argraffu. Pan glywodd y Parchedig H. K. Morton, Dirprwy-Ysgrifennydd Cyfieithiadau'r Gym-deithas, am y bwriad i baratoi Cymreigiad newydd, ysgrifennodd at Thomas Parry i ofyn iddo am ei farn 'ar y mater lled bigog hwn', gan ychwanegu nad oedd neb wedi'u hysbysu hwy yn y Gymdeithas o gwbl. 'I,' meddai Thomas Parry, 'was one of the people who put forward the idea of having a Welsh translation of the Bible made, and it was prompted by the appearance of the new English translation of the New Testament.' Ond na phoenwch, ychwanegodd, 'The new translation [is] not meant to supplant the one now in use'.

Wrth lawenhau bod ei gyfaill wedi cytuno i ymgymryd ag arolygu'r wedd lenyddol ar y cyfieithiad newydd, dywedodd Bleddyn Jones Roberts wrtho yn 1963 nad oedd yn meddwl y byddai llawer iddo'i wneud am rai blynyddoedd. Newydd gael eu penodi oedd y darpar-gyfieithwyr, Panel yr Hen Destament o dan gadeiryddiaeth Bleddyn Jones Roberts ei hun a Phanel y Testament Newydd o dan gadeiryddiaeth y Parchedig Owen E. Evans, ac nid oedd disgwyl iddynt gyflwyno'u drafftiau cyntaf o gyfieithiadau newydd am beth amser. Nid cyn 1965 y gofynnwyd i eraill wasanaethu gyda Thomas Parry ar y Panel Llenyddol, sef T. J. Morgan, J. E. Caerwyn Williams, Bedwyr Lewis Jones ac Islwyn Ffowc Elis. Ysgolheigion wrth eu proffes oedd y tri cyntaf. Er ei fod yn weinidog ordeiniedig, fel nofelydd Cymraeg mwyaf cynhyrchiol a disglair y dydd yr adwaenid Islwyn Ffowc Elis orau, ond yr oedd hefyd, yn 1961, wedi cyhoeddi'i gyfieithiad ei hun o *Efengyl Mathew*. Yn gyndyn sobor y derbyniodd y gwahoddiad i fynd ar y Panel, yn rhannol am ei fod yn ofni 'ei bod hi'n rhy ddiweddar i ymgymryd â gwaith mawr fel hyn er mwyn yr ychydig weddill Cymraeg yng Nghymru', ac yn rhannol am y tybiai na fynnai'r panelwyr eraill ddefnyddio'r 'math o Gymraeg' yr oedd ef yn ei ffafrio ar gyfer y cyfieithiad newydd, 'Cymraeg Byw' ys gelwid hi. Gwir a dybiodd. Pan gyfarfu'r Panel am y tro cyntaf yr 17eg a'r 18ed o Ionawr 1967 nid oedd neb arall yn cytuno ag ef, a chan hynny gofynnodd am gael ei esgusodi. Bron nad oedd hynny'n rhyddhad i Bleddyn Jones Roberts, a farnai fod cyfieithiad Islwyn Ffowc Elis o Fathew yn 'beth chwithig dros ben, – ar wahân i'r ffaith na wyddai ddim Groeg!'

Y *modus operandi* a fabwysiadwyd gan Bleddyn Jones Roberts ac Owen E. Evans oedd bod un aelod ym mhob Panel Cyfieithu yn ymgymryd â pharatoi drafft o gyfieithiad 'o lyfr neu grŵp o lyfrau' o'r Ysgrythur, a bod yr aelodau eraill yn ei astudio'n fanwl cyn anfon sylwadau arno yn ôl i'r cyfieithydd gwreiddiol. Yna paratoai'r cyfieithydd gwreiddiol ail ddrafft. Byddai'r ail ddrafft wedyn yn cael ei ystyried yn fanwl fesul adnod gan y Panel cyfan, a thrafodid ef 'nes dod i gytundeb ynglŷn â'r cyfieithiad oedd i'w fabwysiadu'. Y cyfieithiad mabwysiedig hwnnw a âi at y Panel Llenyddol, a disgwylid i bob aelod ohono ef anfon ei sylwadau at y Cadeirydd, a chyfarfod, os bernid bod angen, i'w trafod ymysg ei gilydd yng ngŵydd Cadeiryddion y ddau Banel Cyfieithu.

350

Pa egwyddorion oedd flaenaf ym meddwl Thomas Parry a'i Banel wrth iddynt ddechrau ar eu gwaith? Fe'u gwelir orau yn yr adroddiad a luniodd ef ar ôl cyfarfyddiad cyntaf y Panel ganol Ionawr 1967 a'i ddyddio y 1af o Fawrth 1967. Drafft o Genesis 1–19.11 oedd o'u blaen yn y cyfarfod hir hwnnw, ond y peth pwysicaf a wnaethant ynddo oedd ystyried a diffinio'r egwyddorion a'r amcanion cyffredinol y dylent eu mabwysiadu. Daethant i'r casgliad yn gynnar mai eu prif amcan fel Panel oedd symleiddio a diweddaru iaith y Beibl o ran geirfa a chystrawen. Golygai hynny gadw llygad 'ar yr iaith lafar fyw yn fwy nag ar yr iaith lenyddol, a dewis ffurfiau sy'n digwydd yn yr iaith yr ydym yn ei siarad yn hytrach na'r iaith yr ydym yn ei hysgrifennu'. I'r perwyl hwnnw y newidiwyd llawer o ffurfiau cryno'r ferf i'r ffurfiau cwmpasog. Bron na chlywir llais John Morris-Jones ei hun yn y datganiad hwn gan ei ddisgybl olaf:

Yn ystod yr hanner can mlynedd diwethaf fe bregethwyd efengyl gyfeiliornus iawn ynghylch y ffurfiau cryno, trwy haeru fod y rheini yn gywirach na'r ffurfiau cwmpasog. Nid mater o gywirdeb ydyw, ond mater o arfer ac o gysgod ystyr, ac y mae'r safon i'w chael yn yr iaith lafar. Fe ddefnyddir y ffurf gryno am yr amser dyfodol: *mi af* 'I will go', *yr wyf yn mynd* 'I am going'. Yn gyffelyb gyda'r amser am-herffaith: *mi awn* 'I would go', *yr oeddwn yn mynd* 'I was going.'

Ymhellach, gan nad oedd yr iaith lafar 'byth yn rhoi *na* o flaen y gorchmynnol i fynegi'r negyddol, ond yn hytrach yn defnyddio *paid* a *peidiwch*', penderfynodd y Panel 'newid "na fwyta" (Genesis 2.17) i "paid â bwyta".' A chan fod y modd dibynnol wedi diflannu o'r iaith fyw dilëwyd pob enghraifft ohono. Er enghraifft: aeth 'pob peth a ymlusgo' yn 'pob peth sy'n ymlusgo' (Gen. 8.19), aeth 'fel yr epilient' yn 'er mwyn iddynt epilio' (Gen. 8.17), ac aeth 'fel na ddeallont' yn 'rhag iddynt ddeall' (Gen. 11.7).

Yr oedd y Panel hefyd o'r farn fod eisiau hepgor amryw eiriau a ffurfiau yr oedd blas hynafol arnynt. Er enghraifft, hepgor 'oblegid' a defnyddio 'oherwydd', defnyddio 'o dani' yn lle 'oddi tani', 'y cwbl' yn lle 'y rhai oll', 'coeden' yn lle 'pren' (ond gadawyd 'pren y bywyd' a 'pren gwybodaeth da a drwg' oherwydd eu cynefindra). At hyn, fel yr âi'r gwaith cyfieithu rhagddo, daeth y Panel i weld mai rhan o'i waith oedd newid rhai ymadroddion yn nrafftiau'r cyfieithwyr 'nid yn unig er mwyn eu diweddaru, ond hefyd er mwyn rhoi mwy o gic ynddynt, trwy ddefnyddio ymadrodd neu gystrawen fyw'. Nid yw'r enghreifftiau sydd yn Adroddiad y 1af o Fawrth 1967 yn rhai gwychion iawn – cyfeirir yno at roi 'Yna bu Sarai yn gas wrthi' yn lle 'Yna Sarai a'i cystuddiodd hi' – ond y mae gan y Dr Owen E. Evans enghreifftiau gwell yn yr erthygl ar waith y Panel a gyhoeddodd yn *Taliesin* yn 1988. Lle ceir yn yr hen gyfieithiad o Luc 18.5:

> Etto am fod y weddw hon yn peri i mi flinder, mi a'i dïalaf hi; rhag iddi yn y diwedd ddyfod a'm syfrdanu i

yr hyn a gafwyd yn y cyfieithiad newydd yw:

> eto, am fod y wraig weddw yma yn fy mhoeni o hyd, fe roddaf iddi'r ddedfryd, rhag iddi ddal i ddod a'm plagio i farwolaeth.

Traethir ar nifer o'r egwyddorion sylfaenol hyn a fabwysiadwyd yn 1967 gan y Panel Llenyddol yn y rhagymadrodd i Destament Newydd 1975 ac yn y rhagymadrodd i Feibl 1988, lle sonnir hefyd am broblem y treigliadau. Penderfynodd y Panel beidio â threiglo enwau personol ac eithrio ychydig o enwau 'fel Mair a Dafydd, sy'n dra chyffredin heddiw', a phan fyddai peidio â threiglo 'yn cymylu'r ystyr'. Penderfynodd ddefnyddio ffurfiau cywasgedig – 'mynd' yn lle 'myned', 'dweud' yn lle 'dywedyd', 'rhoi' yn lle 'rhoddi', 'dŵr' yn lle 'dwfr', *&c*. – ond 'ni farnwyd mai doeth fyddai derbyn ffurfiau fel "chi", "nhw", "fedra i ddim", etc.' A phenderfynodd ddefnyddio dyfynodau i ddangos geiriau sy'n cael eu llefaru, 'fel y gwneir mewn nofel a stori heddiw'. Y mae stamp awdurdod Thomas Parry ar y penderfyniadau hyn i gyd, fel y mae ar y brawddegau canlynol sy'n cloi rhagymadrodd 1975 ac sydd bron yn cloi rhagymadrodd 1988:

Nid cadw urddas yr Ysgrythurau a'r iaith a ddarllenir ar achlysuron seremonïol yw'r unig amcan wrth gyfieithu fel y gwnaed yma, ond hefyd (ac yn bennaf efallai) cadw cysylltiad rhwng y Beibl a llenyddiaeth gyfoes. Geill eraill, yn gwbl briodol, roi cyfieithiad sy'n llawer nes i'r iaith lafar, ond bydd y cyfieithiad hwnnw wedi ei ddieithrio, yn holl naws ei ieithwedd, oddi wrth bron y cyfan o lenyddiaeth yr iaith.

Y mae arolwg o siampl fechan o'r drafftiau lluosog o'r cyfieithiadau sydd ar gadw yn Archifdy Prifysgol Bangor yn dangos na dderbyniodd y cyfieithwyr awgrymiadau Panel Thomas Parry bob gafael. Lle drafftiodd cyfieithydd Marc 11.9b/10 fel a ganlyn –

Bendigedig fo'r hwn sy'n dyfod yn enw'r Arglwydd;
Bendigedig fo'r deyrnas sy'n dyfod, teyrnas ein tad Dafydd,
Hosanna yn y goruchaf

– gyda'i fodd dibynnol a'i *ddyfod* anghywasgedig, awgrymodd y Panel Llenyddol y cyfieithiad hwn:

Bendith ar yr hwn sy'n dod yn enw'r Arglwydd;
Bendith ar y deyrnas sy'n dod, teyrnas ein tad Dafydd,
Hosanna yn y goruchaf!

Ond yr hyn a geir yn Nhestament 1975 yw:

Bendith ar yr hwn sy'n dyfod yn enw'r Arglwydd.
Bendith ar y deyrnas sy'n dyfod, teyrnas ein tad Dafydd;
Hosanna yn y goruchaf!

Cytunwyd i ddileu'r modd dibynnol ond adferwyd ffurf anghywasgedig 'dyfod' – efallai er mwyn rhythm y farddoniaeth. Hawdd i ddarllenydd ddweud mai ymdrin â manion yr ydys yma. Ie, manion ydynt, ond manion pwysig y trafododd y Panel Llenyddol filoedd ar filoedd ohonynt rhwng canol y chwedegau a chanol yr wythdegau wrth anelu at gyf-ieithiad newydd graenus a dealladwy. Y mae'n werth nodi bod yr adnod a hanner uchod yn wahanol eto ym Meibl 1988. Yno yr hyn a geir yw:

Bendigedig yw'r un sy'n dod yn enw'r Arglwydd.
Bendigedig yw'r deyrnas sy'n dod, teyrnas ein tad Dafydd;
Hosanna yn y goruchaf!

Er bod Thomas Parry wedi marw cyn i'r *Beibl Cymraeg Newydd* gael ei gyhoeddi, fe'i gwelodd: nodir yn y rhagair i Gadeirydd y Panel Llenyddol ddarllen a chywiro pob rhan ohono 'ac eithrio un llyfr o'r Hen Destament ac un llyfr o'r Apocryffa'. Dyna, mewn ffordd seml iawn, fesur ei gyfraniad aruthrol i waith angenrheidiol sy'n adlewyrchu'n ardderchog ar bawb a fu ynglŷn ag ef. Yn y cyfieithiad hwn, ebe'r Parchedig Griffith T. Roberts wrth gyflwyno'r Beibl i'r genedl yn 1988, 'bydd nod ac argraff ei ysgolheictod a'i reddf lenyddol yn aros yn gynhysgaeth i'r cenedlaethau a ddaw'.

Gellid ymhelaethu nid hyd dragwyddoldeb ond yn sicr am allanohydion ar y drafftiau fyrdd yr aeth y Panel Llenyddol drwyddynt, ond nid oes llawer o bwrpas gwneud hynny yma. Y peth pwysig i'w nodi yw ei fod, o dan arweiniad cadarn Thomas Parry, wedi cyfrannu at destun modern deniadol a derbyniol o'r Ysgrythur Lân yng Nghymraeg ail hanner yr ugeinfed ganrif. Gwir bod nifer o bobl wedi cwyno amdano a'i gael yn brin o safon yr Esgob William Morgan, ond gan mai ar yr hen Feibl y'u maged yr oedd hynny'n anochel; a sut bynnag yr oedd hwnnw o hyd ar gael i bawb a'i chwenychai. Pan gyhoeddwyd *Y Testament Newydd* yn 1975 ysgrifennodd neb llai nag Islwyn Ffowc Elis at Thomas Parry i'w longyfarch ar y wedd lenyddol loyw oedd arno ac i ddweud iddo wneud 'y peth iawn' wrth neilltuo o'r Panel rai blynyddoedd ynghynt 'gan y buaswn i'n niwsans' – noder y *buaswn* a noder y *niwsans* – 'gyda'm syniadau heretig am Gymraeg Heddiw . . . heb fedru gwella dim ar y cyfieithiad fel y mae'. 'Efallai,' ebr ef ymhellach:

354

Efallai y byddwn i wedi ceisio atal Iesu rhag 'eistedd i *lawr*' cyn dechrau'r Bregeth ar y Mynydd a rhyw fanion mân felly, ond 'rwy'n siŵr iawn na fedrwn i . . . awgrymu dim un gwelliant o bwys mewn gwaith sy mor hyfryd olau a llyfn a gosgeiddig.

Yr oedd y cyfieithiad gymaint wrth fodd Islwyn Ffowc Elis fel y daeth yn aelod o'r Panel Llenyddol yn ei ôl yn 1976, megis mab afradlon, a gwasanaethu tan y diwedd yn 1988, peth a blesiodd ei gyn-Athro yn arw.

Goddefer un nodyn byr arall ar Thomas Parry y golygydd ysgryth-urol. Yn un o gyfarfodydd Bwrdd Gwasg y Brifysgol yn hwyr yn 1966, oherwydd iddo ef godi'r mater fe wawriodd ar ei aelodau nad oeddent wedi cynllunio dim i ddathlu pedwar canmlwyddiant cyhoeddi Testament Newydd William Salesbury a Richard Davies y flwyddyn ganlynol. Penderfynwyd mai'r ffordd orau i nodi'r achlysur fyddai cyhoeddi detholion o Destament 1567. Ebe Thomas Parry mewn llythyr at Bleddyn Jones Roberts: 'Gofynnwyd i mi fod yn gyfrifol am y gwaith, ac mi gytunais.' Twt, beth ydoedd? Na ffwdenwch. ''Rwy'n bwriadu ei wneud yng ngwyliau'r Pasg. Nid yw'n ddim ond copïo manwl gywir a darllen proflenni gofalus.' Ac wrth gwrs fe'i gwnaeth.

III. HELYNTION EISTEDDFODOL

Ni fu'r un ffrae rhwng Thomas Parry a Chadeiryddion Panelau Cyfieithu'r Beibl. Oni fyddent yn barod i dderbyn ei welliannau llen-yddol – am y gallent, dyweder, effeithio ar ystyr y cyfieithiad – 'byddai T. P. bob amser yn barod i dynnu gwelliant yn ôl', ac âi i gryn drafferth 'mewn ymgynghoriad â'r cyfieithydd . . . i ddod o hyd i ffurf ar drosiad a fyddai'n dderbyniol o ran ystyr a mynegiant.' Yn 1975, fel bob amser, yr oedd heddwch yn teyrnasu rhyngddo ef a'r ysgrythurwyr. Nid felly rhyngddo ef a swyddogion yr Eisteddfod Genedlaethol. Bron na ddywedwn fod Thomas Parry weithiau yn anniddig oni fyddai mewn rhyw ddadl neu helbul neu'i gilydd, yn amlach na heb rhyw ddadl neu helbul yn codi oherwydd rhyw egwyddor, ond weithiau helbul er difyrrwch. Gwelwyd dro ar ôl tro yn y llyfr hwn ei fod bob hyn a hyn yn hoff o loywi'i gleddyf – i ddadlau dros berfformio dramâu Ewropeaidd, i frwydro yn erbyn Seisnigrwydd Eisteddfod Machynlleth, i gymhennu Hywel D. Lewis, i gystwyo Pwyllgor Penodi Prifathro Bangor, i herio ffederaleiddwyr y Brifysgol, i ddannod i'r Dr John H. Hughes ei ystyfnigrwydd Hipocrataidd, i sicrhau neuaddau preswyl Cymraeg – golygai llunio restr lawn ailadrodd talpiau o'r llyfr. Yma soniaf am ddeubeth neu dri a barodd i Thomas Parry fod yng nghanol cryn stŵr Eisteddfodol.

Y mae a wnelo'r helbul cyntaf â phafiliwn yr Eisteddfod, y pafiliwn pren hir, gwyrdd a fu'n gartref i'r Brifwyl ers blynyddoedd piwr, 'yr Hen Ledi' ys galwai Tom Jones Llanuwchllyn ef (gan newid ei ryw). Yng Nghricieth y cynhaliwyd Eisteddfod Genedlaethol 1975. Yn y dyddiau pell hynny cyn i'r Orsedd ymgymryd ag anrhydeddu seremoni'r Fedal Ryddiaith â'i phresenoldeb, bob blwyddyn gwahoddid rhywun cymwys i'w llywio fel Meistr y Ddefod. Thomas Parry a wahoddwyd yn 1975. Barn y beirniaid yn yr Eisteddfod honno oedd nad oedd neb yn deilwng o'r Fedal. O wybod y byddai'n rhaid llenwi'r amser a neilltuwyd ar gyfer gwobrwyo a chyfarch y buddugol y prynhawn dydd Mercher hwnnw, yr oedd Meistr y Ddefod wedi paratoi araith rymus i'w datgan o'r llwyfan, araith a ddiddanodd ac yn rhannol a ddychrynodd y gynulleidfa fawr a siomwyd am nad oedd medalu. Ei chynnwys oedd beirniadaeth ar swyddogion Cyngor a Llys yr Eisteddfod am esgeuluso gwaith ar y pafiliwn i'r fath raddau fel y bu ond y dim i Brifwyl Cricieth gael ei chanslo. Gerbron y miloedd chwipiodd Thomas Parry y swyddogion hynny am fod fel gwylwyr yn cysgu ar y tŵr, yn ddi-hid o les cyffredinol yr Eisteddfod ac yn ddibris o ddiogelwch y cyhoedd. Fel y disgwylid bu'r ymateb o du'r swyddogion yn ffyrnig. Amddiffynasant eu hunain gyda datganiad i'r wasg a oedd ym marn Thomas Parry mor hunanfodlon fel y penderfynodd gario'r frwydr dipyn ymhellach. 'Ymddengys,' meddai mewn datganiad a anfonodd ef ei hun i'r wasg, 'fel pe na baent wedi dysgu'r un wers oddi wrth y profiad chwilfriw yng Nghricieth.' 'They are complacent as ever, and everything in the garden is lovely.'

Anfonodd y datganiad hwn i'r wasg yn enw Ernest Roberts yn ogystal ag yn ei enw'i hun. Y mae'n amlwg i mi mai ganddo ef, cyn-Ysgrifennydd rhagorol a chwbl ddibynadwy'r Llys, y cafodd Thomas Parry'r manylion am helynt y pafiliwn, fel y mae'n amlwg fod Ernest Roberts wedi'u cael gan John Roberts, Trefnydd ardderchog yr Eisteddfod yn y Gogledd. Yr wyf yn dweud hynny am fod yn natganiad y ddau i'r wasg gyfeiriadau at ddyddiadau a digwyddiadau na allent fod wedi'u darganfod heb wybodaeth fewnol. Er enghraifft, yn eu datganiad hwy i'r wasg dywedodd swyddogion yr Eisteddfod iddynt drefnu i ffyrm o beirianwyr ymgynghorol ddod i ddiogelu'r pafiliwn ar y 18fed o Fehefin. Naddo, ebe Thomas Parry ac Ernest Roberts, peirianwyr y BBC wrth arolygu'r llwyfannau crog ar gyfer eu camerâu a'r goleuadau a welodd fod pethau'n beryglus, nid ar y 18fed o Fehefin ond ar y 24ain. Drannoeth ffoniodd John Roberts James Williamson a'i Bartneriaid yn Glasgow, cwmni peirianyddol a oedd yn gyfarwydd â thrin 'yr Hen Ledi', a dim ond ar ôl derbyn cyngor manwl ganddo ef y trefnwyd i gontractor lleol wneud y gwaith adferol angenrheidiol.

Lluniodd Thomas Parry ac Ernest Roberts eu datganiad manwl i'r wasg yn ystod yr wythnosau a ddilynodd yr Eisteddfod, a'i lunio gyda chopi o adroddiad Williamson ar gyflwr y pafiliwn wrth eu penelin. Erbyn hynny yr oeddynt wedi penderfynu lleisio beirniadaeth nid yn unig ar fater y pafiliwn ond ar fater Cronfa'r Mil o Filoedd yn ogystal. Creadigaeth y Cofiadur Gwyndaf oedd honno, cronfa a sefydlwyd yn wyneb chwyddiant ariannol y saithdegau ac yn wyneb yr ofn y byddai cyllid yr Eisteddfod yn prinhau'n enbyd gyda'r blynyddoedd, cronfa, fel y dengys yr enw, i godi miliwn o bunnau y gellid defnyddio'r llogau arnynt i noddi'r Brifwyl yn y dyfodol. Cwyn Thomas Parry ac Ernest Roberts yn ei chylch oedd nad oedd ei chyfrifon mor hygyrch ac eglur ag y dylent fod. O gwrteisi tuag at swyddogion yr Eisteddfod anfonasant gopi o'r datganiad i'r wasg i bedwar ohonynt – i Idris Foster y Llywydd, i Emyr Wyn Jones y Cadeirydd, i R. T. D. Williams yr Ysgrifennydd, ac i W. Armon Ellis, Cadeirydd y Pwyllgor Cyllid ac un o gyfreithwyr y Llys – ac anfonodd Thomas Parry lythyr at bawb i ddweud y byddai embargo ar y datganiad tan y 6ed o Fedi, llythyr yn cynnwys y nodyn hwn:

> Prin fod raid imi ddweud nad ydym yn ymosod ar neb yn bersonol, ond i'r graddau y mae unrhyw gorff yn gasgliad o bersonau. Yr ydym wedi ceisio tymheru'n geiriau, er bod hynny'n anodd weithiau (yn arbennig wrth drafod y Gronfa Mil o Filoedd), ac wedi gwneud rhai awgrymiadau pendant ar gyfer y dyfodol, yn hytrach nag edliw'r hyn a fu.

Ni welais yr un llythyr gan Idris Foster ar y mater hwn ym Mhapurau Thomas ac Enid Parry, ac y mae'n bosibl ei fod yn teimlo bod Llywydd yr Eisteddfod uwchlaw trafod sylfeini a cholofnau'r pafiliwn. Y mae'n fwy tebygol iddo drafod y mater gyda Thomas Parry wyneb yn wyneb: yn y blynyddoedd y bu Thomas Parry yn Llywydd y Llyfrgell Idris Foster oedd ei Thrysorydd. Am Emyr Wyn Jones ac R. T. D. Williams ac Armon Ellis, atebasant bron yn unllais drwy ddweud 'y buasai cyfarfyddiad personol rhyngom ymlaen llaw wedi bod yn foddion i daflu goleuni' ar y pwyntiau a godwyd. Yr oedd y cyhoeddusrwydd a ddilynodd feirniadaeth Thomas Parry ac Ernest Roberts yn ddiflastod trwm iddynt, wrth gwrs, a buasai'n dda ganddynt ei osgoi. Ond nid felly. Bu'n rhaid iddynt ddarllen y farn enbyd arnynt yn y papurau Cymraeg ac yn y newyddiaduron Saesneg o Gaerdydd a Lerpwl. Pedwar argymhelliad synhwyrgall Thomas Parry ac Ernest Roberts at y dyfodol oedd:

> 1. y dylid cyflogi gŵr proffesiynol i fod yn gyfrifol am Faes yr Eisteddfod 'yn ei grynswth'; 2. y dylid penodi Ymddiriedolwyr i

Gronfa'r Mil o Filoedd a rhoi trefn ar ei chyfrifon; 3. y dylai'r Eisteddfod gytuno cynllun ei thaith gyda'r Awdurdodau Lleol newydd [a ddaethai i rym yn 1974]; a 4. y dylid sefydlu Swyddfa Ganolog a phenodi Cyfarwyddwr llawn-amser.

Go brin bod yr argymhellion hyn wedi cael eu trafod yng nghyfarfod Bwrdd yr Orsedd. Yn ôl y *Western Mail* a'r *Liverpool Daily Post* y peth pwysicaf a wnaeth ef yn ei gyfarfod ganol Medi oedd pasio pleidlais o ymddiriedaeth lwyr yn swyddogion y Cyngor a'r Llys a chanmol gwaith aruthrol Gwyndaf, 'who had sacrificed his time, energy and family life to serve the Eisteddfod and its £1 million fund' (R. Bryn Williams a ddyfynnir). Ni allai Cyngor yr Eisteddfod lai na thrafod yr argymhellion. Yn Wrecsam y 4ydd o Hydref y cynhaliwyd ei gyfarfod ef, ac estynnwyd gwahoddiad i Thomas Parry fynd iddo i wrando ar y drafodaeth – câi Ernest Roberts fynd yn rhinwedd y ffaith ei fod yn Gymrawd o'r Eisteddfod. Nid aeth y naill na'r llall i Wrecsam. Yn wir, yr oedd yn dân ar groen Thomas Parry na chyflogwyd neb i arolygu symud y pafiliwn o Gricieth – 'nad oedd cymaint ag un styllen wedi cychwyn am Aberteifi' lle cynhelid Prifwyl 1976 – a bod Pwyllgor Gwaith Bro Dwyfor 1975 ym Medi wedi gorfod cyflogi gwyliwr nos i'w warchod.

Ffrae o'i wneuthuriad dewr ef oedd y ffrae hon, ac yn y diwedd ei weledigaeth ef a ddilynwyd. Yn unol â'r argymhellion a roddodd ef ac Ernest Roberts gerbron, yn y man penodwyd Ymddiriedolwyr i Gronfa'r Mil o Filoedd, erbyn Eisteddfod Wrecsam 1977 prynwyd pafiliwn newydd, ac yn 1979 sefydlwyd Swyddfa Ganolog i'r Eisteddfod gyda J. Emyr Jenkins yn Gyfarwyddwr arni. Da was dewr. Ie, a direidus. Prys Edwards biau awgrymu'r ansoddair olaf. Yn ei lythyr o gydymdeimlad at Lady Parry yn 1985, wrth sôn am hiwmor iach a synnwyr digrifwch ei ddiweddar ŵr, dywedodd fod Thomas Parry 'cyn ei araith o'r llwyfan' yng Nghricieth yn 1975 wedi dweud wrtho 'am ei fwriad – a direidi yn amlwg yn ei lygaid'.

Yn Eisteddfod Wrecsam, a beirdd y canu caeth yn trafod diwygio peth ar y gynghanedd, achosodd Thomas Parry storm arall, storm fechan iawn iawn i ateb yr uchod, pan anogodd brydyddion 'i ymwadu'n llwyr â'r gynghanedd ac ymroi i ganu'n rhydd'. 'Ysgydwaist Farddas gadarn', ebe W. D. Williams mewn cywydd ato, gan ofyn a oedd yn pleidio yn hytrach ryddid diddisgyblaeth y wers rydd:

> A hoffi'r ddawn ffwrdd-â-hi
> Na edwyn atalnodi?
> Ai bach ddiferi o ben
> Ddeiarïaidd orawen?
> Â chur 'rwy'n dweud, o cheri,
> Nid fy hen Dom, Tom, wyt ti.

Direidi eto? Ynteu a oedd disgybl olaf John Morris-Jones yn awr yn gwadu ei linach?

Crybwyllaf un helynt Eisteddfodol arall. Yr 20fed o Fawrth 1984 cyhoeddodd *Y Cymro* lythyr gan Thomas Parry ar gwr uchaf ei ddalen flaen – yn y lle amlycaf posibl – yn nodi bod dyddiad derbyn cyfansoddiadau llenyddol yr Eisteddfod gerllaw unwaith yn rhagor ac yn gobeithio

> na fydd neb yn anfon cyfansoddiad i mewn yn enw person arall, a'r person hwnnw'n cael y wobr a'r anrhydedd heb eu haeddu, fel y digwyddodd yn Llangefni y llynedd, ac o leiaf unwaith cyn hynny.

Os do fe, codwyd nyth cacwn. Bu ymateb chwyrn o du'r beirdd ac ambell lenor, a bu nifer ohonynt ar y radio a'r teledu yn amddiffyn eu henwau da ac yn galw ar Syr Thomas 'am fwy o dystiolaeth'. Anfonodd tri o enillwyr y prif gystadlaethau llenyddol yn Llangefni lythyron at Olygydd *Y Cymro* yn ddiymdroi (yr unig un i beidio oedd enillydd y Fedal Ddrama, William Owen Borth-y-gest). Gofynnodd Einion Evans, bardd y Gadair, 'yn gwrtais' i Thomas Parry neu i'r Eisteddfod 'wneud datganiad clir a phendant' nad oedd dilysrwydd ei awdl ef 'wedi bod dan amheuaeth o gwbl'. Mewn cywair mwy cwmpasog a mwy blin gofynnodd ei frawd, T. Wilson Evans, enillydd y Fedal Ryddiaith, i Thomas Parry eto 'sicrhau'r werin' nad oedd a wnelo'i gyfrol ef, *Y Pabi Coch*, chwaith ddim 'â'i gyhuddiad o lên-ladrad'. Am y trydydd, Eluned Phillips, enillydd y Goron, yn union ar ôl cyhoeddi'r rhifyn o'r *Cymro* lle printiwyd llythyr Thomas Parry yr oedd gohebwyr y BBC ar riniog ei drws yn ei holi yn ei gylch, er mai 'sibrydion yn unig oedd ganddynt i weithio arnynt'. Er nad enwyd neb yn y llythyr gwreiddiol, hi oedd dan amheuaeth gan bawb. Yn wir, bu amheuaeth ynghylch awduraeth ei phryddestau er pan enillodd y Goron Genedlaethol yn y Bala yn 1967. Amheuid yn y wlad mai prifardd arall a'u lluniai drosti neu a'u cabolai drosti. Yn ei hepistol poen at Olygydd *Y Cymro* y 27ain o Fawrth dywedodd Eluned Phillips (yn gywir ddigon) mai 'llythyr seiliedig ar ensyniadau' oedd llythyr gwreiddiol Thomas Parry, ensyniadau a oedd yn 'diraddio pryddest a gafodd feirniadaeth uchel' (cywir eto) ac yn diraddio'i theimladau hi fel y mynegwyd hwy yn ei cherdd. Ond llythyr gan brifardd arall a argraffwyd ar frig tudalen flaen y rhifyn hwnnw o'r *Cymro*, llythyr gan y Parchedig W. J. Gruffydd (Elerydd) a enillodd Goronau Pwllheli 1955 a Chaerdydd 1960. O'i gartref ym Mro Dawel, Tregaron, yr ysgrifennodd, ond gellid tybied bod y cartref hwnnw'n bopeth ond Bro Dawel yr wythnos honno. Dyma'i lythyr:

> Annwyl Syr,
> Oherwydd y pardduo a fu ar fy enw i mewn canlyniad i lythyr Syr Thomas Parry, gwnaf y datganiad hwn: Ar wahân i'r llinellau a geir yn "Ffenestri", ac "Unigedd", nid wyf wedi llunio, newid, na chaboli unrhyw linell a fu yng nghystadleuaeth y Goron yn yr Eisteddfod Genedlaethol. Drosodd at Syr Thomas Parry, y gŵr a barchaf yn fawr.
> W. J. Gruffydd

Gydag wyneb sythach na syth yr ymatebodd cychwynnydd yr helynt. Ni wn, meddai, sut y daeth Miss Phillips, Mr Einion Evans, Mr Wilson Evans, ac yn arbennig y Parchedig W. J. Gruffydd i mewn i'r stori 'oherwydd ni chrybwyllais i enw yr un ohonynt . . . A pham mae'n rhaid iddynt hwy brotestio mor groch mwy na'r 104 o bobl eraill a enillodd wobrau am gyfansoddiadau gwreiddiol yn Eisteddfod Llangefni?' Dywedodd Miss Phillips fod y mater yn nwylo cyfreithwyr, ond wrth gwrs am nad oedd Thomas Parry wedi'i henwi ni ddaeth dim ohono.[23]

IV. HELYNT THEATRIG

Erbyn dechrau'r flwyddyn honno, 1984, yr oedd gweithgarwch y Cwmni Theatr y bu Thomas Parry yn Gadeirydd ei Fwrdd Rheoli hyd 1981 wedi cael ei atal, ac yr oedd Pwyllgor o Ymchwilwyr wedi cael ei sefydlu i geisio darganfod beth a arweiniodd at hynny. Daeth y Cwmni hwnnw i'r byd yn 1967 fel plentyn – un o efeilliaid – i'r Welsh National Theatre Company, tyfodd yn llanc a gâi arian at ei fyw gan Gyngor y Celfyddydau yn nechrau'r saithdegau, ond yn awr yr oedd yn gripil. O dan gadeiryddiaeth Clifford Williams, er 1962 dyhead mawr y Welsh National Theatre Company oedd adeiladu Theatr Genedlaethol i Gymru, ond nid oedd yr adnoddau ariannol ar gael, ac am nad oedd yng Nghymru fel yn Lloegr gwmnïau proffesiynol i gynnal ei raglenni bu'n rhaid i'r Cwmni ganolbwyntio ar ddarparu cynyrchiadau dramatig. Gwnaed Richard Digby-Day yn Gyfarwyddwr y Cynyrchiadau Saesneg a Wilbert Lloyd Roberts yn Gyfarwyddwr y Cynyrchiadau Cymraeg. Dyna'r efeilliaid. Yn y man, symudodd Wilbert Lloyd Roberts ochr Gymraeg y cwmni i Fangor, ac yno yn nechrau 1973 y sefydlwyd y Cwmni Theatr Cymru y gwnaed Thomas Parry'n Gadeirydd arno.

---

23   Un o feirniaid cystadleuaeth y Goron yn 1983 oedd John Gwilym Jones. Ychydig ddyddiau cyn yr Eisteddfod gofynnodd i mi – fi oedd Cadeirydd y Pwyllgor Gwaith lleol – a wyddwn pwy oedd y buddugol. Er na ddylwn fod wedi dweud wrtho, mi wnes. Ei ymateb oedd, 'Ydi hi'n rhy hwyr i mi newid fy meddwl, boi bach?'

Yn y saithdegau cyfoethogodd y Cwmni fywyd diwylliadol Cymru mewn amryw ffyrdd – drwy ddarparu arlwy gyson o gynyrchiadau proffesiynol teithiol, drwy greu am gyfnod Theatr i'r Ifanc, drwy redeg Theatr Gwynedd ar ran Coleg Bangor, drwy dadogi Theatr Ffilm Gwynedd, drwy sefydlu cymdeithas i'w ffyddloniaid, a thrwy gynhyrchu pantomeim oddeutu pob Nadolig. Nid pantomeim fyddai'r peth cyntaf a gysylltai neb ag enw Thomas Parry, ond, pan ddognwyd trydan rhwng Rhagfyr 1973 a Chwefror 1974 oblegid streiciau diwydiannol y dydd, ef a neb llai a ysgrifennodd at yr Adran Fasnach a Diwydiant yn y Swyddfa Gymreig i rannu ei boen ynghylch effaith hynny ar lwyfannu'r panto.

Ychydig o ddim a geir ym Mhapurau'r Parrïaid am ymwneud Thomas Parry â'r Cwmni yn ystod ei flynyddoedd cyntaf, ac y mae rhai o gofnodion y Bwrdd am y cyfnod hwnnw a gedwir yn Archifdy Gwynedd mor foel ag i fod yn ddiwerth. Y mae'n amlwg nad oedd pethau'n esmwyth rhwng Thomas Parry a Wilbert Lloyd Roberts bob amser. Os oedd Thomas Becket yn *Lladd wrth yr Allor* yn ddyn rhy unplyg i fyw, nid felly'r hwn a gymerasai ei ran yng nghynhyrchiad Coleg Bangor yn 1949. Un o'r ychydig bethau ynglŷn â Wilbert Lloyd Roberts a welais ym Mhapurau'r Parrïaid yw drafft o nodyn yn ei rybuddio cyn rhyw bwyllgor neu'i gilydd i beidio ag ymarfer 'triciau na sgiâms . . . y tro yma' (sy'n mwy nag awgrymu ei fod wedi ymarfer triciau a sgiâms droeon cynt). Weithiau achosai chwithdod i'w Gadeirydd. Er enghraifft, yn 1975 anfonodd Hugh Griffith ddrama o'i waith ei hun iddo ystyried ei llwyfannu. Rhaid nad oedd yn fawr o beth, achos ymateb Wilbert Lloyd Roberts oedd awgrymu bod Hugh Griffith yn ei hanfon at ei chwaer Elen Roger Jones i weld a ellid 'ei llwyfannu i ddechrau yn y Theatr Fach yn Llangefni. Fe âi Dr. Parry a minnau yno i'w gweld, ac ystyried.' Dyna'i gyngor i Edward Rees, cyn-Brifathro'r Coleg Normal, hefyd. Yr oedd y ddeuddyn hyn yn wŷr blaenllaw iawn yn eu meysydd ac yn gyfeillion i'r Cadeirydd. Ond eu troi ymaith a gawsant gan Gyfarwyddwr y Cwmni Theatr, am resymau teg yn ddiau. Am fod gwaith yr efaill-gwmni, The Welsh Drama Company, wedi dod i ben yn ei blentyndod, perfformiai'r

Cwmni Theatr ambell beth yn Saesneg. Yn 1977 aeth Wilbert Lloyd Roberts â chynhyrchiad o *Under Milk Wood* i wledydd Llychlyn, a byddai'n dda odiaeth gennyf wybod beth oedd barn Thomas Parry-cum-Roger Elmstrom ar yr antur honno.

Yn niwedd y saithdegau y ddrama fwyaf yn hanes Cwmni Theatr Cymru yw'r ddrama ynghylch llwyfannu *Excelsior* Saunders Lewis neu beidio. Ym mis Mawrth 1979, er mawr syndod i Saunders Lewis, teleffoniodd Wilbert Lloyd Roberts ef i ofyn am ganiatâd i fynd â'i ddrama *Excelsior* ar daith yn 1980. Yr oedd yn syn gan y dramodydd gael y neges, yn rhannol am mai drama deledu oedd *Excelsior*, ond yn bennaf am fod iddi hanes anffodus. Pan ddarlledwyd hi gan y BBC yn 1962 daeth y Parchedig Llywelyn Williams, Aelod Seneddol Aberteleri, ag achos o athrod yn erbyn y Gorfforaeth. Honnai mai portread enllibus ohono ef oedd y cymeriad Cris Jones yn y ddrama, portread o weinidog o genedlaetholwr a ymunodd â'r Blaid Lafur, a briododd â merch i sosialydd uchelgeisiol a gafodd ei ddyrchafu'n aelod o Dŷ'r Arglwyddi, ac a gafodd ei ethol yn AS yn ei le. Setlwyd yr achos heb fynd i lys, ac wrth reswm ni welwyd perfformiad arall o'r ddrama byth er hynny. Ac yntau gynt yn gynhyrchydd drama gyda'r Gorfforaeth gwyddai Wilbert Lloyd Roberts yn iawn am yr achos hwnnw. Oni wyddai pobun diddorus yng Nghymru amdano? Gan hynny, y mae dyn yn gofyn pam y penderfynodd fynd ar ôl drama y byddai ei llwyfannu yn broblematig, a dweud y lleiaf. Y mae'n bosibl mai ymateb i awgrym gan Emyr Humphreys mewn darlith i Gymdeithas Cwmni Theatr Cymru yn 1979 a wnaeth, sef ei bod 'yn hen bryd i'r ddrama hon gael dod allan o'r rheinws'. Er bod deddf gwlad yn dweud na ellid enllibio'r meirw – yr oedd Llywelyn Williams wedi marw'n ddyn cymharol ifanc yn 1965 – yr oedd lle o hyd i feddwl bod y ddrama'n enllibus o Elsie, gweddw Llywelyn Williams. Gellid honni bod Dot, merch yr Arglwydd Huws yn *Excelsior*, wedi'i seilio arni hi. Wrth ysgrifennu at Saunders Lewis yr 20fed o Fawrth 1979 i gadarnhau'r sgwrs deleffon wreiddiol gyda Wilbert Lloyd Roberts, dywedodd

Gwilym Thomas, Ysgrifennydd y Cwmni, wrtho mai'r 'cam nesaf fydd sicrhau rhyddid cyfreithiol i berfformio'r ddrama . . . er mwyn eich diogelwch chwi a'r cwmni.' Gyda golwg ar y broblem arall, sef byrdra *Excelsior* y ddrama deledu, y cytundeb y daethpwyd iddo oedd y cynhyrchid y ddrama radio fer *Y Cyrnol Chabert* fel *curtain-raiser* i *Excelsior* ac y byddai'r dramodydd yn mynd ati i ailwampio'r ddwy ar gyfer eu llwyfannu y gwanwyn dilynol.

Yr hyn sy'n syndod yw na cheisiodd y Cwmni Theatr farn gyfreithiol ynglŷn ag *Excelsior* cyn cysylltu o gwbl â Saunders Lewis. Pan ddeallodd cyfreithiwr y Cwmni, Haydn Hughes, y Bont Bridd, Caernarfon, fod y ddrama o dan ystyriaeth, mynnodd gael copi o'r cytundeb y daethai'r Gorfforaeth Ddarlledu a Llywelyn Williams iddo yn 1962. Yn nechrau Awst cafodd wybod gan S. R. Bennett o Swyddfa Cyfreithwyr y BBC mai'r unig ymrwymiadau a wnaed y pryd hwnnw oedd bod y Gorfforaeth yn talu £750 i Llywelyn Williams a'i bod hi a Saunders Lewis yn cytuno 'to withdraw the play from circulation'. Yn niwedd Medi y tynnwyd Thomas Parry i fewn i bethau, sef pan ofynnodd Gwilym Thomas iddo roi i Haydn Hughes, a oedd bellach yn paratoi brîff i fargyfreithiwr, 'fwy o wybodaeth am gefndir y bobl' a honnai iddynt 'gael eu portreadu yn y ddrama'. Ac wrth gwrs fe'i rhoddodd. O fewn ychydig ddyddiau ysgrifennodd brawd Llywelyn Williams, y Parchedig Glyndwr Williams o Donypandy, lythyr at Thomas Parry, ar argymhelliad ei chwaer Olwen, i ofyn iddo 'atal neu rwystro' perfformio *Excelsior*. 'Gobeithio,' ebe Glyndwr Williams, 'na fydd cyfreitha eto gyda'r ddrama hon.' Trafododd Thomas Parry y llythyr gyda Wilbert Lloyd Roberts a Gwilym Thomas fore'r 27ain o Hydref, a'r prynhawn hwnnw anfonodd ateb at Glyndwr Williams. Ar ôl nodi bod Olwen yn 'hen ffrind' iddo (er nas gwelsai ers blynyddoedd), a'i fod yn adnabod yr Arglwydd Macdonald, tad-yng-nghyfraith Llywelyn Williams, 'yn dda, ac yn ei edmygu ar lawer cyfri' (eisteddodd ar Gyngor Darlledu Cymru pan oedd Macdonald yn Gadeirydd arno), gwnaeth y datganiad od hwn: 'Nid yw Cwmni Theatr Cymru na'r awdur yn credu bod enllib yn y ddrama fel yr oedd pan ddarlledwyd hi.' Y mae'n ddatganiad od ar ddau gyfrif. Yn gyntaf, am ei fod yn cyfaddef megis ar ran y Cwmni ac ar ran Saunders Lewis fod enllib yn y ddrama wreiddiol; ac yn ail am ei fod yn achub y blaen ar y bargyfreithiwr a gyflogwyd i farnu arni. O wneud datganiad mor rhyfedd, aeth Thomas Parry rhagddo i wneud addewid rhyfeddach, sef y câi'r Williamsiaid gopi o sgript y ddrama lwyfan ar ôl i'r dramodydd orffen ei hailysgrifennu 'fel y gall y teulu ei ddarllen a'i hystyried . . . ac os byddwch yn gwrthwynebu yna nis llwyfennir.'

Michael Farmer oedd y bargyfreithiwr y gofynnwyd iddo farnu arni, un o feibion disglair ffraeth Dyffryn Nantlle ac ymgeisydd seneddol Plaid Cymru yng Nghonwy yn etholiadau cyffredinol 1974. Dechreuodd lunio'i farn yn Gymraeg ond am na allai ei deipydd fynd rhagddi yn yr iaith honno trodd i'r Saesneg. Dywedodd ei fod yn berffaith sicr fod y ddrama'n enllibus ac y gallai gweddw Llywelyn Williams hawlio iawndal uchel iawn pe bai'r Cwmni Theatr yn ei pherfformio. Ni fynegodd na Saunders Lewis na Thomas Parry, meddai, fod y teulu'n anghywir wrth honni bod un cymeriad yn y ddrama wreiddiol wedi'i uniaethu gyda Llywelyn Williams. A chan nad oedd y fersiwn diweddaraf ohoni yn sylfaenol wahanol i'r fersiwn teledu,

> any Judge or jury would conclude that the characters Huws and Jones . . . are in fact Macdonald and Williams and intended to portray Macdonald and Williams . . . I doubt that the author, who is a man of the utmost scrupulosity, could swear on his oath, if pressed, that this was not the case.

Yn y llyfr printiedig *Excelsior* (1980) fe ddywed Saunders Lewis nad Llywelyn Williams 'yw canolbwynt fy nrama i o gwbl', ond wrth gwrs nid dan lw yr ysgrifennodd y rhagair lle digwydd y datganiad hwnnw. 'It may well be,' meddai Michael Farmer ymhellach, 'that Mr Saunders Lewis speaks with the voice of truth: like most prophets he must wait for the judgment of eternity upon the victims of his scorn: the altars of Baal in this day and age are provided with built-in fire extinguishers.'

Ar ôl cael ar ddeall beth oedd barn y bargyfreithiwr, ysgrifennodd Wilbert Lloyd Roberts at Saunders Lewis i ddweud mai ei ddyletswydd yn awr oedd gohirio'n amhenodol y bwriad i lwyfannu *Excelsior*. Y 10fed o Ionawr 1980 yr anfonodd y llythyr hwnnw i Benarth. Ond yr oedd y dramodydd wedi cael y neges ar dudalennau'r *Cymro* ddeuddydd ynghynt, ac yn naturiol yr oedd yn ddig enbyd am nad oedd neb o'r Cwmni Theatr wedi cysylltu ag ef ynghynt.

Ond nid dyna'r diwedd. 'Ebrill 1980' a roddir fel dyddiad ysgrifennu rhagair y llyfr *Excelsior*, ond nis cyhoeddwyd tan ddiwedd y flwyddyn, ac yn ystod y misoedd hynny ceisiodd rhai ddwyn pwysau ar Lyfrau'r Dryw i beidio â'i brintio – neu o leiaf i ystyried peidio â phrintio'r rhagair, am fod Saunders Lewis ynddo yn codi hen grachen 1962 drwy gyfeirio'n agored, er yn y negyddol, at Llywelyn Williams a'i yrfa. 'Gwir,' meddai yno, 'fod Mr. Llywelyn Williams wedi priodi merch i arglwydd o Gymro, a gwir fod hynny wedi awgrymu plot fy stori. Ond nid ef yw canolbwynt fy nrama i o gwbl, eithr Huw Huws. Ac ni bu aelod o Dŷ'r Cyffredin nac o Dŷ'r Arglwyddi, hyd y gwn i, yn ddim tebyg i'm harwr i.' Y pennaf un i geisio atal cyhoeddi'r gwaith oedd Hywel D. Roberts, ffrind teuluol i Llywelyn Williams, a oedd rywsut neu'i gilydd wedi cael gafael mewn proflen o'r rhagair ac wedi'i hanfon at Thomas Parry ynghyd â nodyn dyddiedig yr 2il o Hydref 1980 i ddweud na lwyddodd i berswadio Syr Alun Talfan Davies, perchennog Llyfrau'r Dryw, i'w hepgor. Cymryd 'yr holl beth yn ysgafn' a wnaeth Syr Alun, ebe Hywel D. Roberts, 'gan ddweud mai drych o fywyd Cymry-dod-ymlaen-yn-y-byd yw'r ddrama.'

Y 6ed o Hydref dyma Thomas Parry – a feirniedir wrth ei enw gan Saunders Lewis yn y rhagair am beidio â chysylltu ag ef pan benderfynwyd gohirio perfformio *Excelsior* – yn ysgrifennu llythyr llawn ato, llythyr sentimental tost gan ŵr a oedd fel arfer yn ymfalchïo yn ei resymeg a'i wrthrychedd. Ni fu iddo fel Cadeirydd y Bwrdd erioed o'r blaen ymyrryd yng nghynlluniau artistig y Cyfarwyddwr, meddai ynddo, ond achosodd deubeth iddo ymyrryd y tro hwn. Yn gyntaf, darfu iddo ymyrryd oblegid y cwynion a dderbyniodd gan deulu Llywelyn Williams, yn enwedig am ofidiau ei fam ddeg a phedwar ugain mlwydd oed. Ac yn ail – ac y mae'n anodd meddwl i Thomas Parry o bawb bedyddiol ysgrifennu'r geiriau hyn – darfu iddo ymyrryd oherwydd y gofid y gallai'r Cwmni Theatr 'golli ewyllys da yn nhref Llanelli [lle trigai'r fam oedrannus], ac efallai mewn mannau eraill'. Ond teimladau'r teulu, ac 'yn arbennig y fam' oedd yn pwyso drymaf arno – 'oherwydd rhaid ceisio gweithredu rhywfaint o dosturi o hyd, er gwaethaf dirywiad popeth yn y byd uffernol yr ydym yn byw ynddo'. Pan ddaeth yn fater o benderfynu'n derfynol beth i'w wneud â'r ddrama, dywedodd na roddodd gyfle i aelodau'r Bwrdd ei drafod. Yn hytrach, ys dywedodd mewn man arall, 'mi rois fy nhroed i lawr yn drwm . . . a chael fy ffordd'. Cyfaddefodd wrth Saunders Lewis y dylai fod wedi cysylltu ag ef yn syth ar ôl i'r penderfyniad hwnnw gael ei wneud ac ymddiheurodd 'am y diffyg'. Yna yng nghwt y llythyr dywedodd y buasai'n dda ganddo pe na chrybwyllai Saunders Lewis ddim am Llywelyn Williams yn y rhagair i'r llyfr *Excelsior*. Ond nid oedd Saunders Lewis yn yr hwyl i wrando ar apêl fel yna, yn enwedig gan brif swyddog Cwmni a'i triniodd mor siabi. 'Am Gwmni Theatr Cymru,' ebr ef wrth ateb Thomas Parry, 'ni ddywedaf ond hyn, fod eu hymddygiad tuag ataf gryn dipyn yn waeth nag a ddywedais yn fy rhagair i *Excelsior*.' A chyda golwg ar y Parchedig Glyndwr Williams,

> wedi iddo lwyddo i ddychryn y cwmni rhag llwyfannu'r ddrama, fe dybiodd y llwyddai i rwystro'r cyhoedd drwy fygwth mynd i gyfraith drwy Mr. Leo Abse. Ond dysgodd wedyn nad oedd dim sail o gwbl i achos enllib na hawlio iawndal, ac felly fe anfonodd lythyr cyfoglyd ataf i yn gofyn imi fel 'Cristion mawr' beidio â chyhoeddi'r rhagair er mwyn ei fam a'r teulu . . . Yn fy marn i nid oes yn y rhagair yr un gair angharedig am Llywelyn Williams na dim i beri poen i'w fam, a bwriadaf gyhoeddi'r llyfr fel y mae.

Yr un frawddeg yn y llythyr hwnyna a barodd boen i Thomas Parry oedd datganiad Saunders Lewis fod y Cwmni Theatr wedi ymddwyn yn ddrwg tuag ato. 'Y mae'n wir ddrwg gennyf os gwnaed rhywbeth i'ch tramgwyddo,' meddai wrtho, 'a beth bynnag ydoedd, gallaf eich sicrhau yn ddibetrus na fwriadwyd dim o'r fath beth gan neb.' Tybed? Yr wyf yn dod yn ôl at gwestiwn a ofynnais gynt. Mewn cyfnod pan nad oedd hi'n hindda ar Gwmni Theatr Cymru, beth yn y byd a gymhellodd Wilbert Lloyd Roberts i feddwl llwyfannu drama yr oedd yn gwybod ei bod – a dweud y lleiaf – yn ddrama gynhennus? A phan oedd y farn fargyfreithiol ar natur enllibus y ddrama yn darian diogelwch iddo, beth yn y byd a barodd i Thomas Parry fod mor annodweddiadol lywaeth yn ei ohebiaeth â theulu Llywelyn Williams, ac mor ymddangosiadol ddiniwed yn ei ohebiaeth â Saunders Lewis?

Bu trafferthion eraill ynglŷn â'r Cwmni Theatr – rhai yn codi oblegid cymhlethdod y berthynas rhyngddo a Choleg Bangor, perchennog Theatr Gwynedd a agorodd ei drysau yn 1975 ac a gâi ei goruchwylio gan Fwrdd nad oedd ei gyfansoddiad fawr gwahanol i gyfansoddiad Bwrdd y Cwmni Theatr (ie, gyda Thomas Parry yn Gadeirydd); a rhai yn codi oblegid y berthynas anrasol a ddatblygodd rhwng y Cwmni a'i brif noddwr, sef Cyngor Celfyddydau Cymru. Nid af ar ôl y trafferthion hyn yn fanwl. Disgrifiaf yn hytrach fel y daethant i fwcwl yn 1980, a beth oedd rhan Thomas Parry yn y cyfyngder hwnnw ar adeg pan oedd eisocs wedi cyhoeddi ei ddymuniad i ymddeol o'r Gadair. Yn rhannol am na welai Gilly Adams, Cyfarwyddwr Drama Cyngor y Celfyddydau, lygad yn llygad â Wilbert Lloyd Roberts – gwraig yn caru Theatr yr Ymylon oedd hi a gŵr a sefydlodd y nesaf peth i Theatr Genedlaethol dcithiol oedd ef – ac yn rhannol am fod y swyddogion yng Nghaerdydd yn barnu bod y gweinyddwyr ym Mangor yn gorwario ar frics a morter – prynodd y Cwmni 71 Stryd Fawr, Bangor, fel pencadlys ac yna Froncastell, a phrynodd gapel y Tabernacl fel storfa a lle i rihyrsio – yn 1980 penderfynodd y Cyngor ddwyn nifer o gŵynion am y Cwmni i sylw'r Bwrdd a thorri ei grant o 45%, toriad ym marn Wilbert Lloyd

Roberts a allai olygu diswyddo pawb a chychwyn cwmni newydd llai. Cwyno yr oedd Cyngor y Celfyddydau nad oedd gan y Cwmni bolisi wrth ddewis dramâu i'w llwyfannu, nad oedd ei gynyrchiadau bellach yn gyffrous, nad oedd ganddo gynlluniau digonol i'r dyfodol, bod ei weinyddiaeth yn bendrwm, ac nad oedd yn denu'r actorion gorau i weithio iddo. Gwysiwyd Thomas Parry a phedwar o'i gyd-gyfarwyddwyr (gan gynnwys yr Arglwydd Cledwyn, y darpar Gadeirydd) i Lundain i dderbyn y cwynion hyn, a roddwyd ger eu bron gan swyddogion y Cyngor o dan gadeiryddiaeth Ardalyddes Môn. Yna siarsiwyd hwy i ddychwelyd i Fangor i gynnal cyfarfod brys o'r Bwrdd ac i lunio ateb i'r cwynion. Osgoi ateb oedd dymuniad y Cyfarwyddwr, gan honni 'ei bod yn angenrheidiol ystyried pam y sefydlwyd Cwmni Theatr Cymru cyn rhoi atebion manwl' iddynt. Dyletswydd aelodau'r Bwrdd oedd rhoi ystyriaeth lawn i feirniadaeth ei brif noddwr, ond am na fynnai Wilbert Lloyd Roberts gydymddwyn â hwy, bron nad yr unig beth y gallai'r Cadeirydd ei wneud oedd cwyno'n gyffredinol am y ffordd y'u triniwyd, ac fe wnaeth Thomas Parry'r gŵyn honno mewn llythyr hir hallt at Shirley Anglesey.

Thomas Parry y brwydrwr rhethregfawr a luniodd y llythyr hwnnw, ond brwydro gyda'i gefn at y wal yr oedd. Ynddo beirniadodd y ffordd drahaus y gwyswyd ef a'i gyd-gyfarwyddwyr – pobl amlwg ym mywyd Cymru bob un – i Lundain, beirniadodd sydynrwydd y bygythiad cyllidol i'r Cwmni, y condemniad di-alw-amdano ar ei raglen ac ar ei weinyddiaeth, a chwynodd am na chafodd ef a'i gyd-gyfarwyddwyr gyfle i holi beth oedd sail y cwynion a restrwyd ger eu bron yn Llundain na chyfle i drafod canlyniadau alaethus y toriad tebygol yn eu grant. Mwy, dywedodd y byddai hŵ-hâ fawr gyhoeddus yng Nghymru pe llesteirid y Cwmni i barhau â'i waith teithiol, ac mai'r peth gorau fyddai petai'r Cwmni a'r Cyngor ar y cyd yn cynnal arolwg o'i strwythur a'i effeithlonrwydd. Ond ni syflodd Cyngor y Celfyddydau.

Y gwir amdani yw bod y feirniadaeth ar y Cwmni Theatr yn feirniadaeth ar Thomas Parry hefyd, ar natur anfanwl ei stiwardiaeth ac o bosibl ar hyd y ffrwyn a roesai i'w Gyfarwyddwr dros y blynyddoedd. Ymhen tri mis yr oedd wedi mynd o'r Gadair ond yr oedd yn dal i anfon llythyron. Yr 22ain o Ebrill 1981 ysgrifennodd at yr Arglwydd Cledwyn, gan nodi yn gyntaf fod rhai o gŵynion y Cyngor yn gwbl deg a dilys. Y costau gweinyddol a chyflog uchel y Cyfarwyddwr a'r ffi (yn hytrach na chyflog) y mynnai'r Ysgrifennydd ei gael oedd y tri pheth a bwysleisiodd. Os gwyddai amdanynt – ac os o gadarnhad ydyw – pam na ddarfu iddo ef wneud rhywbeth yn eu cylch yn ystod ei Gadeiryddiaeth? Yr ail beth a wnaeth yn y llythyr hwnnw at yr Arglwydd Cledwyn oedd argymell y dylai godi Pwyllgor Gwaith o dan gadeiryddiaeth J. A. Davies i edrych i fewn i broblemau'r Cwmni yn fanwl. A gwnawd hynny. Unwaith yn rhagor teg gofyn pam na chododd Syr Thomas ei hun bwyllgor o'r fath ynghynt. Adroddiad damniol oedd yr adroddiad a gyflwynodd J. A. Davies ddiwedd Mai. Maentumiai fod diffygion lawer yn y Cwmni – diffyg cyfathrebu oddi mewn iddo, ddiffyg arolygiaeth ar ei waith beunyddiol, diffyg cynllunio ymlaen llaw, diffyg o ran iawn ddiffinio cyfrifoldebau'r staff, ac ar ben hynny oll diffyg yn y broses o adrodd yn llawn i'r Cadeirydd a'r Bwrdd. Cyn bo hir yr oedd pethau'n ddu iawn yno, neu, a newid yr ymadrodd, yr oedd yr hwch ar fin mynd drwy'r siop.

Y mae'n ymddangos bod Thomas Parry yn aml yn y tywyllwch neu o leiaf yn y llwydolau gyda golwg ar lawer o bethau a âi ymlaen o ddydd i ddydd yn y Cwmni y bu ganddo'r rhan fwyaf blaenllaw yn ei arolygu am yn agos i wyth mlynedd. Y mae hynny'n annodweddiadol ohono. Nid yn ddiochenaid y trosglwyddodd ei gadeiryddiaeth i'r Arglwydd Cledwyn ddechrau 1981; trosglwyddodd Cledwyn hi i J. A. Davies bron yn syth wedyn. Nid yn ddiochenaid chwaith y clywodd fod Syr Hywel Evans, Cadeirydd newydd Cyngor y Celfyddydau, wedi codi pwyllgor arbennig o dan gadeiryddiaeth gref T. M. Haydn Rees i chwilio pac y Cwmni Theatr yn 1982. Ac nid yn ddiochenaid y darllenodd adroddiad damniol y pwyllgor hwnnw. I'r marchog llengar hwn a garodd y theatr drwy'i oes ac a gyfrannodd i'w diwydrwydd yng Nghymru fel actor a chyfieithydd a dramodydd a phwyllgorwr, yr oedd ei ymwneud terfynol â gweithgareddau a gwendidau Cwmni Theatr Cymru yn bell bell oddi wrth hyfrydwch diniwed daionus Cymdeithas Chwaraeyddion Coleg Bangor drigain mlynedd ynghynt.

V. BARDDONIAETH DAFYDD A BEIRNIADAETH THOMAS

Troer yn ôl i 1975–76, un o'r blynyddoedd ffrwythlonaf yn ymddeoliad Thomas Parry. Yn Ionawr 1976 cafodd lythyr oddi wrth Richard Morgan Loomis o un o brifysgolion Talaith Efrog Newydd yn gofyn caniatâd i gyhoeddi cyfieithiadau o waith Dafydd ap Gwilym seiliedig ar ei argraffiad mawr ef o'r cerddi. Un oedd Loomis o nifer o ysgolheigion Ewropeaidd ac Americanaidd a ddaeth i gysylltiad â Thomas Parry yn y cyfnod hwn. Yn eu plith yr oedd Thomas Stemmler o Fannheim, a ofynnodd iddo am gymorth gyda rhai o gerddi Llawysgrif Harley 2253; Ann Matonis o Philadelphia, a geisiodd gymorth gyda phapur yr oedd yn ei baratoi ar ramadegau'r penceirddiaid; Joseph Clancy, yr hen gydnabod o'r Bronx, a ddymunai eirda ganddo i gael nawdd y National Endowment for the Humanities i gyfieithu dramâu Cymraeg cyfoes; ac Edward G. Hartmann, a ysgrifennodd ato ynghylch yr Iforiaid Americanaidd, pwnc yr ymddiddorai Ernest Roberts hefyd ynddo. Wrth gwt ei lythyr ef, i ddangos ei fod yn gwybod beth oedd yn mynd ymlaen yng Nghymru, yr oedd Loomis wedi ebychu 'Pob hwyl gyda phafiliwn [yr] Eisteddfod Genedlaethol!'

Nid oedd neb wedi mynd ati i gyfieithu corff sylweddol o farddoniaeth Dafydd er pan gyhoeddodd Idris a David Bell *Dafydd ap Gwilym: Fifty Poems* yn 1942. Er, fel y cyfaddefodd y ddau gyfieithydd yn eu rhagair i'r gyfol honno, nid cywyddau Dafydd oedd pob un o'r hanner cant. Gan eu bod mewn cyswllt agos ag Ifor Williams a Thomas Parry drwy'r cyfnod y buont yn gweithio ar y llyfr gwyddai'r Belliaid fod o leiaf un o'r cywyddau yn ffug a bod eraill o awduraeth amheus, ond am fod y cywyddau yn perthyn i ysgol Dafydd ac yn darlunio'i ddull o gyfansoddi yr oeddynt yn benderfynol o'u cynnwys – er gofid i olygydd *Gwaith Dafydd ap Gwilym* 1952. Gyda'r gwaith hwnnw'n garn iddo ni wnâi Loomis yr un camwri. Ym mis Awst 1979 anfonodd sampl helaeth o'i gyfieithiadau i'r Gwyndy, a chafodd deipsgript pedwar tudalen o ymateb. Fis Ebrill y flwyddyn ganlynol, gofynnodd Mario A. Di Cesare, Golygydd Cyffredinol y Ganolfan Astudiaethau Canoloesol yn Binghampton, i Thomas Parry beth oedd ei farn arnynt. Gwerth y farn honno yw'r hyn a ddyfyd am ei feddwl a'i ddychymyg ef *vis-à-vis* Dafydd ap Gwilym. Ar ôl sicrhau Di Cesare fod gan Loomis wybodaeth ddiogel o Gymraeg Canol a bod ei gyfieithiadau'n gywir dda gan mwyaf, dywedodd nad oedd yn gymwys i ddweud rhagor – am na allai ymateb i'r cyfieithiadau fel barddoniaeth. Gan iddo, meddai, dreulio blynyddoedd meithion yn copïo'r cerddi, yn paratoi'r testun diffiniedig ohonynt ac yn darllen proflenni tri argraffiad o *Gwaith Dafydd ap Gwilym*, aethai'r farddoniaeth wreiddiol i mewn i'w hanfod. Ond i beth yr aralleiriaf? Dyma ddatganiad gwreiddiol Thomas Parry:

> the poems in the original Welsh have become so much a part of my mental baggage that I find it virtually impossible to respond to the translations *as poetry*: I am utterly incompetent to assess the impact which the translations might make on a sensitive reader of poetry coming to them for the first time. Dafydd ap Gwilym's style is so parenthetically and generally intricate, and Mr Loomis has adhered to his inverted expressions and split sentences to such an extent that the result might baffle even readers of Gerard Manley Hopkins.

Cyhoeddwyd *Dafydd ap Gwilym: The Poems* R. M. Loomis yn 1982.

Yn nechrau 1980 cysylltodd Alan Llwyd â Thomas Parry i ofyn caniatâd i gyhoeddi *50 o Gywyddau Dafydd ap Gwilym* gan Wasg

Christopher Davies ac i ofyn iddo lunio rhagymadrodd i'r llyfr. Wrth ofyn datgelodd ei fod eisoes wedi 'anfon llawysgrif y gyfrol . . . i'r argraffdy'. 'Fe gewch fy nghaniatâd i,' meddai Thomas Parry, 'ond nid yw hynny ond mater o gwrteisi. Y peth pwysig yw cael caniatâd Gwasg y Brifysgol, achos ganddynt hwy y mae'r hawlfraint . . . ac nes cael y caniatâd hwnnw ar bapur mi fyddwn i'n eich cynghori i stopio argraffu.' Fe allai'r Wasg wrthod, meddai, oherwydd gallai *50 o Gywyddau* amharu ar werthiant y trydydd argraffiad o *Gwaith Dafydd ap Gwilym* a oedd newydd ymddangos. At hynny, byddai rhagymadrodd ganddo ef 'yn crynhoi ffrwyth yr ysgolheictod diweddaraf . . . yn fwy byth o demtasiwn i fyfyrwyr brynu'r llyfr' yn hytrach na *Gwaith Dafydd ap Gwilym*. Yr oedd gan Alan Llwyd drydydd cais, sef gofyn caniatâd i gyflwyno'r llyfr iddo. Ateb Thomas Parry i'r cais hwn oedd y codai anhawster arall petai ef yn cytuno i lunio'r rhagymadrodd, 'oherwydd prin y gellir cyflwyno llyfr i rywun sydd yn un o awduron y llyfr hwnnw'. Er pob anhawster fe gyhoeddwyd *50 o Gywyddau* yn gyfrol o drafodaethau gwerthfawr a golau, ond heb ragymadrodd gan Thomas Parry.

Yr oedd *The Poems* a'r *50 o Gywyddau* yn beth o gynnyrch y diwydiant sylweddol ap-Gwilymaidd a gafwyd yn nhraean olaf yr ugeinfed ganrif ac ym mlynyddoedd cyntaf y ganrif newydd. Nid oes eisiau gwneud mwy nag edrych o dan 'Dafydd ap Gwilym' yn *Llyfryddiaeth Llenyddiaeth Gymraeg* (1976) ac yn *Llyfryddiaeth Llenyddiaeth Gymraeg: Cyfrol 2 1976–1986* (1993) i weld cymaint o waith ysgolheigaidd a beirniadol a ysgogwyd gan *Gwaith Dafydd ap Gwilym* Thomas Parry – o'r myrdd erthyglau a nodiadau a gyhoeddwyd yn *Llên Cymru* er 1952 hyd at astudiaeth arloesol Rachel Bromwich, *Tradition and Innovation in the Poetry of Dafydd ap Gwilym* (1967), heibio i'r ysgrifau yn *Dafydd ap Gwilym a Chanu Serch yr Oesoedd Canol* (1975) a olygwyd gan John Rowlands hyd at *Dafydd ap Gwilym: A Selection of Poems* (1982) a olygwyd gan Mrs Bromwich ac a ddarllenwyd cyn iddo fynd i'r wasg gan y meistr mawr, 'whose fundamental scholarship has alone made it possible for a translation to follow in his footsteps'. Y mae'n amlwg bod Thomas Parry wedi hen faddau i Mrs Bromwich am ei sylwadau ar yr *Oxford Book of Welsh Verse*. Wedi'i farw, parhau yn eu grym a'u lluosowgrwydd a wnaeth yr astudiaethau ar Ddafydd. Enwaf yn unig draethawd R. Geraint Gruffydd yng nghyfres Llên y Llenor, 1987, cyfrolau Helen Fulton, *Dafydd ap Gwilym and the European Context* (1989) a *Selections from the Dafydd ap Gwilym Apocrypha* (1996), y llyfr *Dafydd ap Gwilym: Influences and Analogues* gan Huw Meirion Edwards (1996 eto), y gyfrol o gyfieithiadau *Dafydd ap Gwilym: His Poems* gan Gwyn Thomas (2001), a'r golygiad newydd a'r astudiaeth ehangfryd gan Dafydd Johnston a'i gyd-weithwyr a welir ar *Dafydd ap Gwilym.net* ac a esgorodd ar *Cerddi Dafydd ap Gwilym* (2010).[24]

Ychydig a ysgrifennodd Thomas Parry ar Ddafydd yn ystod ei ymddeoliad. Dyna'r ysgrif ddeifiol dda 'Dafydd ap Gwilym a'r Cyfrifiadur' a gyhoeddwyd yn *Ysgrifau Beirniadol XIII* (1985), sef ysgrif yn ymateb i ddehongliad cyfrifiadurol y Dr T. D. Crawford o gyfartaledd y cynganeddion sain yng ngwaith y bardd a gyhoeddwyd yn *Ysgrifau Beirniadol XII* dair blynedd ynghynt. A dyna'r ysgrif 'Dafydd ap Gwilym' a gafwyd yn un o rifynnau'r *Traethodydd* yn 1978, sgript y ddarlith a draddodasai yng Ngholeg Aberystwyth fore'r 3ydd o Fedi 1977 cyn iddo fynd yn ei flaen i Fro Gynin yn y prynhawn i ddadorchuddio'r gofeb a roddwyd yno gan yr Academi Gymreig i ddynodi man geni'r bardd. Chwarter canrif union ar ôl cyhoeddi'r *magnum opus*, yr hyn a geir yn yr ysgrif gynhwysfawr hon yw cyflwyniad disglair i'r bardd a'i waith, cyflwyniad sy'n ymgorffori'r darganfyddiadau a'r damcaniaethau yn eu cylch a wnaed gan ysgolheigion a beirniaid llenyddol trydydd chwarter yr ugeinfed ganrif. Y mae yma hefyd gyffes. Yn 1952, meddai Thomas Parry, 'pan oedd y bedwaredd ganrif ar bymtheg yn anialwch di-lwybr',

---

24   Er bod y gwaith gwych hwn gan Dafydd Johnston *et al.* yn trin y farddoniaeth a'i chefndir a'i chyd-destun mewn ffyrdd gwahanol i *Gwaith Dafydd ap Gwilym* (1952) noder nad yw'r canon yn wahanol iawn i'r hyn a sefydlwyd gan T. P.: 'gwrthodwyd chwech o gerddi, a derbyniwyd tair cerdd newydd.'

camgymeriad ar ei ran oedd amau ai Dafydd ap Gwilym oedd cyfaill a bardd Ifor Hael, a chamgymeriad arall oedd honni bod 'torymadroddi a rhedeg brawddeg dros bedair neu chwe llinell . . . yn nodwedd ar waith Dafydd ap Gwilym'. 'Hyder anghyfrifol dyn canol oed oedd yn cyfri am y gosodiad yna', ebr ef yn gellweirus, gan ychwanegu gair o ganmoliaeth hael i'r ysgolhaig a fu'n dadlau fwyaf gydag ef ar y pynciau hyn:

> Ar ryw ystyr y mae'n dda gennyf imi roi fy nhroed ynddi, oherwydd fe fu'n achlysur inni gael darn o feirniadaeth lenyddol ragorol a thra phwysig gan [D. J. Bowen].

Am ei waith ar Ddafydd ymhlith cyfraniadau mawr eraill yr *Hanes Llenyddiaeth* a'r *Oxford Book of Welsh Verse* a *Baledi'r Ddeunawfed Ganrif, et cetera, et cetera*, y dymunodd Pwyllgor Llenyddiaeth Cyngor Celfyddydau Cymru yn y flwyddyn 1976 roddi iddo ei brif wobr o £1,000, gwobr a roddwyd i rai o lenorion mwyaf Cymru yn y blynyddoedd cynt, Saunders Lewis, T. H. Parry-Williams, Kate Roberts, Waldo Williams, Aneirin Talfan Davies, Euros Bowen, a'r cyfaill John Gwilym Jones. Ond er yn ddiolchgar am y cynnig, ni fynnai ef mohoni, am nas haeddai:

> Nid wyf wedi cyfrannu ond y nesaf peth i ddim i lenyddiaeth fel y cyfryw. Nid oes unrhyw gymhariaeth rhyngof a'r personau sydd wedi cael y Wobr yn y gorffennol. Efallai y dywed rhywun fod yr hyn a wneuthum gyda Dafydd ap Gwilym yn aruthrol o bwysig a gwerthfawr, a dichon ei fod. Ond nid awen bardd nac ysbrydiaeth llenor oedd eisiau i wneud y gwaith hwnnw, ond dygnwch a gwybodaeth ysgolhaig. Nid busnes Cyngor y Celfyddydau yw cydnabod ysgolheictod, ond busnes y Brifysgol, ac y mae honno wedi gwneud yn fy achos i.

Mewn llythyr at Meic Stephens y mynegodd hyn. Ac yn un o gyfarfodydd y Pwyllgor Llenyddiaeth a gynullwyd gan Meic Stephens y mynegodd y flwyddyn flaenorol y dylai Cyngor y Celfyddydau beidio â rhoi gwobrau am lyfrau i neb. Am nad oeddynt yn gymhelliad i awduron ysgrifennu, i beth oedd eu heisiau? A chan nad oedd y Pwyllgor Llenyddiaeth wedi darganfod dull boddhaol o ddewis enillwyr, ym mha fodd y gellid eu cyfiawnhau? 'Our critical acumen is already in question,' meddai, 'and the Committee is in danger of laying itself open to ridicule.'

Yn wir, yr oedd yn credu bod llawer o feirniaid llenyddol y dwthwn hwnnw yn gyff gwawd. Daethai dehongli 'ystyron cudd' barddoniaeth i gryn fri, nid yn lleiaf yng ngwaith John Gwilym Jones a rhai o'i ddisgyblion. I barodïo'r dull yr oedd y beirniaid hyn yn trin cerddi, am ddwyawr neu dair ryw ddiwrnod gwlyb yn y saithdegau – nid oes dyddiad ar y sgript – difyrrodd Thomas Parry ei hunan (ac efallai Enid) drwy ysgrifennu dehongliad beirniadol o 'Sosban Fach', a hynny, meddai, gan bwyso'n o drwm ar drafodaeth yr Athro Dobson Q. Rotewein yn ei lyfr, *The Reverberating Note: A Study in Poetic Significance* (Boston, Mass., 1969). Gan adleisio ambell beth a ddywedodd yn ei lythyrau o America yn 1964, ebr ef: 'Nodweddir y drafodaeth feistrolgar hon gan y gwyleidd-dra a'r cydbwysedd barn a'r synnwyr digrifwch sydd mor amlwg yn yr Americanwyr.'

Gadewch i ninnau fynd i ysbryd y darn a dyfynnu'r defnydd dan sylw. Dyma, fel y cofir, ddau bennill enwog 'Sosban Fach':

> Mae bys Mary Ann wedi brifo,
> A Dafydd y gwas ddim yn iach;
> Mae'r babi yn y crud yn crio,
> A'r gath wedi scrapo Johnny bach.
>
> Mae bys Mary Ann wedi mendio,
> A Dafydd y gwas yn ei fedd;
> Mae'r babi yn y crud wedi tewi,
> A'r gath wedi huno mewn hedd.

I ddechrau, ebe'r beirniad, ystyrier mai *bys* sydd yma nid *bawd*, er y byddai *bawd* yn ffitio'r mesur yr un mor burion. Dichon mai bys a modrwy arno ydyw, ac mai gwraig briod yw Mary. Y mae bys yn dwyn ar gof linellau enwog Omar Khayyâm yng nghyfieithiad Fitzgerald –

> The moving finger writes, and having writ
> Moves on

– a chofier mai neges Omar Khayyâm yw bod 'amser yn mynd rhagddo â dycnwch diollwng'. A oes sôn am hynny yn 'Sosban Fach'? Oes, efallai. Cadwer y peth mewn cof. Yn ail, ystyrier pa mor awgrymog yw bod y bardd yn y tair llinell gyntaf yn enwi Mary Ann a Dafydd a'r babi y naill ar ôl y llall ac nad oes yma sôn am ŵr. 'Tybed ai gosod y ddau flaenaf gyda'i gilydd a gynhyrchodd y trydydd?' Os felly, onid gwir ystyr y bys briwedig yw bod priodas Mary Ann wedi torri? Ebe'r beirniad yn ei arddull loyw:

> Digwyddasai trasiedi amlgeinciog a chymhleth cyn i'r gerdd gychwyn, ac y mae'r bardd, gyda greddf ddi-ffael am y pwynt mwyaf effeithiol i gyrraedd ei ddarllenwyr, yn cychwyn ei gân â chanlyniad alaethus y gyfathrach a fu rhwng Mary Ann a Dafydd y gwas, sef tor-priodas, a'r dystiolaeth weladwy o'r gyfathrach honno, sef y babi, ac nid gweladwy yn unig, ond clywadwy hefyd, oherwydd y mae'r babi'n crïo.

Er mwyn i'r darllenydd osod y gerdd yn ei chyd-destun hanesyddol – y mae'r beirniad llenyddol yn parhau â'i giamocs – y mae'r dehonglwr yn cymryd arno ei fod yn dyfynnu o lyfr yr Athro Rotewein bondigrybwyll, ac y mae ei Saesneg yr un mor gampus â'i Gymraeg:

> The percipient reader of poetry will not interpret an image in the context merely of the transient fashions or even of the recognized customs of his own age and environment. Rather he will seek to ascertain and comprehend the specific background of the poet, or, in the case of an anonymous piece, the particular social conditions under which the poem may be deemed to have been written.

Y mae'n amlwg, ynteu, nad cynnyrch ein hoes ni – 'oes yr ysgariad rhamantus, y tor-priodas melys a'r holl ymroi i atyniadau rhyw' – yw'r gerdd. Nage, mewn oes o safonau moesol tra gwahanol yr ysgrifennwyd hi. A dyna'r allwedd gyntaf i'w chyfrinach.

Yr ail allwedd i'w chyfrinach yw enw'r ferch. *Mary* ydyw, fel Mary Jones o'r Bala a Mary Lewis, mam Rhys, yn nofel fawr Daniel Owen; at hynny, Mary *Ann*, Ann fel yn Ann Griffiths. Awgryma'i henw nad merch lac ei moesau fel yr awgrymwyd o'r blaen mohoni. Yn wir, 'y mae symboliaeth y ddau enw sydd arni yn tynnu ein meddyliau i gyfeiriad hollol wahanol.' Cadarnheir hyn gan enw'r gwas, Dafydd. 'Nid oedd neb o ddihirod y gorffennol, megis yr Hwntw Mawr neu berchenogion y pyllau glo, yn cael ei alw yn Dafydd.' Na, enw a roddwyd ar fawrion hanes ydyw, o Ddafydd Frenin hyd at Ddafydd Wigley a Dafydd Glyn Jones. Gan hynny, rhaid derbyn bod Dafydd y gwas yntau yn ŵr ifanc bucheddol. Ac unwaith yn rhagor rhaid anghofio'r awgrym cynt ei fod wedi cyfathrachu'n rhywiol gyda Mary Ann.

Ond beth am Johnny bach? Ni sonnir amdano ef yn yr ail bennill. Ai llithriad sydd yma, cyffelyb i lithriad Ceiriog yn gadael y nant allan o bennill olaf 'Nant y Mynydd'? Nage. Symudwyd Johnny o'r llun i wneud lle 'i gymeriad arall sy'n bwysicach i athroniaeth y darn'. Y mae'n bryd dyfynnu Dobson Q. Rotcwcin eto. Dyma 'substitution . . . indicative of the poet's wish to inculcate a different mood in his readers or to elicit a different response'. A phwy yw'r *substitute* hwn? Y gath, siŵr iawn. Ac eithrio'r gath, goddefol yw pob cymeriad yn y gerdd. Eithr y mae hi'n weithredol – y mae'n scrapo Johnny Bach. Heb os, symbol o bechod ydyw.

Soniwyd am enwau a symbolau, ebe'r beirniad llenyddol, enwau a symbolau yn mynegi pethau cudd. 'Y ffordd orau i sylweddoli pwysigrwydd y dull hwn o ysgrifennu barddoniaeth yw ailysgrifennu'r pennill cyntaf heb ddim o'r ymadroddion symbolaidd y tynnwyd sylw atynt.' Fel hyn:

Mae bawd Lizzie Jane wedi brifo,
A Herbert y gŵr ddim yn iach,
Mae babi'r drws nesaf yn crio,
A'r ci wedi brathu Johnny bach.

Am fod 'y cyfoeth o ddelweddau' wedi'u hepgor y mae'r pennill hwn yn gwbl ddiwerth fel barddoniaeth.

Yr hyn a ddengys ail bennill 'Sosban Fach' yw bod amgylchiadau Mary Ann wedi newid: y mae ei bys wedi gwella, y mae'r babi wedi tewi, ac y mae'r 'gath erchyll' wedi marw. Ond y mae'r 'llanc hoffus' Dafydd hefyd wedi marw. Noder mai un o'r gwirioneddau mawr a ddysgir yn y pennill yw mai cymysgfa o lawenydd ac o ofid yw bywyd. Y mae'r gwirionedd mawr arall a ddysgir ynddo i'w weld yn y llinell olaf un lle dywedir bod y 'gath wedi huno mewn hedd'. Yr ymadrodd Lladin cyfatebol yw *requiescat in pace*, RIP, llythrennau sy'n gwneud i ddyn feddwl yn syth am RIP van Winkle, a fu'n cysgu am flynyddoedd maith ac a ddeffrôdd 'heb sylweddoli yn wir fod amser yn mynd heibio'. Yr ydym yn ôl, ebe'r dehonglydd hwyliog, gyda'r bys ym marddoniaeth Omar Khayyâm. 'Y gwirionedd mawr sylfaenol, cyffredinol, parhaol, anwadadwy a welir yma yw fod amser yn pasio.'

Tybed a draethodd Thomas Parry y darn beirniadol doniol hwn yn rhywle? Byddai wrth ei fodd yn derbyn gwahoddiad i ddarlithio i gymdeithasau llenyddol, yn enwedig ym Môn ac Arfon (daeth i hoffi cwmnïaeth aelodau Cylch Llenyddol Bro Goronwy o dan gadeir-yddiaeth Dewi Jones yn arw), ac weithiau âi ymhellach o dref. Traethai ar lenorion o bwys (ar Thomas Richards i Gymdeithas Hanes y Bedyddwyr, er enghraifft), weithiau ar ei bethau ei hun (*Llywelyn Fawr*), ar ffigyrau y lled-anghofiwyd amdanynt (darlithiodd ar Gwyneth Vaughan i Gymdeithas Hanes Meirionnydd), ac ar ffurfiau barddonol (y mae yn ei Bapurau nodiadau darlith dra difyr ar 'Yr Englyn'). Byddai hefyd yn mynd i feirniadu mewn eisteddfodau bach – er enghraifft, ef oedd beirniad y gwaith llenyddol yn Eisteddfod Gadeiriol Mynytho yn 1973.

Beirniaid llenyddol modern a ddehonglai gerddi yn null yr Athro Rotowein, ac nid ystyriai Thomas Parry ei fod ef ei hun yn feirniad llenyddol modern. Yng nghynffon llythyr a luniodd i'w anfon at Alan Llwyd yn 1979 y dywedodd hynny. Yr oedd Alan Llwyd newydd olygu cyfrol gyfansawdd ar R. Williams Parry, y gyfrol gyntaf yng Nghyfres y Meistri, ac yn y rhagymadrodd iddi wedi tynnu sylw at gyfatebiaeth rhwng cerdd gan Shakespeare i'r gaeaf a'r delyneg 'Tylluanod'. Ym marn Thomas Parry yr oedd yr arfer o nodi cyfatebiaethau rhwng beirdd a'i gilydd yn arfer a allai fynd yn 'gêm'. Mewn ychydig baragraffau beirniadol ardderchog – sy'n atgoffa dyn o'r darn ar dudalen 28 yn *Llenyddiaeth Gymraeg 1900–1945* (1945) lle cyfeiria at y 'gynneddf arbennig' honno oedd gan Williams Parry i weld 'ail wrthrych' wrth drafod gwrthrych yn Natur – y mae'r llythyrwr yn datgan nad oes dim cyfatebiaeth o gwbl rhwng 'Winter' y Sais a 'Tylluanod' y Cymro er bod y tylluanod yn y naill gerdd yn seinio 'Tuwhit! Tuwhoo' ac yn y llall yn seinio 'Tw-whit, tw-hw!'

> Disgrifiad gwrthrychol o'r gaeaf yw cân Shakespeare, wedi ei gyfleu trwy nifer o luniau cwbl nodweddiadol o'r tymor, heb ddim myfyrdod na dim tyfiant na datblygiad chwaith. Byrdwn ar ddiwedd pob pennill yw cân y dylluan, a 'merry note' ydyw, heb ddim byd sinistr ar ei gyfyl.

'Am gerdd R. W. P.', meddai,

> nid y gaeaf nac unrhyw dymor sydd yma ond y tylluanod, a'r rheini wedi mynd bron yn fwrn ac yn obsesiwn ar y bardd. Adar y tywyllwch ydynt – nos yn y pennill cyntaf, lloer yn yr ail, gwyll yn y trydydd. A'r tywyllwch yn dywyllwch distaw, 'difwstwr', a chŵn Ynysfor wedi tewi. Tywyllwch unig hefyd, – heb neb ar bont Pen-llyn, a'r hwyaid gwylltion heb neb ar eu cyfyl. Eto, nid oes wared yr adar holl-bresennol hyn. Yna yn y pedwerydd pennill y mae'r bardd yn codi o gynefindra'r ardaloedd cyfarwydd yng Nghymru i lefel y cyfanfyd, gan gadw at y tywyllwch ('pan dywylla'r cread') a'r tawelwch ('gosteg ddiystŵr'), ac

wrth gwrs troi o'r amser gorffennol yn y tri phennill cyntaf i'r dyfodol yn yr olaf. A bydd y tylluanod yn dal i swnio, yr unig sŵn yn wir yn y cread cyfan, ni bydd tewi arnynt, ac ni fydd ystyr, nac arwyddocâd na synnwyr yn eu sŵn; Lladin fydd eu hiaith, iaith nad oes neb heddiw yn ei deall (atgof am yr hen gred yn yr Oesoedd Canol mai Lladin yw iaith yr adar). Ni bydd yn y sŵn na theimlad nac emosiwn chwaith, ni bydd na llon na lleddf. A dyna gyflwr pethau pan ddaw'r byd i ben. Y mae 'Tw-whit, tw-hw' R. W. P. yn llawer mwy beichiog o ystyr na 'merry note' Shakespeare.

'Dyna nodi'r hyn sy'n amlwg yn y gerdd,' ebe Thomas Parry. 'Petawn i'n feirniad modern, mi awn ymlaen i ddangos fod llawer mwy [ynddi] na hynyna.' Ac y mae'n gwneud – os yn gyffredinol. Yr ystyr sydd iddi, meddai, yw bod

holl ddawn a chyraeddiadau dynion heddiw, eu gwybodaeth, eu crefyddau, eu tosturi, a'u creulonderau yn gwbl ofer, [a bod] y cyfan oll yn arwain at ymleferydd hurt y tylluanod.

Y mae'r llythyr hwn, fel ei feirniadaethau eisteddfodol gorau, yn dangos pa mor rhagorol oedd Thomas Parry fel beirniad, pa mor sensitif oedd ei ddychymyg a pha mor graff a threiddgar ei feddwl. Wrth ganolbwyntio ar wrhydri'r fflangellwr cyhoeddus a digrifwch y tynnwr-coes soffistigedig, gallai dyn anghofio'n rhwydd fod yn ei natur y nodweddion synhwyrus awenaidd hyn. Fe'u gwelir hefyd yn ei ragymadrodd byr i *Cerddi Robert Williams Parry* a gyhoeddwyd gan Wasg Gregynog yn 1980.

Yn 1975, yn y gyfrol *Sôn Dynion Amdanynt* a olygwyd gan Harri Parri a William Owen Borth-y-gest, cyhoeddodd bennod ar J. T. Jones Porthmadog, pennod sy'n agor (fel ei ddarlith ar Flodeugerdd Rhydychen yn 1961) gyda hanes byr y pwnc y mae'n ei drin (cyfieithu i'r Gymraeg o ieithoedd estron yn yr achos hwn) a phennod yn ei man sy'n mawrygu camp J. T. Jones fel bardd-gyfieithydd. Pennod ydyw sy'n dangos nid yn unig pa mor gyfarwydd oedd Thomas Parry gyda chynnyrch Cymraeg

J. T. Jones, ond pa mor gynefin yr oedd gyda'r gweithiau Saesneg a droswyd ganddo, *Hamlet* a *Marsiandwr Fenis* a *Nos Ystwyll* Shakespeare, ac yn ogystal *The Shropshire Lad* gan A. E. Housman. Yr un flwyddyn ysgrifennodd gyflwyniad i gyfrol gan frawd i J. T. Jones, *Llyfr Idiomau Cymraeg* R. E. Jones. Yr oedd Thomas Parry yn ei henaint, fel llawer iawn o Gymry eraill, yn pryderu nid yn unig am barhad yr iaith Gymraeg ond am ei hansawdd yn ogystal. Poenai fod hyd yn oed rhai o awduron amlwg y Gymraeg yn ymwrthod â'r 'norm o iaith lenyddol urddasol' a roddwyd inni drwy orgraff ddiwygiedig John Morris-Jones 'ar yr esgus o ysgrifennu Cymraeg Byw', a'r hyn oedd waeth poenai fod siaradwyr ac ysgrifenwyr yr iaith yn trosi 'priod-ddulliau'r iaith Saesneg air am air i'r Gymraeg'. Gogoniant cyfrol R. E. Jones iddo oedd mai cyfrol o briod-ddulliau'r Gymraeg ydoedd, 'mêr esgyrn yr iaith'.

Yr oedd rhai o'i feirniadaethau eisteddfodol yn trafod yr unrhyw ddiffygion. Yn Eisteddfod Môn 1979 wrth feirniadu cystadleuaeth y Goron, a roddid y flwyddyn honno am ddrama, dywedodd ef a'i gyd-feirniad Ifor Wyn Williams – ond ei stamp ef sydd ar y dweud – eu bod eisiau gwneud dau sylw cyffredinol. Sylw ynghylch natur ddramatig drama yw'r naill. A sylw ynghylch 'natur yr iaith ysgrifenedig' yw'r llall – iaith *ysgrifenedig*, sylwer, er mai trafod dramâu yr oeddid. Ei bwynt – ac nid yw'n annhebyg i'w bwynt am ieithwedd y Beibl, er bod gwahaniaeth dybryd rhwng y math o iaith sy'n gweddu i'r Ysgrythur a'r math o ieithweddoedd y dylid eu harfer mewn gweithiau llwyfan – ei bwynt yw na thâl

i neb gynnwys mewn drama, pa mor fodern bynnag ydyw, ffurfiau'r iaith lafar wedi eu hysgrifennu heb ddim awgrym o gwbl o'u perthynas â'r iaith lenyddol. Wedi'r cwbl, llenyddiaeth yw drama, ac y mae'r iaith yn hanfodol bwysig ym mhob math o lenyddiaeth. Y mae swyddogaeth llenor yn rhywbeth llawer amgenach na throsi sŵn geiriau rywsut-rywsut, yn hollol fympwyol, o lafar i ysgrifen. Er enghraifft, y mae rhai o'r ymgeiswyr yn y gystadleuaeth hon yn ysgrifennu 'y'ch' am 'eich.' Pam y sillgoll? A pham 'ych' chwaith? Fe ddylai pawb wybod erbyn hyn mai fel 'ych' y dylid seinio 'eich,' ac mai fel 'yn' y dylid seinio 'ein'. Felly y peth rhesymol i'w wneud yw ysgrifennu 'eich' ac 'ein,' a gofalu fod actorion yn eu hynganu fel y gwneir yn yr iaith lafar.

Fel y mae'n digwydd, William Owen Borth-y-gest oedd enillydd y gystadleuaeth hon, un o Gymreigwyr idiomatig gorau ei genhedlaeth, ond fe ddamniwyd ei ddrama ef hefyd fel 'un arall o'r dramâu trychinebus eu hiaith, yn cynnwys ymadroddion fel "tasw ni", "dyda chi ddim", "mi fydda nhwytha" a gorchestion cyffelyb'. Lle'r oedd Thomas Parry yn collfarnu, buasai Islwyn Ffowc Elis, er enghraifft, yn fwy na pharod i ganmol. A oedd y ceidwadwr yn awr yn caledu ei galon yn erbyn pob newydd-deb?

Nid hwyrach ei fod. Yn niwedd y saithdegau a dechrau'r wythdegau anfonai lythyron yn gyson at y BBC i gwyno am 'swnion aflafar' y rhaglen radio foreol *Helo Bobol*. Pan sefydlodd Eifion Glyn a Dylan Iorwerth *Sulyn* yn bapur dydd Sul a oedd o ran ei gynnwys a'i ieithwedd i fod i apelio at ddarllenwyr cyffredin Gwynedd, ar ôl dioddef dau rifyn ni allai Thomas Parry ymatal rhagor ac ysgrifennodd at y golygydd i ddweud bod y newyddiadur 'yn beth torcalonnus'. 'Yr oeddwn wedi meddwl,' ebe fe,

> y byddai, fel papur poblogaidd, yn denu darllenwyr, ond y mae safon yr iaith yn peri fy mod yn gobeithio, yn anffodus iawn, mai ychydig fydd yn ei brynu, ac y daw i ben yn fuan . . . 'Does dim ond eisiau ichi ystyried papurau Sul mwyaf poblogaidd Lloegr i sylweddoli y gellir gwerthu miloedd o gopïau heb lurgunio'r iaith Saesneg.

Wrth ei ateb cyhuddodd Eifion Glyn ef o 'fod allan o gysylltiad yn llwyr â phobl gyffredin Gwynedd' a dywedodd fod 'iaith bob dydd fyw yn well na iaith fawreddog farw'. Wrth gwrs, nid mynnu bod gohebwyr *Sulyn* yn ysgrifennu fel 'Ellis Wynne neu Lewis Edwards' yr oedd

Thomas Parry, ond eu bod yn parchu confensiynau'r iaith, o leiaf i'r un graddau ag y parchai'r *News of the World* gonfensiynau'r iaith Saesneg (er, fel y gwyddys, yr oedd – ac y mae – problemau confensiynau'r iaith Gymraeg yn wahanol iawn i broblemau confensiynau'r iaith Saesneg). Y gwir amdani oedd fod y bwlch rhwng Thomas Parry a'r to newydd o Gymreigyddion ymarferol a oedd yn gweithio yn y cyfryngau torfol yn gyfandir o fwlch. Yr oedd yn gwybod hynny, ac yn gofidio o'r herwydd.

Yn y blynyddoedd hyn yn niwedd y saithdegau a dechrau'r wythdegau rhoddodd lawer iawn o'i amser i'r *Cydymaith i Lenyddiaeth Gymraeg* a gomisiynwyd gan yr Academi Gymreig yn 1978. Bwriad y cynllun uchelgeisiol hwn oedd creu cyfrolau tebyg i'r *Oxford Companion to English Literature*, un gyfrol yn Gymraeg ac un gyfrol yn Saesneg. Y golygydd oedd Meic Stephens, a oedd yn atebol i Fwrdd. Gwysiwyd Roland Mathias i fod yn ymgynghorydd i'r gyfrol Saesneg, a Thomas Parry i fod yn ymgynghorydd i'r gyfrol Gymraeg. Ar un olwg ni ellid ei well. Onid ef oedd *doyen* haneswyr llên Cymru? Ac onid oedd gwaith yn bleser iddo – hyd yn oed y gwaith tra blinderus, os tra buddiol, o ddarllen miloedd ar filoedd o erthyglau (hir a byr) ar bopeth o 'A oes heddwch?' hyd at *Zeitschrift für Celtische Philologie*? Ym Medi 1984 ymffrostiodd ei fod 'yn un o'r cwmni cymharol fach' a oedd 'wedi darllen y *Cydymaith* ar ei hyd, o'r dechrau i'r diwedd'. 'Fy ymffrost arall,' meddai, 'yw y byddaf cyn bo hir wedi darllen y Beibl trwyddo yn y cyfieithiad newydd, ac felly yn un o gwmni llai fyth.' Ond yr oedd cryn wahaniaeth rhwng y gwaith ar y Beibl a'r gwaith ar y *Cydymaith*. Trosi'r hyn oedd yno yr oedd cyfieithwyr y Beibl, cyfieithu'r canon. Yr oedd golygydd y *Cydymaith* a'i gyd-weithwyr yn adeiladu o'r newydd, o raid yn llunio rhestrau o'r llenorion a'r llefydd a'r llyfrau a'r cymeriadau chwedlonol a llenyddol y tybid eu bod yn angenrheidiol i arweiniad hwylus i lenyddiaethau Cymru, ac yna'n comisiynu erthyglau arnynt – erthyglau o'u cael yr oedd gofyn eu golygu i sicrhau cywirdeb ffeithiol a rhyw radd o unffurfiaeth cyflwyniad.

Erbyn Mai 1982, ar ôl darllen y cannoedd o erthyglau a gomisiynwyd o dan y llythrennau A hyd D, ni allai Thomas Parry ymatal mwy rhag dweud ei farn yn blaen ar natur a chynnwys y *Cydymaith*, yr hyn a wnaeth mewn memorandwm saith tudalen, memorandwm gwerthfawr dros ben o safbwynt pwy bynnag a fyn weld pa mor effro ac ehangfryd oedd y gŵr pedwar ugain namyn dwy cofus hwn, ond memorandwm nad oedd efallai yr mor dderbyniol gan y golygydd a fuasai'n brysur yn ceisio erthyglau iddo ar bynciau lu er 1978. 'Y peth cyntaf sy'n fy nharo i,' ebe Thomas Parry wrth Meic Stephens, 'yw fod yma lawer o ddefnydd nad oes a wnelo ddim oll â llenyddiaeth Cymru, na Chymraeg na Saesneg.' Y mae'n cymryd yr erthygl ar Aneurin Bevan fel enghraifft, gŵr nad yw'n 'cyfri dim oll yn llenyddiaeth Cymru. Os ei gynnwys ef, pam nad cynnwys Roy Jenkins a Leo Abse a Ioan Evans a Dilwyn Williams a Philistiaid anllenyddol eraill? Dyna hefyd chwaraewyr gemau. Nid oes dim llenyddol yn agos i'r rhain.'

Yna y mae'n awgrymu rhai enwau ychwanegol at yr enwau y darllenasai amdanynt eisoes: beirdd a llenorion brodorol (Bedo Brwynllys a Thomas Gouge, er enghraifft), cymeriadau chwedlonol o Lywarch Hen hyd Suibhne Geilt; pobl o dras estron a ddylanwadodd ar lenyddiaeth Gymraeg, Chrétien de Troyes, John Milton, Omar Khayyâm ac Isaac Watts yn eu plith; a lleoedd, 'lleoedd sy'n enwog mewn hanes a chwedl', Pengwern, Bro Gynin, Manaw Gododdin, &c. Yna noda fod rhai cyfrolau unigol gan rai awduron yn cael sylw, ond eraill ddim, *Ysgubau'r Awen* ond nid *Dail Pren*. Dylid gwneud lle hefyd, meddai, i lyfrau pwysig o'r gorffennol, fel *Pum Llyfr Cerddwriaeth* Simwnt Fychan, *Tlysau yr Hen Oesoedd* Lewis Morris, *Coll Gwynfa* William Owen Pughe, *The Literature of the Kymry* a *Madoc* Thomas Stephens. Ac 'y mae rhagor', rhagor o nofelau cynnar a rhagor o ddramâu a ddylai gael sylw unigol, o anterliwtiau Twm o'r Nant hyd at *Saer Doliau* Gwenlyn Parry. Ni cheir y rhain yn y *Cydymaith*, ond ceir enwau tonau cynulleidfaol ac unawdau, pethau na wêl Thomas Parry beth yw eu harwyddocâd llenyddol o gwbl.

Bron na theimlir y buasai'n dda ganddo rhwng Calan Mai ac Alban

Hefin ysgrifennu *Cydymaith* amgen, *Cydymaith* yn hepgor diwylliant 'y "valleys" bondigrybwyll' (ys galwodd yr awydd i gynnwys diwydianwyr a chwaraewyr rygbi) ac a oedd yn cynnwys y pethau uchod a restrwyd ganddo. Chwarae teg i Meic Stephens, atebodd Thomas Parry yn rhesymol amyneddgar. Gwerthfawrogodd ef hynny, a pharhaodd i ymgymryd â rhai tasgau cydymdeithiol am ddwy flynedd arall. Ond yn Awst 1984, er iddo addo darllen testun Cymraeg terfynol y *Cydymaith* a ddeuai o'r wasg yn 1986, am fod y dasg yn awr yn drech nag ef yn ei salwch mawr gofynnodd am gael ei ryddhau. 'Yr wyf wedi mwynhau gwneud y gwaith,' meddai, 'ond y mae'r rhagolygon o wneud yr un peth drosodd eto, i raddau helaeth iawn, yn fwy nag y geill fy natur feidrol i ei wynebu.'

VI. ANRHYDEDDAU

Beth am fynd yn ôl unwaith yn rhagor i 1975–76? Yr 17eg o Chwefror 1975 bu farw Dic ei frawd. Ar ôl iddo fynd i Lundain yn athro ysgol a phriodi Kay yn y tridegau ni bu llawer iawn o gyfathrach rhyngddynt. Y cymeriad 'difyr a hoffus' ag ydoedd (W. D. Williams y Bermo biau'r ansoddeiriau), Dic oedd y dieithriaf o'r brodyr. Er gofid i'w gydnabod yng Ngharmel ni welwyd llawer arno yn Arfon ar ôl marw Jane Parry, ac ni chadwai gysylltiad â'i dylwyth yn Llŷn fel y gwnâi Thomas a Gruffudd. Wrth ysgrifennu gair o gydymdeimad at 'Tom-ac-Enid' adeg marwolaeth Dic dywedodd T. H. Parry-Williams nad oedd yn gyfarwydd ag ef ac na bu 'yn ei gwmni ond rhyw ddwywaith neu dair'. Ymhen pythefnos, y 3ydd o Fawrth 1975, yr oedd Parry-Williams ei hun gyda'r meirw. A'r Medi canlynol yr oedd Thomas Parry a Syr Ben Bowen Thomas yn ei goffáu yng nghyfarfod agoriadol Canolfan Ysgol

387

Rhyd-ddu. Bellach nid oedd ar glawr daear ond un o drindod lenyddol gampus y Gwyndy.

Ym mis Mawrth 1976 cyflwynwyd i'r un hwnnw Fedal Anrhydeddus Gymdeithas y Cymmrodorion, medal a gyflwynasid i Parry-Williams chwarter canrif ynghynt ac a gynigiwyd i Williams Parry yr un pryd (ond nas derbyniodd am na chredai ef ei fod yn deilwng ohoni). Ym Mawrth 1976 y gŵr a anrhydeddwyd yr un pryd â Thomas Parry oedd Syr Ben Bowen Thomas. Wrth gyflwyno Syr Thomas, yr hyn a ddywedodd T. J. Morgan amdano oedd mai perthyn i'r ail genhedlaeth o ysgolheigion y Gymraeg yr oedd Thomas Parry. Gwaith y genhedlaeth gyntaf, meddai, sef pawb o John Morris-Jones hyd at Henry Lewis, oedd 'gosod seiliau o gywirdeb'. Gwaith yr ail genhedlaeth oedd 'dyall a dehongli a mwynhau llenyddiaeth'. Ond yn Thomas Parry cafwyd cyfuniad o'r ddau waith, a dyna'r ysgolhaig delfrydol. Soniodd wedyn am ei gyfraniad tra sylweddol i weinyddiaeth academaidd yn y Llyfrgell a'r Coleg a'r Brifysgol, a chyda'i ffraethineb arferol dywedodd mai'r un swydd a chwenychodd ond nas cafodd 'yw swydd y sawl sy'n gofalu am ddiogelwch Pabell yr Eisteddfod Genedlaethol'. Wrth ymateb i arawd T. J. Morgan, yn naturiol nid at y clod mawr a gafodd fel yr ysgolhaig Cymraeg delfrydol y cyfeiriodd Thomas Parry. Yn hytrach, pwysleisio a wnaeth ei ddyled i'r sefydliadau a'i maethodd ac a'i noddodd drwy gydol ei yrfa. 'Nid ydym bob amser,' meddai, 'mor barod i gyffesu ein dyled i sefydliadau – peirianweithiau mawr, cymhleth ac amhersonol. Ond yr wyf i'n llawn sylweddoli . . . fy nyled . . . i ddau sefydliad yng Nghymru, sef y Brifysgol a'r Llyfrgell.' Buasai'n fyfyriwr ac yn ddarlithydd ac yn Athro ac yn Brifathro yn y naill ac yn ddarllenydd ac yn Llyfrgellydd ac yn Llywydd yn y llall. Mewn cyfnod pan oedd pobl – pobl ifanc yn arbennig – yn feirniadol o sefydliadau, dymuno cyfeirio at eu cyfraniadau cyfoethog i fywyd y genedl yr oedd Thomas Parry:

Yr hyn y carwn i ei bwysleisio yw fod cyfraniad y Brifysgol a'r Llyfrgell i ffyniant diwylliadol Cymru wedi bod yn enfawr. Mi wn i am wendidau'r Brifysgol yn well na llawer: y mae'n rhy fawr; y mae'n dysgu rhai pynciau dibwys; y mae'n hau mân ddoethuriaethau diarwyddocâd; y mae'n cynnwys ar staffiau ei Cholegau rai Saeson diddiwylliant ac anoddefgar . . . ac y mae Cynghorau ei Cholegau yn anwybyddu dynion sy'n gynnyrch y Brifysgol ei hun wrth benodi i'r prif swyddi. Eto i gyd, y mae cyflwr ysgolheictod Cymreig heddiw, ac ers hanner can mlynedd, yn orchest wir odidog, ac i'r Brifysgol a'r Llyfrgell y mae'r diolch am hynny.

Yr oedd, meddai ymhellach, yn 1976, fel cynt a chwedyn, duedd i ddibrisio ysgolheictod yn ogystal â sefydliadau, ac ni hoffai'r Medalydd hynny chwaith:

A pheidiwn â dibrisio ysgolheictod, fel y mae tuedd weithiau i wneud, ac i ddefnyddio'r gair academig yn feirniadol, ac yn wir yn wawdus, oherwydd nid yw ysgolheictod ond moddion i ymgydnabod â chefndir diwylliadol y genedl, i adnabod y safonau hynny a osododd ein tadau, ac sydd wedi ein gwneud ni yr hyn ydym. Heb ysgolheictod ni fuasai ysgrifennu creadigol yn bod. Os yw'r dramodydd neu'r nofelydd neu'r bardd yn mynd at Aneirin neu'r Mabinogi neu Forgan Llwyd neu Bantycelyn am ysbrydiaeth neu ddelwedd, y mae'r ysgolhaig wedi bod yno o'i flaen, ac wedi rhoi goleuni ar aml lecyn tywyll.

I ganlyn ei thema, y mae Thomas Parry yna'n gwneud un pwynt arall o blaid ysgolheictod, sef yr effaith a gaiff ar yr ysgolhaig:

os myn fanteisio ar ei gyfle, fe eill yr ysgolhaig dyfu i fod yn ddyn dysgedig, ac fe wyddom am ambell un felly, fel R. T. Jenkins, gŵr oedd yn meddu holl gyneddfau'r ysgolhaig, ac wedi troi ysgolheictod yn ddysg . . . Ychydig iawn o ysgolheigion a eill ymgyrraedd at y nod aruchel hwn, ond fe eill pob ysgolhaig ymgysuro mai'r un rhai ar raddfa is yw ei gyneddfau yntau, sef cof, dychymyg, arferion cyfundrefnol a sylwgarwch manwl.

Yr oedd yn weddus mai yn y Llyfrgell Genedlaethol y rhoddwyd Medal y Cymmrodorion iddo. Ef oedd ei Llywydd ar y pryd. Trwy flynyddoedd ei Lywyddiaeth, y Llyfrgellydd oedd David Jenkins, a welwyd ar y tudalennau hyn o'r blaen. Perthynas athro a disgybl a fu rhyngddynt i gryn raddau, perthynas penceirddiad a bardd ysbâs, ond bod y naill yn llwyr ymddiried yng ngallu'r llall i redeg y sefydliad o ddydd i ddydd a'r llall yn uchelbrisio profiad a statws y naill. Yn 1980, pan ddaeth hi'n amser i David Jenkins ymddeol, gofynnodd y Dr Elwyn Davies, y Llywydd newydd, i Thomas Parry gynnig llwncdestun iddo: 'chi yn ei olwg ef yw *Y* Llywydd,' ac nid wyf i, meddai, ond *locum tenens*. Pan ddaeth ei dymor fel Llywydd i ben yn 1977 comisiynwyd Kyffin Williams i lunio portread olew ohono. Dal ei gymeriad cadarn, grymus oedd dymuniad yr arlunydd. 'I thought I should place him in a challenging manner as if he had made an important statement,' ebe Kyffin Williams yn ei gyfrol *Portraits* (1996), 'but to carry it out was more difficult.' Y mae'r llun yn dal ei gadernid a'i lymder – er, cadernid a llymder henwr ydynt – ond am fod Kyffin Williams wedi gwthio pen y gwrthrych i hanner chwith y canfas ceir yr argraff ei fod yn hanner dymuno mynd i gwato, a'r rhan helaethaf o'i fywyd nid un am fynd i gwato oedd Thomas Parry.[25]

---

25   Ar y 19eg o Fawrth 1982 y traethodd am y tro olaf yn y Llyfrgell, pan gynigiodd y diolchiadau am areithiau a draddodwyd gan yr Athro Gwyn Jones a'r Prifathro R. Tudur Jones adeg dathlu pen-blwydd y sefydliad yn 75. Cafodd brofiad annifyr tost y diwrnod hwnnw. Yr oedd nifer o fyfyrwyr Aberystwyth wedi penderfynu blocio'r ffordd i fyny i'r Llyfrgell i atal Nicholas Edwards, Ysgrifennydd Gwladol Cymru, rhag cyrraedd yr adeilad. Pan geisiodd rhai o'r heddlu lusgo'r protestwyr o'r ffordd aeth pethau'n hyll ac afreolus braidd. Tystiolaeth un llythyrwr yn *Y Faner* yr 2ail o Ebrill yw bod y myfyrwyr wedi dangos 'casineb noeth' nid yn unig tuag at Nicholas Edwards ond tuag at westeion eraill a wahoddwyd i'r dathliad. 'Yng nghanol y twrw,' ebe Wiliam Owen Roberts, a oedd yno, 'fe boerodd rhywun ar ffenast car Bedwyr Lewis Jones wrth iddo basio heibio.' Yr oedd Thomas Parry ac R. Tudur Jones yn y car hefyd – yr oeddynt wedi teithio o Fangor gyda B. L. J. – a theimlodd y tri iddynt gael eu sarhau'n enbyd. Ar ôl cyrraedd gartref ysgrifennodd Syr Thomas at y Dr Gareth Owen, olynydd Syr Goronwy Daniel fel Prifathro Aberystwyth, i ofyn iddo ddisgyblu'r myfyrwyr a oedd wedi camymddwyn mor ofnadwy. Ond ni syflodd y Dr Owen. Dair wythnos yn ddiweddarach, gan nad oedd wedi cael 'atebiad nac unrhyw gydnabyddiaeth o gwbl', ysgrifennodd Syr Thomas ato'r eilwaith; a'r eilwaith ni syflodd y Dr Owen.

Yn haf 1978, derbyniodd wahoddiad Cymdeithas y Cymmrodorion i olynu Syr Ben Bowen Thomas yn Llywydd y Cymmrodorion, a'r un haf dyrchafwyd ef yn farchog. 'Am ei lafur pur i'n pau | Y syriwyd ef' ebe W. D. Williams mewn cywydd cyfarch. Heb os. Ond ac yntau wedi byw gyhyd heb y teitl yr oedd yn syndod i rai iddo'i dderbyn. Onid oedd, yr urddasolyn tal atebol ag ydoedd, eisoes yn 'un o bendefigion y Gymru gyfoes'? Ymadrodd yw hwn a ddefnyddiodd y Major Francis Jones, Caerfyrddin, wrth geisio'i ganiatâd i gyflwyno un o'i lyfrau iddo. Y mae'n siŵr gennyf fod pob math o feddyliau yn troi ym mhen Cymro gwladgarol sy'n cael cynnig anrhydedd gan y Frenhines. Gwrthododd Thomas Parry yr OBE yn 1958, gan ddweud yn bigog na fynnai fynd i rengoedd gorboblog yr Ymerodraeth Brydeinig. Yn awr dyma dderbyn urdd marchog, dyma dderbyn 'ceffyl i fynd rownd y wlad' ys dywedodd ei nai Dafydd Glyn Jones. Ond nis derbyniodd yn rhwydd. Y mae Bethan Parri Evans yn ei thraethawd MPhil yn nodi 'nad oedd yn hollol gyfforddus gyda'r syniad o fod yn "Syr"', ac yn nodi ymhellach mai ei nain, Mrs Kit Parry, gweddw Gruffudd, a ddywedodd hynny wrthi. Erfyniodd un o'i gyn-fyfyrwyr, Eurys Rolant, arno i wrthod yr anrhydedd. Wrth ei ateb dywedodd Thomas Parry wrtho na ddeallai ei resymau dros dderbyn 'hyd yn oed petasai'n sgrifennu llythyr can tudalen'.

Di-fudd ystyried y mater hwn yn hir, achos dyfalu yr ydys, ond purion cyfeirio at ddau neu dri o bethau a allai fod wedi pwyso ar feddwl Syr Thomas o blaid derbyn. Un yw bod ei gefnder T. H. Parry-Williams wedi'i godi'n farchog. Un arall yw bod John Morris-Jones ac Ifor Williams, y ddau ysgolhaig ysblennydd y daethai ef i'w holyniaeth, wedi'u codi'n farchogion. (Y mae gan Saunders Lewis jôc am hyn yn y fersiwn llwyfan o *Excelsior*, ond nid oedd hwnnw'n bod yn 1978.) Ystyriaeth arall yw bod nifer da o'r Is-Gangellorion a gadwai gwmni i Thomas Parry gynt ar Bwyllgor Prifathrawon Prifysgolion Prydain Fawr wedi'u codi'n farchogion, gan gynnwys y Cymro o Rosllannerchrugog, Syr Brynmor Jones, Is-Ganghellor Hull, a'i gyfaill agosaf ar y Pwyllgor hwnnw, Syr William Mansfield Cooper, Is-Ganghellor Manceinion. Diau y dymunai Syr Thomas fod yn eu rheng.

Ystyrier hefyd fod Idris Foster wedi'i godi'n farchog yn 1977. Un swp tra arwyddocaol o lythyron yng ngohebiaeth hwyr Thomas Parry yw'r ohebiaeth fer rhyngddo a'r ysgolhaig Celtaidd Kenneth H. Jackson, y bu yn y tridegau yn rhoi tiwtorials personol iddo ym Mangor. Jackson a roddodd ei enw gerbron fel darpar Gymrawd yr Academi Brydeinig yn 1958. Am bum mlynedd o ddechrau 1978 yr oeddent yn achlysurol yn trafod gyda'i gilydd pwy arall o blith ysgolheigion Cymreig a Cheltaidd y dwthwn hwnnw oedd yn deilwng o gael eu cyflwyno fel darpar Gymrodyr o'r Academi. Yr unig enwau y daethant i gytundeb arnynt oedd J. E. Caerwyn Williams a D. Ellis Evans. Dim sôn am Idris Llewelyn Foster – o leiaf, dim sôn am Foster fel darpar Academwr. Yn angharedig, barn anamddiffynadwy Thomas Parry ar Athro Cadair John Rhŷs oedd fod ganddo stôr anferthol o wybodaeth am bethau Celtaidd ond nad oedd yn ysgolhaig (arall yw barn ei gyn-fyfyrwyr). Ond, ac yntau wedi eistedd yng Nghadair Geltaidd Coleg yr Iesu er deng mlynedd ar hugain ac wedi gwasanaethu tymor fel Llywydd Llys yr Eisteddfod Genedlaethol ac fel Trysorydd y Llyfrgell Genedlaethol er 1970 ar ben llu o wasanaethau sefydliadol eraill, nid rhyfedd iddo gael ei godi'n farchog. Yn 1977 a oedd hynny'n dân ar groen Thomas Parry, tybed?

Pan fu farw Idris Foster yn Ebrill 1984 ysgrifennodd at Kenneth Jackson un o'r llythyron mwyaf llidiog a welais yn ei law. Cwyno yr oedd Thomas Parry nad oedd wedi gweld Foster er pan roesai'r gorau i Drysoryddiaeth y Llyfrgell bum mlynedd ynghynt, 'a phan oeddwn yn wael y llynedd ni ffoniodd i holi amdanaf'. Y mae'r llythyr hefyd yn bytheirio yn erbyn y ffawd dda a gawsai'r Cymro a'r camwri a gawsai'r Sais yn ôl yn 1947 pan ddarfu i Ifor Williams gefnogi Idris Foster am y Gadair yn Rhydychen – 'when he stubbornly backed Idris knowing full well that he was acting dishonestly' – a nacáu cyfle Kenneth Jackson. Syr Thomas ar gefn ei geffyl sydd yma, ac nid ceffyl gwyn mohono:

It is 37 years since you were so unjustly treated, but I have never forgiven I. W. for what he did, nor Idris for accepting the post and then not discharging the duties implied in the acceptance . . . The way he sat on *Culhwch ac Olwen* for 49 years is disgusting.

Yr oedd y darn a ysgrifennwyd ganddo am Foster ar gyfer stoc marw-graffiadau'r *Times* ugain mlynedd ynghynt yn llawer mwy llariaidd ac yn llawer tecach. Beth a ddywedodd yno oedd:

Professor Foster was the type of scholar to whom the acquisition of learning was more fascinating than the furtherance of research, and whose worth should not be measured by the amount of his output.

Yn 1984 nid aeth Thomas Parry i'w angladd. – 'Had I gone, I would have been showing my respect for the departed, and of such respect I had but very little, if any.' Enghraifft yw'r llythyr hwn o Thomas Parry yn colli'i gymesuredd a'i dymer.

VII. 'TORRI BRENHINBREN'

Fel y gwelwyd yn y bennod hon, yr oedd Thomas Parry'n weithgar drwy flynyddoedd ei ymddeoliad gyda phob math ar ddyletswyddau – sefydliadol, llenyddol, ysgolheigaidd, ymgynghorol – ac yn ymddwyn yn ôl y gofyn ncu yn ôl ci dymer yn swyddogol gydwybodol neu yn ddireidus. Yr oedd yn ffyddlon i'w ddewis bobl ac yn ddibris braidd o'i gas bobl. Yng nghapel Twr-gwyn drwy'r saithdegau yr oedd ei bresenoldeb cyson yn y moddion yn destun balchder i'w weinidog, y Parchedig Elfed ap Nefydd Roberts, ond yr oedd ar yr un pryd yn peri iddo boeni am ei gystrawennau a'i dreigliadau wrth bregethu – fel yr oedd presenoldeb achlysurol Hywel D. Lewis yn peri iddo boeni am ei athrawiaeth. Pan ddywedodd y gweinidog hynny wrtho ymateb Thomas Parry oedd, 'Pechaduriaid ydym oll.' Nid oedd yr un dasg gapelaidd yn rhy ddibwys ganddo. Pan oedd yr eglwys eisiau dod o hyd i fans rhagorach na'r mans oedd ganddi ar Ffordd brysur y Coleg ef oedd Cadeirydd y Pwyllgor Chwilio, a cherddodd swyddfeydd holl werthwyr tai Bangor heb ball tan iddo daro ar dŷ gweddus. Byddai'r Gwyndy yn cadw Sul pregethwr yn rheolaidd, a phan ddeuai rhai o'i gyn-fyfyrwyr i bulpud Tŵr-gwyn, y Parchedig John Roberts Llanfwrog a'r Parchedig R. O. G. Williams dyweder, byddai Syr Thomas a Lady Parry yn gofyn am gael cadw'r Suliau hynny hefyd. O 1983 ymlaen yr oedd Lady Parry yn un o organyddion y capel. Âi at yr offeryn ambell brynhawn yn yr wythnos i ymarfer, ac âi Syr Thomas i'w sedd i wrando arni. A hawliodd fwy nag unwaith wrth y Parchedig Glyn Tudwal Jones, olynydd Elfed ap Nefydd, mai ef fyddai'n dewis y tonau at emynau'r Sul pan fyddai hi'n cyfeilio.

Ym Mangor, yn y ddinas ac yn y Coleg, buont yn ffyddlon i'r ddrama ac i'r ddarlith gyhoeddus ac i gyngherddau siambr a cherddorfeydd, gan fwynhau cymdeithas eu cyfeillion fel yn y blynyddoedd o'r blaen. Hoffent fwyd a llyn – hoffai Syr Thomas ei fwyd yn ei henaint fel yn ei ieuenctid – 'ac yn ddieithriad,' chwedl John Gwilym Jones, 'byddai Enid [yn] paratoi amheuthun blasus. Golchi llestri wedyn, a honno i Tomos yn ddefod. Dŵr berwedig disebon a rhwbio a rhwbio, a minnau'n falch fod ganddo ddigon o ffydd ynof i adael imi eu sychu.' Hyd at tua 1982, er iddo ddioddef rhai salychau, parhaodd Syr Thomas yn iach ryfeddol yr olwg arno ac yn syth fel procer. Bu'n wael iawn drwy haf 1983, yn ddigon gwael i Derwyn Jones anfon ato'r englyn hwn:

> Athro'r iaith o eiriau hen, – un o urdd
> Ei phenceirddiaid trylen,
> Dywed holl ddeiliaid Awen: –
> 'Myn wellhad er mwyn ein llên.'

Yna ym mis Hydref 1983 cafodd driniaeth lawfeddygol fawr am ganser y coluddion a adawodd ei hôl arno'n bur hegar. Ysgrifennodd Islwyn Ffowc Elis ato i ddweud ei fod, 'fel llu mawr o'ch cynfyfyrwyr gwerthfawrogol a'ch cyfeillion di-rif, yn gonsernol amdanoch, ac yn dyheu am wellhad i chi'. Er iddo lwyddo i wneud peth gwaith yn ystod y flwyddyn a hanner ddilynol, ffyrnigo eilwaith a wnaeth y canser, a'r 22ain o Ebrill 1985 bu farw Syr Thomas Parry. Yr oedd yn bedwar ugain oed. Ys dywedodd y Parchedig E. Pryce Jones, un o'i fyfyrwyr cyntaf ym Mangor yn 1929, ''Doeddwn i erioed am ryw reswm wedi cysylltu Syr Thomas ag afiechyd a henaint.' Un felly ydoedd, dyn yn ei berson ar hyd ei yrfa a oedd fel un o rymoedd Natur, yn rhaeadrol eneiniedig a grymus a diwrthdro, dyn 'nad oedd neb arall yng Nghymru i'w gymharu'n hollol ag ef', chwedl y Dr Glyn Tegai Hughes. Wrth ysgrifennu i gydymdeimlo â Lady Parry yn ei phrofedigaeth dywedodd yr Athro D. J. Bowen mai un o ymadroddion Beirdd yr Uchelwyr ar adeg fel hon oedd 'torri brenhinbren', 'ac y mae'n gyfaddas iawn heddiw oherwydd y cysgod a'r diogelwch a deimlem oll tra oedd Syr Thomas gyda ni, hyd yn oed yn ei lesgedd.'

Er bod yr hen frenhines wedi marw cyn ei eni, ys dywedodd ef ei hun, un o blant Oes Victoria oedd Thomas Parry, a geisiodd ar hyd ei fywyd gynnal y safonau y maged ef arnynt, ac a dybiodd weld eu dirywio yn Oes Elizabeth yr Ail. Ie; ac eto nid yn hollol. Beth a welsom yn y llyfr hwn oedd llanc talentog o'r mynydd ac awen yn ei wythiennau yn ymddisgyblu'n ysgolhaig o'r radd uchaf ac a gynhyrchodd yn ei fan weithiau academaidd mawr, gwir arhosol. Yr oedd yn ysgolhaig a ddaeth yn bennaeth ar ddau o sefydliadau dysg pwysicaf ei wlad – yn rhannol oherwydd uchelgais, yn rhannol oherwydd synnwyr o gyfrifoldeb. Yr oedd yn ŵr o weledigaeth ac o farn, yn gyfaill pur ac yn elyn peryglus. Yr oedd ei feirniadaeth o'r pethau a gasâi yn y gymdeithas o'i gwmpas yn llym ac yr oedd ei amddiffyniad o'r pethau a fawrygai ynddi yn arwrol. Er gwaethaf ambell anghaffael, oblegid ei ddoniau diamheuol loyw, oblegid ei gampau mewn dysg a llên, ac oblegid uchelwriaeth weringar ei berson, am yn agos i drigain mlynedd yr oedd yn un o arweinwyr diwylliadol ardderchocaf ei bobl. Brenhinbren yn wir.

Cofio Thomas Parry / Ebrill 22, 1985

Nid am ei bod yn farddoniaeth aruchel yr ailargraffaf yma y farwnad isod, ond am ei bod yn ei huniongyrchedd yn crynhoi gyrfa a chymeriad ei gwrthrych mewn ffordd mor seml:

Yr "Hanes" trylwyr, y "Flodeugerdd" gain,
"Dafydd ap Gwilym" a "Llewelyn Fawr," –
sgwn-i sawl tro y bodiais i y rhain
a'i gerdd i'r Fam, mor syfrdan yn ei hawr?
A dyma ddeffro cwlt yr eilun hen
a'r gŵr o Garmel heb yn wybod im
yn prifio'n uchel-Bab y gerdd a llên
a'i air yn *ex-cathedra* ar bob dim!
Ond nid rhy fawr efô na phell
i glosio at eginfardd yn y De
a rhoi i hwnnw â'i air a'i nodion maith
ryw hwb na bu ei bath a haul i'w ne'.
A heno wrth i'r sgolor groesi'r rhyd
aeth cefn llenorion ifainc yr un pryd.

– J. Edward Williams, *Eilunod a Cherddi Eraill* (1989)

397

Ffynonellau

PENDERFYNAIS ymwrthod â throednodiadau cyfeiriadol yn y cofiant hwn am fwy nag un rheswm. Y maent yn gallu cymryd llawer o le mewn llyfr, a chan fod yn rhaid imi ymgyfyngu i hyn-a-hyn o eiriau yr oedd yn well gennyf roi mwy o le i'r stori nag iddynt hwy. Hefyd y maent yn fwrn i rai darllenwyr. Ac nid oedd Thomas Parry yn hoff ohonynt. Ar wahân i ambell nodyn lle'r esbonia ystyr hen eiriau ni cheir ganddo'r un yn *Hanes Llenyddiaeth Gymraeg hyd 1900*, a phrin ddigon ydynt yn *Baledi'r Ddeunawfed Ganrif*. Dau brif ddiben sydd i droednodiadau: dangos i'r byd ym mhle y gorwedd y dystiolaeth y seiliwyd y stori neu'r ddadl arni; a rhoi gwybod i'r dwfn-ddiddorus ble i fynd i wirio'r dystiolaeth honno neu i dynnu rhagor o faeth ohoni. Y defnyddiau gwreiddiol pwysicaf y bûm i'n gweithio arnynt yw Papurau Thomas ac Enid Parry a geir mewn blychau rhifedig yn Archifdy Prifysgol Bangor. Nid ydynt wedi cael eu catalogio eto. A chan i'r Archifydd ddweud wrthyf ei bod yn debygol y newidir eu lle pan gatalogir hwy, nid oedd dim diben imi nodi rhifau'r blychau lle'u cedwir yn awr. Ac oni allwn gyfeirio at fy mhrif ffynonellau meddyliais na ddylwn gyfeirio'n fanwl at fy ffynonellau eraill chwaith.

PENNOD 1, 'TOMOS' — Daw cryn dipyn o'r deunydd sydd yn y bennod hon am fachgendod a llencyndod Thomas Parry o'r ddwy bennod hunangofiannol, 'Dechrau Amryw Bethau' ac 'Atgofion' (sgwrs radio yn wreiddiol), sydd yn y gyfrol *Amryw Bethau* (Gwasg Gee, Dinbych, 1996) a olygwyd gan Emlyn Evans un mlynedd ar ddeg ar ôl marw Thomas Parry. Gweler hefyd *Tŷ a Thyddyn* (Darlith Llyfrgell Sir Gaernarfon, 1972). Y mae cyfeiriadau lawer at T. P. yn John Gwilym Jones, *Ar Draws ac ar Led* (Gwasg Gwynedd,

1986), fel yn *Capel ac Ysgol* yr un awdur (Darlith Llyfrgell Sir Gaernarfon, 1970). Sonia Gruffudd Parry dipyn am ei frawd yn *Cofio'n Ôl* (Gwasg Gwynedd, 2000), y mae'n trafod bywyd Carmel yn *Blwyddyn Bentre* (Gwasanaeth Llyfrgell Gwynedd, 1975), ac yn adrodd ychydig am dylwyth ei fam yn *Mân Sôn* (Gwasg Dwyfor, Pen-y-groes, 1989). O erthyglau Dyfed Evans a J. Gwilym Jones yn *Y Cymro*, yr 27ain o Fawrth 1958, y cafwyd peth o'r deunydd am Garmel sydd ar ddechrau'r bennod hon. Ceir rhagor am Garmel adeg agor yn swyddogol y neuadd bentref newydd, *Y Cymro*, y 14eg o Ebrill 1955. Tynnwyd hefyd ar gyfeiriadau hwnt ac yma, megis o adolygiadau gan T. P. ar *Crwydro Arfon* Alun Llywelyn-Williams yn *Lleufer*, XVI, 1960, ac ar *Meddygon y Ddafad Wyllt* Harri Parri yn *Llais Llyfrau*, Gwanwyn 1985. Ceir hanes byr Ysgol Sir Pen-y-groes gan Bleddyn Owen Huws yn *Delfryd: Dysg: Cymeriad* (Caernarfon, 1998). Cyfrol fawr J. Gwynn Williams, *The University College of North Wales: Foundations 1884–1927* (Caerdydd, 1985), yw'r beibl am Goleg Bangor. Gan yr hanesydd hwn yn 1995 cefais gopi o gais W. J. Gruffydd am Brifathrawiaeth Caerdydd yn rhodd. O'r blychau yn Archifdy Prifysgol Bangor y cafwyd y stori am salwch tad T. P. yn yr Eagles; yno hefyd y ceir sgript yr anerchiad ganddo i Glwb Pensiynwyr Carmel, 1979, lle sonia am hen feddygon y fro; a sgript y ddarlith yn olrhain hanes y Cymric a roddodd ym Mangor yn 1951.

PENNOD 2, 'TOMOS AC ENID' — Y trysorau Parrïaidd pennaf yn yr Archifdy yn y Brifysgol ym Mangor yw'r cannoedd ar gannoedd o lythyron caru a gadwodd T. P. ac Enid, ei wraig. Yr ohebiaeth hon a barodd rhwng Gorffennaf 1929 a Mai 1936 (gydag ychydig iawn o fylchau) yw sail bron y cyfan a ddywedir yn y bennod hon am eu carwriaeth. Ceir copïau o draethawd MA T. P. ym Mangor ac yn y Llyfrgell Genedlaethol. Daw'r dyfyniadau sydd yn y paragraffau ar ei lyfrau cynnar o'i ragymadroddion iddynt. Ceir yr ohebiaeth rhwng Ifor Williams ac R. (ac M.) Williams Parry yn Archifdy Coleg

Bangor, Papurau Ifor Williams 1063–1071. At hyn, gweler erthygl T. P., 'Enaid digymar heb gefnydd,' *Y Traethodydd*, Gorffennaf 1972. O'r deunydd yn y papurau ym Mangor y lluniwyd hanes cyfansoddi a beirniadu 'Mam' hefyd, ac o rifynnau mis Awst a Medi 1932 o'r *Western Mail* a'r *Genedl Gymreig*; gweler hefyd erthygl Bedwyr Lewis Jones yn *Omnibus: cylchgrawn Coleg y Brifysgol Bangor*, 61.

PENNOD 3, 'TOM A THOMAS PARRY' — Unwaith yn rhagor, y Papurau yn Archifdy Prifysgol Bangor sy'n bwrw'r goleuni pennaf ar weithgarwch ysgolheigaidd a golygyddol T. P. yn y tridegau a'r pedwardegau. Bwried y darllenydd ei rwyd i byllau'r *Western Mail* a'r *Herald Cymraeg* ac ambell newyddiadur arall hefyd os myn. Ychydig a ddywedaf yma am T. P. a cherdd arobryn Gwyndaf yng Nghaernarfon yn 1935: darllener Alan Llwyd, *Blynyddoedd y Locustiaid: Hanes Eisteddfod Genedlaethol Cymru: 1919–1936* (2007). Ceir hanes Penyberth mewn llawer lle, yn benodol gan Ddafydd Jenkins yn *Tân yn Llŷn* (1937), a chan T. Robin Chapman, *Un Bywyd o Blith Nifer: Cofiant Saunders Lewis* (2006), Penodau 9 a 10. Adroddir hanes Eisteddfod Genedlaethol Machynlleth 1937 eto gan Chapman, *W. J. Gruffydd* (1993), Pennod 11, a chan Alan Llwyd, *Y Gaer Fechan Olaf: Hanes Eisteddfod Genedlaethol Cymru: 1937–1950* (2006). Am drafodaeth lawnach ar *Hanes Llenyddiaeth Gymraeg hyd 1900* gweler y Ddarlith Lenyddol a draddodais yn Eisteddfod Genedlaethol 2004, *'Nid Hwn Mo'r Llyfr Terfynol'*: Hanes Llenyddiaeth *Thomas Parry* (2004), ac erthygl Helen Fulton, 'Matthew Arnold and the Canon of Medieval Welsh Literature,' *The Review of English Studies*, Cyfrol 63, Rhifyn 259.

PENNOD 4, 'YR ATHRO THOMAS PARRY' — Ynghylch ei benodi yn 1947 a'i waith yn y Coleg y blynyddoedd wedyn gweler eto'r Papurau ym Mangor. Ar *Llywelyn Fawr* gweler ymhlith pethau eraill ddarlith yr awdur ei hun yn *Darlithoedd i'r Chweched Dosbarth* a gyhoeddodd

Gwasg Gomer yn 1973 a'r anerchiad 'Drama fel Llenyddiaeth' a gyhoeddwyd yn *Y Traethodydd* yng Ngorffennaf 1952. Ceir ei ohebiaeth gyda T. S. Eliot ac eraill o Faber and Faber yn y Papurau. Y mae ffeil (heb ei chatalogio) o bethau'n ymwneud â darllen a golygu Dafydd ap Gwilym yn y Llyfrgell Genedlaethol. Rhag ofn nad yw'r gyfrol yn wybyddus i'r lliaws y mae'n werth i mi gyfeirio at erthygl ryfeddol Daniel Huws ar y llawysgrifau sy'n cynnwys gweithiau Dafydd ap Gwilym, 'The transmission of a Welsh Classic: Dafydd ap Gwilym,' yn Colin Richmond & Isobel Harvey, *Recognitions: Essays presented to Edmund Fryde* (Aberystwyth, 1996).

PENNOD 5, 'Y DR THOMAS PARRY' — Ceir hanes moel gweithgarwch y Llyfrgellydd Cenedlaethol rhwng 1953 ac 1958 yng nghofnodion cyfarfodydd Llys a Chyngor y Llyfrgell am y blynyddoedd y bu yno. Eto fel o'r blaen, wrth ddarllen ei Bapurau ef ei hun y diffiniais sawl un o'r straeon sydd yn y bennod hon, gan gynnwys stori fawr drist Prifathrawiaeth Bangor (elwais hefyd ar gof rhagorol J. Gwynn Williams). Rhoddodd Emlyn Evans imi'r ohebiaeth rhyngddo ef a Mrs Williams Parry a T. P. ynghylch y gyfrol o ryddiaith R.W. P. nas cyhoeddwyd yn y pumdegau.

PENNOD 6, 'Y PRIFATHRO PARRY' — O'r llythyron a gadwodd T. P. ei hun y ceir llawer o'r wybodaeth fewnol am ei benodi'n Brifathro yn Aberystwyth. Ceir yr hanes swyddogol yng nghyfrol odidog E. L. Ellis, *The University College of Wales Aberystwyth 1872-1972* (Caerdydd, 1972), Pennod 10. Am fersiwn Goronwy Rees o'i ymddiswyddiad, gweler *A Bundle of Sensations* (Llundain, 1960) a *A Chapter of Accidents* (Llundain, 1972). Ceir hanes Prifysgol Cymru gan D. Emrys Evans yn *The University of Wales: A Historical Sketch* (Caerdydd, 1953), ond yn fanylach o lawer yn J. Gwynn Williams, *The University of Wales 1893-1939* (Caerdydd, 1997), a Prys Morgan, *The University of Wales 1939-1993* (Caerdydd, 1997). Am hanes

Coleg Dewi Sant, Llambed, yn enwedig yr ymwneud ag Aberystwyth a Chaerdydd rhwng 1958 a dechrau'r chwedegau, gw. J. R. Lloyd-Thomas, *Moth or Phoenix? St David's College and the University of Wales and the University Grants Committee* (Llandysul, 1980). Cadwyd llythyron oddi wrth Emrys Roberts (Hale a Phorthaethwy) at T. P. ynghylch Teledu Cymru yn Archifdy Prifysgol Aberystwyth, ffeil P/CR/F/7. Gw. hefyd Bapurau Emrys Roberts yn y Llyfrgell Genedlaethol. Y mae hanes Teledu Cymru i'w weld yn Jamie Medhurst, *A History of Independent Television in Wales* (Caerdydd, 2010). Cyhoeddiadau Radical Caerfyrddin a gyhoeddodd *Teledu Mamon*. Ceir hanes y ffrwydro yn Nhryweryn gan Owain Williams yn *Cysgod Tryweryn* (Caernarfon, 1979); gw. hefyd Einion W. Thomas, *Capel Celyn: deng mlynedd o chwalu: 1955–1965* (Pen-y-groes, 1997). Ym meddiant teulu'r diweddar Gruffudd Parry y mae'r 'Dyddiadur Taith i New Zealand Awst 1962' a'r bwndel o lythyron a anfonodd T. P. ac Enid at ei gilydd yn ystod y mis hwnnw. Gellir catalogio rhai o broblemau'r Prifathro wrth edrych ffeil P/Cr/G/13 ym Mhrifysgol Aberystwyth; gweler P/Cr/H/12 am ddatblygu'r neuaddau preswyl Cymraeg; gweler P/Cr/H/12/22/(vi) am beth o hanes sefydlu Coleg Amaethyddol Cymru. Y mae llawer o ohebiaeth y Prifathro a llawer o'i bapurau swyddogol a phreifat yn P/Cr/f 18–21 ac yn P/Cr/g 8/12–17. Ceir y ddadl rhwng y Prifathro a'r Dr John H. Hughes yn hunangofiant y meddyg, *Doctor by the Sea* (Aberystwyth, 2002). Am hanes y paratoadau ar gyfer dyfodiad y Tywysog Charles i Aberystwyth, gw. P/Cr/H/13.

PENNOD 7, 'SYR THOMAS PARRY' — Y mae yn Archifdy Prifysgol Bangor focseidiau lawer yn cynnwys yr holl ddrafftiau o gyfieith-iadau a baratowyd ar gyfer Beibl 1988, a byddai'n dda iawn petai rhywun cymwys yn mynd at y gwaith angenrheidiol o astudio'r rhain cyn iddi ddod yn nos anysgrythurol arnom. Gw. hefyd erthygl Owen E. Evans, 'Y Beibl Cymraeg Newydd,' *Taliesin*, 64, Hydref 1988. Y

Papurau ym Mangor – unwaith yn rhagor – yw ffynhonnell llawer o'r straeon sydd yn y bennod hon ar Helynt Pafiliwn yr Eisteddfod, ond wrth gwrs ceir llawer o adroddiadau amdani yn y papurau Cymraeg cyfredol. Gyda golwg ar hanes Cwmni Theatr Cymru, y mae rhai o gofnodion y tad-gwmni, The Welsh National Theatre Company, yn y Brifysgol yn Aberystwyth, P/Cr/H/12/22(xii), a chofnodion ei Fwrdd ef ei hun yn Archifdy Gwynedd, XD68/2/313. Y ffeil yno ar hanes peidio â llwyfannu *Excelsior* yw XD/68/2/242. Y mae Gwenno Hughes wedi ysgrifennu ar hanes y Cwmni yn ei thraethawd MA (Prifysgol Cymru, Bangor, 1990). Gw. hefyd erthygl Henry Hughes ar *Excelsior, Taliesin*, 122, Haf 2004. Yn garedig iawn rhoddodd Meic Stephens imi gopi o'r ohebiaeth rhyngddo a T. P. ynghylch *Cydymaith i Lenyddiaeth Cymru*, 1986. Gweler hefyd hunangofiant Meic Stephens, *Cofnodion*, 2012.